nschaftliche Monographien
Alten und Neuen Testament

von
Bornkamm und Gerhard von Rad

dung mit
ßer und Bernd Janowski
eben von
Hahn und Odil Hannes Steck

Kraus
esu
tumsweihe

irchener Verlag

Wisse
zum /

Begründe
Günther

In Verbir
Erich Gra
herausge
Ferdinan

66. Band
Wolfgan
Der Tod
als Heili

Neuk

Wolfgang Kraus

Der Tod Jesu
als Heiligtumsweihe

Eine Untersuchung zum Umfeld
der Sühnevorstellung in Römer 3,25–26a

1991

Neukirchener Verlag

© 1991 Neukirchener Verlag des Erziehungsvereins GmbH
Neukirchen-Vluyn
Alle Rechte vorbehalten
Umschlaggestaltung: Kurt Wolff, Düsseldorf
Gesamtherstellung: Breklumer Druckerei Manfred Siegel KG
Printed in Germany – ISBN 3-7887-1395-X

Die Druckvorlage wurde erstellt mit Computersatz »LOGOS«
D. Trobisch, Mannheim

Die Deutsche Bibliothek – CIP-Einheitsaufnahme

Kraus, Wolfgang:
Der Tod Jesu als Heiligtumsweihe: eine Untersuchung zum
Umfeld der Sühnevorstellung in Römer 3,25–26a / Wolfgang
Kraus. – Neukirchen-Vluyn: Neukirchener Verl., 1991
    (Wissenschaftliche Monographien zum Alten und Neuen Testament;
    Bd. 66)
    Zugl.: Erlangen, Nürnberg, Univ., Diss., 1990
    ISBN 3-7887-1395-X
NE: GT

Vorwort

"Der Gedanke der Sühne ist ein juristischer, seine Anwendung auf Gott ist Mythologie" (R. Bultmann). Gegenüber diesem schroffen, ablehnenden Urteil hat sich in der alttestamentlichen Wissenschaft in den letzten Jahrzehnten ein bedeutsamer Wandel vollzogen: Durch die Arbeiten von R. de Vaux, K. Koch, G. v. Rad, H. Gese, B. Janowski und anderen haben wir gelernt, den alttestamentlichen Sühnekult als "Heilsgeschehen" zu sehen. Noch immer ist jedoch umstritten, inwiefern kultische Sühne auch im Neuen Testament den Verstehensrahmen abgibt. Besonders in der Interpretation bestimmter paulinischer Aussagen ist ein Konsens noch nicht in Sicht. Dabei kann die Bedeutung des Kultus im Judentum des ersten Jahrhunderts kaum hoch genug eingeschätzt werden (J. Neusner). Röm 3,25f stellt in diesem Zusammenhang einen Text dar, an dessen Interpretation sich viel entscheidet. Ihm galt seit langem das besondere Interesse der Ausleger.

Die vorliegende Arbeit versteht sich als historische Untersuchung. Dabei wird versucht, einen Weg zu gehen, 'Biblische Theologie' unter Einbeziehung der frühjüdischen Tradition zu betreiben - und zwar so, daß die christlichen Aussagen in den Horizont frühjüdischer Erwartung gestellt werden, ohne zu vernachlässigen, daß es sich dabei noch um "innerjüdische" Kontroversen handelt. Jesus und die Apostel waren Juden. Die frühe Christenheit wollte ihre Botschaft nicht "antijüdisch" verstanden wissen. Dies wurde in der Geschichte der Auslegung nicht immer mit der nötigen Deutlichkeit gesehen. Die Ereignisse unseres Jahrhunderts machen die Forderung nach einer umfassenden Sichtung der theologischen Tradition der Kirche unabweisbar. Ob sich der hier eingeschlagene Weg lohnt, muß die Darstellung selbst erweisen.

Nach Abschluß der Untersuchung, die im SS 1990 von der Theologischen Fakultät der Universität Erlangen-Nürnberg als Dissertation angenommen wurde und hier in leicht überarbeiteter Form vorliegt, habe ich vielfach zu danken:

Prof. Dr. August Strobel, Neuendettelsau-Jerusalem, der die Arbeit angeregt hat, war seit Beginn meines Studiums ein wichtiger Lehrer im Fach Neues Testament. Nach seinem Weggang ans Deutsche Evangelische Institut für Altertumswissenschaft des Hl. Landes in Jerusalem hat mich mein anderer neutestamentlicher Lehrer, Prof. Dr. Jürgen Roloff, Erlangen, bereitwillig als Doktoranden "adoptiert", die Arbeit bis zum Abschluß begleitet und mich dann zu seinem Assistenten berufen. Er hat mir auch in großzügiger Weise Zeit zur Fertigstellung der Druckvorlage eingeräumt. Prof. Dr. Otto Merk, Erlangen, hat das Zweitgutachten für die Fakultät erstellt. Prof. Dr. Martin Karrer, Wuppertal, hat in und außerhalb des Doktorandenkreises bei Prof. Roloff viele Entwürfe mit mir kritisch durchgesprochen. Prof. Dr. Hermann Lichtenberger, Münster, und OBibR Dr. Friedrich-Wolfgang Krämer, Neuendettelsau, hatten ein offenes Ohr in judaistischen Fragen. Frau Wanda Stein und die anderen Mitarbeiter der Bibliothek der Augustana-Hochschule, Neuendettelsau, waren unermüdlich tätig bei der Beschaffung der Literatur. StR Hartmut Hagen, Windsbach, hat wertvolle philologische Ratschläge erteilt. Der Vorstand des "Evangeliumsdienstes" mit den Vorsitzenden Dekan Dr. Ernst Bezzel, Nördlingen, und Pfrin. Dr. Jutta Hausmann, Neuendettelsau, hat seinem theologischen Mitarbeiter viele Freiräume zu eigenem theologischen Arbeiten gelassen. Prof. Dr. Bernd Janowski, Hamburg, hat angeregt, die Arbeit in den WMANT zu veröffentlichen; Prof. Dr. Ferdinand Hahn, München, und Prof. Dr. Erich Gräßer, Bonn, haben bereitwillig zugestimmt. Der Landeskirchenrat der Evang.-Luth. Kirche in Bayern und die Zantner-Busch-Stiftung, Erlangen, haben Druckkostenzuschüsse beigesteuert. Beim Korrekturlesen haben geholfen: Pfr. Dr. Reinhard Brandt, Egloffstein, OStR Bruno Witzke, Katzwang, und die studentischen Mitarbeiter Martin Beck, Wolfram Nugel, Reinhardt Sels, Joachim Tittlbach, Karin Wagener und Auguste Zeiß, Erlangen; Reinhardt Sels und Karin Wagener haben auch zuverlässig die Register bearbeitet. Die reproreife Druckvorlage wurde mit der Hilfe von Frau Andrea Siebert, Neuendettelsau, erstellt. Ihnen allen gilt mein Dank!

Die Arbeit zu schreiben wäre jedoch ohne die menschliche und geistliche Unterstützung des erweiterten Familienkreises nicht möglich gewesen (1Kor 4,7).

Neuendettelsau-Erlangen, im Frühjahr 1991   Wolfgang Kraus

Inhalt

I
Problemanzeige

a) Forschungslage

Der Text Röm 3,21-26 stand in der exegetischen Diskussion der letzten Jahre und Jahrzehnte im Mittelpunkt des theologischen Interesses. Mit Recht - spricht doch Paulus darin in Kürze, mit z.T. geprägten Formulierungen, zentrale Inhalte seiner Botschaft aus. Peter Stuhlmacher[1] sieht von der Interpretation dieses Textes aus die Rechtfertigungslehre, das Verhältnis des Apostels zur vorgegebenen Tradition und die Stellung des Paulus in der Verkündigungsgeschichte des Urchristentums auf dem Spiel stehen.

Otto Kuss[2] nennt den Abschnitt die "theologische und architektonische Mitte des Römerbriefes", von wo aus "die ganze Theologie des Römerbriefes, ja der paulinischen Hauptbriefe überhaupt verständlich gemacht werden" müsse.

Trotz der bestehenden Gemeinsamkeiten hinsichtlich der zentralen Bedeutung des Textes ist die Interpretation in Einzelfragen nach wie vor umstritten und ein Konsensus nicht abzusehen[3]. Dies ist u.a. bedingt durch die Kompliziertheit der Formulierungen und die verwendete Begrifflichkeit, die aus dem auch bei Paulus sonst Üblichen herausfällt. Konkret sind die Probleme gegeben durch den syntaktisch schwierigen Anschluß von V.24 an V.23 und die grammatische Konstruktion von V.25-26, durch die Häufung der sonst bei Paulus ungewohnten Termini ἀπολύτρωσις, ἱλαστήριον, πάρεσις, αἷμα, ἀνοχή und die Frage nach deren Vorstellungshintergrund.

Der gegenwärtige Stand der Forschung ist gekennzeichnet durch drei Problemkreise:

---

[1] Stuhlmacher, Exegese, 317 (= ders., Versöhnung, 119; künftig zit. nach dem Ort der Ersterscheinung).

[2] Kuss, Röm I, 110. Vgl. Campbell, Romans III, 24ff: "The Centre of Paul's Theology in Romans"; Bover, El pensamiento, 162: "síntesis del Evangelio de San Pablo".

[3] Anders beurteilt Wolter, Rechtfertigung, 11, die Situation. Eine düstere Prognose gibt Fryer, Hilasterion, 111: "It is scarcely possible that a consensus of opinion will be reached before the end of time on the question as to how the word *hilasterion* is to be translated in Rom. 3:25. The variety of linguistic possibilities, the theological questions involved, the conflicting dogmatic presuppositions of researchers, all play a role in the debate surrounding our understanding of the term."

1. Formuliert Paulus in Röm 3,24ff selbst, oder verwendet er traditionelles Gut und, wenn ja, in welchem Umfang?
2. Worin ist der traditionsgeschichtliche Hintergrund der mit dem Begriff ἱλαστήριον verbundenen Vorstellung zu erblicken?
3. Welche Konsequenzen ergeben sich aus der Interpretation von Röm 3,21ff für die Geschichte der Verkündigung des Todes Jesu in neutestamentlicher Zeit?

Die Argumente sind vielfach hin und her erwogen worden, wir können uns auf die wesentlichen Linien beschränken[4].

Zu 1. Die Geschichte der Forschung ist durch eine Zäsur gekennzeichnet, die durch die Überlegungen Rudolf Bultmanns markiert wird[5], wonach Paulus in V.24-26 ihm vorgegebene "traditionelle Formulierungen" verwende. Bultmann argumentierte von dem, wie er meinte, unterschiedlichen Verständnis von δικαιοσύνη θεοῦ in V.21f bzw. V.25 her.

Die These Bultmanns wurde weitergeführt durch Ernst Käsemann[6]. Er kam v.a. aufgrund des harten syntaktischen Übergangs von V.23 nach V.24 zum Ergebnis, daß Paulus in V.24f ein "hymnisches Fragment" zitiere[7] und daß er durch die Wendung πρὸς τὴν ἔνδειξιν κτλ. in V.26a die Aussage in V.25b, wo "nur" von der πάρεσις die Rede sei, korrigiert habe[8].

Seit Bultmanns und Käsemanns Überlegungen hat die Diskussion, ob Paulus in Röm 3,24ff ein Überlieferungsstück zitiere oder selbst formuliere, noch zu keinem allgemein anerkannten Ergebnis geführt[9]. Zwar rechnet die Mehrzahl der Exegeten[10] damit, daß Paulus traditionelles Gut einbringt. Doch auch wenn Stuhlmacher[11] im Anschluß an Käsemann den Versuch, den Text insgesamt als genuin paulinisch aufzufassen, für "einen

---

[4] Die Diskussion bis 1970 ist dargestellt bei Koch, Römer 3,21-31, 107ff. Jedoch findet sich bei Koch keine Erarbeitung der Probleme aus den Quellen, sondern nur eine Bestätigung der schon durch Lohse, Märtyrer (1955), vorgelegten These. Zur Forschungsgeschichte vgl. auch Gubler, Deutungen, 224ff; Friedrich, Verkündigung, 57ff; Hübner, Paulusforschung, 2710-2721.

[5] Bultmann, Theologie, 49 (1948¹, 47f). Erstmals schon erwogen bei Bultmann, Neueste Paulusforschungen (1936), 11.

[6] Käsemann, Verständnis (1950/51), 150-154 (= ders., EVB I, 96-100; künftig zit. nach EVB I).

[7] Käsemann, Röm, 89; vgl. ders., Verständis, 96.

[8] Käsemann, Verständnis, 100.

[9] Dabei darf die Meinung Talberts, Non-Pauline Fragment, 287-296, hier: 292ff, es sei in Röm 3,25-26 mit einer Interpolation zu rechnen, als Sondervotum gelten. Fitzer, Ort, 164f, scheint εἰς ἔνδειξιν ... ἐν τῇ ἀνοχῇ τοῦ θεοῦ für eine Glosse zu halten.

[10] Eine Liste mit mehr als 50 Autoren bietet Wonneberger, Syntax, 205 A.2. Darüber hinaus sind aus der neueren Literatur zu nennen: Becker, Paulus, 413.414.425f; Breytenbach, Versöhnung, 167; Friedrich, Verkündigung, 57; Haubeck, Loskauf, 170ff; Janowski, Sühne, 350f; Langkammer, Sühneformel des Glaubens (poln.), 29-34; Meyer, Pre-Pauline Formula; van der Minde, Schrift, 58ff; Roloff, Art. ἱλαστήριον, 456; Schnelle, Christusgegenwart, 69-71; Strecker, Befreiung und Rechtfertigung, 501f; Theobald, Gottesbild, 152ff; Williams, Jesus' Death, 5ff; Wolter, Rechtfertigung, 15ff.

[11] Stuhlmacher, Exegese, 316f.

Rückfall in jene Aporien" hält, aus denen Käsemanns Differenzierung herausführen sollte, vertreten einige Exegeten dessen ungeachtet die paulinische Verfasserschaft[12]. Innerhalb der Gruppe jener, die von der Übernahme eines Überlieferungsstückes durch Paulus ausgehen, ging die Diskussion v.a. um dessen Abgrenzung. Hierbei ist die Annahme Käsemanns, die Formel beginne in V.24, nicht unwidersprochen geblieben[13]. In der Mehrzahl wird davon ausgegangen, daß die Formel, die Paulus zitiert, V.25-26a umfaßt (ὃν προέθετο ... ἀνοχῇ τοῦ θεοῦ). Zur Debatte steht jedoch, welche paulinischen Zusätze sich erkennen lassen[14] und welcher Sitz im Leben anzugeben sei[15].

---

[12] Althaus, Röm, 35; Cambier, L'Évangile, 75-79; Cranfield, Rom I, 200f; Herman, Giustificazione, 240.261ff; Kuss, Röm I, 160; Maier, Paul's Concept; Piper, Demonstration, 4-10; Schlier, Röm, 106ff; Schmidt, Röm, 65; Stecker, Formen und Formeln, 149; Young, Did St. Paul, 23-32; Wonneberger, Syntax, 266f.
Die drei von Schlier, Röm, 107 A.8, genannten Fragen haben ihr Gewicht behalten und sind der Prüfstein für jeden, der mit einer "Formel" rechnet: "1) Welcher Art ist die vermutete 'Formel' oder 'Tradition', und wo hat sie ihren Sitz? 2) Warum sollte Paulus sozusagen mitten im Satz in die Zitierung einer Formel verfallen? 3) Methodisch-grundsätzlich: Muß das Auftauchen eines von Paulus sonst nicht oder selten gebrauchten Begriffes (z.B. αἷμα, ἱλαστήριον, ἀπολύτρωσις u.a.) auf Übernahme einer Tradition weisen?"
[13] Hier ist v.a. Lohse, Märtyrer, 150, zu nennen. Käsemanns Vorschlag haben u.a. (z.T. modifiziert) übernommen: Bornkamm, Offenbarung, 12 A.10; Conzelmann, Rechtfertigungslehre, 198; Eichholz, Paulus, 191; Hahn, Taufe und Rechtfertigung, 112; Kertelge, Rechtfertigung, 48-53; Lührmann, Offenbarungsverständnis, 143.150f; Stuhlmacher, Gerechtigkeit Gottes, 88; Thyen, Studien, 164; Wegenast, Tradition, 76f.
[14] S. hierzu Delling, Kreuzestod, 12f; Kessler, Bedeutung, 265; Langkammer, Sühneformel des Glaubens (poln.), 29-34.37f; Lohse, Märtyrer, 149f A.4; Meyer, Pre-Pauline Formula, 204; van der Minde, Schrift, 58ff; Pluta, Bundestreue, 42ff; Schnelle, Christusgegenwart, 68f; Schrage, Röm 3,21-26, 77; Strecker, Befreiung und Rechtfertigung, 501f; Stuhlmacher, Exegese, 315.319; Theobald, Gottesbild, 152ff; Wengst, Formeln, 87f; Wilckens, Röm I, 183f.190; Zeller, Sühne 73ff; ders., Juden, 159f; Zimmermann, Jesus Christus, 73f. S. weiterhin unten, S. 6ff.
[15] Die Mehrzahl der Ausleger denkt dabei aufgrund der Erwähnung des Blutes (Bundesgedanke) an die Abendmahlsüberlieferung oder zumindest deren Umfeld (Bultmann, Theologie, 295f; Eichholz, Paulus, 190; Gubler, Deutungen, 228f; Käsemann, Verständnis, 99f; ders., Röm, 94; Merklein, Stellvertretender Sühnetod, 71; Michel, Röm, 154; Pesch, Röm, 43; Pluta, Bundestreue, 92ff.102ff; Roloff, Anfänge, 50; Stuhlmacher, Exegese, 330f; Wengst, Formeln, 90: "möglich"). Andere denken an die Taufüberlieferung (Brauman, Taufverkündigung, 40: unsicher; Conzelmann, Rechtfertigungslehre, 198; Hahn, Taufe und Rechtfertigung, 112 [im Anschluß an ihn: Stuhlmacher, Gerechtigkeitsanschauung vor Paulus, 84]; Meyer, Pre-Pauline Formula, 206; von der Osten-Sacken, Christologie, 259 [im Anschluß an ihn: Lührmann, Rechtfertigung, 438]; Schille, Frühchristliche Hymnen, 60; Schnelle, Christusgegenwart, 67-71; Schweizer, "Mystik", 246ff.251f.255; Strecker, Befreiung und Rechtfertigung, 502). Wieder andere denken allgemein an den Gottesdienst (van der Minde, Schrift, 61) oder an eine Glaubensformel (Langhammer [sic! Es dürfte sich um einen Schreibfehler handeln!], Kerygma, 52; Langkammer, Sühneformel des Glaubens [poln.], passim; Theobald, Gottesbild, 155f).

Zu 2. Hinsichtlich der Frage nach dem Vorstellungshintergrund von ἱλαστήριον haben sich drei hauptsächliche Positionen herausgebildet[16]:

---

[16] Die Forschungslage zum Verständnis des zentralen Begriffes ἱλαστήριον wurde zuletzt gut zusammengefaßt von Fryer, Hilasterion, 99-116 (vgl. ebenso Herman, Giustificazione, 240-278). Die Literatur zu ἱλαστήριον ist nur schwer überschaubar. Die folgende (zeitlich geordnete) Aufstellung versucht, keine der wichtigen Arbeiten zu übergehen. Vollständigkeit ist jedoch kaum zu erreichen. Hier wird nur diejenige Literatur geboten, die sich mit dem Sinn von ἱλαστήριον selbst beschäftigt (zitiert wird in der Regel nach dem Ort der Ersterscheinung; für weitere Aufl. vgl. das Literaturverzeichnis; Kommentare werden nicht aufgeführt, s. dazu Wilckens, Röm I, 1-4; Röm II, 1; Schmithals, Röm, 9ff). Die älteren Arbeiten sind nur sporadisch verzeichnet (vgl. dazu Weiss, Röm, 1899[9], z.St.). Für weitere Literatur zu Röm 3,21ff und zur Formel Röm 3,25f* s. die betreffenden Abschnitte dieser Arbeit und Wilckens, Röm I, 182-194.236-239: Morison, Critical Exposition, 279ff (hier auch ältere Lit.); Ritschl, Rechtfertigung und Versöhnung II, 169ff; Bleibtreu, Römer 3,21-26, 548-568; Fricke, ΔΙΚΑΙΟΣΥΝΗ ΘΕΟΥ, 59-64; Deissmann, Bibelstudien, 132; Deissmann, ΙΛΑΣΤΗ-ΡΙΟΣ, 193-212; Fraenkel, Original, 257f; Bruston, Conséquences, 77f; Kittel, Erklärung, 224ff.231; Schmitz, Opferanschauungen, 220-222; Wilson, Romans 3,25-26, 472-473; Mollaun, ΙΛΑΣΤΗΡΙΟΝ; Bill. III, 165ff; Dodd, ΙΛΑΣΚΕΣΘΑΙ, 352-360; Wenschkewitz, Spiritualisierung, 182f; Bover, Propitiatorium, 137-142; Büchsel, in: Herrmann/Büchsel, Art. ἱλαστήριον, 322; Médebielle, Art. Expiation, 166-170; Taylor, Great Texts, 296f.299f; Klausner, Von Jesus zu Paulus, 145; Bover, El pensamiento, 158f; Scott, Christianity, VIIIf; Wiencke, Paulus über Jesu Tod, 50-57; Goppelt, Typos, 178f; Manson, ΙΛΑΣΤΗΡΙΟΝ, 1-10; Schoeps, Sacrifice of Isaac, 390; Stauffer, Theologie (1947[3]), 125 u. A.465f; Jeremias, Lösegeld, 255 A.29 (= Abba, 221 A.29); Bultmann, Theologie (1948[1]), 47f; Moraldi, Sensus vocis, 257-276; Davies, Paul, 237-242; Argyle, Death of Our Lord, 254; Kirchgässner, Erlösung, 70; Käsemann, Verständnis, 150-154; Nygren, Gnadenstuhl, 89-93; Kümmel, Πάρεσις, 159-161; Jeremias, Art. Παῖς θεοῦ, 704 A.399; Cerfaux, Le Christ, (engl. Ausg.) 146f; Seidensticker, Lebendiges Opfer, 160f.167ff; Lohse, Märtyrer, 150ff; Nicole, Propitiation, 142f; Giblet, De morte, 692f; Morris, Day of Atonement, 10f; Morris, Apostolic Preaching, 140f.167-174; Morris, ΙΛΑΣΤΗΡΙΟΝ, 33-43; Fahy, Exegesis, 70f; Heuschen, Rom 3.25, 65-79; Ellis, Paul's Use, 131; Lyonnet, De Peccato II, 106-117 (= Lyonnet/Sabourin, Sin, 155-166); Dalton, Expiation, 3-18; Sabourin, Rédemption sacrificielle, 233f.360ff; Moraldi, Espiazione, 9f; Moraldi, Art. Expiation, 2039f; Wegenast, Tradition, 76-79; Wennemer, ἈΠΟΛΥΤΡΩΣΙΣ, 284f.286f; Müller, Gottes Gerechtigkeit, 108-113; Delling, Der Tod Jesu, 89f (= Studien, 340); Whiteley, Theology of St. Paul (1974[2]), 145ff; Stuhlmacher, Gerechtigkeit Gottes, 88; Siegman, Blood of Christ, 370f; Lührmann, Offenbarungsverständnis, 143 A.4; Stecker, Formen und Formeln, 144f; Thornton, Propitiation, 53-55; Reumann, Righteousness, 432-452; Talbert, Non-Pauline Fragment, 287-296; Fitzer, Ort, 167-173; Cambier, L'Évangile, 92-94; Conzelmann, Grundriß, 90; Hill, Greek Words, 38-47; Kertelge, Rechtfertigung, 50.55ff; Schrage, Verständnis, 78 A.31; Wengst, Formeln, 88f (1967[1], 83); Zeller, Sühne, 53-59; Pluta, Bundestreue, 62-70; Schrage, Röm 3,21-26, 80-82; Howard, Romans 3:21-31, 226f; Thyen, Studien, 167; Kessler, Bedeutung, 265-268; Lührmann, Rechtfertigung, 443; Koch, Römer 3,21-31, 133 A.2; Da Cruz Fernandes, Sanguis Christi, 124f; Graf Reventlow, Rechtfertigung, 125; Zimmermann, Jesus Christus, 74-76; Eichholz, Paulus, 191-195; Zimmermann, Geschichte, 207-227.295f, bes. 213-217; Stuhlmacher, Paulusinterpretation, 726-728; Ysebaert, Propitiation, 6f; Greenwood, Hilasterion, 316-322; Robeck, HILASTERION, 21-36; Price, God's Righteousness, 277; Williams, Jesus' Death, 38-41; Stuhlmacher, Exegese, 319-329; Strecker, Befreiung und Rechtfertigung, 501f; Wilckens, Christologie und Anthropologie, 73ff; Goppelt, Theologie II, 422-424; Gubler, Deutungen, 224ff; Nicole, "Hilaskesthai", 173-177; Link/Brown, Art. Reconciliation, 163ff; Wolter, Rechtfertigung, 11-34, bes. 15ff; Lunceford, Meaning, 61-107, bes. 91-103; Froitzheim, Christologie und Eschatologie, 36f; Robinson, Wrestling with Romans, 44f; Gese,

eine, die in der Vorstellung vom "stellvertretenden Sühnetod der Märtyrer" (Beleg hier v.a. 4Makk 17,21f), die zweite, die im Umkreis der Theologie des Jom Kippur (Lev 16) den Hintergrund erblickt. Dabei versteht die eine Richtung ἱλαστήριον im Sinn von "Sühnopfer", analog zur Lebenshingabe der Märtyrer, die andere als "Sühneort" oder "Sühnmal" in Anknüpfung an und Überbietung der כפרת im Allerheiligsten des Jerusalemer Tempels[17]. Als die beiden Hauptvertreter dürfen Eduard Lohse[18] und Peter Stuhlmacher[19] genannt werden. Die Implikationen beider Interpre-

---

Weisheit, 107f; Wonneberger, Syntax, 227-230.252-256.273; Hengel, Sühnetod, 18f; Donfried, Romans 3:21-28, 64; Klein, Römer 3,21-28, 414; Hengel, Atonement, 45; Roloff, Art. ἱλαστήριον, 455-457; Grayston, 'ΙΛΑΣΚΕΣΘΑΙ, 653; Romaniuk, Il valore salvifico, 774ff; Penna, Il sangue, 798ff; Dalton, Romani 3,24-25, 815-817; Theobald, Gottesbild, 146f; Friedrich, Verkündigung, 60ff; Janowski, Sühne, 350-354; Ziesler, Salvation, 358; Stuhlmacher, Sühne, 300-304; Meyer, Pre-Pauline Formula, 198-208; Deiana, Il sangue, 789ff; Stramare, Romani 3,24-26, 806-813.825-827; Schnelle, Christusgegenwart, 69-71; Morris, Atonement, 166-170; Young, 'Hilaskesthai', 170f; Klauck, Symbolsprache, 112; Ercolano, Il sangue, 459f; Kleinknecht, Der leidende Gerechtfertigte, 185-188; Haubeck, Loskauf, 171-175; Herman, Giustificazione, 240.253-257; Anderson/Culbertson, Inadequacy, 317f; Merklein, Stellvertretender Sühnetod, 68-75; Fryer, Hilasterion, 99-116; Hübner, Paulusforschung, 2712ff; Schnackenburg, Sittliche Botschaft II, 18; Carter, Contigency, 62f; Breytenbach, Versöhnung, 166-168; Merklein, Bedeutung des Kreuzestodes Christi, 33f; Fitzmyer, Paul and his Theology, 64-66; Merklein, Der Sühnetod Jesu, 163f; Kittel, Name II, 81-83. Trotz internationaler Fernleihe blieben unzugänglich: H.A. Hodges, The Pattern of Atonement, 1955; F. Varone, Dieu de Colère et d'Amour, Diss. Rom 1965 (Pont. Univ. Gregoriana); J.W. Williams, The Interpretation of Romans III,21-26 and its Place in Pauline Soteriology, Diss. Manchester 1973 (für ein Exzerpt dieser Arbeit danke ich Rev. Leslie M'Caw, Monmouth, England); R. Thompson, We Uphold the Law. A Study of Rom 3,31 and its Context, Diss. Leuven 1985; D.L. Olford, An Exegetical Study of Mayor Texts in Romans which Employ Cultic Language in a Non-Literal Way, Diss. Sheffield 1985. Die Arbeiten von N.H. Young, The Impact of the Jewish Day of Atonement upon the New Testament, Diss. masch. Manchester 1973, und R.A. Argall, A Critical Investigation of Peter Stuhlmachers Exegesis of Rom 3,24-26 in the Light of His Approach to New Testament Hermeneutics, Diss. masch. Grand Rapids 1984 (Calvin Theol. Sem.; angezeigt in Calv.T.J. 19, 1984, 280f), wurden erst nach Abschluß des Manuskriptes zugänglich. S. dazu den Nachtrag u. S. 280ff.

[17] Die Interpretation von ἱλαστήριον bei Scott, Christianity, VIII, als "the Brazen Serpent" kann als marginal gelten, ebenso die von Schoeps, Sacrifice of Isaac, 390ff, im Sinn des Isaak-Opfers. O. Betz, Die Übersetzungen von Jes 53 (LXX, Targum) und die Theologia Crucis des Paulus, in: ders., Jesus. Der Herr der Kirche, Aufs. zur Bibl. Theol. 2, WUNT 52, Tübingen 1990, 197-216, hier: 203, versucht, in Röm 3,25f auf den Hintergrund von Jes 53 zu erklären. Im Kreuzesgeschehen habe sich das von Gott dargebrachte Sühnopfer und damit der Erweis seiner rettenden Gerechtigkeit ereignet. Betz gibt jedoch keine explizite Herleitung für ἱλαστήριον.
[18] Lohse, Märtyrer, 149ff; vgl. ders., Gerechtigkeit Gottes, 209-227. Hierzu ist u.a. auch zu rechnen: Bardenhewer, Röm, 59f; Hill, Greek Words, 45; Jeremias, Lösegeld, in: ders., Abba, 221 A.29 (anders ders., Art. Παῖς θεοῦ, 704 A.399, wo er von אשם in Jes 53,10 herleiten möchte); Kessler, Bedeutung, 266f; Kirchgässner, Erlösung, 70; Langhammer, Kerygma, 52: "Sühne(opfer)"; Morris, Apostolic Preaching, 169ff.179; Pokorný, Entstehung, 57f; Seidensticker, Opfer, 167f; Zeller, Sühne, 56f; ders., Juden, 160.
[19] Nachdem sich Stuhlmacher, Gerechtigkeit Gottes (1965), 88, noch der Sicht Lohses angeschlossen hatte, vertrat er erstmals in: Paulusinterpretation (1973), 727f, und dann v.a. in: Exegese (1975), 315-333, bes. 318-329 (= Versöhnung, 121-131), die gegenteilige Sicht.

tationen liegen auf der Hand: Läßt sich von der Märtyrertheologie her unschwer eine Beziehung zu frühjüdischen und rabbinischen Vorstellungen herstellen, so ist die Versöhnungstagtypologie geeignet, das Programm einer "Biblischen Theologie" zu unterstützen[20].

Eine dritte Gruppe nimmt eine Mittelposition ein: Hier will man sich weder auf "Sühnopfer" noch "Sühneort" festlegen, sondern votiert für ein allgemeineres Verständnis "Sühnemittel" oder schlicht "Sühne" und sieht dabei in der Regel eine größere Nähe zur Märtyrervorstellung als zum Versöhnungstag[21].

Zu 3. Die Frage, welche Konsequenzen sich aus der Interpretation von Röm 3,21ff für die Geschichte der Verkündigung des Todes Jesu in neu-

---

Vgl. ders., Zur paulinischen Christologie, 456f (= Versöhnung, 216f); ders., Verstehen, 233; ders., Gerechtigkeitsanschauung vor Paulus, 78.80ff; ders. Gerechtigkeitsanschauung des Apostels, 100ff; ders., Sühne, 300ff; zuletzt ders., Röm, 1989, 54-58. Hierzu gehören auch: Bleibtreu, Röm 3,21-26, 558ff; Büchsel, in: Herrmann/Büchsel, Art. ἱλαστήριον, 321f; Davies, Paul, 241f; Fitzer, Ort, 183: "Ort der Gnade"; Fryer, Hilasterion, 113; Gese, Sühne, 105f; Goppelt, Typos, 178f; ders., Versöhnung, 155; Haubeck, Loskauf, 171ff; Hengel, Sühnetod, 18; ders., Atonement, 45; Herman, Giustificazione, 240.257; Howard, Romans 3:21-31, 227; ˙Janowski, Sühne, 350f; Klauck, Symbolsprache, 353; Kleinknecht, Der leidende Gerechtfertigte, 186; Lührmann, Rechtfertigung, 443; Lyonnet, Notes, 57f; ders./Sabourin, Sin, 157ff; Manson, ΊΛΑΣΤΗΡΙΟΝ, 6; Merklein, Stellvertretender Sühnetod, 71; ders., Bedeutung des Kreuzestodes Christi, 33; Meyer, Pre-Pauline Formula, 200; Mollaun, ΊΛΑΣΤΗΡΙΟΝ, 93-97; Moraldi, Sensus vocis, 275f; Nomoto, Herkunft und Struktur, 11; Nygren, Gnadenstuhl, 89-93; ders., Röm, 118f; Pluta, Bundestreue, 62ff; Reumann, Righteousness, 443; Roloff, Art. ἱλαστήριον, 455-457; Schlatter, Gottes Gerechtigkeit, 145f; Schoeps, Paulus, 235; Theobald, Gottesbild, 146; Wilckens, Röm I, 193. Young, 'Hilaskesthai', 170, lehnt zwar den direkten Bezug auf die כפרת ab, sieht aber dennoch den Zusammenhang des Versöhnungstages im Hintergrund wahr. Genau das Gegenteil gilt für Breytenbach, Versöhnung, 167f: Er lehnt es ab, daß die vorpaulinische Sühnetradition den Tod Jesu vom Sühneritual des Jom Kippur her verstanden habe, hält aber einen Bezug zur כפרת für möglich.

[20] Zu beachten sind jedoch die Probleme, die aus einer undifferenzierten Vermischung von "Versöhnung" und "Sühne" erwachsen! Dazu zusammenfassend Breytenbach, Versöhnung, 220f.

[21] Althaus, Röm, 33f: "Aufsatz der Bundeslade", "Ort und Mittel der Sühnung", "Sühner"; Cranfield, Rom I, 214ff; Deissmann, ΙΛΑΣΤΗΡΙΟΣ, 211: "Versöhnungs- oder Sühnungsdenkmal"; Delling, Tod, 340: "Sühnezeichen" oder "Gnadenzeichen"; Eichholz, Paulus, 193; Friedrich, Verkündigung, 65; Käsemann, Verständnis, 99; Kertelge, Rechtfertigung, 55ff; ders., Verständnis des Todes Jesu, 119; Klein, Gottes Gerechtigkeit, 230f; Knoch, Heilsbedeutung, 221; Kümmel, Πάρεσις, 159f; Kuss, Röm I, 155ff; Lietzmann, Röm, 49f; Link/Brown, Reconciliation, 165f; Lührmann, Offenbarungsverständnis, 143 A.4; Merk, Handeln, 7; Michel, Röm, 151f; Morris, ΊΛΑΣΤΗΡΙΟΝ, 33-43; Morris, Atonement (1983), 168: "propitiation" oder "propitiating thing"; Robeck, HILASTERION, 36; Schlier, Röm, 110f; Schmitz, Opferanschauungen, 221f; Schnelle, Christusgegenwart, 71; Schrage, Verständnis, 74f A.91; ders., Röm 3,21-26, 80f; Schweizer, "Mystik", 251; Strecker, Befreiung und Rechtfertigung, 502: "Sühnung"; Taylor, Great Texts, 296; Thyen, Studien, 167; Wengst, Formeln, 89; Williams, Jesus' Death, 38ff; Wolter, Rechtfertigung, 21; Wonneberger, Syntax, 228f; Zahn, Röm, 186ff.189; Ziesler, Salvation, 358; Zimmermann, Jesus Christus, 75f; Ganz aus dem Rahmen fällt Grayston, ΊΛΑΣΚΕΣΘΑΙ, 653, der den Begriff im hellenistischen Sinn von "votive gift for the well-being of others" verstehen möchte. Ähnliches gilt für Schoeps und Scott, s.o. A.17.

testamentlicher Zeit ergeben, gehört in den größeren Rahmen der Entstehung der soteriologischen Deutung des Todes Jesu. Die Antwort ist von unterschiedlichen Faktoren abhängig:

1. generell: von der Beurteilung der Entstehung des urchristlichen Kerygmas unter Einschluß der Frage nach Jesu Selbst- und Todesverständnis[22].

2. speziell: a) von der Beurteilung von Röm 3,24-26* als genuin paulinischer Formulierung oder als vorpaulinischer Überlieferung, b) von der traditionsgeschichtlichen Herleitung aus der Märtyrervorstellung oder dem Umfeld des Versöhnungstages.

Grundsätzlich sind diejenigen Autoren, die ein - wie auch immer geartetes - Überlieferungsstück erkennen, stärker mit der Beantwortung dieser Frage befaßt. Schematisch lassen sich für den Umgang des Paulus mit der vorgegebenen Tradition drei Modelle diskutieren: Aufnahme mit Korrektur (betont z.B. von Käsemann), überbietende Anknüpfung (so z.B. Stuhlmacher), Kontinuität zwischen vorpaulinischer und paulinischer Aussageabsicht, wobei Paulus seine Akzente setzt (z.B. Schnelle).

Einigkeit besteht - trotz aller Unterschiede im Detail - in der Ansicht, daß das von Paulus übernommene Überlieferungsstück judenchristlichem Milieu entstammt. Dabei hat sich die noch bei Lohse und Wengst vorausgesetzte strenge Unterscheidung von palästinisch-judenchristlich und hellenistisch-judenchristlich als nicht haltbar erwiesen[23], zumal "die griechischsprechende judenchristliche Gemeinde ... ihre Wurzeln in Jerusalem selbst" hatte[24].

Nachdem im Anschluß an die Arbeit von Lohse (1955) die Mehrzahl der Exegeten sich dessen traditionsgeschichtlicher Herleitung von Röm 3,25f aus dem Umfeld der Märtyrertheologie angeschlossen hatte[25], hat sich seit dem Aufsatz von Stuhlmacher (1975) das Gewicht zugunsten einer Interpretation aus dem Zusammenhang des Versöhnungstages verschoben[26]. Stuhlmacher ist auch der, der in mehreren Arbeiten seine These hinsichtlich der Stellung der vorpaulinischen Überlieferung in der Verkündi-

---

[22] Es kann nicht unsere Absicht sein, dieses Problem hier lösen zu wollen.
[23] Hengel, Sühnetod, 13f.138; Wolter, Rechtfertigung, 16.
[24] Hengel, Sühnetod, 13.
[25] Vgl. Friedrich, Verkündigung, 65 samt A.43. Die Anknüpfung geschah unabhängig davon, ob man auch die Ergänzung von ϑῦμα und die Übersetzung im Sinn von "Sühnopfer" übernehmen wollte oder nicht (vgl. dazu oben A.18.21). Die letzten größeren Ausarbeitungen, die in Fortführung der These Lohses geschrieben wurden, waren die von Cranfield in seinem Römerbriefkommentar (1975), von Williams, Jesus' Death (1975), die jedoch zumindest im deutschen Bereich keine große Wirkungsgeschichte hatte, und von Wolter, Rechtfertigung (1978). Friedrich selbst wendet sich sowohl gegen eine Herleitung von 4Makk 17 wie auch Lev 16 und möchte die Tradition "judenchristlichen Kreisen, die von der Qumran-Theologie beeinflußt waren", zuschreiben (66).
[26] Vgl. dazu oben A.19.

gungsgeschichte des Urchristentums am weitesten ausgebaut und durchgeformt hat[27].

Den Inhalt der Formel Röm 3,25f* hat Stuhlmacher 1975 so beschrieben: "Unter typologischem Rückgriff auf Lev 16 ... wird in der Formel die Einsetzung Jesu zum Versöhner proklamiert, eine Einsetzung, in der Gott seine Verheißungs- und Bundestreue durch Vergebung aller früheren Sünden erweist. Die kultische Feier des großen Versöhnungstages wird kraft dieses Gotteshandelns abgelöst und überboten, weil die von Gott selbst in Christus endgültig gewährte Sühne weitere kultische Sühneriten ein für allemal erübrigt. Der Apostel greift diese Paradosis zustimmend auf und legt mit ihr den christologischen Grund seiner Rechtfertigungstheologie. ... Was der Apostel zusätzlich ... betont, ist der Wille Gottes, die in Christus eröffnete Sühne den Glaubenden aus aller Welt, und nur ihnen, zugänglich zu machen und zuzusprechen."[28]

Nach Stuhlmachers Ansicht besteht eine "ungebrochene Traditionslinie von Jesu Gerechtigkeitspraxis zu der Bekenntnis- und Missionstradition in Jerusalem und Antiochien ... bis in die Missionsverkündigung des Paulus"[29]. Die vorpaulinische Formel wird dabei dem Kreis der "Hellenisten" (Stephanuskreis)[30] zugeordnet, die im Gegensatz zu den "Hebräern" in ihrer Verkündigung besonders die gesetzes- und kultkritische Linie der Botschaft Jesu aufgenommen hätten und von denen Paulus selbst wichtige Denkanstöße erhalten habe[31].

Die Problematik der Ansicht Stuhlmachers beruht auf der Tatsache, daß er allein aufgrund einer Rekonstruktion der in Röm 3,25f verwendeten Formel und der These, daß 2Kor 5,21 traditionelle Überlieferung darstelle[32], weitreichende Schlüsse hinsichtlich der Gerechtigkeitsanschauung der vorpaulinischen Gemeinden zieht[33].

Doch damit sind wir schon einen Schritt in die Auseinandersetzung eingestiegen. Das Gespräch mit Stuhlmacher wird in Abschnitt X noch einmal aufzunehmen sein.

---

[27] Der Position Stuhlmachers haben sich grundsätzlich, mit unterschiedlich starken Modifikationen angeschlossen: Haubeck, Loskauf, 169ff; Hengel, Sühnetod, 17f; Janowski, Sühne, 350ff; Kleinknecht, Der leidende Gerechtfertigte, 185-188; Merklein, Stellvertretender Sühnetod; ders.; Meyer, Pre-Pauline Formula, 203.206; Roloff, Art. ἱλαστήριον, 455-457; Theobald, Gottesbild, 156; Wilckens, Röm I, 190ff.239ff. Vgl. zum Ausbau der Position Stuhlmachers die in: ders., Versöhnung (1981), 9-223 (wieder)abgedruckten Aufsätze und ders., Sühne, (1983), 291-316; ders., Röm (1989) z.St.

[28] Stuhlmacher, Exegese, 332f.

[29] Stuhlmacher, Gerechtigkeitsanschauung vor Paulus, 86.

[30] Vgl. dazu unten Abschnitt X.c, S. 229ff.

[31] Vgl. Stuhlmacher, Gerechtigkeitsanschauung des Apostels, 88f.

[32] Stuhlmacher, Verstehen, 233, nennt Röm 3,25f; 4,25; 1Kor 15,3ff als Paulus durch Barnabas überkommene Überlieferungsstücke.

[33] Vgl. Stuhlmacher, Gerechtigkeitsanschauung vor Paulus, 77ff. Vorsicht signalisiert auch Herman, Giustificazione, 267.

b) Zum Gang der Arbeit

Das Schwergewicht der hier vorgelegten Arbeit liegt im religions- und traditionsgeschichtlichen Bereich. Dabei wird versucht, zunächst einen eigenen Standpunkt hinsichtlich des 1. Problemkreises zu gewinnen (Abschnitt II, weitergeführt in Abschnitt VIII), sodann die Diskussion des 2. Problemkreises fortzuführen (Abschnitte III/IV/V/VI/VII), wobei die religionsgeschichtliche Fragestellung breiten Raum einnimmt, um schließlich Überlegungen zum 3. Problemkreis anzustellen (Abschnitte IX/X/XI/XII). Hierbei soll sowohl die Vor- wie auch die Nachgeschichte der Sühnevorstellung angeschnitten werden.

II
Tradition und Redaktion in Röm 3,21-26

a) Der redaktionelle Ort[1]

Gottes Gottsein[2], wie es sich in Jesus Christus endgültig gezeigt hat, ist das Thema, um das es im Römerbrief als einem Kompendium der Theologie des Paulus geht. Von anderen Briefen des Paulus unterscheidet ihn die Tatsache, daß Paulus das in 1,14-17 markierte Thema von 1,18 an bis 11,36 durchhält und "in mehreren Gedankenschritten traktathaft abhandelt".[3] Dabei mündet der Gedankengang in 11,33-36 ein in einen Hymnus

---

[1] Zum red. Ort von Röm 3,21-26 vgl. Prümm, Struktur, 333-349; Luz, Aufbau, 161-181; Zeller, Juden, 45-77; Wolter, Rechtfertigung, 211ff; Wilckens, Röm I, 15-22; Röm II, 3-5.181-184; Rossi, Struttura, 59-133; Stuhlmacher, Röm, 17-19. Die Gliederung von Röm 1-8 (11) ist nach wie vor umstritten, s. wieder Vollenweider, Freiheit, 323 A.186, und unten A.4.

[2] Zu diesem Sachverhalt vgl. Gräßer, Christen und Juden, 282. Zur Frage nach dem Abfassungszweck des Röm s. G. Bornkamm, Der Römerbrief als Testament des Paulus, in: ders., Geschichte und Glaube II. Ges. Aufs. IV, BEvTh 53, München 1971, 120-139 (Wiederabdruck in: Donfried, Hrsg., Debate, 17-31); Zeller, Juden, 38-44; G. Klein, Der Abfassungszweck des Römerbriefes, in: ders., Rekonstruktion, 129-144 (Wiederabdruck in: Donfried, Hrsg., Debate, 32-49); U. Wilckens, Über Abfassungszweck und Aufbau des Römerbriefes, in: ders., Rechtfertigung als Freiheit. Paulusstudien, Neukirchen 1974, 110-170; M. Kettunen, Der Abfassungszweck des Römerbriefes, AASF Diss.Hum.Litt., Helsinki 1979; M. Theobald, Warum schrieb Paulus den Römerbrief?, BiLi 56, 1983, 150-158 (Vf. gibt einen Überblick über die verschiedenen Erklärungsmodelle); P. Stuhlmacher, Der Abfassungszweck des Römerbriefes, ZNW 77, 1986, 180-193; A.J.M. Wedderburn, The Reasons for Romans, ed. by J. Riches, Edinburgh 1988; Becker, Paulus, 351-394; s. außerdem die Einleitungen von Kümmel, Schenke/Fischer und Vielhauer, sowie die Kommentare. Wichtige Aufsätze sind gesammelt und bequem zugänglich bei Donfried, Hrsg., Debate. Die Teilungshypothese von W. Schmithals, Der Römerbrief als historisches Problem, StNT 9, Gütersloh 1975, 14-22.210 (vgl. ders., Röm, z.St.), wonach Röm 1-11* und 12-16* zwei selbständige Briefe darstellen sollen, kann (samt dem Verständnis von 6,1-23; 7,1-16 als Exkurse und 9-11 als Nachtrag) nicht überzeugen. Gegen Schmithals spricht neben inhaltlichen Gründen auch die gesamte handschriftliche Bezeugung der Paulusbriefe. S. dazu Stuhlmacher, Abfassungszweck, 188 A.18, unter ausdrücklicher Berufung auf K. u. B. Aland, Der Text des Neuen Testaments, Stuttgart 1982, 297f; vgl. jüngst Becker, Paulus, 358-370. Auch der neuerliche Versuch von W. Simonis, Der gefangene Paulus. Die Entstehung des sogenannten Römerbriefes und andrer urchristlicher Schriften in Rom, Frankfurt u.a. 1990, hat wenig Überzeugungskraft. Die ebd, 21ff, genannten Stileigentümlichkeiten tragen nicht die aufgebürdete Beweislast.

[3] Wilckens, Röm I, 15.

auf Gottes Weisheit, Ratschluß und Barmherzigkeit[4]. Er gipfelt in einer Prädikation Gottes als dessen, der alles umfaßt, nach Ursprung, Erhaltung und Ziel.

In Röm 3,21-26 ist das paulinische Verständnis der δικαιοσύνη θεοῦ konzentriert[5]: Gott ist in sich wesenhaft gerecht, aber die Gerechtigkeit Gottes ist auch die der Welt und dem Menschen zugewandte Seite Gottes. Um deren Durchsetzung ging es in der Heilsgeschichte vor Jesus, um sie geht es hinsichtlich der Stellung aller Menschen zu Gott und um sie geht es auch in der Heilsgeschichte nach dem Kommen Jesu. Gottes Gerechtigkeit wurde vom Gesetz und den Propheten bezeugt und ist nun unabhängig vom Gesetz durch das Evangelium von Jesus Christus offenbart worden. Der Tod Jesu ist der "Ort", an dem Gottes Gerechtigkeit sich erwiesen hat. Mit Jesu Geschick hat sich Gottes Gerechtigkeit darin gezeigt, daß Gott gerecht ist und den rechtfertigt, der an Jesus glaubt[6]. D.h.: Gottes Gottsein hat darin seinen Bestand, daß Gottes Sein und Gottes Schaffen eine Einheit bilden und sich aufgrund des Geschehens in Jesus als solche erwiesen haben[7]. Dieser Sachverhalt wird durch die Einzelexegese zu erhärten sein.

Um zu dieser Aussage vorzustoßen, hat Paulus in Röm 1,16f mit einer These begonnen: Im Evangelium von Jesus Christus wird die Gottesgerechtigkeit offenbart, die den Gerechten aufgrund seines Glaubens leben läßt. Danach führt Paulus durch, wie Heiden und Juden - die einen ohne, die anderen mit und trotz des mosaischen Gesetzes - vor Gott als Schuldige dastehen. Das zum Leben gegebene Gesetz konnte dieses Leben nicht geben, vielmehr hat es Erkenntnis der Sünde gebracht (3,20)[8].

---

[4] Zur Struktur von Röm 1,1-11,36 s. Rossi, Struttura, 59-133 (beachte die Graphik S.73). Röm 1-11 als einen Zusammenhang betonen u.a. auch Michel, Röm, 45; Wilckens, Röm I, 15-22; und Campbell, Romans III, 27f. Mit Wilckens gehen wir davon aus, daß Röm 1-11 eine Einheit darstellt, die aus zwei Hauptteilen besteht (s. auch U. Wilckens, Die Entwicklung des paulinischen Gesetzesverständnisses, NTS 28, 1981/82, 154-190, hier: 181ff. Ähnlich Rossi, ebd; anders Stuhlmacher, Röm, 17-19, der insgesamt drei Hauptteile unterscheidet: I: 1,18-8,39; II: 9,1-11,36; III: 12,1-15,13, und damit Kap. 9-11 von Kap. 1-8 stärker absetzt.) Im Unterschied zu Wilckens ist jedoch der Einschnitt im 5. Kap. schon nach V.11 und nicht nach V.21 anzusetzen. Wir erhalten damit folgende Gliederung: (1,1-7.8-17;) Teil I: 1,18-5,11; Teil II: 5,12-11,36; Teil III: 12,1-15,13 (15,14ff Schluß), wobei der zweite Hauptteil zwei Unterabschnitte aufweist: 5,12-8,39; 9,1-11,36.

[5] Dies ist schon rein statistisch zu belegen: δικαιοσύνη θεοῦ (αὐτοῦ) begegnet hier allein viermal.

[6] Taylor, Atonement, 132: "St. Paul's main purpose [in Röm 3,21ff] is to show that God is both 'righteous' an 'the justifier' of men." S. dazu auch unten Abschnitt IX.c, S.185f.

[7] Zu diesem Zusammenhang vgl. H.J. Iwand, Glaubensgerechtigkeit nach Luthers Lehre, in: ders., Glaubensgerechtigkeit. Ges. Aufs. II, hrsg. von G. Sauter, ThB 64, München 1984, 107f.111f; ders., Gesetz und Evangelium, Nachgelassene Werke 4, hrsg. von W. Kreck, München 1964, 105f.

[8] Röm 3,20 stellt einen "End"punkt dar, das Endgericht. Vgl. Wolter, Rechtfertigung, 213: Röm 1,18-3,20 ist ein Argumentationszusammenhang.

Seit Röm 1,18 hat Paulus versucht zu beweisen, daß kein Mensch vor Gott
gerecht sei. Daß dies für die Heiden gilt, die Gott nicht kennen, ist offenkundig (1,18-32). Doch auch die Juden, die zwar den Vorteil haben, daß
ihnen Gottes Gesetz anvertraut ist, haben dieses Gesetz nicht gehalten
und konnten so keine Gerechtigkeit erlangen (2,1-11; 3,9-20). Deshalb
werden die, die ohne mosaisches Gesetz gesündigt haben, von Gott aufgrund ihrer Taten gerichtet werden; und die, die in Kenntnis des Gesetzes
gesündigt haben, werden aufgrund dieses Gesetzes verurteilt werden
(2,12-29). Es besteht so in der Tat kein Unterschied und kein Vorteil
mehr: Keiner kann sich der Gerechtigkeit rühmen. Auch Juden, die das
Gesetz kennen, was ihnen ein Vorteil sein könnte, haben ihren Vorteil
eingebüßt, da sie das Gesetz nicht eingehalten haben (2,17-23). Auf diese
Weise schließt sie das Gesetz[9] mit den Heiden zusammen. So kommt
Paulus zu einer These, auf der alles Folgende aufbaut: Jeder muß verstummen, nicht nur die Heiden, sondern die ganze Welt ist schuldig vor
Gott, weil das Gesetz nicht die Gerechtigkeit, sondern die Sünden-
erkenntnis bewirkt hat (3,20)[10].
Von der Christuserkenntnis her wird das Unvermögen des Gesetzes erkennbar[11]. Es kann keine Gerechtigkeit schenken. Daher bekommt das
Gesetz für Paulus die Funktion des Anklägers, der Juden der Sünde über-
führt und dadurch mit den Heiden zusammenschließt[12].
Adversativ zum Vorhergehenden (νυνὶ δέ)[13] kommt Paulus in Röm 3,21
inhaltlich zurück auf den schon Röm 1,17 geäußerten "programmatischen
Lehrsatz",[14] auf "das Ereignis, das die Welt verwandelt hat".[15] (Vgl. einen
ähnlichen Einsatz in 8,1 im Anschluß an das in Kap. 7 Ausgeführte[16].) Die
vom Gesetz geforderte Gerechtigkeit, die dieses nicht zu geben ver-
mochte, gibt es nun als Glaubensgerechtigkeit, geschenkweise. Damit wird
das Gesetz in seiner Forderung nicht für ungültig erklärt, sondern vielmehr bestätigt (3,31), es findet jedoch auch seine Grenze. (Später wird
Paulus formulieren: Es kommt an sein τέλος, Röm 10,4.)

---

[9] Wohlgemerkt: das Gesetz Gottes, nicht irgendeine andere Instanz!

[10] Damit ist nicht gesagt, daß das Gesetz als "Heilsweg" überholt sei, denn "Heilsweg war
das Gesetz nach Paulus nie, - und zwar nicht nur faktisch nicht, sondern ... nach seinem
ihm von Gott zugemessenen Auftrag nicht" (Hofius, Gesetz des Mose, 276).

[11] Vgl. Lichtenberger, Römer 7, 208f; Hofius, Gesetz des Mose, 264.

[12] Zu dieser Funktion der Tora s. Hofius, Gesetz des Mose, 273f.268f.

[13] νυνὶ δέ enthält dabei beide Komponenten in sich: sowohl eine logisch-adversative als
auch eine zeitliche. Vgl. die Parallelität zu V.26. S. auch Stählin, Art. νῦν, ThWNT IV,
1102f.1111. Wolter, Rechtfertigung, 23f, betont die "soteriologische Antithetik", die in der
Wendung enthalten sei. S. auch unten Abschnitt IX.a, S. 168.

[14] Michel, Röm,146.

[15] Kuss, Röm I, 110.

[16] Dabei geht es in Kap. 3 um die heilsgeschichtliche Perspektive, wohingegen Paulus in
Kap. 7 auf den einzelnen bezogen redet. Zum Zusammenhang von Röm 7 und 8 vgl. Lichtenberger, Römer 7, 202ff.

Der enge Anschluß von 3,21ff an 3,20 ist sowohl terminologisch wie thematisch gegeben[17]. Es geht, nachdem die Universalität der Sünde in 1,18-3,20 erwiesen wurde, nun um die "Universalität der Rechtfertigung des Gottlosen".[18] Dieser Abschnitt ist bis 5,11 anzusetzen.[19] 3,21ff hat dabei die Funktion einer gedrängten thetischen Zusammenfassung. In 4,1-25 wird an Abraham dargestellt, daß die Glaubensgerechtigkeit auch schon im Alten Testament bezeugt ist[20]. 5,1-11 ist "bestimmt von der Frage nach der zukünftigen eschatologischen (bzw. apokalyptischen) Relevanz des Todes Jesu und der damit erfolgten Rechtfertigung aus Glauben".[21] Dabei greift Paulus in 5,6ff bewußt auf 3,24ff zurück, "um die eschatologische Orientierung betont im Versöhnungsgeschehen im Tode Christi zu fundieren".[22]

Die Frage, wo der Gedankengang eine vorläufige Zäsur findet, ob erst nach 5,21[23] oder schon nach 5,11, wird kontrovers diskutiert. Die Stichwortverbindungen zwischen 5,12ff und 6,1ff (es geht v.a. um das βασιλεύειν der Sünde bzw. Jesu) legen nahe, 5,12ff zum Folgenden zu ziehen und damit den Einschnitt nach 5,11 zu sehen. Damit bekommt 5,1-11 die Funktion eines an 3,21ff anknüpfenden Übergangs.

Im folgenden Teil, der die Kap. 6-8 mit einschließt, stellt Paulus zunächst in 5,12-21 Christus und Adam einander gegenüber, so wie in 1,18-3,20 die Universalität der Sünde und in 3,21-5,11 die Universalität der Glaubensgerechtigkeit einander kontrastiert sind. Es geht ihm darum, daß das Heil in Christus das Unheil in Adam überbietet[24].

Kap. 5,12-8,39 geht es Paulus um die Frage nach der "Wirklichkeit der Gerechtigkeit des gerechtfertigten Sünders".[25] Paulus nimmt dabei Einwände auf, die sich seiner These der Offenbarung der Gerechtigkeit Gottes in Christus entgegenstellen. Dies wird durchgeführt bis Kap. 8 Ende. Dabei schließt Paulus mit einem Hymnus: Die göttliche Gerechtigkeit, die darin besteht, daß Gottes Sein und Gottes Schaffen eine Einheit sind, läßt den

---

[17] Vgl. Wolter, Rechtfertigung, 212.
[18] Wilckens, Röm I, 16.
[19] Wolter, Rechtfertigung, 213f; Wilckens, Röm I, 16f, sehen die Zäsur nach 5,21. S. dazu weiter unten.
[20] Man sollte nicht wie Wolter, Rechtfertigung, 215, von Röm 4,1-25 als einem "Exkurs" sprechen. Vielmehr stellen die Verse den "exegetische[n] Nachweis" dafür dar, daß "gerade die Thora" die Glaubensgerechtigkeit bezeugt (Wilckens, Röm I, 16). Der Abschnitt hat daher die Funktion eines Schriftbeweises für 3,21ff.
[21] Wolter, Rechtfertigung, 217. Die Kategorie, die Paulus hier einführt, um Rechtfertigung und eschatolgisches Heil zu verknüpfen, ist die der "ἐλπίς" (Wolter, Rechtfertigung, 219). Vgl. Röm 8,24 und die Interpretation bei G. Sauter, Jesus der Christus. Die Messianität Jesu als Frage an die gegenwärtige Christenheit, EvTh 42, 1982, 324-349, hier: 345ff.
[22] Wilckens, Röm I, 17.
[23] So z.B. Wilckens, Röm I, 17; Wolter, Rechtfertigung, 214f; Stuhlmacher, Röm, 18.
[24] Wolter, Rechtfertigung, 214; vgl. Luz, Geschichtsverständnis, 210; Wilckens, Röm I, 181f.
[25] Wilckens, Röm II, 4 (im Orginal z.T. kursiv).

aus Glauben Gerechtgesprochenen nicht mehr los, sondern trägt ihn über Hohes und Tiefes hinweg (8,39).

Und so, wie dies beim einzelnen Glaubenden geschieht, wird es auch im Blick auf Israel geschehen: Röm 9-11 stellen keinen grundsätzlichen Neueinsatz dar[26], sondern antworten auf den "heilsgeschichtlichen Einwand".[27] Paulus hat auch in den Kap. 9-11 das Thema der Gottesgerechtigkeit nicht verlassen. Gottes Gerechtigkeit wird sich auch an Israel so erweisen, daß es Erbarmen findet. Denn Gott hat alle unter den Unglauben beschlossen, daß er sich aller erbarme (11,32). Die Treue zu seiner Verheißung läßt Gott so handeln (11,29). Daraufhin kann Paulus nur noch hymnisch antworten (11,33-36). Gottes Gottsein, die Einheit von Gottes Sein und Gottes Schaffen, die im Evangelium von Jesus offenbar wird, wird sich am Ende sowohl in der Geschichte des einzelnen wie auch des Volkes Gottes durchsetzen.

b) Textgliederung

21:     These (Rückgriff auf 1,17):
        Gottes Gerechtigkeit ist offenbar.

22a: Näherbestimmung der δικαιοσύνη θεοῦ als Gerechtigkeit διὰ πίστεως Ἰησοῦ Χριστοῦ.

22b/23: Begründung für die Glaubensgerechtigkeit: Alle haben gesündigt, mit und ohne Gesetz.

24:     Näherbestimmung der Glaubensgerechtigkeit:
        geschenkweise, kraft der Erlösung durch Jesus.

25:     Näherbestimmung der Erlösung, die Jesus vollbracht hat:
        Gott hat Jesus zum ἱλαστήριον bestimmt. Dies dient zur Erkenntnis der Gerechtigkeit Gottes. Auch die vorher geschehenen Sünden sind damit gesühnt.

26:     An dem nunmehr geschehenen Erweis der Gottesgerechtigkeit wird die Einheit von Gottes Sein und Gottes Schaffen sichtbar: Gott ist gerecht und rechtfertigt die Glaubenden.

Inhaltlich läßt die Satzreihe drei zusammengehörende Unterabschnitte erkennen[28]:
1. V.21-22a: Die Offenbarung der Gottesgerechtigkeit als Glaubensgerechtigkeit.
2. V.22b-24: Die Situation der Menschen: Sünder und Gerechte.
3. V.25-26: Die Erlösung durch Gottes Heilstat in Jesus.

---

[26] Dies betonen auch Luz, Geschichtsverständnis, 20ff; Wilckens, Röm I, 19ff. So auch Campbell, Romans III, 27: Es geht darum, daß die Rechtfertigung des einzelnen in den Kontext der Verheißungen des Gottesvolkes gestellt wird.
[27] Wilckens, Röm II, 4, vgl. 181ff.
[28] Vgl. Theobald, Gottesbild, 136.

c) Die vorpaulinische Überlieferung (literarkritische Abgrenzung)[29]

"Die Satzreihe Röm 3,21-26 gehört zu den kompliziertesten, die Paulus geschrieben hat."[30] V.21-22a sind dabei noch klar, ebenso V.22b-23. Der syntaktische Anschluß von V.24 ist schwierig. Auf das finite Verb in V.23 folgt eine Fortführung im Partizip.[31] Worauf bezieht sich δικαιούμενοι? Sollen V.22c-23 als Parenthese betrachtet werden?[32] Die Terminologie in V.24ff ist zumindest auffällig.

Die Diskussion über die Frage, ob Paulus hier ein Überlieferungsstück verwendet, hat eine Flut von Arbeiten zu den literarkritischen, traditions-, redaktions- und formgeschichtlichen Fragen hervorgerufen[33]. Stuhlmacher sieht die Chance weiterzukommen nur in einer genaueren Aufhellung des religionsgeschichtlichen und traditionsgeschichtlichen Hintergrundes der Verse 24-26[34]. Zwar ist die Frage, ob Paulus hier eine Formel verwendet oder nicht, zunächst von der Frage nach dem religions- und traditionsge-schichtlichen Hintergrund der Verse 24-26 zu unterscheiden. Dennoch ist eine Lösung nur im Verbund möglich. Die folgenden Ausführungen sind also vorläufig und werden sich in den weiteren Abschnitten noch zu be-währen haben.

aa) Analyse
Wir stellen die literarkritischen Argumente, die für und gegen einen Ein-schub genannt werden, zusammen[35]:

---

[29] Zur Terminologie: Wir sprechen von "Tradition" im Sinne eines Komplexes von Moti-ven und Vorstellungen, von "Überlieferung" bzw. "Überlieferungsstück" im Sinne einer fest geprägten Formel oder eines geprägten Satzes aus einer Tradition.
Zur Gliederung s. v.a. Theobald, Gottesbild, 133ff. Dieser Abschnitt verdankt wichtige Ein-sichten den Arbeiten von Theobald, van der Minde, Zimmermann, Meyer und Langkam-mer.

[30] Theobald, Gottesbild, 134.

[31] Käsemann spricht von einem "jähen Abbruch der Satzkonstruktion" (Röm, 89).

[32] Michel, Röm, 149.

[33] Vgl. oben S. 2-5 A.10.12-16. Das Mißliche an der Interpretation unserer Stelle ist, daß die Probleme nicht unabhängig voneinander, sondern nur im Verbund miteinander gelöst werden können. Wie sehr das Ganze auf einen Zirkelschluß hinausläuft, zeigt der Aufsatz von Kümmel, Πάρεσις, in welchem er zugibt, daß aus der lexikographischen Untersuchung keine Eindeutigkeit zu gewinnen sei, sondern "nur der Kontext ... über die Frage entscheiden" könne, welche der beiden Bedeutungen von πάρεσις bzw. ἔνδειξις jeweils vorliege (158). D.h. aufgrund einer Gesamtsicht der Theologie des Paulus bzw. des Stich-wortes δικαιοσύνη θεοῦ kommt man zu Ergebnissen, deren Voraussetzungen ungeklärt sind bzw. durch die Auslegung hätten bewiesen werden sollen.

[34] Dieser Versuch liegt von ihm vor: Stuhlmacher, Exegese, 315-333 (= Versöhnung, 117ff); ders., Gerechtigkeitsanschauung vor Paulus, in: Versöhnung, 66ff; ders., Gerechtig-keitsanschauung des Apostels, in: Versöhnung, 87ff.

[35] Die großen Unterschiede in der Exegese von Röm 3,21-26 sind Indizien einer ungelö-sten prinzipiellen Problematik. Man sollte zwar nicht gleich davon reden, daß die Ausle-gungen von Röm 3,21-26 den Eindruck einer "Beliebigkeit in der Argumentation" erwek-ken, in der einzelne Wendungen "ohne Ruecksicht auf ihre syntaktische und semantische

1. Hapaxlegomena:
ἱλαστήριον, sonst nur in Hebr 9,5.
πάρεσις, sonst nirgends im Neuen Testament.
προγεγονότα ἁμαρτήματα, ebenfalls nur hier[36].

2. Uncharakteristische Terminologie:
ἀπολύτρωσις, bis auf 1Kor 1,30, wo es in geprägtem Zusammenhang auftaucht, und Röm 8,23, wo es in eschatologischem Sinn erscheint, bei Paulus nirgends[37].
προτίθεσθαι im Sinn von "manifestieren" nur hier[38].
αἷμα, bei Paulus sonst nur noch in Röm 5,9 und - der Tradition folgend -
beim Abendmahl 1Kor 11,25, sonst bei Paulus σταυρός[39].
δικαιοσύνη θεοῦ in V.25 als göttliche Eigenschaft für Paulus unüblich[40].

3. Gestörter Zusammenhang:
δωρεάν τῇ αὐτοῦ χάριτι und διὰ πίστεως machen den Eindruck von Zusätzen[41].
In V.24 fehlt eine Entsprechung zu πάντες V.23[42].
Der Beginn von V.25 mit einem Relativpronomen im Akkusativ ist ungewöhnlich.
Der Gleichklang von V.25 und V.26 läßt nach Käsemann[43] an ein kommentiertes Zitat denken.

bb) Synthese
Die für den Beginn einer Formel in V.24 vorgebrachten Argumente erweisen sich als zu schwach.
Allgemein läßt sich sagen, daß es für Paulus nichts Ungewöhnliches darstellt, wenn die Fortsetzung eines Satzes, dessen erster Teil mit einem fini-

---

Einbindung in den Satz wie lose Teile eines Baukastens gehandhabt werden" (Wonneberger, Syntax, 209). Jedoch sind die Fragen, die Wonneberger, Syntax, 206.207.209.210.211, an
die Exegese richtet, nicht einfach von der Hand zu weisen. Vgl. auch Klein, Römer 3,21-28,
414 A.20.
[36] ἁμάρτημα sonst noch 1Kor 6,18 und Mk 3,28f(bis); daneben als v.l. Mk 4,12; Röm 5,16;
2Petr 1,9.
[37] Käsemann, Röm, 90.
[38] Käsemann, Verständnis, 96.
[39] Bultmann, Theologie, 49. Anders Kuss, Röm I, 160; Fitzer, Ort, 162: Da αἷμα in Röm
5,9 eine Parallele habe und ἱλαστήριον der Sache nach bei Paulus geläufig sei (ὑπὲρ ἡμῶν),
bestehe keine Berechtigung zur Annahme eines Einschubs.
[40] Bultmann, Theologie, 49.
[41] Bultmann, Theologie, 49. Pluta dagegen hält διὰ πίστεως für zur Formel gehörig (Bundestreue, 34ff.42ff); Zeller, Sühne, 51: "Einsprengsel"; Käsemann, Verständnis, 100: Zusätze, die "gewaltsam und störend" ... "hineingepreßt" wirken.
[42] Käsemann, Verständnis, 96. Dagegen BDR § 468,1; Moulton, Grammar, III, 343d;
Wonneberger, Syntax, 207f; vgl. Pluta, Bundestreue, 40 A.156; Wengst, Formeln, 87.
[43] Käsemann, Verständnis, 97f.

ten Verb ausgedrückt wird, im zweiten Teil durch ein Partizip erfolgt[44]. πάντες (V.23), für das Käsemann eine Fortsetzung in V.24 vermißt, bezieht sich auf πάντας τοὺς πιστεύοντας in V.22 zurück, "meint also alle Gläubigen, die auch noch Subjekt des koordinierten Partizips δικαιούμενοι in v24 sind".[45] Rein grammatikalisch ist also durch δικαιούμενοι eine Nebenordnung des Satzgliedes neben ὑστεροῦνται ausgedrückt[46]. Damit ist der Bruch, der nach Käsemann, Bultmann u.a. zwischen V.23 und V.24 bestehen soll, als nicht vorhanden erwiesen. Ist so der Anschluß von V.24 geklärt, dann fällt die Argumentation Käsemanns, in V.24 beginne eine von Paulus zitierte Vorlage, dahin. V.24 ist vielmehr bis auf den Begriff ἀπολύτρωσις "ganz paulinisch formuliert".[47]

Von größerem Gewicht sind die Argumente zu V.25. Das Relativpronomen (ὅς) ist auch sonst des öfteren Einführung eines Zitates[48]. ὅς stellt die "gattungsmäßige Einführung eines übernommenen Christusliedes" dar[49]. Dagegen spricht zwar, daß ὅς sonst jeweils im Nominativ erscheint. Dies wird aber wohl auf Paulus zurückgehen[50].

Aufgrund des Gleichklangs der beiden ἔνδειξις-Wendungen wollte Käsemann an ein kommentiertes Zitat denken. Damit geht einher, daß von manchen Befürwortern eines Zitates eine Differenz oder zumindest Akzentverschiebung zwischen Paulus und seiner Vorlage angenommen wird[51]. Doch es fragt sich, ob diese Überlegungen wirklich die Annahme einer Vorlage stützen oder ob sie nicht den Nachweis dieser schon voraussetzen[52]. Denn so eindeutig ist die von Käsemann postulierte antithetische

---

[44] Belege: z.B. 2Kor 5,12; 7,5; 8,18ff; 10,14f; vgl. dazu BDR § 468,1. Die von Schlier (Röm, 107) genannte Stelle 2Kor 5,6 stellt den umgekehrten Fall dar, vgl. BDR § 468,3: Partizip fortgeführt durch Verbum finitum.

[45] Wengst, Formeln, 87.

[46] BDR § 468; von Wonneberger, Syntax, 248ff, problematisiert.

[47] Stuhlmacher, Exegese, 319.

[48] Vgl. Phil 2,5ff; 1Tim 3,16; 1Petr 2,23.

[49] Gräßer, Hebr 1,1-4, 65. Zum formelhaften Partizipial- und Relativstil, wie er auch in Röm 1,3f; 4,24f; 8,34; Kol 1,12-20; 2,9-12; 1Thess 1,10; 2Thess 2,3.4.8.9; 1Tim 6,13-16; 1Petr 3,18-22 vorliegt, s. Gräßer, ebd, 61; vgl. dazu auch Norden, Agnostos Theos, 383ff, und jetzt Gräßer, Hebr, 49.57ff.

[50] Vgl. Theobald, Gottesbild, 155; Zimmermann, Jesus Christus, 73; van der Minde, Schrift, 59f. S. dazu unten. Zur Frage, ob der Anfang der aufgenommenen Überlieferung in Hebr 1 schon in V.2b anzusetzen ist - wodurch neben Röm 3,25 ein weiterer Beleg für den Beginn mit Relativpronomen im Akkusativ vorläge -, s. der Kommentar und Gräßer, Hebr 1,1-4, 62ff. Die Argumentation von Wonneberger, Syntax, 208, wonach die Tatsache, daß durch das Relativpronomen ὅς des öfteren Zitate eingeleitet werden, kein wirklich literarkritisches Argument sei, sondern sich lediglich Analogiefälle finden ließen, klingt gezwungen. Alle literarkritischen Beobachtungen beruhen auf dem Prinzip von Analogie und Differenz.

[51] Am stärksten Käsemann, Verständnis, 100: Paulus rücke in seinen korrigierenden Zusätzen von bloßer Restitution des alten Bundes ab.

[52] Dagegen läßt sich fragen: Wenn Paulus schon zitierend korrigiert, warum formuliert er nicht gleich selbst? Wo zitiert Paulus noch "korrigierend", und wie paßt sein vermeintliches Vorgehen hier zu Stellen mit expliziter Quellenangabe (1Kor 11,23ff; 15,3ff)? Vgl. dazu

Parallelität nicht. Es ist "geradezu unvorstellbar", daß der Erweis der Gerechtigkeit in V.25 einen anderen Sinn als in V.26 haben sollte[53]. Außerdem liegen unterschiedliche Präpositionen vor und wir finden in V.25 einen direkten Artikel, in V.26 dagegen nicht.

Einen anderen Lösungsvorschlag hat Theobald im Anschluß an Zimmermann und van der Minde eingebracht[54]: Theobald versteht mit Zimmermann[55] beide ἔνδειξις-Wendungen als paulinische Interpretamente. Ebenso haben διὰ [τῆς] πίστεως und προγεγονότων als paulinische Hinzufügungen zu gelten. Im Unterschied zu Zimmermann, der auch noch πάρεσις für Paulus reklamiert hatte[56], hatte schon van der Minde dies der Formel zugerechnet[57]. Aufgrund der Spannung zwischen ὁ θεός und ἐν τῷ αὐτοῦ αἵματι in V.25a kommt Theobald zur Auffassung, daß Paulus "dem theozentrischen Kontext gemäß den Satz in eine explizite Aussage über Gott umgewandelt" hat[58]. Ursprünglich war Christus logisches Subjekt des Satzes. Der so rekonstruierte Glaubenssatz habe gelautet:

$$ὃς προετέθη ἱλαστήριον ἐν τῷ αὐτοῦ αἵματι$$
$$διὰ τὴν πάρεσιν τῶν ἁμαρτημάτων$$
$$ἐν τῇ ἀνοχῇ τοῦ θεοῦ.[59]$$

Wonneberger, Syntax, 211; U. Luz, Paulinische Theologie als biblische Theologie, in: M. Klopfenstein / U. Luz, Hrsg., Mitte der Schrift?, JeC 11, Bern u.a. 1987, 119-147, hier: 138 A.61.
[53] Zimmermann, Jesus Christus, 73; van der Minde, Schrift, 59.
[54] Theobald, Gottesbild, 153ff; Zimmermann, Jesus Christus, 73; van der Minde, Schrift, 61f. Einen nahezu gleichlautenden Vorschlag unterbreitete Meyer, Pre-Pauline Formula, 204. Meyer nimmt jedoch, obwohl später erschienen als Theobald, keinen ausdrücklichen Bezug auf diesen oder auch auf van der Minde. Zu Langkammer s.u. A.59.
[55] Zimmermann, Jesus Christus, 73.
[56] Ebd.
[57] Van der Minde, Schrift, 59.
[58] Theobald, Gottesbild, 155.
[59] Ebd (bei Theobald ist ἁμαρτημάτων zu korrigieren). Einen ähnlich lautenden Versuch hat Langkammer, Sühneformel des Glaubens (poln.), 29-38, unternommen. Ihm zufolge habe die Formel folgenden Bestand gehabt: "Jezus Chrystus ustanowiony jako przebłaganie w jego krwi za poprzednie grzechy w cierpliwości Bozej" (33, vgl. 38; Übersetzung: "Jesus Christus, hingestellt als Sühne in seinem Blut für frühere Sünden [wegen früherer Sünden] in der Geduld Gottes"), wobei das "poprzednie grzechy" (frühere Sünden) wohl "nasze grzechy" (unsere Sünden) gelautet habe (37f). Den Beginn der Formel im Nominativ und darüber hinaus explizit mit "Jesus Christus" versucht Langkammer aufgrund des Vergleiches mit der hymnischen Überlieferung im Alten und Neuen Testament zu erweisen (33f). Die Ersetzung von "frühere Sünden" geschieht aufgrund des Vergleichs mit den Sterbeformeln des Neuen Testaments und wegen des paulinischen Kontextes Röm 3,21ff.
Kritik:
Der Beginn der Formel im Nominativ, mit Jesus Christus als *logischem* Subjekt, ist anzunehmen. Ein expliziter Beginn mit "Jesus Christus" ist jedoch mit Blick auf die übrige neutestamentliche Formelüberlieferung nicht zwingend (vgl. z.B. Hebr 1,3; 1Tim 3,16; Röm 4,25). Zur Ersetzung von "frühere" durch "unsere" gilt das gleiche wie zu Theobald und van der Minde Ausgeführte (s. dazu weiter unten). Vgl. zur Sache auch Langhammer,

Theobald kommt zu seinem Ergebnis aufgrund einer genauen syntaktischen und semantischen Analyse. Sie soll kurz nachgezeichnet werden:
Nach einer Beschreibung der Makrostruktur von Röm 3,21-26 und der inneren Form der Satzreihe[60], legt Theobald die Mikrostrukturen von Röm 3,25f frei[61]. Er unterscheidet innerhalb der präpositionalen Wendungen drei Klassen: 1. 'Einfache Präpositionalwendungen (Präp. mit Nomen [möglicherweise mit Gen. Attr.])' (ἐν τῇ ἀνοχῇ ... ; ἐν τῷ νῦν καιρῷ usw.). 2. "'Translationsketten', die es ermöglichen, 'Vorgänge, die sonst in eigenen Sätzen oder Gliedsätzen dargestellt werden, im Rahmen nominaler Wendungen auszudrücken'"[62] (εἰς ἔνδειξιν ... ; διὰ τὴν πάρεσιν ... ; πρὸς τὴν ἔνδειξιν ...). 3. 'Substantivierter AcI mit Präposition' (εἰς τὸ εἶναι αὐτόν ...). Dabei wird deutlich, daß die Translationsketten den einfachen Präpositionalwendungen übergeordnet sind und diese ihnen wiederum beigeordnet. Der anaphorische Artikel in der Translationskette πρὸς τὴν ἔνδειξιν κτλ. (V.26a) und die syntaktische Parallelität zu εἰς ἔνδειξιν κτλ. (V.25b) lassen vermuten, daß beide miteinander "*eine* Sinnzeile" bilden und daß "διὰ τὴν πάρεσιν ... ἐν τῇ ἀνοχῇ τοῦ ϑεοῦ untergeordnet ist."[63] V.26c formuliert das "Resultat", das εἰς ist daher konsekutiv aufzulösen[64]. V.25-26 sind, wie schon Schlier feststellte, "*ein* Satz, wobei V25a den Hauptsatz darstellt, der durch zwei nicht ganz parallel gefügte finale Bestimmungen ergänzt wird: εἰς ἔνδειξιν (V25b) und πρὸς τὴν ἔνδειξιν (V26a), um in einen Konsekutivsatz zu münden (V26b)."[65]

Bleibt die Frage, warum Paulus den Erweis der Gottesgerechtigkeit in zwei Zielangaben formuliert. Die These Käsemanns, daß die zweite ἔνδειξις-Wendung die erste korrigiere, läßt sich syntaktisch nicht verifizieren. Damit ist auch der von Bultmann u.a. behauptete Unterschied zwischen der δικαιοσύνη ϑεοῦ in V.25 und V.(21f.)26 hinfällig geworden. Weder geht es in V.25 um eine göttliche Eigenschaft[66], der gegenüber in V.21.22.26 die paulinische Auffassung stünde, noch um die Bundestreue, die dann von Paulus korrigiert worden wäre[67]. Eine unterschiedliche Interpretation der Gerechtigkeit in V.25b und V.26a ist auszuschließen[68]. Dies geht auch aus dem Rückbezug von Röm 3,25 auf 3,5 hervor[69]. Vielmehr geht es Paulus

---

Kerygma, 52. Für Hilfe bei der Übersetzung aus dem Polnischen danke ich Frau W. Stein von der Bibliothek der Augustana-Hochschule, Neuendettelsau.
Die Rekonstruktion von Wengst, Art. Glaubensbekenntnis(se), beginnt auch mit einem Nominativ, bewegt sich gegenüber der durch Theobald repräsentierten Linie jedoch in den bislang üblichen Bahnen. Sie lautet: ὁ ϑεὸς προέϑετο Ἰησοῦν Χριστὸν (?) ἱλαστήριον / ἐν τῷ αὐτοῦ αἵματι / εἰς ἔνδειξιν τῆς δικαιοσύνης αὐτοῦ / διὰ τὴν πάρεσιν τῶν προγεγονότων ἁμαρτημάτων / ἐν τῇ ἀνοχῇ τοῦ ϑεοῦ (ebd, 395,23ff). Sie stellt nach Wengst eine Weiterbildung der ursprünglichen Dahingabe- bzw. Sterbensformel dar.
[60] Theobald, Gottesbild, 134ff. Vgl. dazu oben b) Textgliederung, S. 14.
[61] Theobald, Gottesbild, 137ff.
[62] So im Anschluß an Wonneberger, Syntax, 147.
[63] Theobald, Gottesbild, 138f.
[64] Ebd, 140; vgl. Wilckens, Röm I, 198.
[65] Schlier, Röm, 109; zustimmend Theobald, Gottesbild, 141. Daß V.26a mit ἐν τῷ νῦν καιρῷ wiederum an V.21f anknüpft, wird von Theobald zu gering beachtet.
[66] Bultmann, Theologie, 49.
[67] Käsemann, Verständnis, 100.
[68] Theobald, Gottesbild, 145.
[69] Ebd, 149.

darum, den Gerechtigkeitserweis nach zwei Aspekten hin zu entfalten:
"Gottes eigenes Gerecht- oder Treusein, ... und seinen wirksamen Erweis
der Gerechtigkeit in der Rechtfertigung"[70].
Eine Schwäche hat Theobalds Darstellung in der Wiedergabe von διὰ τὴν
πάρεσιν. Hier läßt er sich von der Übersetzung Kümmels leiten, ohne zu
reflektieren, daß διά c.acc. in aller Regel kausal zu verstehen und πάρεσις
prima vista von ἄφεσις zu unterscheiden ist[71].
Weiterhin ist die Ausscheidung von διὰ πίστεως - obwohl zutreffend - nicht
wirklich begründet[72]. Dies ist leicht nachzuholen: Die Wendung διὰ
πίστεως trägt dazu bei, daß die Formel sprachlich überladen ist, und stellt
gleichzeitig eine inhaltliche Verklammerung mit dem Kontext (V.22.26-
31) dar[73].
Schließlich geschieht die Streichung des Partizipialadjektivs προγεγονότων
trotz des Verweises auf van der Minde etwas rasch. Die Begründung, daß
es mit der "sicher von Paulus stammenden Zeitangabe ἐν τῷ νῦν καιρῷ
korrespondier[e]", kann nicht ausreichen, einen so ungewöhnlichen Ausdruck unter Verweis auf die "*Geschichte* (Israels) als Interpretationshori-
zont für die δικαιοσύνη θεοῦ als (Bundes-)Treue" dem Apostel zuzuschreiben[74].
Wir gehen somit von folgendem Bestand der vorpaulinischen Formel aus:

> ὃς προετέθη ἱλαστήριον
> ἐν τῷ αὐτοῦ αἵματι
> διὰ τὴν πάρεσιν τῶν προγεγονότων ἁμαρτημάτων
> ἐν τῇ ἀνοχῇ τοῦ θεοῦ.

Damit stehen wir vor der religions- und traditionsgeschichtlichen Frage,
vor deren Behandlung es jedoch notwendig sein wird, den lexikographischen Befund für ἱλαστήριον zu erheben.

---

[70] Ebd, 150; vgl. oben A.7.
[71] So auch Theobald, Gottesbild, 147. S. dazu ausführlich Abschnitt VIII, S. 95-104.
[72] Theobald, Gottesbild, 137.
[73] Strecker, Befreiung und Rechtfertigung, 502. Dagegen Williams, Jesus' Death, 42f;
Pluta, Bundestreue, 42ff. Im Anschluß an Pluta, ebd, 42-45, sieht Wilckens aufgrund der
Präpositionalbestimmungen in V.25 einen "Parallelismus mit 2 mal 3 Gliedern" vorliegen
(Röm I, 190.):
ὃν προέθετο ... / διὰ πίστεως / ἐν τῷ αὐτοῦ αἵματι
εἰς ἔνδειξίν ... / διὰ τὴν πάρεσιν ... / ἐν τῇ ἀνοχῇ τοῦ θεοῦ.
Wilckens übersetzt διά jeweils mit "durch", ohne dabei die unterschiedlichen Kasus näher
zu berücksichtigen. Die 2 mal 3 Glieder ergeben sich jedoch nur bei formalistischer Betrachtung der Präpositionen, ohne die dazugehörigen Kasus. Nimmt man diese hinzu, so
fällt auf, daß auch die Beziehungen der einzelnen Satzglieder in beiden postulierten Fällen
völlig unterschiedlich sind. (Positiv zu Pluta auch Young, Did St.Paul, 30f, und Herman,
Giustificazione, 263.)
[74] Theobald, Gottesbild, 155. Anders Meyer, Pre-Pauline Formula, 204, der
προγεγονότων als Bestandteil der Formel beibehält.

III
Der Schlüsselbegriff ἱλαστήριον (lexikographischer Befund)

Ein Hauptproblem in der Auslegung von Röm 3,21ff stellt die Frage dar, welcher Vorstellungshintergrund für V.25f anzunehmen ist, speziell für den Begriff ἱλαστήριον[1]. Von ihm hängt die Gesamtinterpretation ab. Wir versuchen daher zunächst, den lexikographischen Befund zu erheben[2], um dann den religions- und traditionsgeschichtlichen Hintergrund zu ermitteln[3]. Beim einzigen weiteren neutestamentlichen Beleg für ἱλαστήριον, Hebr 9,5, ist der Befund eindeutig: Es liegt technischer Gebrauch im Sinn der כפרת vor.

Rein grammatikalisch gibt es drei Möglichkeiten, ἱλαστήριον zu verstehen[4]:

1. Als substantiviertes Adjektiv neutr.: das Sühnende (Sühnegabe, Sühneort, Sühnemittel) bzw. als Übersetzung des t.t. כפר.
2. Als subst. Adjektiv mask. im Akk.: der Sühnende, der Sühner.
3. Als Adjektiv neutr., wobei ein ursprüngliches Substantiv (θῦμα) ausgefallen wäre: Sühnendes (Opfer).

Fall 2. ist sonst nicht belegt. Manche der älteren lateinischen Versionen übersetzen Röm 3,25 mit "propitiatorem" und legen diesen Sinn zugrunde[5]. Man würde dann aber eher ἱλαστής erwarten, wie dies in Ps 85 (86),5 Aq.; Th. und in 1Esd 8,53 (LXX) Cod. A[2] vorliegt[6]. Jedoch ist hierbei keine Sicherheit zu erreichen. Für 1. und 3. existieren Belege.

---

1 Zur Literatur s.o. Abschnitt I, S. 4f A.16.
2 Grundlegend nach wie vor Mollaun, ΊΛΑΣΤΗΡΙΟΝ (1923), der als einziger eine ausführliche Diskussion der relevanten Belege bietet, dessen Arbeit in der europäischen Diskussion jedoch kaum zur Kenntnis genommen wurde. Zur Orientierung s. auch Deissmann, ΙΛΑΣΤΗΡΙΟΣ, 193-212, und die bei Zahn, Röm, 185ff, genannten Belege.
3 Die weiter unten ausführlicher diskutierten Belege werden hier nur kurz dargestellt.
4 Vgl. Deissmann, ΙΛΑΣΤΗΡΙΟΣ, 193ff; Fryer, Hilasterion, 99ff.
5 Deissmann, ΙΛΑΣΤΗΡΙΟΣ, 209; Lyonnet/Sabourin, Sin, 166; Sanday-Headlam, Rom, 87f; Weiss, Röm, 165f; Zahn, Röm, 186 A.62. Kittel, Erklärung, 231, übersetzt mit "Versöhner", Althaus, Röm, 34, hält dies für möglich. Die Übersetzung von Stauffer, Theologie, 125 samt A.465f, durch "Sühnealtar" als semantisch nicht gedeckt.
6 Vgl. Büchsel, in: Herrmann/Büchsel, Art. ἱλαστήριον, 320,10ff; Zahn, Röm, 185f; Käsemann, Röm, 91; Fryer, Hilasterion, 104.

a) ἱλαστήριον als Übersetzung von כפרת[7]

Der Begriff ist im Alten Testament in der überwiegenden Mehrzahl der Fälle die Übersetzung für hebr. כפרת[8]. Ausnahmen liegen jedoch vor.

כפרת: Bis auf Ex 25,17 (= 25,18 LXX) und 1Chr 28,11 wird כפרת stets mit ἱλαστήριον wiedergegeben[9]. Ex 25,17 findet sich ἱλαστήριον ἐπίθεμα, d.h. der Begriff wird hier (zum einzigen Mal mit Sicherheit in der LXX[10]) adjektivisch gebraucht. Er paßt jedoch in den Vorstellungsrahmen genau hinein, da ἱλαστήριον ἐπίθεμα den "zur Sühne dienenden Aufsatz" meint, d.h. den Ort, an dem die Sühne (Blutbesprengung) vollzogen wird. In 1Chr 28,11 wird בית הכפרת mit οἶκος τοῦ ἐξιλασμοῦ übersetzt.

ἱλαστήριον: Die Gegenprobe ergibt ein ähnliches Bild. Fragt man, wofür der Begriff steht, so ist ἱλαστήριον im biblischen Sprachgebrauch bis auf Am 9,1; Gen 6,15 (=6,16 Sm.) und Ez 43,14(ter).17.20 stets Übersetzung von כפרת, d.h. in 21 von 27 (28 incl. 4Makk 17,22) Belegen für ἱλαστήριον steht der Begriff als Übersetzung von כפרת.

---

[7] Ob die כפרת dabei einfach einen "Sockel" darstellt (de Tarragon, Kapporet, 11) oder theologisch prägnant zu verstehen ist, ist im jetzigen Zusammenhang unerheblich.

[8] כפרת begegnet: ohne Artikel Ex 25,17; 37,6; mit Artikel Ex 25,18.19.20(bis).21.22; 26,34; 30,6; 31,7; 35,12; 37,7.8.9(bis); 39,35; 40,20; Lev 16,2.13.14.15(bis); Num 7,89; 1Chr 28,11. ἱλαστήριον begegnet: Ex 25,17(16 LXX).18(17 LXX).19(18 LXX).20(bis, 19 LXX).21(20 LXX).22(21 LXX); 31,7; 35,12; 37,6(38,5 LXX).8(bis, 38,7 LXX).9(38,8 LXX); Lev 16,2 (bis).13.14(bis).15(bis); Num 7,89.

In Ex 26,34 wird כפרת von der LXX nicht wiedergegeben, ebenso nicht in 30,6; 39,35 (39,14 LXX) und 40,20. Dies könnte in 26,34 und 30,6 auf eine Verlesung von פרכת statt כפרת zurückzuführen sein (vgl. Cremer, WB, 523), in den anderen Fällen ist jeweils ein Teil des MT nicht übersetzt.

In mehreren Fällen läßt die LXX Halbsätze aus oder umschreibt und übersetzt nicht; s. z.B. Ex 37,8f (38,7f LXX):

MT: "Ein Cherub an einem Ende und ein Cherub am anderen Ende. Aus der כפרת heraus (in einem Stück mit der כפרת) machte er die Cheruben an ihren Enden. Und die Cheruben breiteten ihre Flügel nach oben hin aus und bedeckten so die כפרת mit ihren Flügeln. Ihre Gesichter waren einander zugewandt, und die Gesichter waren auf die כפרת gerichtet."

LXX: "Ein Cherub war an einem Ende des ἱλαστήριον und ein Cherub an dem anderen Ende des ἱλαστήριον, mit ihren Flügeln das ἱλαστήριον beschattend."

Die LXX hat die Tatsache, daß Cheruben und Versöhnungsplatte aus einem Stück gearbeitet sind, beiseite gelassen, ebenso daß die Cheruben einander zu und zugleich der Versöhnungsplatte zugewandt sind. Zur unterschiedlichen Konzeption der Cheruben in Ex 25,20; 37,8f bzw. 1Kön 6,23-28; 8,6f s. Janowski, Sühne, 282ff.

[9] כפרת selbst begegnet außer in 1Chr 28,11 nur im P-Schrifttum, s. die Aufstellung bei Janowski, Sühne, 105ff.

[10] Zu 4Makk 17,21f s.u. c, S. 23f.

b) Ez 43,14(ter).17.20

ἱλαστήριον stellt in Ez 43 die Wiedergabe von עזרה dar. Die עזרה ist im Verfassungsentwurf des Ez der Absatz bzw. der Korpus des in der Mitte der neuen Tempelanlage stehenden Brandopferaltars. Ez unterscheidet dabei einen kleinen und einen großen Absatz: τὸ ἱλαστήριον τὸ μικρόν und τὸ ἱλαστήριον τὸ μέγα, wobei diese Unterscheidung von V.14 in V.17 und 20 nicht mehr durchgehalten wird.

c) 4Makk 17,21f

Die Stelle in dem griechisch abgefaßten und stark hellenisierenden 4Makk hat v.a. seit der Arbeit Lohses[11] vielfach das Interesse auf sich gezogen. Der Text steht im Schlußabschnitt des Buches im Zusammenhang des Berichtes von sieben Knaben, die als Zeugen für den väterlichen Glauben den Tod erlitten. Abgesehen jedoch von der Frage, ob 4Makk überhaupt als Text für Paulus Relevanz hat, und auch abgesehen von der Frage, in welcher Form 4Makk 17 die Vorstellung vom "stellvertretenden Sühnetod der Märtyrer" vorliegt[12], stellt die Textüberlieferung selbst vor ein Problem, dessen Entscheidung sich auf die Interpretation auswirkt. V.21f lautet:

(21) καὶ τὸν τύραννον τιμωρηθῆναι καὶ τὴν πατρίδα καθαρισθῆναι,
ὥσπερ ἀντίψυχον γεγονότας τῆς τοῦ ἔθνους ἁμαρτίας.
(22) καὶ διὰ τοῦ αἵματος τῶν εὐσεβῶν ἐκείνων
καὶ τοῦ ἱλαστηρίου τοῦ θανάτου αὐτῶν
ἡ θεία πρόνοια τὸν Ισραηλ προκακωθέντα διέσωσεν.

Diese, auch von Rahlfs[13] bevorzugte Textform, die Cod. א bietet, unterscheidet sich von der in Cod. A vorliegenden in V.22 im zweiten Halbsatz: ... καὶ τοῦ ἱλαστηρίου θανάτου αὐτῶν ... Im einen Fall liegt das Substantiv ἱλαστήριον, im anderen das Adjektiv ἱλαστήριος vor. Geht man von der substantivischen Form aus, dann wäre wohl ein Sühnemittel, konkret eine "Weihegabe", "geweihte Sühnegabe", ein "sühnendes Denkmal" gemeint.

---

11 Lohse, Märtyrer (1955); vgl. jedoch die Diskussion schon vorher bei Deissmann, ΙΛΑΣΤΗΡΙΟΣ, 194.
12 S. dazu unten Abschnitt IV, S. 39ff.
13 Septuaginta, ed. Rahlfs, I, 1162; Townshend, in: Charles, Apokrypha II, 683 ("propitiation"); ebenso vertreten von Herman, Giustificazione, 253; Stauffer, Theologie, 272 A.466; Stuhlmacher, Exegese, 326f; Zahn, Röm, 186 A.61; dagegen Schnelle, Christusgegenwart, 200 A.321, im Anschluß an Deissmann (in: Kautzsch II, 174), Büchsel (aaO [s. A.6], 320 A.7) und Lohse (Märtyrer, 71 A.2); ebenso jetzt Klauck, 4Makk JSHRZ III.6, 753 A.22.

Bei adjektivischem Gebrauch wäre im Sinn von "sühnender (beschwichti-
gender) Tod" zu verstehen.

d) Am 9,1

Hier geben die LXX-Codd. B und W und die Recensionen *L* und *C* das
hebräische כפתור mit ἱλαστήριον wieder. Daß es sich dabei schlicht um
eine Verlesung von כפרת statt כפתור handeln kann[14], ist zwar prinzipiell
möglich, aber dennoch nicht die einzig mögliche Erklärung; es kann sich
auch um eine bewußte Übersetzung handeln. Codd. A und Q bieten statt
ἱλαστήριον: ϑυσιαστήριον[15]. Das ϑυσιαστήριον ist nach V.1a der Ort, an dem
Gott dem Propheten Amos in der Vision erscheint[16].

In Am 9,1-6 finden wir einen Visionsbericht, der formal wie die anderen Visionsberichte
bei Am ebenfalls ein "autobiographisches Memorabile darstellt".[17] Der Prophet sieht Gott
auf dem Altar stehen. Die Fortsetzung gestaltet sich vom Text her schwierig. Der MT bietet nach ויאמר die Aufforderung "schlage" (הך), doch wird meist ויאמר umgestellt und
הך in ויך geändert, so daß Gott das handelnde Subjekt ist und selbst auf den Säulenknauf
schlägt, wodurch der Tempel erzittert[18]. Die LXX hat den Sinn des MT beibehalten[19] und
liest:

Εἶδον τὸν κύριον ἐφεστῶτα ἐπὶ τοῦ ϑυσιαστηρίου, καὶ εἶπεν Πάταξον ἐπὶ τὸ ἱλαστήριον
καὶ σεισϑήσεται τὰ πρόπυλα καὶ διάκοψον εἰς κεφαλὰς πάντων.

Der Prophet soll auf das ἱλαστήριον schlagen, woraufhin die Türschwellen (τὰ πρόπυλα)
erbeben werden, und dann soll er auf die Köpfe aller einschlagen. Wie ist das vorzustellen?
Soll der Prophet ins Allerheiligste gehen und dort seinen Schlag vollführen? Oder meint
ἱλαστήριον hier ein anderes Kultgerät? Codd. A und Q haben anscheinend die Vorstellung,
daß der Prophet auf den Altar schlagen soll, auf dem ihm Gott selbst erschienen ist. Das
würde bedeuten, daß der Schlag des Propheten eine Initialhandlung darstellt, aufgrund derer dann Gott die Türschwellen erbeben läßt. Bei dieser und der folgenden Aktion, die sich
gegen die Köpfe aller richtet, wird keine Angabe gemacht, womit dies geschehen soll. Mit
der Hand? Es bleibt unklar, "ob die Menschen durch direkte oder indirekte Folge des Be-

---

14 So Wolff, BK XIV.2, 386, Textanm. 1c; Janowski, Sühne, 273 A.468; Rudolph, KAT,
XIII.2, 241; so auch schon Deissmann, Bibelstudien, 124 A.1.
15 ϑυσιαστήριον und ἱλαστήριον werden bei Hesychios und Kyrillos wechselweise gebraucht; s. unten f.cc, S. 30.
16 כפתור im Sinn von "Knauf", "Säulenkapitäl" begegnet neben Am 9,1 noch Zef 2,14.
Hier übersetzt die LXX mit πυλών. כפתור kann jedoch auch Eigenname sein, wie dies
Am 9,7 vorliegt (LXX: Καππαδοχία), oder Verzierungen am goldenen Leuchter (Ex 25,31
u.ö.) bezeichnen (LXX: σφαιρωτῆρες).
17 Wolff, BK XIV.2, 387.
18 Ebd, 385f, Textanm. 1a.b.
19 Anders die LXX-Handschrift 410: Statt διάκοψον bietet sie διακόψω und statt πάταξον
bietet sie πατάξω (Duodecim Prophetae, ed. Ziegler, 202); von Wolff, BK XIV.2, 386
Textanm. 2e, als wichtige v.l. erwähnt.

bens oder durch zusätzlich Akte getroffen werden."[20] Nachdem es in der Fortsetzung heißt, daß die Übriggebliebenen mit dem Schwert getötet werden sollen, ist jedoch eher an Folgen des Bebens zu denken. Im übrigen befindet sich der Prophet nicht in Jerusalem, sondern die Szene spielt im Heiligtum in Betel. Es ist von daher zu überlegen, ob der Ort, an den hin sich der Schlag des Propheten richten soll, nicht jener ist, an dem Gott steht, also der Opferaltar, und ob nicht ἱλαστήριον genau dies ausdrücken soll. Das ἱλαστήριον wäre somit hier Ausdruck für das Zentrum der Kultanlage, den Ort, an dem Gott begegnet[21]. Anders jedoch als in Ez 43 und 45, wo vom ἱλαστήριον aus die Weihe eines neuen Tempels ihren Anfang nimmt, würde es hier den Ort darstellen, von dem aus die Zerstörung anhebt[22].

Ganz gleich, ob man nun von einer Verlesung ausgehen will oder an eine bewußte Übersetzung denkt, neben Ez 43,13ff macht auch Am 9,1 deutlich, daß ἱλαστήριον für die LXX nicht auf die כפרת des Tempels in Jerusalem beschränkt werden darf, sondern den Sühneort insgesamt meint.

e) Gen 6,15 (6,16 Sm.)[23]

In der Übersetzung von Symmachus findet sich ein ungewöhnlicher Beleg: Zweimal wird die Arche, die Noah bauen soll (תבה), durch ἱλαστήριον wiedergegeben. Deissmann erklärt dies damit, daß der Ort der Sühne zugleich ein Ort der Gnade ist, und "wer in der Arche sich barg, dem war Gott gnädig"[24]. Doch ist dies nicht in jeder Hinsicht überzeugend. Viel eher ist damit zu rechnen, daß die Übersetzung aufgrund von V.14 (= 15 Sm.) zustande kam, wo es heißt: בכפר ... כפרת, "verpiche sie (die Arche) mit Pech". Die Wurzel כפר im Sinn von "Pech", "verpichen" findet sich nur hier im Alten Testament[25]. Möglicherweise hat Symmachus hier nicht im Sinn des Verpichens mit Pech, sondern im Sinn eines Opfers verstanden und damit aus der Arche ein ἱλαστήριον, d.h. einen Sühneort gemacht.

f) Außerbiblische Belege

Die Belege für ἱλαστήριος/ἱλαστήριον außerhalb des biblischen Sprachgebrauchs wurden grundlegend gesammelt von Deissmann. Mollaun fügte

---

20 Wolff, BK XIV.2, 390.
21 Bezieht man Ez 43,13ff in die Überlegung mit ein, so ist festzustellen, daß ἱλαστήριον nicht ausschließlich darauf fixiert ist, Übersetzung von כפרת zu sein.
22 Vgl. Ez 9,5ff, wo ebenfalls die Zerstörung vom Heiligtum ausgeht.
23 Text bei Field, Origenis Hexaplorum I, 23.
24 Deissmann, ΙΛΑΣΤΗΡΙΟΣ, 196; ähnlich Manson, ΙΛΑΣΤΗΡΙΟΝ, 4; Mollaun, ΙΛΑΣΤΗΡΙΟΝ, 74f, mit starker Betonung des lokalen Aspekts.
25 Westermann, BK I.1, 527, Textanm. 14d, mit Hinweis auf das Gilgamesch-Epos, wo sich im gleichen Zusammenhang "kupru" findet.

weitere hinzu. Außerdem sind TestSal 21,2; Herodianus, Cath. Pros. 3.1, 365,24; P.Oxy 1985,11 und die bei Lampe angeführten Belege zu nennen:

aa) Belege aus dem jüdischen Bereich

1. Philo, Cher 25[26]: καὶ γὰρ ἀντιπρόσωπά φησιν εἶναι νεύοντα πρὸς τὸ ἱλαστήριον πτέροις.
2. Philo, VitMos II,95[27]: ἐπίθεμα ὡσανεὶ πῶμα τὸ λεγόμενον ἐν ἱεραῖς βίβλοις ἱλαστήριον.
3. Philo, VitMos II,97[28]: τὸ δ' ἐπίθεμα τὸ προσαγορευόμενον ἱλαστήριον βάσις ἐστὶ πτηνῶν δυοῖν.

An allen drei Belegstellen bei Philo wird ἱλαστήριον (auch ohne Artikel) als substantiviertes Adjektiv neutr. gebraucht und dient bei der Beschreibung der Tempelgeräte als t.t. für כַּפֹּרֶת, jedoch geht aus der Formulierung hervor, daß Philo offenbar auch um den anderen Gebrauch des Begriffes weiß[29].

4. Philo, Fug 100[30]: τὸ ἐπίθεμα τῆς κιβωτοῦ - καλεῖ δὲ αὐτὸ ἱλαστήριον.

Auch hier liegt technischer Gebrauch vor, wobei Philo ausführt, daß das ἱλαστήριον die gnädige Kraft Gottes (ἵλεως δύναμις) repräsentiere, wohingegen die Cherubim die königliche und schöpferische Kraft darstellten. [4a.b. Philo, Fug 101[31] liegt ein Zitat von Ex 25,21 vor, ebenso ist dies Philo, Her 166[32] der Fall.]

Bedeutsam am Sprachgebrauch Philos ist, daß der Begriff im technischen Sinn mit und ohne Artikel belegt ist.

5. JosAnt 16,182[33]: περίφοβος δ' αὐτὸς (Herodes) ἐξῄει καὶ τοῦ δέους ἱλαστήριον μνῆμα λευκῆς πέτρας ἐπὶ τῷ στομίῳ κατεσκευάσατο πολυτελεστάτῃ δαπάνῃ.

Herodes d.Gr., der beim Öffnen des Grabes Davids zwei seiner Männer verloren hatte, läßt ein Denkmal aus weißem Marmor errichten. Ganz gleich, ob adjektivischer oder substantivischer Gebrauch vorliegt[34], es geht

---

[26] Text nach Colson II, 22f. Cohn/Wendland, Philonis Opera I, 176, lesen πτεροῖς. Zu Philo s. Mollaun, ἹΛΑΣΤΗΡΙΟΝ, 65-67. Mollaun und Deissmann lesen φασιν statt φησιν und ἑτέροις statt πτέροις.
[27] Colson VI, 496.
[28] Ebd.
[29] Büchsel, in: Herrmann/Büchsel, Art. ἱλαστήριον, 320,40ff. Nach Schlier, Röm, 110, ist sich Philo bewußt, einen Begriff der biblischen Sprache zu benutzen.
[30] Colson V, 64.
[31] Ebd.
[32] Colson IV, 366.
[33] Text nach Marcus/Wikgren, VIII, 280; anders Niese: Er liest πολυτελὲς τῇ statt πολυτελεστάτῃ.
[34] In der Regel entscheiden sich die Autoren für adjektivischen Gebrauch: "sühnendes Denkmal"; Schlier, Röm, 110; Büchsel, aaO, 320f; anders Deissmann, ἹΛΑΣΤΗΡΙΟΣ, 196; Mollaun, ἹΛΑΣΤΗΡΙΟΝ, 83 (er wendet sich gegen das Verständnis als "Sühnemittel").

um ein den Zorn der Gottheit beschwichtigendes Zeichen, das Herodes aus Furcht errichten läßt[35].

6. TestSal 21,2[36]: καὶ εἰσῆλθεν (die Königin von Saba) εἰς τὸν ναὸν καὶ εἶδε τὸ θυσιαστήριον καὶ τὰ χερουβὶμ καὶ τὰ σεραφὶμ κατασκιάζοντα τὸ ἱλαστήριον. Kap. 21,1-4 der pseudepigraphen Schrift handelt von einer Tempelbesichtigung der Königin von Saba[37]. Der Verfasser scheint jedoch keine Detailkenntnisse bezüglich des Tempels zu besitzen, denn er läßt die Königin ungeniert bis ins Allerheiligste vordringen, wo sie "die Cherubim und Seraphim, die das ἱλαστήριον beschatten", bewundert. In κατασκιάζοντα τὸ ἱλαστήριον klingt die Beschreibung des Tempels in Ex 25,20; 37,9 (= 38,8 LXX; vgl. 1Chr 28,18) an, wo jedoch mit συσκιάζειν ἐπί (25,20) bzw. σκιάζειν ἐπί (38,8) konstruiert wird. ἱλαστήριον ist hier als t.t. entsprechend dem LXX-Sprachgebrauch zur Übersetzung von כפרת gebraucht.

bb) Pagane Belege

7. Inschrift auf Kos, Nr. 81[38]: ὁ δᾶμος ὑπὲρ τᾶς Αὐτοκράτορος Καίσαρος θεοῦ υἱοῦ Σεβαστοῦ σωτηρίας θεοῖς ἱλαστήριον.

8. Inschrift auf Kos, Nr. 347[39]: [ὁ δᾶμος ὁ Ἀλεντίων ... Σε]βασ[τ]ῷ Διΐ Σ[τ]ρατίῳ ἱλαστήριον δαμαρχεῦντος Γαίου Νωρβανοῦ Μοσχίωνο[ς φι]λοκαίσαρος.

9. Dion Chrysostomos, Or. XI, 121[40]: καταλείψειν γὰρ αὐτοὺς ἀνάθημα κάλλιστον καὶ μέγιστον τῇ Ἀθηνᾷ καὶ ἐπιγράψειν, Ἱλαστήριον Ἀχαιοὶ τῇ Ἀθηνᾷ τῇ Ἰλιάδι.

Die beiden Inschriften gehören in die frühe Kaiserzeit. In beiden Fällen bedeutet ἱλαστήριον eine die Gottheit gnädig stimmende Weihegabe[41].

---

35 Meist wird übersetzt: "ein Denkmal zur Beschwichtigung seiner Furcht". Büchsel schlägt vor, im Sinn eines Gen. auct. zu übersetzen: "ein von seiner Angst veranlaßtes (ihm eingegebenes) Sühnemal" (in: Herrmann/Büchsel, Art. ἱλαστήριον, 320 A.10).
36 Zum Text und zu den Einleitungsfragen s. McCown, Testament of Solomon; B.M. Metzger, Art. Salomos Testament, BHH III, 1663; J. Petroff, Art. Solomon, Testament of, EncJud 15, 118f. Das TestSal ist eine Sammlung von Legenden und Erzählungen jüdischen Ursprungs, die jedoch unter Aufnahme sehr unterschiedlicher Überlieferungen christlich überarbeitet wurde. Die älteste Textrezension geht vermutlich in das 4. Jh. n.Chr. zurück. Insgesamt kann die Schrift aus inhaltlichen Gründen trotz der Parallelen zu talmudischem Material "nicht als Erzeugnis des klassischen rabbinischen Judentums angesprochen werden" (Metzger, ebd).
37 Nach McCown, ebd, 87, gehört Kap. 21 nicht zum Kern der Schrift, sondern zu jenen Hinzufügungen, durch die ein einheitlicher Gesamtzusammenhang geschaffen wurde.
38 Text nach Paton/Hicks, No. 81; vgl. Mollaun, ΊΛΑΣΤΗΡΙΟΝ, 80.
39 Paton/Hicks, No. 347; vgl. Mollaun, ΊΛΑΣΤΗΡΙΟΝ, 80.
40 Text nach de Arnim, 146.
41 Deissmann, ΙΛΑΣΤΗΡΙΟΣ, 195.

Auch bei Dion Chrysostomos (2. Jh.) ist der Begriff technischer Ausdruck
für eine Weihegabe an die Gottheit[42].
10. P.Fay, Nr. 337[43]: τοῖς θεοῖς εἰλαστη[ρίο]υς θυσίας ἀξιω[θέ?]ντες ἐπιτε-
λεῖσθαι.
Hier liegt adjektivischer Gebrauch vor. Das Fragment eines von den Göt-
tern handelnden Werkes entstammt dem 2. Jh. n.Chr. Der Text selbst
kann älter sein[44]. Ob hierbei an Sühnopfer oder an gnädig stimmende Opfer gedacht ist, läßt sich nicht entscheiden[45].
11. Herodianus, Catholicae Prosodia 3.1,365,24[46]: Dieser Beleg bringt
keine weiteren Erkenntnisse. Im Werk des Herodianus geht es um Fragen
der Akzentsetzung, und in diesem Zusammenhang bietet er hier lediglich
eine Zusammenstellung von Substantiven auf -ριον mit mehr als drei Sil-
ben, wovon eines ἱλαστήριον ist.

cc) Belege aus dem christlichen Bereich

Die im Folgenden angeführten Belege dienen nur dazu, das Bedeutungsspektrum von
ἱλαστήριον zu erhellen. Weder ist Vollständigkeit beabsichtigt, noch haben diese Belege
für das neutestamentliche Verständnis eine Beweiskraft[47].

(3. Jh.) Methodius Olympius, Sermo de Symeone et Anna X, beschreibt Maria als ἱλαστή-
ριον· τὸ ἱλαστήριον ἐξ οὗ θεὸς ἐγνώσθη ἄνθρωποις ἀνθρωπομόρφως[48].
Dahinter steht wohl die alttestamentliche Vorstellung vom ἱλαστήριον als Erscheinungsort
Gottes. In Sermo I benutzt Methodius den Begriff ἱλαστήριον im übertragenen Sinn, um
Jesu Menschsein auszudrücken: ὑπὸ τῆς ἐμψύχου κιβωτοῦ, ὡς ἐπὶ ἱλαστηρίου, ἐπὶ γῆς
πομπεύει[49].
(4./5. Jh.) Theodor von Mopsuestia, Commentarius in Amosi, erklärt den Altar in Am 9,1:
ἱλαστήριον γὰρ αὐτὸ καλεῖ ὡς ἐπὶ ἱλασμοῖς τῶν θυσίων προσαγομένων[50].

---

42 Büchsel, in: Herrmann/Büchsel, Art. ἱλαστήριον, 321,4 samt A.15; Deissmann,
ΙΛΑΣΤΗΡΙΟΣ, 195. Die Argumente von Mollaun, ΙΛΑΣΤΗΡΙΟΝ, 80f, wonach auch hier der
lokale Sinn dominiere, können schwerlich überzeugen.
43 Papyrusfragment Nr. 337 nach Grenfell/Hunt, Fayûm Towns, 313.
44 Deissmann, ΙΛΑΣΤΗΡΙΟΣ, 193. Die Schreibweise εἰλαστ. entspricht der von Röm 3,25
Cod. B* und D*.
45 Roloff, Art. ἱλαστήριον, 455, votiert für "Sühnopfer"; Mollaun, ΙΛΑΣΤΗΡΙΟΝ, 88:
"expiatory and propitiatory sacrifices".
46 Für diesen Beleg aus dem 2. Jh. n.Chr. danke ich Prof. Dr. M. Wolter, der seinen com-
putergesteuerten Thesaurus Linguae Graecae für mich befragt hat. Text nach Lentz,
3.1,365,24.
47 Weitere Belege, insbesondere aus der patristischen Auslegung zu Röm 3, bei Lampe,
Patristic Greek Lexicon, 673.
48 MPG 18, 372; s. dazu Mollaun, ΙΛΑΣΤΗΡΙΟΝ, 83f, der von einer Identifikation spricht,
die "exceptional and extraordinary" sei. Dies trifft jedoch in dieser Ausschließlichkeit nicht
zu. Vgl. zur Sache Congar, Mysterium, 244-249, mit weiterer Literatur.
49 MPG 18, 348f.
50 MPG 66, 297. Es verdient erwähnt zu werden, daß Theodor die Vision nach Jerusalem
verlegt: Ἐθεασάμην γάρ, φησίν, ἑστῶτα μὲν πρὸ τοῦ θυσιαστηρίου τὸν θεόν, δῆλον ὅτι

(5. Jh.) Basilius von Seleucia spricht in De Vita ac Miraculis S. Theclae I. vom Grab der Thekla, ὡς εἶναι πάνδημον ἰατρεῖον τὸν τόπον, καὶ κοινὸν καθεστάναι τῆς γῆς ἁπάσης ἰλαστήριον[51].

(5. Jh.) Sabas, Typicum V[52]: θυμιᾷ τὴν ἁγίαν τράπεζαν σταυροειδῶς ὡσαύτως καὶ τὸ ἰλαστήριον ἅπαν. Ebenso Kap. I, wo es heißt, daß der Priester κατενώπιον τοῦ ἰλαστηρίου den Weihrauch darbringen soll.

Hier bezeichnet ἰλαστήριον den Altarraum einer Kirche bzw. das ganze Heiligtum[53].

(6./7. Jh.) Menander, Excerpta Historica, nennt das Kloster Sebanon ein ἰλαστήριον[54]. Dahinter steht wohl die Auffasung, daß das Kloster ein Gnadenort sei[55].

(7./8. Jh.) Germanus, In Praesentationem SS. Deiparae II, spricht von Maria: σήμερον τῷ ἰλαστηρίῳ ἀνατίθεται ἡ μόνη τοῖς τῶν βροτῶν ἐσφαλλομένοις διεξαχθεῖσεν ἀμπλακημάτων ἐπιρροαῖς, ἰλαστήριον καινόν τε καὶ θεοειδέστατον καθαρτικόν τε καὶ ἀχειρότευκτον χρηματίσασα[56]. Und in der Homilie In Annuntiationem SS. Deiparae sagt der Engel Gabriel in einem Dialog zu Maria: Χριστιανῶν ἀπάντων γενήσῃ κοινὸν ἰλαστήριον[57]. Später nennt er sie erneut τοῦ κόσμου παντὸς ἰλαστήριον[58].

Durch ihre Mutterschaft soll Maria zum Ort werden, an dem Gott selbst erscheint.

(7./8. Jh.) Andreas von Kreta, In Dormitionem S. Mariae III, betet Maria an: "Jetzt, wo du allem Menschlichen entnommen bist, ὁ σύμπας περιέχει σε κόσμος κοινὸν ἰλαστήριον"[59]. "Mary's womb is the place where God manifested Himself to the world for salvation"[60].

(10. Jh.) Theophanes Continuatus nennt das Kirchengebäude zweimal ein ἰλαστήριον[61].

(10. Jh.) Nicephorus Uranus, Vita Symeonis junioris[62]: χεῖρας ἱκετηρίους, εἰ βούλει δὲ ἰλαστηρίους, ἐκτείνας Θεῷ.

Hier liegt adjektivischer Gebrauch vor[63]. Der Sinn ist "versöhnend"[64].

τοῦ ἐν Ἱερουσαλήμ (MPG 66, 297). Mollaun, ΪΛΑΣΤΗΡΙΟΝ, 85, führt noch einen Beleg aus Cyrill von Alexandriens (4./5. Jh.) Kommentar zu Am 9,1 an (MPG 71, 561), in welchem Cyrill ἰλαστήριον durch θυσιαστήριον ersetzt.
51 MPG 85, 560; Zahn, Röm, 187. Mollaun, ΪΛΑΣΤΗΡΙΟΝ, 87, ersetzt καθεστάναι durch κετεστάναι.
52 Zit. nach du Cange, Glossarium, 513; vgl. Deissmann, ΙΛΑΣΤΗΡΙΟΣ, 196 A.2; Mollaun, ΪΛΑΣΤΗΡΙΟΝ, 76.
53 Für Altarraum oder Chorraum der Kirche votiert Deissmann, ΙΛΑΣΤΗΡΙΟΣ, 196, für "the entire sanctuary" Mollaun, ΪΛΑΣΤΗΡΙΟΝ, 76.
54 MPG 113, 857; vgl. Mollaun, ΪΛΑΣΤΗΡΙΟΝ, 78; Deissmann, ΙΛΑΣΤΗΡΙΟΣ; 197.
55 Deissmann, ΙΛΑΣΤΗΡΙΟΣ, 197; Mollaun, ΪΛΑΣΤΗΡΙΟΝ, 78.
56 MPG 98, 293; vgl. Mollaun, ΪΛΑΣΤΗΡΙΟΝ, 84.
57 MPG 98, 329.
58 Ebd. An anderer Stelle (308) παγκόσμιον ἰλαστήριον; Mollaun, ΪΛΑΣΤΗΡΙΟΝ, 84 A.110; vgl. auch MPG 98, 429.
59 MPG 97, 1100; dazu Mollaun, ΪΛΑΣΤΗΡΙΟΝ, 84.
60 Ebd.
61 MPG 109, 341.469; vgl. Deissmann, ΙΛΑΣΤΗΡΙΟΣ, 197.
62 MPG 86, 3056; vgl. Acta SS Maii V, 335,17.
63 Deissmann, ΙΛΑΣΤΗΡΙΟΣ, 194; Büchsel, in: Herrmann/Büchsel, Art. ἰλαστήριον, 320,14ff; Mollaun, ΪΛΑΣΤΗΡΙΟΝ, 88.
64 Mollaun, ΪΛΑΣΤΗΡΙΟΝ, 89, bietet noch einen weiteren Beleg aus Nicephorus, um die sühnende Funktion der Gebete Simeons zu belegen ("expiatory and propitiatory"): ἃ διὰ στόματος ἔχοντα εὗρεν ἰλαστήρια πρὸς Θεὸν ἡ ἱκεσία (MPG 86, 3088f; vgl. Acta SS Maii V, 348).

(10. Jh.) Joseph Genesios nennt ebenfalls ein Gebäude ἱλαστήριον: Ὡς δὲ παρεστήκει (Bardas) τοῖς τοῦ ἱλαστηρίου προθύροις[65].

Deissmann[66] übersetzt mit "Kloster" und vermutet, daß entweder das Verständnis als Weihegeschenk (analog der Kirche) oder als Gnaden- bzw. Sühneort (analog dem Altar bzw. der Arche) dahintersteht. Dagegen votiert Mollaun[67] dafür, daß ein bestimmter Ort innerhalb des Klosters oder der Kirche gemeint sein muß.

(10. Jh.) Johannes Kameniates sagt, die Kirchengebäude seien ὥσπερ τινὰ κοινὰ πρὸς τὸ θεῖον ἱλαστήρια, d.h. wie der Gottheit von der Gesamtheit gebrachte Weihegaben[68].

(10./11. Jh.) In dem liturgischen Werk Rerum Ecclesiacarum Contemplatio werden die Teile einer Kirche erklärt[69]: In der Kirche gibt es τὸ ἱλαστήριον καὶ τὰ ῞Αγια τῶν ἁγίων[70]. Θυσιαστήριόν ἐστιν ἱλαστήριον, ἐν ᾧ προσεφέρετο περὶ τῆς ἁμαρτίας[71]. Wie Moses im Zelt der Begegnung, so ist der Priester μέσον τῶν δύο Χερουβὶμ ἑστὼς ἐν τῷ ἱλαστηρίῳ[72].

(11. Jh.) Christodulos in Catechesi Sancta nennt ebenfalls das Zentrum des Gotteshauses den Ort, wo τὸ θυσιαστήριον ἢ καὶ τὸ ἱλαστήριον sich befindet[73].

Hesychius, der Lexikograph, erklärt ἱλαστήριον durch καθάρσιον, θυσιαστήριον[74].

Ebenso erklärt der Lexikograph Kyrillos[75]: ἱλαστήριον: θυσιαστήριον, ἐν ᾧ προσφέρει περὶ ἁμαρτιῶν.

Deissmann vermutet, daß sowohl Kyrillos als auch Hesychius Ez 43,14.17.20 im Auge haben, wo der Altarkorpus mit ἱλαστήριον wiedergegeben wird (s.o.)[76].

Suda definiert ἱλαστήριον als "θυσιαστήριον, propitiatorium: altare, supra quod per sacrificia fiebat propitiatio divinique Numinis placatio"[77].

Ein Beleg mit nicht erkennbarem Sinn liegt in P.Oxy 1985,11 (6. Jh.) vor[78].

---

65 MPG 109, 1124; vgl. Deissmann, ΙΛΑΣΤΗΡΙΟΣ, 197.
66 Ebd.
67 Mollaun, ῙΛΑΣΤΗΡΙΟΝ, 79.
68 MPG 109, 540; vgl. Deissmann, ΙΛΑΣΤΗΡΙΟΣ, 197; Mollaun, ῙΛΑΣΤΗΡΙΟΝ, 77, legt wiederum den Akzent auf den lokalen Sinn. (Zur Überlieferung von ἐξιλαστήρια statt ἱλαστήρια bei Leo Allatius s. Deissmann, ΙΛΑΣΤΗΡΙΟΣ, 197 A.3.)
69 Das Werk wird Germanus (8. Jh.) zugeschrieben (Bardenhewer, Patrologie, 502f), was jedoch zweifelhaft ist, s. Mollaun, ῙΛΑΣΤΗΡΙΟΝ, 85; vgl. MPG 98, 384.
70 Ebd, 385; vgl. Mollaun, ῙΛΑΣΤΗΡΙΟΝ, 85.
71 Ebd, 389; vgl. Mollaun, ῙΛΑΣΤΗΡΙΟΝ, 85.
72 Ebd, 429; vgl. Mollaun, ῙΛΑΣΤΗΡΙΟΝ, 85.
73 Daniel, Codex Liturgicus Ecclesiae Orientalis IV, 208 A.2; Mollaun, ῙΛΑΣΤΗΡΙΟΝ, 86.
74 Schleusner, Novus Thesaurus III, 109; vgl. Hesychii Lexicon II, 355; vgl. Deissmann, ΙΛΑΣΤΗΡΙΟΣ, 197; Mollaun, ῙΛΑΣΤΗΡΙΟΝ, 76 (zu καθάρσιον vgl. 4Makk 6,29).
75 Zit. nach Schleusner, Novus Thesaurus III, 109, der angibt, daß es wohl προσφέρεται heißen muß.
76 Deissmann, ΙΛΑΣΤΗΡΙΟΣ, 197. Mollaun, ῙΛΑΣΤΗΡΙΟΝ, 77, betont zu Recht den lokalen Sinn.
77 Zit. nach Suicerus, Thesaurus Ecclesiaticus, 1448; vgl. Bekker, Suidae Lexicon, 528; Mollaun, ῙΛΑΣΤΗΡΙΟΝ, 85f. Zur Schreibweise "Suda" bzw. "Suidas" s. Der Kleine Pauly. Lexikon der Antike 5, München 1979, 407f, s.v. Suda.
78 Text bei Grenfell/Hunt/Bell, The Oxyrhynchus Papyri XVI, 231; vgl. LSJ, Suppl. 74. Zum Beleg Nonnos, Dionysiaca 13,517 (4./5. Jh.), s. Deissmann, ΙΛΑΣΤΗΡΙΟΣ, 197f: ἱλαστήρια stellt eine Konjektur dar. Mollaun, ῙΛΑΣΤΗΡΙΟΝ, 86f, legt noch verschiedene lateinische Belege vor, in denen "propitiatorium" mit lokalem Sinn begegnet.

g) Zusammenfassung

Eine Beziehung von Röm 3,25 zur alttestamentlichen כפרת scheint aufgrund der überwältigenden Zahl der Belege, in denen ἱλαστήριον die Übersetzung von כפרת darstellt, unabweisbar. Die Tatsache, daß die כפרת einerseits den Ort der Erscheinung und Präsenz JHWHs darstellt (Ex 25,22; 30,6; Lev 16,2; Num 7,89), andererseits am Jom-Kippur Ort der Sühnehandlung ist (Lev 16,14ff), erfordert, näher nach den am Jom-Kippur stattfindenden Kulthandlungen zu fragen, um dadurch zu überprüfen, wie eine Beziehung vorzustellen ist.

Es ist aber deutlich, daß ἱλαστήριον nicht auf den כפרת-Zusammenhang eingeengt werden darf[79]. Die Belege bei Ez ordnen sich hier nur bedingt ein. Auch in Gen 6,16 Sm.; Am 9,1 LXX; 4Makk 17,21f fehlt eine Bezugnahme. Die Frage, ob in Röm 3,25f* in Anlehnung an 4Makk 17,21f die Vorstellung vom sühnenden Märtyrertod anklingt, ist aufgrund des lexikographischen Befundes allein nicht entscheidbar. Zumindest zeitlich setzen manche Ausleger 4Makk 17,21f als von Paulus nicht allzu weit entfernt an[80].

Der Beleg bei Josephus und die paganen Belege haben jeweils die Gottheit zum Objekt des "Sühnehandelns". Der Unterschied zum alttestamentlichen Verständnis ist evident.

Die Belege aus dem christlichen Bereich tragen zur Erhellung des paulinischen Verständnisses kaum etwas bei, da sie sämtlich sehr viel später anzusetzen sind. Sie sind jedoch insofern bedeutsam, als sie das mögliche Bedeutungsspektrum erhellen und dabei den lokalen Aspekt von ἱλαστήριον unterstreichen[81].

Vom griechisch-hellenistischen Sprachgebrauch her bedeutet das Substantiv ἱλαστήριον entweder "Sühneort" im Sinn eines t.t. der LXX oder "Weihegabe", "sühnendes Denkmal", wobei der Adressat die Gottheit ist. Der Sinn "Sühnemittel" ist zu allgemein und kann daher keine wirkliche Lösung des Problems darstellen.

Zusammengefaßt ergeben sich aufgrund des lexikographischen Befundes zum Verständnis von ἱλαστήριον in Röm 3,25 folgende Möglichkeiten:

1. ἱλαστήριον ist als kultischer t.t. anzusehen, d.h. vom LXX-Sprachgebrauch her als "Sühneort".

2. ἱλαστήριον ist - vorausgesetzt, ἱλαστηρίου in 4Makk 17,22 ist substantivisch zu nehmen - im Sinn von "Weihegabe" oder "sühnendes Denkmal" zu verstehen.

---

79 Vgl. ähnlich Schnelle, Christusgegenwart, 69f, jedoch mit anderen Konsequenzen.
80 Zur Datierung des 4Makk s.u. Abschnitt IV, S. 38 A.37.
81 Nach Mollaun, ΊΛΑΣΤΗΡΙΟΝ, 45-89, bes. 89, wird durch sie der lokale Sinn von ἱλαστήριον eindeutig bestätigt.

3. ἱλαστήριον ist als (nicht-kultisches) "Sühnopfer" zu verstehen. Dies gilt jedoch nur, wenn ἱλαστηρίου in 4Makk 17,22 ein Adjektiv darstellt und gleichzeitig - mit Lohse - in Röm 3,25 ϑῦμα zu ergänzen ist. Andernfalls ist keine direkte Beziehung von 4Makk 4,21f zur vorpaulinischen Formel möglich.

Eine Entscheidung, welcher Sinn vorliegt, ist jedoch nur aufgrund religions- und traditionsgeschichtlicher Überlegungen möglich.

IV

Zur Frage nach dem "stellvertretenden Sühnetod der Märtyrer" als Verstehenshorizont von Röm 3,25f[1]

Nachdem in Abschnitt II die literarkritische Frage einer Antwort zugeführt werden konnte und in Abschnitt III der lexikographische Befund erhoben wurde, geht es nun um das traditions- und religionsgeschichtliche Problem.

Die Beantwortung der Frage, ob hinter ἱλαστήριον in Röm 3,25f die Vorstellung vom stellvertretenden Sühnetod der Märtyrer stehen kann, hängt von zwei Faktoren ab:

1. Ab wann kann mit der Ausbildung dieser Vorstellung gerechnet werden und wann liegt sie ausgeprägt vor?

2. Ist diese Vorstellung inhaltlich so geartet, daß sie im Rahmen der urchristlichen Botschaft so verwendet werden konnte, daß sie Vorstellungsmaterial an die Hand gab, um Jesu Sühnetod angemessen Ausdruck zu verschaffen?

Eine sich rein auf den lexikalischen Befund stützende Interpretation, die keine inhaltlichen Strukturanalogien aufweisen kann, kommt hierbei nicht in Frage[2]. Die im Folgenden diskutierten Belege werden in der Literatur als Etappenschritte auf dem Weg zur Vorstellung vom Sühnetod der Märtyrer verstanden[3].

---

[1] Das traditionsgeschichtliche Problem des stellvertretenden Sühnetodes hat Kellermann, Sühnetod (in Aufnahme der Arbeiten von Lohse, Märtyrer; Wengst, Formeln; Gnilka, Martyriumsparänese), zu beantworten gesucht. Er kommt dabei zum Ergebnis, daß der Gedanke der Sühne durch Fürbitte die entscheidende Rolle spiele (68ff). Einerseits könne nicht bestritten werden, daß es eine von Wengst zu Recht herausgestellte griechisch-hellenistische Komponente in der Traditionsgeschichte dieser Vorstellung gebe (67), andererseits hänge diese aber auch mit der Spiritualisierung der jüdischen Opfervorstellung im Judentum der Diaspora zusammen (77). Einen Zusammenhang von 2Makk 7,37f mit Jes 53 lehnt er ab (69; vgl. jedoch ders., Danielbuch [1989], 51-75, bes. 67-69, wo Kellermann seine Sicht modifiziert; s. auch die Diskussion in: van Henten, Hrsg., Entstehung, 236ff.242ff). Zum Problem der Sühne durch Fürbitte vgl. Janowski, Sündenvergebung, passim, mit positiver Aufnahme von Kellermann (280 A.152). Auf die Beziehungen der Sühnetodvorstellung zum kultischen Bereich weist auch Anderson, in: Charlesworth II, 539, hin. Er nennt Lev 16; Jes 53,5.10.11; 1QS 5,6; 8,3f.10; 9,4. Zum traditionsgeschichtlichen Problem s. auch Baumeister, Anfänge, 6ff, und zuletzt die Zusammenfassung der bisherigen Diskussion durch van Henten in: ders., Hrsg., Entstehung, 5-15.

[2] Die These, daß Röm 3,25f vom Hintergrund des 4Makk her zu verstehen sei, hat monographisch zuletzt Williams, Jesus' Death (1975), durchgeführt.

[3] Vgl. hierzu Baumeister, Anfänge, passim. Zur Entwicklung der jüdischen Martyriumsdeutung, ebd, 6-65. Zur Diskussion der Darstellung Baumeisters hinsichtlich der Belege in

a) 2Makk 7,37f[4]

Hinsichtlich der literaturgeschichtlichen Einordnung von 2Makk besteht noch immer eine gewisse Unsicherheit, und zwar sowohl in der Frage der redaktionellen Bearbeitung als auch in der zeitlichen Ansetzung[5] der Schichten. Es ist jedoch wahrscheinlich, daß 2Makk in der Zeit um Christi Geburt abgeschlossen vorlag[6]. 2Makk 7,37f gilt als vorchristlicher Beleg auf dem Weg zur Vorstellung eines stellvertretenden Sühnetodes[7]. Auf die mit der Stelle verbundenen traditionsgeschichtlichen Fragen ist hier nicht einzugehen, es geht vielmehr um den Text selbst[8]:

(37) ἐγὼ δέ, καθάπερ οἱ ἀδελφοί, καὶ σῶμα καὶ ψυχὴν[9] προδίδωμι περὶ τῶν πατρίων νόμων ἐπικαλούμενος τὸν θεὸν ἵλεως ταχὺ τῷ ἔθνει γενέσθαι καὶ σὲ μετὰ ἐτασμῶν καὶ μαστίγων ἐξομολογήσασθαι διότι μόνος αὐτὸς θεός ἐστιν, (38) ἐν ἐμοὶ δὲ καὶ τοῖς ἀδελφοῖς μου στῆσαι τὴν τοῦ παντοκράτορος ὀργὴν τὴν ἐπὶ τὸ σύμπαν ἡμῶν γένος δικαίως ἐπηγμένην.

---

den Makkabäerbüchern s.u. Jes 52,13-53,12 kann hier unberücksichtigt bleiben. Außer von Jeremias (Art. Παῖς θεοῦ, 704 A.399) wurde eine solche Ableitung m.W. seither nie ernsthaft vertreten. Zu O. Betz s.o. S. 5 A. 17. Vgl. dazu auch Wolter, Rechtfertigung, 17 (ebd, A.31 ist die Reihenfolge der von Jeremias erschienenen Arbeiten zu korrigieren).
[4] Zu 2Makk 7 s. Kellermann, Auferstanden, passim, und die dort 143-146 angeführte Lit. Die ebd, 12 A.16.35-40.78-80, gemachten Ausführungen wurden weitergeführt in Kellermann, Sühnetod, passim; vgl. auch Baumeister, Anfänge, 39ff (dort auch die ältere Literatur); van Henten, Selbstverständnis, 137ff.
[5] Vgl. zuletzt wieder die Diskussion in: van Henten, Hrsg., Entstehung, 248.
[6] Rost, Einleitung, 60, siedelt den Grundbestand in der Zeit um 100 v.Chr. an, den Epitomator kurz danach. Lohse, Märtyrer, 66 A.2, denkt an die Zeit um Christi Geburt. Kellermann, Sühnetod, 65, will bis in die Zeit um 160 v.Chr. hinaufgehen (vgl. ders., Auferstanden, 13, im Anschluß an Bunge, Untersuchungen, und Hengel, Judentum, 176-183). Habicht, 2Makk JSHRZ I.3, 169ff (mit weiterer Literatur), sieht drei verschiedene Schichten in 2Makk vorliegen (175): 1. Jason (um 161/160 v.Chr.), 2. Epitome (wahrscheinlich 124 v.Chr.), 3. Bearbeitung der Epitome (unsicher, zwischen 124 v.Chr. und 70 n.Chr.) Das 7. Kap. rechnet Habicht dieser dritten Schicht zu (176). Philo, 3Makk, 4Makk und Hebr (s. Hebr 11,35f; vgl. 2Makk 6,19.28; 7,7) scheinen 2Makk vorauszusetzen (177).
[7] Sjöberg, Gott, 222; Gnilka, Martyriumsparänese, 236; Wengst, Formeln, 69; Hengel, Sühnetod, 138: "angedeutet"; Lohse, Märtyrer, 68: zwar nicht Sühne, aber der Gedanke der Stellvertretung sei "deutlich angesprochen". Für das palästinische Judentum hat Sanders, Paulus, 158ff.290, im Anschluß an Büchler, Studies, 119-211.337-374, gezeigt, daß mit einer vollständigen Ausbildung der Vorstellung von Sühne durch Leiden erst nach der Tempelzerstörung zu rechnen ist.
[8] Zur traditionsgeschichtlichen Fragestellung vgl. Kellermann, Sühnetod, passim, und die dort 63 A.1 angeführte Literatur. Zum Text s. Kapler/Hanhart, Septuaginta, z.St.; Kellermann, Auferstanden, 31-33.
[9] Die von E. Pax, "Ich gebe hin meinen Leib und mein Glück". Eine Lesart zu 2.Makk 7,37, SBFLA 17, 1967, 357-368, vorgezogene Lesart des Cod. A dürfte mit Blick auf 2Makk 14,38; 15,30 nicht ursprünglich sein; vgl. Kellermann, Auferstanden, 33 A.n.

In diesem Text sind folgende Punkte zu beachten: Die Lebenshingabe geschieht "für die väterlichen Gesetze". Es besteht eine Solidarität mit den übrigen Sündern[10]. Das Ziel der Hingabe ist es, den Zorn Gottes zu besänftigen. Es wird explizit weder von Stellvertretung, noch von Sühne geredet[11]. Das Sterben für das Gesetz gehört nach Kellermann in jenes Milieu, "das den Soldatentod und das Martyrium der Philosophen unter den Tyrannen verherrlicht"[12]. Die Märtyrer sterben jedoch nicht stellvertretend als Unschuldige, sondern als Schuldige, solidarisch mit dem Volk[13]. V.32 nennt ausdrücklich eigene Sünden als Grund des Leidens[14]: ἡμεῖς γὰρ διὰ τὰς ἑαυτῶν ἁμαρτίας πάσχομεν[15]. Auch der Gedanke der kultischen Sühne muß für 2Makk 7,37f ausscheiden, da das Blutmotiv fehlt[16]. Es kann somit keine Rede davon sein, daß 2Makk 7,37f von einem stellvertretenden Sühnetod spreche[17]. Der Unterschied zur kultischen Sühnopfervorstellung ist offenkundig: das in 2Makk 7,33 angegebene Ziel des Märtyrertodes besteht darin, daß ὁ ... κύριος ... πάλιν καταλλαγήσεται τοῖς ἑαυτοῦ δούλοις.[18] Es

---

[10] Anders Baumeister, Anfänge, 41. Unklar van Henten, Selbstverständnis, 142f.

[11] Vgl. die Zurückhaltung bei Roloff, Anfänge, 47. Die Lebenshingabe für die väterlichen Gesetze findet sich neben 2Makk 7,37 auch 2Makk 6,26; 7,2.9; 8,21; 3Makk 1,23; 4Makk 6,27; 13,9; ähnlich 16,25. Das Sterben für den Bund der Väter ist belegt in 1Makk 2,50; das Sterben um Gottes willen 4Makk 16,25; das Sterben um das Volk zu retten 1Makk 6,44. Zum Sterben für das Gesetz vgl. JosAnt 12,281: "Macht die Seelen so bereit, daß sie, wenn notwendig, für (ὑπέρ) die Gesetze sterben." Nach Hengel, Sühnetod, 5, ist dies formuliert anhand von Aristoteles, Eth.nic. 1169ᵃ 20. Eine Klassifikation der verschiedenen Motive bietet Kellermann, Danielbuch, 71-75.

[12] Kellermann, Sühnetod, 67; vgl. dazu JosAnt 8,5f (ed. Marcus VII,230), wo es um das Sterben für die Freiheit aller geht.

[13] Kellermann, Sühnetod, 69; gegen Gubler, Deutungen, 329, die im Sinn eines stellvertretenden Strafleidens deuten will, nach welchem ein im Leiden der Märtyrer "geleistete[r] 'Ueberschuss' an Sühne" dem Volk zugute komme.

[14] Klauck, 4Makk JSHRZ III.6, 670; anders Baumeister, Anfänge, 41f, im Anschluß an Bickermann und Lohse.

[15] Den Vers auszuscheiden (so die Jerusalemer Bibel), besteht kein Anlaß. Nach Habicht, 2Makk JSHRZ I.3, 227 A.17a, gehören 7,31-38 zu den Zutaten des Epitomators, der eine Antwort geben will auf die Frage nach der Ursache der Strafe und diese in der Schuld vor Gott erblickt.

[16] Gegen Lohse, Wengst, mit Kellermann, Sühnetod 70; ders., in: van Henten, Hrsg., Entstehung, 74.234.236.

[17] Klauck, 4Makk JSHRZ III.6, 670; gegen Gnilka, Martyriumsparänese, 236, der mit Bezug auf Brox, Zeuge, 155-157, sowohl die Sühne- als auch den Stellvertretungsgedanken "klar ... enthalten" sieht; gegen Schweizer, Erniedrigung, 26 A.102, mit Kessler, Bedeutung, 261f. Keinen Beleg für den stellvertretenden Sühnetod erblickt auch Anderson in 2Makk 7 in: Charlesworth II, 539.552 A.g.

[18] Daß καταλλάσσεσθαι zwar aus dem zwischenmenschlichen Bereich komme, aber "auch im kultischen Sinne gedeutet werden konnte" (Hengel, Sühnetod, 19, unter Verweis auf Sophokles, Aias, 744 θεοῖσιν ὡς καταλλαχθῇ χόλου) trifft für den LXX-Sprachgebrauch gerade *nicht* zu. In der LXX liegt nur ein Beleg vor, bei dem ein hebr. Äquivalent für καταλλάσσεσθαι existiert: Jer 48,39 (31,39 LXX) חתה, mutlos, verwirrt sein. Die weiteren drei verbalen Belege, die alle aus dem 2Makk stammen (1,5; 7,33; 8,29) haben jeweils die Wiederaussöhnung der Menschen mit Gott im Blick, jedoch sämtlich ohne kultische Motive. In diesem Zusammenhang gehört auch der eine der beiden

soll also Gottes Erbarmen erreicht werden, Gott soll sich mit seinen Knechten wieder versöhnen (vgl. 7,23.29.37). Dabei liegt keinerlei Opferterminologie vor[19]. Die Abwendung des Zorns gehört nach Kellermann in die Gebetsfrömmigkeit[20]. In diesem Sinn steht auch in 2Makk 7,37f die Fürbitte im Mittelpunkt. Durch sie wird Gott versöhnlich gestimmt. Die Lebenshingabe der Märtyrer ist nicht im Sinne der Bluthingabe als sühnend zu begreifen[21].

b) Dan 3,40 (LXX)

Als weiterer Beleg für eine vorchristliche Vorstellung vom stellvertretenden Sühnetod wird Dan 3,24ff (LXX) genannt[22]. Es handelt sich um das Gebet des Asarja, formgeschichtlich jedoch ein Klagelied des Volkes[23]. Die Verse 24-90 sind nur in griechischen und syrischen Hss erhalten, ein hebräisches/aramäisches Original kann als Grundlage vermutet werden[24]. V.28f betont, daß das Gericht wegen der Sünde von Gott verhängt wurde. V.38f bedauert, daß es gegenwärtig keine Opfer gebe, Gott möge daher den mit zerknirschtem Herzen und demütigem Sinn Kommenden Aufnahme gewähren, so, als kämen diese mit Brandopfern.

(40) οὕτω γενέσθω ἡμῶν ἡ θυσία ἐνώπιόν σου σήμερον καὶ ἐξιλάσαι ὄπισθέν σου.

---

substantivischen Belege, 2Makk 5,20, in dem es auch um die Aussöhnung mit Gott geht. Jes 9,4 bezieht sich auf den zwischenmenschlichen Bereich.

[19] Zum Unterschied von καταλλάσσω und ἱλάσχομαι s. Goppelt, Versöhnung, passim; Breytenbach, Versöhnung, 84ff. Hengel, Sühnetod, 6-9, bringt eine Fülle von Belegen aus dem griechisch-hellenistischen Bereich, in welchen das ὑπεραποθνῄσκειν auftaucht. Diese Belege sind jedoch zur Erhellung des neutestamentlichen Sachverhaltes deshalb problematisch, weil sie die Gottheit zum Objekt bzw. die Besänftigung des Zornes Gottes zum Ziel haben. ἱλάσκεσθαι τοὺς θεούς ist nicht nur wegen des Plurals eine für Paulus undenkbare Formulierung.

[20] Kellermann, Sühnetod, 71. Nach Kellermann, ebd, gibt es im Alten Testament nur ganz wenige Stellen, in denen Opfer den Zorn Gottes besänftigen sollen. Die von ihm genannten Belege handeln jedoch nirgends von einem Sühnopfer und können unter diesem Gesichtspunkt nur bedingt herangezogen werden: Num 17,11 geht es um Rauchopfer zur Entsündigung der Gemeinde; 1Sam 26,19 spricht von einem Duft der Besänftigung und 2Sam 24,18ff geht es um Brandopfer.

[21] Kellermann, Sühnetod, 72, mit Bezug auf Gese, Sühne, 104f A.14; ders., in: van Henten, Hrsg., Entstehung, 236; vgl. Roloff, Anfänge, 47.

[22] Z.B. Gnilka, Martyriumsparänese, 240; vgl. auch Baumeister, Anfänge, 13ff.

[23] Vgl. zur Gattungsbestimmung Janowski, Sündenvergebung, 260.

[24] Rost, Einleitung, 66f; Rothstein, in: Kautzsch I, 172ff. F. Michaeli, Art. Asarja, Gebet des, BHH I, 135.

Nach Hengel[25] mag sich in der ursprünglichen Fassung des Gebets das
sühnende Opfer auf das Bußgebet selbst bezogen haben[26]. Im Munde der
drei Männer im Feuerofen werde das Martyrium zum Sühnopfer. Doch
auch wenn dieser Wechsel so zutreffen sollte - nach Dan 3,28 (=3,95
LXX) geben sie ihre Leiber dahin, um keinen anderen Gott anbeten zu
müssen, d.h. "um Gottes willen" - die Bezeichnung "Sühnopfer" geht über
den vorliegenden Sachverhalt hinaus. Zwar wird der Märtyrertod, der in-
terzessorische Funktion hat, mit einer Opferdarbringung verglichen, aber
auch hier läßt sich nicht von stellvertretender Sühne reden, da nach Dan
3,28.37 LXX die Männer zur Solidargemeinschaft der Sünder gehören.
Auch trifft die Bezeichnung "Sühnopfer" deshalb nur bedingt zu, da das
Objekt der Sühne wiederum Gott ist, dessen Zorn besänftigt werden soll[27].
Im Übrigen ist der Text selbst schwierig zu verstehen, was aus den verschiedenen Übersetzungsversuchen hervorgeht[28]: "... und dich versöhnen"[29], "... und dich gnädig stimmen"[30]. Die Übersetzung von Hengel "...um
Sühne zu wirken vor dir"[31] ist (trotz der versuchten Begründung[32]) sprachlich kaum möglich. Janowski zitiert zustimmend die von Rothstein[33] vorgeschlagene Konjektur ἐξιλάσαι τὸ πρόσωπόν σου, "freundlich stimmen dein
Angesicht", für die Mal 1,9; Sach (7,2;) 8,22 LXX als Parallelen angegeben
werden können[34].

Somit gilt das gleiche, was für 2Makk 7,37f ausgeführt wurde: das Martyrium kann nicht im kultischen Sinn der Bluthingabe als sühnend verstanden werden, es ist als Gott versöhnlich stimmend konzipiert. Kellermann
nimmt zu Recht an, daß die Verbrennungsfolter der Brüder in 2Makk 7
"als ein vom Tier auf den Menschen übertragener spiritualisierter
Brandopfertod" zu verstehen sei[35]. Gleiches gilt für Dan 3,38-40 (LXX),
jedoch im Unterschied zu 2Makk 7 wird dies hier in Dan 3 direkt ausgesprochen.

---

25 Hengel, Sühnetod, 139.
26 Vgl. sachlich gleichartig: Philo, SpecLeg II,17; VitMos II,147; dazu Thornton, Propitiation, 54.
27 Gegen Gnilka, Martyriumsparänese, 240.
28 Janowski, Sündenvergebung, 260. Theodotion bietet denn auch nicht ἐξιλάσαι ὄπισθέν
σου sondern ἐκτελέσαι ὄπισθέν σου, vgl. Sy[h]; dieser Lesart schließt sich Schmitz, Opferanschauungen, 108, an.
29 Plöger, Dan, 72.
30 Kellermann, Sühnetod, 78.
31 Hengel, Sühnetod, 139.
32 Hengel, Atonement, 61 A.41.
33 Janowski, Sündenvergebung, 260; Rothstein, in: Kautzsch I, 180 A.n.
34 Eine weitere Konjektur hat C. Kuhl, Die drei Männer im Feuer (Daniel Kapitel 3 und
seine Zusätze). Ein Beitrag zur israelisch-jüdischen Literaturgeschichte, BZAW 55, Gießen
1930, 146f.152f, vorgeschlagen: חרנך (dein Zorn) wurde verlesen zu אחריך (ὄπισθέν σου).
Der Sinn wäre dann "es möge tilgen deinen Zorn".
35 Kellermann, Sühnetod, 78; jetzt erneut in: van Henten, Hrsg., Entstehung, 234.

Anders verhält es sich mit zwei Belegen aus dem 4Makk. Hier ist zweifellos von einem stellvertretenden Sühnetod die Rede[36].

c) 4Makk 6,28f[37]

Hier sind die von Kellermann[38] genannten drei Aspekte der Sühne vorhanden: Fürbitte, Stellvertretung in der Strafe, ersatzweise Bluthingabe.

(28) ἵλεως γενοῦ τῷ ἔθνει σου ἀρκεσθεὶς τῇ ἡμετέρα ὑπὲρ αὐτῶν δίκη. (29) καθάρσιον αὐτῶν ποίησον τὸ ἐμὸν αἷμα καὶ ἀντίψυχον αὐτῶν λαβὲ τὴν ἐμὴν ψυχήν.

Der Text entstammt einem Gebet Eleazars, das dieser während seines Martyriums betet. Gott wird darin gebeten, sich an der Strafe genügen zu lassen, die die Märtyrer stellvertetend erdulden. Ihr Blut möge ein Mittel der Läuterung sein (καθάρσιον[39]) und ihr Leben als Ersatz (ἀντίψυχον) angesehen werden.

Nach Kellermann[40] sind hier juristische und kultische Sühnemöglichkeit in die Fürbitte hineingenommen. Jedoch erfährt der kultische Aspekt (Blutmotiv) durch V.29b eine spezielle Interpretation: Das καί ist explikativ zu verstehen[41]. Das Blutmotiv wird durch das Motiv der Ersatzgabe erläutert. Der Begriff ἀντίψυχον ist dabei zwar kein biblischer Ausdruck und kann auch nicht einfach mit λύτρον ἀντί (Mk 10,45) gleichgesetzt werden, er kommt aber in seine Nähe[42]. Er gehört nicht in den kultischen Kontext. Ebenso ist der Begriff καθάρσιον sonst nicht biblisch belegt. Er ist als substantiviertes Adjektiv anzusehen und drückt im klassischen Griechisch aus, "daß etwas zur Beseitigung von Unreinheit dient"[43]. Die kultische Konnotation ist erkennbar, auch wenn man nicht wie Lohse aus καθάρσιον ein

---

[36] Vgl. zuletzt Klauck, 4Makk JSHRZ III.6, 670ff.
[37] Zur literaturgeschichtlichen Einordnung von 4Makk vgl. Rost, Einleitung, 80-82; Nikkelsburg, Jewish Literature, 223-230; Schürer, History III.1, 588-593. Die Entstehungszeit dürfte nicht vor der Mitte des 1. Jh. n.Chr. liegen. Anderson, in: Charlesworth II, 533f, geht von einem Zeitpunkt im 1. Jh. aus, der vor 70 gelegen habe; Klauck, Hellenistische Rhetorik, 452; ders., 4Makk JSHRZ III.6, 668f, rechnet mit 90-100 n.Chr. als Entstehungszeit. Die Zeit um 100 vermutet auch van Henten, Datierung, 136-149, und ders., in: van Henten, Hrsg., Entstehung, 3. Zum literarischen Charakter des 4Makk s. Baumeister, Anfänge, 45f A.26f.49f; Klauck, Hellenistische Rhetorik, passim, und die dort genannte Literatur.
[38] Kellermann, Sühnetod, 82.
[39] Daß durch das Märtyrerblut das Vaterland geläutert werde (καθαρίζεσθαι), drückt auch 4Makk 1,11; 17,21 aus.
[40] Kellermann, Sühnetod, 82.
[41] BDR § 442.6.
[42] Gnilka, Martyriumsparänese, 242. Zu λύτρον s.u. Abschnitte IX. und X, S. 179ff.195ff. Anderson, in: Charlesworth II, 552, übersetzt mit "ransom".
[43] Lohse, Märtyrer, 70 A.7.

"Reinigungsopfer" machen sollte, indem man "sachlich ϑῦμα" ergänzt[44]. Gelegentlich gibt καϑαρίζω hebr. כפר pi. wieder: Ex 29,37; 30,10. καϑαρισμός ist in Ex 29,36; 30,10 Übersetzung für כפרים[45]. Hier wird deutlich, wie kultische und nichtkultische Termini und Vorstellungen sich miteinander zu verbinden beginnen. Hinter den Ausführungen in 4Makk 6,28f steht der Gedanke, daß die Lebenshingabe ein Mittel ist, durch das dem göttlichen Zorn Einhalt geboten wird. Das kultische Blutmotiv dient dabei der Interpretation der Stellvertretung, es ist keineswegs das Vorherrschende. Es geht also nicht eigentlich um Sühne, sondern um stellvertretendes Strafleiden[46].

d) 4Makk 17,21f[47]

Sachlich liegt hier die gleiche Aussage wie in 6,28f vor. Wie oben[48] dargestellt, enthält die Überlieferung des Textes eine bedeutsame Variante. Lohse geht mit Cod. A, liest also "... τοῦ ἱλαστηρίου ϑανάτου ..." und interpretiert, daß Gott um der Märtyrer willen sein Volk bewahrt habe[49]. Doch ist seine Interpretation insgesamt mit mehreren Problemen befrachtet[50]. In der Regel wird von den Autoren die bevorzugte Lesart nicht diskutiert[51]. Das τοῦ des Sinaiticus ließe sich als sekundär, durch Dittographie entstanden, verstehen[52]. Andererseits könnte die Lesart von Cod. A auch eine bewußte Änderung sein, die auf das in der alten Kirche verbreitete Verständnis von ἱλαστήριον im Sinn der כפרת zurückzuführen wäre, wes-

---

[44] Lohse, Märtyrer, 70f A.7; auch Klauck, 4Makk JSHRZ III.6, 716, übersetzt mit "Reinigungsopfer"; anders Rehkopf, Septuaginta-Vokabular, 148.

[45] Es geht dabei in beiden Fällen um die Altarentsündigung. καϑαρίζω im Sinn von "sühnen" notiert auch Bill. II, 279.

[46] Vgl. Roloff, Anfänge, 47f, der auf das "deutliche Zögern" bei der Einführung des Sühnegedankens hinweist.

[47] Zum Text s. auch unten 151ff.

[48] Abschnitt III, "Der lexikographische Befund", S. 23f.

[49] Lohse, Märtyrer, 71 samt A.2; so auch Schnelle, Christusgegenwart, 200 A.321.

[50] Die Kritik am methodischen Verfahren Lohses wurde durch Wengst, Formeln, 62-67, geleistet (vgl. zusammenfassend Kellermann, Sühnetod, 66; Gubler, Deutungen, 254-257). Bedeutsam ist v.a. 1. die ungenügend vollzogene Unterscheidung des Sühnetodes für eigene Sünden und des stellvertretenden Todes für andere und 2. die ungenügend vollzogene Unterscheidung von kultischer Sühne und nicht-kultischer Stellvertretung. Die These, die Lohse durchführen will, daß das palästinische Judentum die Vorstellung vom stellvertretenden Sühnetod schon vor 70 n.Chr. kannte (Märtyrer, 32.69.71), dürfte durch Sanders, Paulus, 162.190 u.ö. endgültig widerlegt sein.

[51] Deissmann, in: Kautzsch II, 174, ohne Begründung. Büchsel, in: Büchsel/Herrmann, Art. ἱλαστήριον, 320: Die LA von א "ist nicht vorzuziehen"; Lyonnet/Sabourin, Sin, 156, ohne Begründung; Lohse, Märtyrer, 71 A.2: Die LA von א ist "wohl als sekundär anzusehen". Schnelle, Christusgegenwart, 200 A.321, ohne Begründung. Ausnahmen: Stuhlmacher, Exegese, 326f; Klauck, 4Makk JSHRZ III.6, 753 A.22a.

[52] Nach Stauffer, Theologie, 272 A.466, ist das τοῦ in Cod. A wegen Homoioteleuton ausgefallen.

halb die Formulierung als Bezeichnung für den Märtyrertod als unpassend
empfunden wurde[53]. Klauck übersetzt adjektivisch, aufgrund der "eindeutig besser bezeugte[n] Lesart"[54]. Die substantivische LA ist nur von א; 62;
577 und 33 Menologienhss belegt[55].

ἱλαστήριος als Adjektiv begegnet sonst in der LXX nur noch in Ex 25,17 bei
der ersten Erwähnung der כפרת, die dort mit ἱλαστήριον ἐπίθεμα übersetzt
wird. Das Adjektiv ist auch bei JosAnt (16,182: τοῦ δέους ἱλαστήριον μνῆμα)
belegt, jedoch deutlich mit Bezug auf eine Art Weihegabe, die mit Sühne
nichts zu tun hat[56].

Lohse möchte ἱλαστήριος θάνατος im Sinn von "Sühnopfer" verstehen: "Wie
wir schon gesehen hatten, hat das hellenistische Judentum den Tod der
Märtyrer als Opfer verstanden und mit Ausdrücken der Opfersprache die
Sühnekraft ihres Sterbens ausgesagt."[57] Diese Aussage Lohses geht jedoch
zu weit, denn zum einen kann nicht ohne weiteres davon ausgegangen
werden, daß *vor* dem 4Makk der Sühnegedanke im Zusammenhang mit
dem Märtyrertod ausgeprägt vorliegt, zum anderen bedeutet die Aufnahme von Opferterminologie noch nicht, daß wir es mit "Sühnopfer" zu
tun haben[58]. Die Ausführungen von Lohse selbst legen dies nahe: "Die
Märtyrer der Makkabäerzeit sind wegen der Sünde des Volkes gestorben.
Ihr Tod aber hat Sühne geleistet, die kraft des vergossenen Blutes wirksam
ist. Gott hat ihr Sterben angenommen und daraufhin Israel gerettet."[59] Die
"Ersatzgabe" des Lebens der Märtyrer hat auf die Vorsehung einen "begütigenden Einfluß"[60] ausgeübt und veranlaßt, Israel zu retten. Hier ist die
alttestamentliche Vorstellung kultischer Sühne umgeprägt[61]. Die Lebenshingabe der Märtyrer ist eine Art, den Zorn der Gottheit zu besänftigen.
Weil diese ihr Leben als Ersatz hingeben, kommt Gottes Zorn zum Still-
stand. Die Aktivität liegt hier beim Menschen[62], der sein Leben preisgibt
und dadurch die Gottheit versöhnlich stimmt[63].

---

[53] Stuhlmacher, Exegese, 327; Wilckens, Röm I, 192 A. 538.
[54] Klauck, 4Makk JSHRZ III.6, 753 A.22a.
[55] Klauck, ebd.
[56] S. dazu oben Abschnitt III, "Der lexikographische Befund", S. 22.26f.
[57] Lohse, Märtyrer, 152.
[58] Auch 4Makk 6,28f kann als Beleg für Sühn*opfer* nur gelten, wenn man mit Lohse, Märtyrer, 70f A.7, θῦμα ergänzt, was durch nichts gerechtfertigt ist; vgl. Schrage, Röm 3,21-26,
81. Anderson, in: Charlesworth II, 563, übersetzt mit "propitiation", ebenso Townshend, in:
Charles II, 683.
[59] Lohse, Märtyrer, 152.
[60] Ebd, 153.
[61] Vgl. Gese, Sühne, 104f samt A.14.
[62] Anders Kessler, Bedeutung, 264.
[63] Daß dieser Gedanke nur schwer zu dem in Röm 3,25f Geäußerten paßt, sei hier vorläufig nur angedeutet. Röm 3,25f ist die Aktion entsprechend alttestamentlichem Sühneverständnis eindeutig auf der Seite Gottes. Auch wird hier nicht Gottes Zorn begütigt, sondern seine Gerechtigkeit erwiesen. Vielmehr hat Gott ἀνοχή walten lassen und seinen
Zorn zurückgehalten (s. dazu unten Abschnitte VIII und IX, S. 112ff.168ff). Nach paulini-
schem Verständnis wird durch den Tod Jesu nicht Gottes Zorn besänftigt, sondern der

4Makk stellt eine Schrift dar, in der von einem jüdischen Autor hellenistisches Gedankengut eingebracht wird, um von den Lesern verstanden zu werden[64]. Der Vf. will einem griechischen Hörerkreis das stellvertretende Bußleiden der Märtyrer in 2Makk 7,30ff verständlich machen. Er benutzt dabei nicht nur Vorstellungen, die alttestamentlichem Denken adäquat sind[65]. Es ist daher durchaus möglich, daß auch im Blick auf ἱλαστήριον das griechisch-hellenistische Verständnis als "Weihegabe" durchschlägt[66]. Dies bestätigt auch die grammatische Konstruktion. Der sachliche Obersatz lautet (V.20f): Die Märtyrer sind geehrt nicht nur mit himmlischer Ehre, sondern auch dadurch, daß um ihretwillen (δι' αὐτούς) die Feinde über Israel keine Macht mehr hatten, der Tyrann bestraft und das Vaterland geläutert (καθαρίζω) wurde. V.21b stellt die inhaltliche Begründung dar, wie es dazu kam, nämlich indem sie "gleichsam eine Ersatzgabe" (ὥσπερ ἀντίψυχον) wurden. Dies wiederum erläutert V.22 durch das Blutmotiv und den Sühnetod. Die Weiterführung des Satzes findet jeweils durch καί statt. Dieses hat in unserem Zusammenhang epexegetische Bedeutung[67]: "Sie wurden gleichsam zur Ersatzgabe für die Sünden des Volkes. Und zwar hat durch das Blut dieser Frommen, nämlich ihren sühnenden Tod (die Weihegabe ihres Todes), die göttliche Vorsehung das vorher arg bedrängte Israel gerettet."

Sünder vor dem Zorn(gericht) gerettet (1Thess 1,9f; Röm 5,9). Dieser Sachverhalt kommt auch nicht genügend zum Ausdruck in Buchanans Paulusinterpretation, obwohl er vom Jom Kippur her argumentiert (vgl. Buchanan, Day of Atonement, 243ff). Bestätigt wird diese Sicht durch die Art und Weise, wie Paulus vom Zorn Gottes redet: nicht als Affekt, sondern als Ausdruck des Gerichtes (vgl. dazu Conzelmann, Rechtfertigungslehre, 201). Der Sünder wird dem Gericht entrissen und nicht wird Gottes Affekt begütigt (vgl. dazu auch Gestrich, Wiederkehr, 320ff; Wolff, 2Kor, 134).

[64] Vgl. Rost, Einleitung, 82. An manchen Stellen bedeutet dies einen fast völligen Übergang zu griechischem Denken. Z.B. ist die Hoffnung auf Auferstehung des Leibes dem Gedanken an eine unsterbliche Seele gewichen oder er spricht von der göttlichen Vorsehung.

[65] Vgl. ὥσπερ ἀντίψυχον; dazu Lyonnet/Sabourin, Sin, 156f; Stuhlmacher, Exegese, 327.

[66] Stuhlmacher, Exegese, 327. Klauck, 4Makk JSHRZ III.6, 671, rechnet damit, daß ἱλαστήριος auf das Ritual des Jom Kippur ziele. Das Argument von Wilckens, Röm I, 192 A.538, daß dem jüdischen Autor von 4Makk die kulttechnische Bedeutung von ἱλαστήριον hätte bewußt sein müssen und es deshalb unwahrscheinlich sei, daß er dem Terminus die in der hellenistischen Umwelt geläufige Bedeutung "Sühnegabe, Weihegabe" beigelegt habe, läßt sich mit Blick auf den ausgeprägt griechisch-hellenistischen Stil der Diatribe und unter Berücksichtigung von JosAnt 16,182, wo der gleiche Sachverhalt vorliegt, nicht halten.

[67] BDR § 442.6 samt A.18.

e) Der 'sühnende Märtyrertod' und Röm 3,25f[68]

Ist es denkbar, in 4Makk 17,21f (6,28f) den sachlichen Hintergrund für Röm 3,25f zu sehen? Der begriffliche Anklang allein (ἱλαστήριος) kann dafür nicht ausschlaggebend sein. Auch wenn die Übersetzung von ἱλαστηρίου in 4Makk 17,22 durch "Weihegabe" oder "geweihte Sühnegabe" nicht zutrifft und wenn darüber hinaus die LA von Cod. A der von ℵ vorzuziehen ist, so steht sachlich noch immer das Problem im Raum, daß mit dem Martyrium in 4Makk 6,28f; 17,21f die Vorstellung eines stellvertretenden Straf- und Bußleidens verbunden ist, durch welches der göttliche Zorn begütigt werden soll, was "Röm 3,25f. ganz fern liegt und dort nur durch unsachgemäße Interpretation eingetragen werden kann"[69]. Nicht zuletzt hat Lohse selbst diesen Zusammenhang gesehen: Röm 3,25f wird "nicht darüber reflektiert, ob der zornige Gott des Sühnopfers Christi bedurfte, um wieder gnädig zu sein. Solche Erwägungen liegen ganz fern."[70] Denn während "die Märtyrer durch ihren sühnenden Tod einen begütigenden Einfluß auf Gott zu gewinnen suchten, ist Christi Tod geschehen, weil Gott selbst ihn hingab als Sühnopfer."[71] Es läßt sich also ein Bezug von Röm 3,25f auf die Vorstellung vom sühnenden Märtyrertod nach 4Makk 17,21f (6,28f) - wenn überhaupt - nur in gebrochener Form annehmen[72].

Wie oben ausgeführt, läßt sich in 4Makk ein Verschwimmen kultischer und nichtkultischer Termini feststellen. Dies liegt an der Herkunft der Vorstellung vom sühnenden Märtyrertod: Die Vorstellung vom Lebensopfer der Märtyrer hängt traditionsgeschichtlich mit der Spiritualisierung der Opfer im Diasporajudentum zusammen[73]. Aus Dan 3,38f (LXX) wird deutlich, warum es dazu kommen konnte: In einer Zeit, in der aufgrund der politischen Situation kein ordentlicher Tempelkult durchgeführt werden kann, taucht zwangsläufig die Frage auf, ob es andere Möglichkeiten gibt, mit Gott wieder Gemeinschaft zu haben. So ist die Frage nach der

---

[68] Die folgenden Überlegungen gelten ohnehin nur, sofern mit einem Vorhandensein der Vorstellung vom sühnenden Märtyrertod vor 70 n.Chr. gerechnet werden kann. Dies ist aufgrund der zuletzt von Klauck und van Henten vorgenommenen Datierung des 4Makk in die Zeit 90-100 n.Chr. erneut sehr fraglich geworden; vgl. dazu oben A.37.

[69] Stuhlmacher, Exegese, 327 A.55. Daß der Tod Jesu im Neuen Testament auch im Horizont des Zornes Gottes von Bedeutung ist, wird durch Röm 1,18ff; 1Thess 1,9f; Apg 17,30 usw. belegt; s. aber oben A.63!

[70] Lohse, Märtyrer, 150.

[71] Ebd, 153. Zu Röm 8,3, wo περὶ ἁμαρτίας vermutlich die alttestamentliche חטאת bezeichnet, s. Wilckens, Röm II, 126-128. Dagegen Breytenbach, Versöhnung, 159ff. Näheres dazu unten Abschnitt IX.e, S. 191-193.

[72] Die Argumentation bei Cranfield, Rom I, 214ff, im Anschluß an Morris, ἱλάσκεσθαι, 227-233, kann an dieser Stelle nur bedingt überzeugen (s.o. A.63. A.69).

[73] Vgl. Kellermann, Sühnetod, 77-79; zustimmend Janowski, Sündenvergebung, 259.280, der den Beleg 11QtgJob 38,2 in seinen traditionsgeschichtlichen Zusammenhang stellt.

Aussöhnung mit Gott in einer Zeit, in der der Tempelkult problematisch wurde, als Ausgangspunkt der Märtyrertheologie durchaus verständlich[74]. Auch das Ziel der kultischen Opfer ist die Gemeinschaft mit Gott. Die Tiere, die geopfert werden, sterben stellvertretend den Tod der Sünder. Der Blutritus bringt mit dem Heiligen (Gott) wieder in Kontakt[75]. Das Verhältnis wird wieder intakt. Dies soll nun durch die Lebenshingabe der Märtyrer erreicht werden. Sie möchte den Zorn Gottes zum Verstummen bringen und ein wieder intaktes Gottesverhältnis erwirken. Die Lebenshingabe der Märtyrer geschieht stellvertretend. Der Unterschied zu den kultischen Opfern ist jedoch, daß hier Menschen ihr Leben hingeben, was im alttestamentlichen Opferkult undenkbar ist und nur aufgrund einer Spiritualisierung der Kultbegriffe möglich wurde.

Es könnte sein, daß in diesem Aspekt eine Beziehung von Röm 3,25f zur Vorstellung vom sühnenden Märtyrertod vorhanden ist[76], jedoch nicht so, daß die Aussage in Röm 3 traditionsgeschichtlich in einer Linie mit der Märtyrervorstellung liegt, da Subjekt und Objekt des Sühnehandelns hier und da jeweils verschieden sind.

---

[74] Auch dies spricht eher für eine Datierung des 4Makk nach 70 n.Chr.

[75] S. dazu ausführlicher unten Abschnitt V, S. 45-59, bes. 51ff.

[76] Vgl. dazu Hengel, Sühnetod, 3ff.8f.18, der zutreffend den Gedanken eines "Sterbens für andere" als allgemeinen Hintergrund für die hellenistische Zeit herausarbeitet, jedoch keine traditionsgeschichtliche Abhängigkeit sieht. Ähnlich Anderson, in: Charlesworth II, 539. Auf den Einfluß der "griechischen Bewunderung des heroischen Todes" weist auch Baumeister, Anfänge, 308 hin. Zur Frage nach dem jüdischen bzw. griechischen Hintergrund des "Sterbens für" s. Versnel, Quid Athenis et Hierosolymis?, 162-196, bes. 182ff, und die ausführliche Bibliographie 193-196. (Dort auch ein Hinweis auf die Arbeit von E. von Lasaulx, Sühnopfer der Griechen und Römer, 233ff, wo eine über Hengel und Williams hinausgehende ausführliche Kompilation der relevanten Stellen zu finden ist.) Auf die hellenistische Vorstellung des ἀποϑνήσκειν ὑπέρ τινος als Hintergrund der paulinischen Versöhnungsaussagen geht jetzt wieder Breytenbach, Versöhnung, 206f, ein. Als Röm 5,7 zieht er am Schluß, daß Paulus diese Vorstellung kannte und sieht dies als Beleg an für seine These, daß bei Paulus eine kultisch geprägte Sühnevorstellung nicht nachzuweisen sei (vgl. die Zusammenfassung, ebd, 220f). Doch die Schlüssigkeit der Argumentation muß bezweifelt werden (zu Röm 8,3 und 2Kor 5,21 s.u. Abschnitte IX.e, S. 191ff; X.a, S. 195.198f): Wie Breytenbach selbst zugibt, läßt sich aus dem Hellenismus zwar ein Zusammenhang von (nichtkultischer) Sühne und Stellvertretungstod belegen, nicht jedoch "die Vorstellung, daß die Sühne für die Sünde, die durch den Stellvertretungstod gestiftet wird, eine Handlung Gottes ist" (206f). Dehalb fragt Breytenbach nach den "Zusammenhänge[n] zwischen *jüdischen* Sühnegedanken und dem Stellvertretungstod" (207). Gerade dieser Zusammenhang liegt aber Röm 5 nicht vor. Paulus zieht die Vorstellung des ἀπο-ϑνήσκειν ὑπέρ τινος nicht heran, um dann auf diesem Hintergrund den Stellvertretungstod Christi als Handlung Gottes zu deuten, sondern es geht ihm um den Gegensatz 'Sterben für Freunde' - 'Sterben für Feinde'. Paulus benutzt also die hellenistische Vorstellung gerade nicht, um in Antithese dazu Jesu stellvertretenden Sühnetod als "Handlung Gottes" zu exemplifizieren, sondern lediglich um des Motivs "Freunde-Feinde" willen. Es läßt sich somit aus Röm 5 keine Verbindung der jüdischen Sühnevorstellung mit dem hellenistischen Gedanken des ἀποϑνήσκειν ὑπέρ τινος gewinnen. Vgl. Wilckens, Röm I, 299 A.987: Die "Versöhnungsaussage [ist] ... Interpretament der [kultischen] Sühne-Aussage", vgl. sachlich identisch Wolff, 2Kor, 134.

Trifft die zeitliche Ansetzung des 4Makk in die Zeit nach 70 n.Chr. zu, dann ist die Vorstellung vom stellvertretenden Sühnetod der Märtyrer als durchaus plausible Antwort auf die Tempelzerstörung anzusehen[77].

---

[77] Damit wäre sowohl aus sachlich-theologischen Gründen wie auch aufgrund der zeitlichen Ansetzung des 4Makk die Interpretation von Williams, Jesus' Death, problematisiert. Die Essenz der Arbeit von Williams lautete (253f): "Thus did the author of IV Maccabees make available to early Christians, probably in Antioch, a concept in terms of which it was natural and meaningful for them to interpret the death of another man faithful unto death, Jesus of Nazareth ... The idea that the precipitous and undeserved death of an exceptionally worthy person can effect expiation for the sins of others served as the lens through which the crucifixion of Jesus could be viewed and understood." Dies ist nach dem hier Dargestellten kaum wahrscheinlich.

V

Die Beziehung von Röm 3,25f zur kultischen Sühne: Die Blutapplikation als Weiheritus

Der andere Vorstellungsbereich, der neben dem stellvertretenden Sühnetod der Märtyrer als Hintergrund von Röm 3,25f diskutiert wird, ist die kultische Sühne am Jom Kippur. Dabei wird der Ausdruck προτίθεσθαι ἱλαστήριον ἐν τῷ αὐτοῦ αἵματι typologisch mit dem Blutritus in Lev 16 in Beziehung gesetzt. So wie der Blutritus in Lev 16 Sündenvergebung bewirke, so soll dies auch im Tod Jesu geschehen[1].

Doch was geschieht bei der Blutapplikation am ἱλαστήριον? Die Auskunft, daß hier das zentrale Sühnegeschehen vor sich gehe, aufgrund dessen dann Vergebung möglich sei, ist zu undifferenziert. Die biblischen Texte wie auch die jüdische Tradition unterscheiden genau sowohl hinsichtlich der einzelnen Sühnehandlungen und deren Effizienz wie auch hinsichtlich der Kategorien von Sünde. Soll in Röm 3,25f ein Anklang an ἱλαστήριον-Belege aus dem Alten Testament aufgewiesen werden, dann müssen zunächst diese Differenzierungen aufgezeigt werden, um dann mögliche Beziehungen zu beschreiben. Wir werden dabei den Nachweis führen, daß es sich bei den alttestamentlichen Blutriten am ἱλαστήριον von der Funktion her gesehen um Weihe- und Reinigungsriten handelt, die jene Sünden betreffen, durch die das Heiligtum verunreinigt wurde. Zentraler Aspekt des Blutritus am ἱλαστήριον wäre somit nicht allgemein Sündenvergebung, sondern Heiligtumsweihe.

a) Die Sühne am Jom Kippur nach Lev 16[2]

In seiner heutigen Form macht Lev 16 einen zusammengesetzten Eindruck[3]. Anlaß für die Bestimmungen sind im heutigen Kontext das (unbe-

---

[1] Z.B. Merklein, Der Sühnetod Jesu, 163ff; Stuhlmacher, Röm, 56.57f; Wilckens, Röm I, 190-193.

[2] Zu Lev 16 s. neben den Kommentaren v.a. Aartun, Versöhnungstag; Bellas, Kapporeth (neugriech.); Görg, Beobachtungen; Goudoever, Biblical Calendars, 36ff; Herr u.a., Art. Day of Atonement; Hruby, Yom Ha-Kippurim; Janowski, Sühne, 265ff; Kiuchi, Purification Offering, 77ff.111ff.143ff; Kosmala, Jom Kippur; Martin-Achard, Fêtes, 105-119; Meinhold, Joma, 1ff; Milgrom, Art. Atonement, Day of, IDB Suppl., 82f; Morris, Atonement (1983), 68-87; Otto, Fest, 70ff; Rost, Art. Versöhnungstag; Schenker, Versöhnung, 111-116; Strobel, Sündenbock-Ritual; Treyer, Le Jour des Expiations, 11-247; de Vaux, Lebensordnungen II, 368-372; Vriezen, Hizza, 219-235; Wefing, Untersuchungen; zur LXX-Überlieferung s. jetzt Harlé/Pralon, Hrsg., Le Lévitique, 13-81.150-156.

[3] Die literarische Einheitlichkeit wurde erstmals 1876 von H. Oort bezweifelt. Vgl. dazu Wefing, Untersuchungen, 2ff; Janowski, Sühne, 266ff, und die dort angegebene Literatur.

fugte) Betreten des Allerheiligsten durch die Söhne Aarons und der Tod derselben[4]. Dies ist die in Lev 16,1f angesprochene Situation. Die Verse lassen eine Antwort erwarten auf die Frage, unter welchen Bedingungen das Allerheiligste betreten werden darf. Im folgenden Text sind dann jedoch tatsächlich zwei ganz andere Aspekte angesprochen und miteinander verwoben: 1. die Entsühnung des Heiligtums; 2. die Entsühnung von Personen. Es kommt beim Verständnis von Lev 16 entscheidend darauf an, diese Differenzierung nicht zu verwischen. Nur von hier aus läßt sich die Beziehung zwischen dem Ritual des Großen Versöhnungstages und der Aussage Röm 3,25f präzise beschreiben.

Zwei weitere Voraussetzungen müssen bei der Analyse von Lev 16 beachtet werden[5]:

1. Die am Jom Kippur dargebrachten Opfer gehören zum Typus der חטאת (vgl. Ex 30,10; Lev 4,1ff; Num 29,11), die (in der Regel) für unbewußte bzw. ungewollte Sünden dargebracht wird[6].

2. Die drei Tiere des Jom-Kippur-Rituals beziehen sich auf zwei unterschiedliche Gruppen: Der Stier wird für die Priesterschaft dargebracht, die beiden Böcke für das Volk. Davon stellt der erste Bock ein Sündopfer dar, der zweite darf nicht als Sündopfer im strengen Sinn angesehen werden[7], obwohl gerade bei ihm und nicht bei den beiden anderen die Handaufstemmung ausdrücklich erwähnt wird (Lev 16,21)[8]. Die beiden Brandopferwidder (Lev 16,3.5) gehören nicht zum eigentlichen Jom-Kippur-Ritual[9].

Die Ausleger sind sich darin einig, daß die einzelnen Handlungen in Lev 16 entweder ritualgeschichtlich oder literarkritisch zu unterscheiden sind, jedoch besteht keinerlei Einigkeit in der Durchführung im Detail[10]. Grundlegend für das Verständnis ist die literarkritische Analyse. Bei unserer Darstellung der Probleme, die Lev 16 betreffen, gehen wir von den

---

[4] Zum Zelt der Begegnung und den damit verbundenen Vorstellungen s. Koch, Art. אהל; zur Kapporet s. neben Lang, Art. כפר, Zobel, Art. ארון.

[5] Vgl. Milgrom, in: Herr u.a., Art. Day of Atonement, EncJud 5, 1384.

[6] S. dazu Janowski, Sühne, 189ff; zur חטאת s.u. Abschnitt VII, S. 80ff samt A.10.

[7] Gegen Milgrom, ebd, 1384, ist zu betonen, daß der Sündenbock nicht zum Typus der חטאת gehört. Neuerlich hat Kiuchi, Purification Offering, 163f, versucht, das Wegschicken des Asasel-Bockes von seiner Funktion her als "special form of the burning of the *hattat*, designed to eliminate the guilt that Aaron bears" (164) zu beurteilen (vgl. zu dieser funktionalen Betrachtungsweise schon de Vaux, Ancient Israel, 509.452). Dennoch gehört zum Sündopfer der Blutritus konstitutiv hinzu.

[8] Lev 16,10 wird in einer sekundären Bemerkung die sühnende Kraft des Asasel-Bockes genannt: "damit er über ihm die Sühne vollziehe" (לכפר עליו). Dies stellt nach Elliger, Lev, 201, eine "im Zusammenhang sinnlos[e]" Bemerkung dar, die "durch Schreiberversehen hereingekommen" ist.

[9] Elliger, Lev, 203.

[10] Eine Darstellung der Auslegungsgeschichte bietet Wefing, Untersuchungen, 3-32. Nach Aartun, Versöhnungstag, 97, hat das Ritual am Jom Kippur ausgesprochenen "Sondercharakter".

durch Elliger[11], Wefing[12] und Janowski[13] vorgelegten Interpretationen aus, da sie die gegenwärtig maßgeblichen Interpretationsansätze darstellen[14].

Karl Elliger kommt hinsichtlich der Entwicklung des Jom-Kippur-Rituals zu folgendem Ergebnis: Er unterscheidet 1. eine in einer älteren Schicht vorliegende Entsühnung von Personen von der 2. in einer jüngeren Schicht anzutreffenden Entsühnung des Heiligtums unter Einschluß des Altars. Im ersten Fall wird das Blut zugunsten (בעד) Aarons und des Volkes gesprengt (V.11.17). Dies entspricht in der LXX ὑπέρ bzw. περί. Im zweiten Fall findet sich die Formulierung כפר + על (V.16)[15]. Die dabei in den

---

[11] Elliger, Lev, 202-210.

[12] Die maßgeblichen Interpretationsansätze werden bei Wefing, Untersuchungen, 3-32, genannt. Zusätzlich zu den oben A.2 schon genannten Arbeiten von Otto (1977), Aartun (1980), Janowski (1982), Treiyer (1982) und Kiuchi (1987) ist an neueren Interpretationen zu nennen: Davies, Leviticus (1977); Deiana, Il rito di kippûr (1984); Anderson/Culbertson, Inadequacy (1986), in denen die These der חטאת als "purification offering" vertreten wird 1970, in denen die verschiedenen Arbeiten von Milgrom seit (wiederabgedruckt in Milgrom, Studies, 67-84). Nach Abschluß des Manuskripts erhielt ich Kenntnis von B. Levine, Leviticus, The JPS Commentary, 1989, der in seiner Auslegung von Lev 16 die beiden Arten der Reinigung unterscheidet: "purification through sacrificial blood and purification by riddance" (99), wobei sich die erste Art auf "the purification of the sanctuary" bezieht (99 und ff), die zweite auf die Menschen (106ff). Nachzutragen zu Wefing wäre auch Meinhold, Joma, 1-19, der in der Einleitung zum Mischnatraktat Joma eine literarkritische Analyse von Lev 16 bietet. Er unterscheidet dabei zwei Schichten plus den Asasel-Ritus. I. 16,1-4.6.12f.23f: Hier gehe es um die Frage, unter welchen Bedingungen Aaron und seine Nachfolger das Allerheiligste betreten dürfen. Diese Verse stellten den älteren P-Bestand dar, dem der Versöhnungstag noch unbekannt ist, der vielmehr davon ausgeht, daß am 10. VII. die Feier des altisraelitischen Neujahrsfestes stattfindet (vgl. Lev 25,9a; ebd, 7). II. 16,11.14-22.25-34a: Hier gehe es um die Entsühnung des Tempels, der Priester und des Volkes (ebd, 4). III. Eingearbeitet in diese beiden eigenständigen Rituale sei der Asasel-Ritus, der ursprünglich ein "dem Wüstendämon darzubringendes, abwehrendes Opfer (vgl. Lev 17,7)" beschreibe (ebd, 18). Nach Meinhold steht beim Versöhnungstag, wie er jetzt in Lev 16 vorliegt, die Reinigung des Heiligtums eindeutig im Zentrum (ebd, 16). Ein Einfluß Ezechiels, der ebenso eine jährliche Reinigung kennt, sei denkbar (ebd, 14). Blutbesprengung und Opfer reinigen von kultischen Sünden (ebd, 16). Sittliche Verschuldungen bedürfen der Selbstdemütigung, des Bekenntnisses und der Kasteiung (ebd, 14). Für die Entwicklung des Jom Kippur ergibt sich nach Meinhold, daß ein zunächst öfters, und zwar jeweils beim Betreten des Allerheiligsten, durchgeführtes Ritual in späterer Zeit auf den ursprünglichen Neujahrstag gelegt, mit den Riten des Tages kombiniert und durch den Asasel-Ritus angereichert wurde. So sehr sich Meinholds Analyse von der Elligers im einzelnen unterscheidet, so sind beide doch darin einig, daß in der vorliegenden Endgestalt von Lev 16 die Reinigung des Heiligtums im Zentrum steht.

[13] Janowski, Sühne, 265-274.

[14] Treiyer und Kiuchi legen keine ausgeführte literarkritische Analyse vor. Treiyer, Le Jour des Expiations, geht lediglich kurz in Kap. II, 85ff, auf die literarkritischen Fragen von Lev 16 ein.

[15] Die Formulierungen V.6.11, in denen es um Sühne für Aaron und sein Haus geht, lauten וכפר בעדו ובעד ביתו. V.17, in dem sowohl Aaron und sein Haus als auch die Israeliten genannt werden, findet sich ebenso die Konstruktion mit בעד. V.16 bietet eine Konstruktion mit כפר על. V.19 dagegen טהר וקדש מן. V.24, wo es um das Brand-

Blick genommenen Sünden werden (von der Bearbeitungsschicht) als "Unreinheiten" (טמאת) bezeichnet[16]. In V.16aβ wird später hinzugefügt, daß es
sich auch um die פשעים[17] und die חטאות handelt, also die willentlichen
und die versehentlichen Sünden[18].
Die Entwicklung verlief nach Elliger so, daß in ein älteres Personen-
entsündigungsritual ("allgemeine Sühnefeier"[19]) im ersten nachexilischen
Jahrhundert ein Tempelreinigungsritual vorexilischen oder exilischen Ursprungs aufgenommen wurde, das ähnlich dem in Ez 45,18ff gestalteten
Ritual aufgebaut war. Der Asasel-Brauch, der in die älteste vorexilische
Zeit hinaufführt, gehörte als "integrierender Bestandteil" zu dieser Sühnefeier für Priester und Volk hinzu[20]. Die Festlegung auf den 10.VII. stellt
den Abschluß dar[21]. Mit dem ursprünglichen Ritus des Versöhnungstages,
der durchaus vorexilischen Ursprungs sein kann, war keine Tempelreinigung verbunden. Der Blutritus, der hierbei im Mittelpunkt stand, bezog
sich auf das Allerheiligste, es ging dabei um die Entsündigung von Priesterschaft und קהל ישראל vor dem dort erscheinenden Gott[22]. Der Sündenbockritus, Lev 16,20-28, ist der älteste und vermutlich einzige Ritus des
ursprünglichen Versöhnungstages. Er diente zur "Versöhnung" der göttlichen Majestät, die durch die Sünden beleidigt wurde[23]. Als der Blutritus
des Versöhnungstages zum Reinigungsritus des Tempels wurde, bekam

---

opfer für Aaron und das Volk geht, lautet die Konstruktion wiederum כפר בעד. Dabei
sind nach der Analyse von Elliger, Lev, 200ff, die Verse 11.17.24 der Grundschicht, die betreffenden Teile in V.6.16.19 der ersten Bearbeitungsschicht zuzurechnen. (V.6 wird trotz
כפר בעד der 1. Bearbeitungsschicht zugerechnet.)
Zu כפר pi. mit על bzw. mit בעד s. auch Milgrom, כפר על/בעד, 16f: Er stellt fest, daß
כפר בעד immer dann gebraucht werde, wenn das darbringende Subjekt sachlich mit eingeschlossen sei, על dagegen, wenn objektbezogen geredet werde. Dagegen Janowski,
Sühne, 188f A.23, der von Milgrom angenommene Bedeutungsdifferenz zurückdrängt.
Zum Sprachgebrauch in Qumran s. P. Garnet, Salvation and Atonement in the Qumran
Scrolls, WUNT 2.3, Tübingen 1977, 125f.
[16] Anders Wefing, Untersuchungen, 87ff.
[17] Die gleiche Erweiterung in V.21. פשע kommt bei P nur Lev 16,16.21 vor. Das Verbum
existiert nicht in P (Elliger, Lev, 214 A.13).
[18] Zu dieser Unterscheidung s.u. Abschnitt VII.a, S. 80ff.
[19] Elliger, Lev, 210. Mit der genau umgekehrten Reihenfolge rechnet Adler, Versöhnungstag, und glaubt damit einen Grund für den am Ende von mTaan tradierten Charakter
des Versöhnungstages als Freudentag angeben zu können, daß nämlich ursprünglich der
Versöhnungstag als Wiedereinweihung des Tempels "so eine Art israelitische(r) Kirchweih"
darstellte (ebd, Nachtrag, 272).
[20] Elliger, Lev, 210.
[21] Ebd; anders Zimmerli, Ez II, zu 45,18ff. Zur Terminfrage s. auch Goudoever, Biblical
Calendars, 36ff.71ff; Grimme, Alter, 130-142; J.A. Clines, The Evidence for an Autumnal
New Year in Pre-Exilic Israel Reconsidered, JBL 93, 1974, 22-40; J. Morgenstern, The
Chanukkah Festival and the Calendar of Ancient Israel, HUCA 20, 1947, 1-136; Hruby,
Yom Ha-Kippurim, 55ff.
[22] Elliger, Lev, 215.
[23] Ebd.

der Sündenbock die Funktion, die bisher der Jom Kippur hatte
(V.21.22a)²⁴.

Sabina Wefing geht in ihrer Untersuchung von einer Unterscheidung des
Rituals in zwei Themenkreise aus. Dabei beschreiben die Verse 1-17 "ein
Entsühnungsritual unter dem Aspekt einer rituellen Neubesinnung bezüglich althergebrachter Einzelriten, während die Verse 18-28 eine Art 'Kompendium' verschiedenster Entsühungsvorschriften darstellen, die jedoch
alle mit dem primären Entsühnungsgeschehen in Verbindung stehen"²⁵.

Wefing und Elliger stimmen insofern überein, als für beide der Blutritus
an der כפרת zu einer Grundschicht gehört, wohingegen der Asaselritus -
obwohl älterer Herkunft - später hinzugewachsen ist. Was Wefing gegen

---

²⁴ Ebd.
²⁵ Wefing, Untersuchungen, 153.
In der Analyse von V.1-17 setzt sie mit dem Nachweis einer doppelten Einleitung in V.1
und 2 ein, die sie auf unterschiedliche literarische Schichten verteilt (Wefing, Untersuchungen, 32ff. Die Zahlenangaben in Klammern beziehen sich auf diese Arbeit). Sie kommt zu
folgender Sicht der Entwicklung des Jom-Kippur-Rituals:
Lev 16,2.4 verhandeln 1) ein Gesetz über das Betreten des Allerheiligsten durch den Hohenpriester (153). In diese Anweisungen wurde 2) ein hohepriesterliches Sühnopferritual
eingeschoben (V.3.6.11b.14). Die nächste Bearbeitung fügte dann 3) ein Volkssündopfer
ein (V.5.7-10), dem eine ältere Tradition zugrunde liegt, die von einer Gabe an Asasel (ein
übernatürliches Wesen in der Wüste) berichtete (154). Zu dieser dritten Schicht gehören
auch die Verse 15-17, wo das hohepriesterliche und das Volkssündopfer miteinander kombiniert wurden (155). Das Hauptmotiv dieser Bearbeitungsschicht sieht Wefing in der
"Neuinterpretation alter Riten" (157). "Ausgehend von der personalen Entsühnung (hohepriesterliches und Volkssündopfer) bieten die Blutriten den Einsatzpunkt zur Aufnahme
dinglicher Entsühnungsvorstellungen, die jedoch nur unter der Zielvorstellung der personalen Funktionalität verstanden werden können. Anders ausgedrückt, ging es dem Verfasser
der Verse 15-17 um die Neuinterpretation alter Riten unter dem Gesichtspunkt einer zu
dieser Zeit noch nicht vordergründigen, sondern komplementär-einheitlich gedachten Dop-
pelgleisigkeit aller Entsühnungsvorstellungen, die sich in der dinglichen und in der personalen Komponente ausdrücken" (158). Dabei ist für Wefing von entscheidender
Bedeutung, daß eine Unterscheidung zwischer dinglicher und personaler Entsühnung un-
angebracht sei. Vielmehr müsse von einem "komplexen Unreinheitsverständnis der damaligen Zeit" ausgegangen werden, das durch unsere Kategorien dinglich-personal nicht zurei-
chend erfaßt werden könne (157). Die bislang von Wefing ausgeklammerten Verse 12-13
stellen spätere Zusatzanweisungen dar. Ebenso fügen sich die Verse 18-19 nicht in das Entsühnungsritual ein; sie sind eine weitere Ergänzung: "Bei einer so umfassenden Entsühnung, wie sie die Verse 2-11.14-17 intendieren, durfte die Entsühnung des Altars nicht fehlen, wollte man nicht die Wirkweise der Entsühnung im Ganzen aufs Spiel setzen" (161).
(Der Sachverhalt wirkt nachgetragen, die Argumentation psychologisierend. Ob hiermit
nicht ein Hinweis auf eine problematische Gesamtlinie vorliegt?) Die Altarentsühnung
wird somit zu einem "sekundären Anhang unter dem Gesichtspunkt der rituellen Vollkommenheit" (162). Eine weitere Ergänzung unter der Prämisse der Ritualvollkommenheit
stellen dann die Verse 20-22 dar: Das Fehlen der Handaufstemmung bei den beiden
Sühnopfern werde nun "ausgeglichen" (162). Die Verse 23-28 haben als "abschließende
Ritualanweisungen" zu gelten (162f).

Elliger mehrfach betont[26] und worin ihr Janowski zustimmt[27], ist der Zusammenhang von dinglicher und personaler Entsühnung. Jedoch weist die Analyse Wefings einige gravierende Probleme[28] auf, dergegenüber sich Elligers Gesamtinterpretation, die außer auf literarkritischen auch auf überlieferungs- und kultgeschichtlichen Argumenten basiert, als einleuchtender erweist[29].

Bernd Janowski hat in seiner umfassenden Arbeit zur priesterschriftlichen Sühnevorstellung keine eigene Analyse von Lev 16 geliefert, sondern nimmt im grundsätzlichen die Ergebnisse Elligers auf[30]. Im Anschluß an Elliger sieht Janowski in der Grundschicht das Hauptgewicht auf der Entsühnung von Priesterschaft und Volk durch den Blutritus im Allerheiligsten liegen. Dagegen rücke die Bearbeitungsschicht die Entsühnung von Heiligtum und Altar in den Vordergrund[31]. Janowski stellt mit Bedauern fest, daß diese Perspektive der Bearbeitungsschicht auch die Auslegungs-

---

[26] Wefing, Untersuchungen, 85ff.92ff.99ff u.ö.

[27] Janowski, Sühne, 266f A.436.

[28] Die Probleme der Analyse Wefings lassen sich klar benennen:
1. Es bleibt letztlich unerkennbar, worin der Anlaß und der primäre traditionsgeschichtliche Zusammenhang von Lev 16,2.4 bestand. D.h. der Ausgangspunkt ist unklar (vgl. Janowski, Sühne, 270 A.452).
2. Unklar bleibt auch der Grund für den Einschub eines hohepriesterlichen Sündopferrituals, wofür nach Wefing "irgendein konkreter Vorfall zu vermuten ist, der aber bewußt verschwiegen werden sollte" (Wefing, Untersuchungen, 154).
3. Die Unterscheidung Elligers von dinglicher und personaler Sühne, die u.a. auf der philologischen Beobachtung der Unterscheidung von בעד כפר und על כפר beruht, wird von Wefing nicht genügend ernst genommen, sondern ihr wird nur durch allgemeine Erwägungen über die Unreinheit widersprochen (ebd, 92-94.95f). Gerade der Hinweis auf Ez 45,18ff (ebd, 94) hätte hier wichtig werden können, denn dieser Text widerstreitet dem von Wefing postulierten "komplexen Unreinheitsverständnis". Der Zusammenhang muß gesehen werden, aber die Aspekte sind überlieferungs- und kultgeschichtlich zu unterscheiden. Dies bestätigt die Auslegungsgeschichte (s.u.).
4. Lev 16,18f wird von Wefing - um die Gesamtthese zu stützen - als Nachtrag beurteilt, der an der rituellen Vollständigkeit interessiert sei (ebd, 108ff.161), obwohl der Ritualstil einem Nachtrag eindeutig widerspricht (vgl. ebd, 20.23.108f; zum Ritualstil vgl. Rendtorff, Gesetze, passim; Koch, Sühneanschauung, 42; zur Frage nach dem Ritual als Gattung, Rendtorff, Lev, 18).
5. Für die Handaufstemmung V.20-22 wird ebenso das Ziel der "Ritualvollkommenheit" als Ursache der Hinzufügung angenommen, wobei Wefing betont, daß es sich in V.20-22 freilich nur um eine Uminterpretation des ursprünglichen Sinnes der Semicha handeln könne (Wefing, Untersuchungen, 122ff.162). Dies erscheint äußerst fragwürdig als ausreichende Begründung (kritisch zu Wefing auch Rendtorff, Lev, 48). Die aufgezeigten Probleme tangieren die Gesamtthese Wefings.

[29] Vgl. Janowski, Sühne, 270f A.452.

[30] Janowski, Sühne, 234 A.245, bestätigt ausdrücklich Elligers Analyse.

[31] Janowski, Sühne, 268f. Diese Tendenz findet ihre konsequente Fortsetzung im Mischnatraktat Joma und in der Diskussion der Gemara. Von daher läßt sich hier schon vorläufig fragen, ob der Blutritus am ἱλαστήριον nicht auch im 1. Jh. mit dem Gedanken der Heiligtumsreinigung/-weihe verknüpft war (s. dazu unten).

geschichte präge[32] und daß die Blutapplikation an die כפרת weithin unberücksichtigt geblieben sei. Jedoch entspricht diese Gewichtsverlagerung genau der redaktionellen Endgestalt von Lev 16. Janowski unterscheidet im Anschluß an Gese[33] zwischen kleinem und großem Blutritus[34]. Nach Gese handelt es sich bei der Blutapplikation an die כפרת um eine spezielle Form des sog. "großen Blutritus", der bei der חטאת vollzogen wird[35]. Für diesen gilt, daß Sühne durch stellvertretende Lebenshingabe erwirkt wird und Gott daraufhin Vergebung gewährt[36]. Die Applikation des Sündopferblutes stellt dabei den "Ritus der zeichenhaften Lebenshingabe an das Heilige" dar, die Handaufstemmung wird verstanden als "Identifikation" mit dem Opfertier und nicht als "Übertragung" von Sünde auf dasselbe[37]. Soweit ist zuzustimmen.

Nun fällt auf, daß die bei der Sündopfertora (Lev 4,3ff) befohlene Handaufstemmung[38] in Lev 16 sowohl beim Farren als auch beim Bock für JHWH fehlt[39]. Sie geschieht in Lev 16 expressis verbis nur beim Asasel-

---

[32] Janowski, Sühne, 269 A.448.

[33] Gese, Sühne, 94.

[34] Janowski, Sühne, 221ff; vgl. dazu - z.T. kritisch - Kiuchi, Purification Offering, 120ff.

[35] Janowski, Sühne, 271ff.347f; Gese, Sühne, 94. Zur Entwicklung dieser Form des Blutritus s. Elliger, Lev, 70; Janowski, Sühne, 234ff. Zur Beziehung von Personensündigung und Entsündigung von Gegenständen, s. auch unten Abschnitt VII, S. 81ff.

[36] Janowski, Sühne, 220f; vgl. Gese, Sühne, 89.97ff.104. Zur נסלח-כפר-Formel vgl. Janowski, ebd, 250ff.

[37] Janowski, Sühne, 221. Die Diskussion um den Sinn der Handaufstemmung dreht sich v.a. um die Frage, ob ein "Identifikations-" oder ein "Übertragungsgestus" vorliegt. Vgl. dazu Janowski, Sühne, 199-221, der die bis dahin erschienene Literatur verarbeitet. An neueren Arbeiten ist zu nennen Sansom, Laying On of Hands (1982/83), 323-326; Hedsby, Handpåläggningsrit (1984), 58-65; Rendtorff, Lev (1985), 32-48, der seine in ders., Studien, 92f.214ff.232.249.253f, geäußerten Darlegungen hier teilweise revoziert: "Die Übertragungstheorie für die Opfer [ist] aufzugeben" (41). Doch lasse auch das Verständnis als Identifikationsgestus Fragen offen (43.46.48). Rendtorff möchte daher die Se micha als Deklaration des Besitzrechtes verstehen (43-48). Doch muß dies der Deutung Geses und Janowskis nicht widersprechen; vgl. Merklein, Bedeutung des Kreuzestodes Christi, 26f; vgl. weiterhin Kiuchi, Purification Offering, 112-119.

[38] Dieser Sachverhalt wird auch notiert von Wefing, Untersuchungen, 83, jedoch nicht konsequent weitergeführt; vgl. ebd, 93.95, wo die vorher vollzogene Unterscheidung im Grunde wieder zurückgenommen wird. Die Erklärung, daß die Handaufstemmung in V.20-22 als Ergänzung unter der Prämisse der Ritualvollkommenheit nachgeholt werde (ebd, 126f.162), kann auch deshalb nicht überzeugen, da der Sinn hier deutlich von dem differiert, wie sie sonst beim Sündopfer zu verstehen ist, nämlich als Identifikation.

[39] Im Unterschied zu den Ausführungen in mYom (s.u.S. 87ff)! Die Handaufstemmung fehlt auch bei der חטאת in Lev 9. Rendtorff, Studien, 216, fragt, ob dies ein Stadium der Entwicklung des Sühnopfers repräsentiere, in dem die Handaufstemmung noch fehlte. Die Frage nach einem ursprünglichen Zusammenhang von Handaufstemmung und חטאת-Ritual wird von Rendtorff, Studien, 214ff, bejaht (so auch Janowski, Sühne, 199.359), jedoch in Rendtorff, Lev, 46, zu Recht abgelehnt.
Zur Handaufstemmung mit einer oder zwei Händen vgl. bes. Elliger, Lev, 215f A.19; Rendtorff, Lev, 33f. Das Aufstemmen beider Hände hat nichts mit einem kultischen Opfer zu tun, sondern bedeutet die "Übertragung von etwas von einem Lebewesen auf ein anderes" (Rendtorff, ebd); s. Lev 16,21f; Num 27,18.23; Dtn 34,9; so auch R. Péter, L'imposi-

Bock. Doch hier ist sie, wie Janowski zu Recht betont, nicht als Stellvertretungssymbolik zu verstehen, sondern bedeutet "im Sinne kontagiöser Magie, die magische Übertragung des Unheils auf ein Lebewesen, das als ritueller Unheilsträger ... das stofflich verstandene Böse räumlich entfernt."[40] Nun könnte die Formulierung in V.15a (אתאחה ריעש תא טחשו

---

tion, 54f, der die Aufstemmung mit einer Hand als Identifikations-, die mit zwei Händen als Übertagungsgestus verstehen will; dagegen Kiuchi, Purification Offering, 116.119. Koch, der im Anschluß an Rendtorff (Studien) die Handaufstemmung als Übertragungsgestus versteht (Sühneanschauung, 50f), unterscheidet zwei Arten von Sühne (Sühneanschauung, 46): Bei menschlichen Empfängern durch Handaufstemmung mit דעב konstruiert, bei dinglichen Empfängern durch Blutbestreichung oder -bespritzung mit לע konstruiert. Die Probleme von Kochs Verständnis als Übertragunggestus werden deutlich, wenn er fragt (Sühneanschauung, 47), wie ein "mit Israels Sünde beladenes Tier das Heiligtum von eben diesen Sünden reinigen" könne, bzw. zu Lev 16,20a.21ff feststellt: "Inhaltlich freilich bringt diese Vorschrift nichts Neues zur Entsündigung hinzu: der Asaselbock trägt die Sünden des Volkes fort, was eigentlich nach der Sühne durch den Sündenbock 'für Jahwe' überflüssig ist" (Sühneanschauung, 42). Im Gegenteil!

[40] Janowski, Sühne, 219. Zum Asasel-Ritus s. an neuerer Literatur J. Gray, The Legacy of Canaan, VT.S 5, Leiden 1965[2], 193. H.M. Kümmel, Ersatzrituale für den hethitischen König, StBT 3, Wiesbaden 1967, bes. 188ff; ders., Ersatzkönig und Sündenbock, ZAW 80, 1968, 289-318; N. Wyatt, Atonement Theology in Ugarit and Israel, UF 8, 1976, 415-430, bes. 428ff; O.R. Gurney, Some Aspects of Hittite Religion, Oxford 1977, 45ff; Davies, Interpretation of Sacrifice (1977), 394ff; Aartun, Versöhnungstag (1980, er betont die "ideelle Verwandtschaft", 93, des alttestamentlichen Rituals mit hethitischen und ugaritischen Ritualen); Hayim Tawil, ʿAzazel, the Prince of the Steepe. A Comparative Study, ZAW 92, 1980, 43-59; P. Rigby, A Structural Analysis of Israelite Sacrifice and Its Other Institutions, 1980, 299-351, bes. 346f; G. Wilhelm, Grundzüge der Geschichte und Kultur der Hurriter, Grundzüge 45, 1982, 104; O. Loretz, Leberschau, Sündenbock, Asasel in Ugarit und Israel, Ugaritisch-Biblische Literatur 3, Altenberge 1985, 35-57 (er führt Aartun weiter); M. Görg, Beobachtungen zum sogenannten Azazel-Ritus, BN 33, 1986, 10-16, bes. 12.14 (er möchte ägyptischen Einfluß nachweisen); L.L. Grabbe, The Scapegoat Tradition: A Study in Early Jewish Interpretation, JSJ 18, 1987, 152-167; D.P. Wright, The Disposal of Impurity. Elimination Rites in the Bible and in Hittite and Mesopotamian Literature, SBLDS 101, 1987, 15ff; Deiana, Azazel (1988), 16-33 (Wiederabdruck aus Sangue e Anthropologia); M. Görg, Art. Asasel, Neues Bibellexikon, Lfg. 2, 1989, 181f; B. Janowski, Azazel - biblisches Gegenstück zum ägyptischen Seth?. Zur Religionsgeschichte von Lev 16,10.21f, in: E. Blum/C. Macholz/E. Stegemann, Hrsg., Die Hebräische Bibel und ihre zweifache Nachgeschichte (FS R. Rendtorff), Neukirchen 1990, 97-110 (er möchte gegen Görg statt des ägyptischen wieder den südostanatolisch-nordsyrischen Einfluß nachweisen; Janowski bietet auch im Anschluß an G. Wilhelm einen neuen Vorschlag zur Bedeutung von לזאזעל, nämlich daß der "Name" ursprünglich die Zweckbestimmung eines Eliminationsritus darstellte: "für [die Beseitigung von] Gotteszorn", 109).
Zur ritualgeschichtlichen Entwicklung s. die Überlegungen bei Strobel, Sündenbock-Ritual, bes. 161-168, und die ebd. in A.67.68.69.81.84.86 genannte Literatur, sowie jüngst die genannte Studie von Janowski. Bislang nicht genügend berücksichtigt, jedoch einer Überlegung wert, scheint die Tatsache, daß Lev 16 nicht die einzige Stelle ist, die ein "Doppelopfer" kennt. Lev 5,7-13 und 14,1-57 geht es ebenso um solche. Dabei ist in Lev 14 bedeutsam, daß das lebende Tier jeweils ins Freie entlassen wird (V.7.53), während das geschlachtete die kultische Reinheit wieder herstellt, und daß dieses Ritual sowohl an Menschen (V.2-10), wie auch an Häusern vollzogen werden kann (V.33-53). Es wäre daher zu fragen, ob das Asasel-Ritual nicht schon von Hause aus Bestandteil eines Doppelrituals war. Das weitere Nachdenken muß m.E. in den von Wyatt vorgezeichneten Bahnen ver-

אשׁר לעם) den Handaufstemmungsgestus mit einschließen, doch nur, wenn man davon ausgehen wollte, daß jedes Sündopfer die Sᵉmicha notwendigerweise beinhalte[41]. Dies ist jedoch nicht der Fall[42]. Es ist im Gegenteil damit zu rechnen, daß in Lev 16 die Handaufstemmung bei den beiden Sündopfern absichtlich nicht berichtet wird. Dies wird bestätigt durch die Tatsache, daß Ez 43,18ff, wo es ebenfalls um ein Sündopfer zur Reinigung bzw. Weihe des Altars geht, zwar die beim Sündopfer übliche Verbrennung außerhalb des Lagers ausdrücklich erwähnt wird, jedoch nicht die Handaufstemmung[43]. Wenn in Lev 16 - wie Janowski darstellt[44] - der Blutritus im Allerheiligsten in Verlängerung des "großen Blutritus" der

---

laufen, und zwar so, daß der Doppelcharakter des Rituals nicht erst als späte, sondern als frühe Stufe gewürdigt wird.
Eine interessante Darstellung der Struktur des Sündenbockmotivs, die jedoch mit Lev 16 nur wenig gemein hat, findet sich bei R. Girard, Der Sündenbock, Zürich 1988 (französisch: Le bouc émissaire, Paris 1982); dazu vgl. P. Valadier, Sündenbockmotiv und christliche Offenbarung nach René Girard, TGegw 27. 1984, 86-93. Der Versuch einer positiven Aufnahme der Analysen Girards findet sich bei R. Schwager, Brauchen wir einen Sündenbock? Gewalt und Erlösung in den biblischen Schriften, München 1978. Jedoch liegt das Problem der Darstellung Schwagers v.a. in seinen neutestamentlichen Ausführungen ("Jesus als Sündenbock der Welt" [143.189ff]; "Der Sohn Gottes als 'notwendiger' Sündenbock" [196ff]), denn Jesus wird im Neuen Testament nirgends mit dem alttestamentlichen Sündenbock identifiziert und kann daher nur uneigentlich als "Sündenbock" bezeichnet werden. (Zu D.R. Schwartz, Two Pauline Allusions, s.u. Abschnitt XII, S. 277 A.106.) Den Versuch einer strukturalistischen Interpretation von Lev 1-4; 8-10; 16 bietet E. Leach, Culture and Communication. The Logic by Which Symbols are Connected, Cambridge u.a. 1976, 88-92 (vgl. ders., The Logic of Sacrifice, in: B. Lang, Hrsg., Anthropological Approaches to the OT, London 1985, 136-150). Dabei werden Nadab und Abihu (Lev 10,1-5) dem Teil des Opfers parallelisiert, das in Lev 1-4 und 16 jeweils außerhalb des Lagers verbrannt wird. Das Ziel der Opfer ist nach Leach jeweils Kontakt zur "other world" herzustellen.
[41] Erst im Traktat Joma wird die Handaufstemmung auch beim Sündopferfarren und Sündenbock (nicht Sündopferbock für JHWH!) ausdrücklich erwähnt, mYom III,8; IV,2; VI,2 (jedoch liegt in der Mischna die Betonung auf dem Sündenbekenntnis; dazu Sjöberg, Gott, 180; s. dazu auch unten, S. 87ff). Die Formulierung mYom IV,2 פרו שׁניה בא לו עצל פרו ist zu übersetzen: "Er trat zum zweiten Mal zu seinem Farren", vgl. Blackman, Mishnajot II, 289; Neusner, History 34.III, 93; anders Meinhold, Joma, 49: "Zu seinem zweiten Farren". Von einem solchen ist nirgends die Rede. Zur Abfolge der einzelnen Handlungen s.u. S. 87f A.31.
[42] Vgl. Lev 9,1ff. Dies wird auch gesehen von Wefing, Untersuchungen, 60f. Die Besonderheit der Opfer Lev 9,1ff ist dadurch gekennzeichnet, daß es sich um "Primizopfer" handelt, durch welche der reguläre Kultbetrieb aufgenommen wird; vgl. Elliger, Lev, 129. Die Tatsache, daß Lev 8,14ff sowohl die Handaufstemmung erwähnt, als auch von der Entsühnung des Altars spricht, ist durch das enge Zusammentreten von Sünd- und Brandopfer zu erklären, "bei dem das Sündopfer nur vorbereitender Art ist und dem Brandopfer die eigentliche, die Menschen entsündigende Wirkung beigemessen wird" (Elliger, Lev, 118). ויקדשׁהו לכפר עליו und ויחטא את־המזבח (V.15) sind als spätere Zusätze anzusehen (Elliger, Lev, 104.118).
[43] Die Beziehung von Lev 16 zu Ez 43,18ff;45,18ff wird auch von Wefing, Untersuchungen, 86.94, gesehen.
[44] Janowski, Sühne, 266ff. Zur Unterscheidung von Blutsprengung und Blutstreichung, die auch ritualgeschichtlich verschiedene Stadien darstellen, s. Janowski, Sühne, 222-232; s. auch unten S. 56 A.63.

חטאת als zentrales Geschehen zu verstehen wäre, in dem es um die durch die Lebenshingabe des Opfertieres den Opferer einschließende Stellvertretung ginge, die Sündenvergebung bewirke, dann wäre zu erwarten, daß die die Identifikation bewirkende Handaufstemmung berichtet würde[45]. Dies ist nicht der Fall und hat seinen Grund in der genau zu unterscheidenden Abzweckung der Riten. Es ist ein Hinweis darauf, daß der Blutritus am Jom Kippur auf die Reinigung des Heiligtums abzielt und nicht generell auf Sündenvergebung[46]. Besondere Beachtung verdient in diesem Zusammenhang Lev 16,16. Der Vers stellt nach Elliger[47] und Janowski[48] eine Nachinterpretation dar[49]. Dem ist zuzustimmen. Ob קדש hier das Allerheiligste meint, ist umstritten[50]. Versteht man so, dann kann mit אהל מועד nur das übrige Begegnungszelt gemeint sein[51]. V.16 bringt alles bisher Geschilderte unter das Stichwort "Entsündigung des Tempelhauses" zusammen[52].

---

[45] Die חטאת als ursprüngliches Ritual für Tempel und Altar (mit Blutbesprengung oder Blutbestreichung) versteht auch Deissler, Opfer, 26.

[46] Auch Rendtorff betrachtet die Funktion des Blutritus zur Sühne von Menschen als späteres Stadium. Die ältere Auffassung wird nach Rendtorff durch Ez 43,20; 45,19; Lev 8,15aβ.bβ; Ex 29,36f; Lev 16,18 und Ex 30,10 repräsentiert, sie zielt auf dingliche Entsühnung (Rendtorff, Studien, 220, vgl. 205f.219f.231ff.239f.247f; vgl. Janowski, Sühne, 233). Die Aussagen in Lev 8,15aβ.bβ sind dabei als sekundärer Zusatz zu Pg2 zu betrachten (Janowski, Sühne, 230). Ex 29,36f und 30,10 sind Ps zuzurechnen (ebd, 233). Zur Interpretation des כפר + על + Sachobjekt s. Janowski, Sühne, 231f. Janowski geht davon aus, daß zu Beginn der kultgeschichtlichen Entwicklung des Sühnegeschehens Weihriten für Altar und Heiligtum stehen und daß die Riten zur Entsühnung Israels und seiner/s kultischen Repräsentanten das über verschiedene Zwischenstufen, zu denen er Lev 8,15 und 16,14-20a (sic!) zählt, erreichte Endstadium darstellen (ebd, 235f); s. zu dieser Frage auch unten A.63. Vgl. auch Levine, Presence, 76, der die in Lev 16 beschriebenen Riten unter der Überschrift "purification of the sanctuary" auffaßt.

[47] Elliger, Lev, 205.

[48] Janowski, Sühne, 268.

[49] Anders Wefing, Untersuchungen, 85ff.89.

[50] Elliger, Lev, 214, versteht im Sinn von "Allerheiligstes". Dies wird bestritten von Wefing, Untersuchungen, 86f.90f (vgl. auch ebd, 178 A.24. 180 A.43). Wefing, Untersuchungen, 86, weist auf die singuläre Formulierung hin כפר על הקדש. Im Gegenüber zu V.17 dürfte deutlich werden, daß sachlich das Allerheiligste gemeint sein muß, weil dort die Entsühnung stattfindet, die sich von da aus auf das gesamte Heiligtum auswirkt. Ob V.16a und b bis auf den Versteil 16aγ zusammen mit V.20a der gleichen Bearbeitungsschicht angehören, wie Elliger, Lev, 205f, annimmt, ist zumindest fraglich. V.16b spricht anders als 16a vom אהל מועד, mit dem genauso verfahren werden soll, was nach Elliger das "(übrige) Begegnungszelt" bedeuten soll und die gleiche Unterscheidung findet sich in V.20a, jedoch mit der Präpostion את und nicht על wie in V.16. Zum Problem der Verwendung von כפר mit und ohne Präpositionen s. die Aufstellung bei Janowski, Sühne, 186ff.231f. Otto, Fest, 71, übersetzt V.16aα וכפר על הקדש mit "so schafft er Sühne im Bereich des Heiligtums", was nicht befriedigt.

[51] Elliger, Lev, 200.205.

[52] Schwierigkeiten bereitet die Formulierung השכן אתם, da syntaktisch sich das "Wohnen" nur auf das Zelt beziehen kann, was eine singuläre Aussage für P darstellte (Elliger, Lev, 214; Wefing, Untersuchungen, 91f).

Beinhaltet Lev 16,14f (Pg2) den Ritus, der "der Entsühnung des *Hohenpriesters* und *der ganzen Gemeinde Israel*" dient[53], so wird gerade dies von V.16 (Bearbeitungsschicht) modifiziert: "So schafft er dem Heiligtum Sühne ..."[54] Anders V.17 (Pg2), wo es wieder um die Personen geht[55]. In den (wiederum der Bearbeitungsschicht zugehörenden[56]) Versen 18f wird der Blutritus dann wieder verstanden als Reinigung und Heiligung des *Altars* von den Unreinheiten der Israeliten (19b: וטהרו וקדשו מטמאת בני ישראל)[57].

Die Entsündigung des Volkes geschieht erst ab V.20b. Hier wird auf die vollendete Tempelentsündigung zurückgeblickt (20a) und der lebendige Bock anvisiert[58].

Janowskis Gesamtinterpretation, die das Schwergewicht unbedingt auf den Blutritus zur Entsühnung von Priesterschaft und Volk gelegt sehen möchte und von hier aus dann Schlüsse auf Röm 3,25f zieht[59], kann in dieser Hinsicht nicht befriedigen[60]. Für Pg2 ist seine Analyse zutreffend[61]. Für die redaktionelle Endgestalt von Lev 16 gilt jedoch vielmehr:

---

[53] Janowski, Sühne, 234f.

[54] Vgl. Neusner, Idea of Purity, 21, zu Lev 16,16: In der priesterlichen Vorstellung gilt: "uncleanness affects the cult". Es findet eine Gleichsetzung von Unreinheit mit Übertretung und Sünde statt. "The priest ... has to atone for the holy place on account of the uncleanness of the people ... and then offer sin-offering." (21)

[55] V.17 fällt aus dem Zusammenhang heraus (Elliger, Lev, 205; Wefing, Untersuchungen, 24).

[56] Elliger, Lev, 200; Janowski, Sühne, 235 A.247.

[57] Auch die von Janowski, Sühne, 241, angeführte Belegstelle 2Chr 29,23.24a ist in dieser Hinsicht nicht beweiskräftig. Janowski möchte damit die Zusammengehörigkeit von Person- und Altarsühne belegen. Es ist ihm zuzustimmen, daß sich "der Zusammenhang von Applikation des Sündopferblutes an Altar und Heiligtum und kultischer Entsühnung von Menschen" kaum "enger" formulieren läßt (im Original z.T. kursiv). Jedoch gerade die in 2Chr 29 angeführte Handaufstemmung bei der חטאת fehlt in Lev 16 bei Widder und Bock. Anders Edersheim, Temple, 313, dessen Darstellung 302ff jedoch nicht immer zuverlässig ist. Ebenso ist die Feststellung zu Ez 43,19f, wo es nach Janowski, Sühne, 240f, "nicht um den isolierten Reinigungsakt eines sakralen Gegenstandes, sondern vielmehr um die rituelle Voraussetzung für die Neukonstituierung des Kultes, und d.h. letztlich: um ein neues Jahwe-Israel-Verhältnis" geht, nur ein scheinbares Argument, da es bei kultischen Reinigungsriten nie um "isolierte Reinigungsakt[e]" geht, sondern "letztlich" immer das "Jahwe-Israel-Verhältnis" betroffen ist. Der Vorwurf von Janowski, Sühne, 267 A.436, an Wefing ist hier an ihn selbst zu richten: Man sollte kultgeschichtlich Zusammengewachsenes dennoch überlieferungsgeschichtlich unterscheiden.

[58] Dabei erinnert Lev 16,16.18-19 stark an Ez 43;45!

[59] Janowski, Sühne, 350ff. Janowski (Sühne, 269 A.448) sieht es als notwendige und legitime Aufgabe an, Blutritus an כפרת und Sündenbockritus vom Standpunkt der Endredaktion aus als komplementäre Ritualakte zu interpretieren (vgl. dazu Leach, Logic [s.o. A.40], 136-150).

[60] Dagegen Elliger, Lev, 215: "Als der Blutritus des Versöhnungstages Reinigungsritus für den Tempel wurde, sich jedenfalls das Schwergewicht dahin verlagerte und er so seinerseits einen gewissen magischen Charakter erhielt, stand dem nichts mehr im Wege, daß man den Sündenbockritus aufwertete, indem man vornehmlich ihm die Funktion des bisherigen Versöhnungstages zuschob, wie das in der jüngeren Schicht 21.22a geschieht." (Von Janowski, Sühne, 271 A.453, zustimmend zitiert.)

1. Die ersten beiden Tiere schaffen Sühne für Priesterschaft und Israel hinsichtlich der Verunreinigungen des Heiligtums[62].

2. Die Handaufstemmung, die bei der חטאת zur Personentsündigung dazugehört, wird - im Unterschied zur genauen Darstellung beim Fortschikken des Asasel-Bockes - bei der Darbringung von Farren und Bock für JHWH nicht berichtet. Das Gewicht liegt also nicht auf diesem Identifikationsgestus[63].

3. Der Asasel-Bock schafft die übrigen Sünden fort in die Wüste, nachdem sie Aaron mittels Handaufstemmung auf ihn übertragen hat[64]. Hier-

---

[61] Dabei schreibt Janowski, Sühne, 268f: "Während die Bearbeitungsschicht die Entsühnung von Heiligtum und Altar (...) und den Ritus mit dem 'Sündenbock' ... in den Vordergrund gerückt und somit Lev 16 sein eigentümliches Gepräge gegeben hat, liegt nach der Grundschicht von Lev 16 das Hauptgewicht auf den im Allerheiligsten zur Entsühnung von Priesterschaft und Volk zu vollziehenden Blutbesprengungsriten (הזה), die von vorbereitenden und abschließenden Handlungen der körperlichen Waschung (...), des An- und Ablegens der besonderen Kleidung (...) und der Darbringung von Brandopfern umrahmt werden." (Vgl. auch Elliger, Lev, 206.) Nur macht Janowski diese richtige Erkenntnis nicht fruchtbar.

[62] Zur Begrifflichkeit כפר על/בעד in Lev 16 vgl. oben A.15.

[63] Es ist von daher zu fragen, ob es sich beim Blutritus an der כפרת tatsächlich um eine nochmalige Steigerung des "großen Blutritus", der sonst vor dem Vorhang stattfindet, handelt (Gese, Sühne, 94), oder ob nicht vielmehr an eine Entsündigung von Gegenständen im Sinne der ursprünglichen Funktion der חטאת zu denken ist und somit eine Variante zu Ez 43,18ff bzw. 45,18ff vorliegt. Nach Janowski, Sühne, 222ff, ist der große Bluritus vom kleinen nicht nur hinsichtlich des Ortes, an den das Blut gebracht wird, sondern auch hinsichtlich der Art der Anbringung zu unterscheiden. Großer Blutritus: הזה, kleiner Blutritus: נתן. Dabei sei davon auszugehen, daß der kleine Bluritus (נתן am Altar) kultgeschichtlich älter sei und ursprünglich die Sühnung sakraler Gegenstände bedeutete (ebd, 232f.239). Der große Blutritus (הזה am Vorhang) habe die Entsühnung Israels/seiner kultischen Repräsentanten zum Ziel. Die Einführung des הזה-Ritus führt Janowski im Anschluß an Elliger (Lev, 70) "auf den Einfluß der הזה-Vorschrift in der Grundschicht von Lev 16" zurück (Sühne, 234). Was dabei unberücksichtigt bleibt, ist die Tatsache, daß - außer beim הזה-Ritus in Lev 16 - bei der Sündopfertora Lev 4,3ff, wo es um Personentsündigungsrituale geht, jeweils der Handaufstemmungsgestus hinzugetreten ist. D.h. die von Janowski verzeichnete Verlagerung von der dinglichen auf die personale Entsündigung liegt nicht nur am הזה-Ritus, sondern auch am Handaufstemmungsgestus. Wie Janowski (Sühne, 241) zu Recht betont, bot gerade die Handaufstemmung die Möglichkeit, denjenigen, der das Opfer darbrachte, durch diesen Gestus mit einzubeziehen. Dieser jedoch fehlt bei den Sühnopfern in Lev 16. (Die Nicht-Erwähnung des Handaufstemmungsgestus in Lev 5,7-9 hängt damit zusammen, daß das Tier nicht wie in Lev 4,3ff von den jeweils Darbringenden geschlachtet, sondern dem Priester übergeben wird, der es dann darbringt.) Es ist daher zweifelhaft, ob Janowski (Sühne, 234f) das Richtige trifft, wenn er den Blutritus des Jom Kippur an der כפרת so eng mit dem großen Blutritus am Vorhang zusammenordnet. Eine Bestätigung erfährt unsere Beobachtung auch durch Num 19,4: Hier wird eine siebenmalige Sprengung angeordnet. Der Handaufstemmungsgestus fehlt, da es auch hier nicht um ein Sühnopfer zur Personentsündigung geht.

[64] Lev 16,21 nennt folgende Sünden: את־כל־עונת בני ישראל ואת־כל־פשעיהם לכל־חטאתם. (In BHS ist das ה in "חטאת" vor dem Atnach in ת zu ändern.) Dabei dürfte in V.21 die erste Bearbeitungsschicht vorliegen, die zunächst nur עונת enthielt, was in einer sekundären Bearbeitung durch die beiden anderen Begriffe חטאת und פשע noch aufgefüllt wurde. Der gleiche Sachverhalt liegt in V.16aγ vor; vgl. dazu Elliger, Lev, 200f.205f.

bei fällt der Begriff כפר pi. nicht, sondern es wird von "wegtragen" (נשא) geredet (V.22)[65].
Insofern ist die Auslegungsgeschichte, die nach der Vergebung für Israel fragte, wie Janowski moniert, der Redaktion gefolgt. Vor die Vergebung für das Volk kommt erst die Entsühnung des Heiligtums am Jom Kippur zu stehen[66].

---

[65] Die Formulierung in V.10 לכפר עליו, die sich auf den Asasel-Bock bezieht, hat nach Elliger, Lev, 201, als Schreiberversehen zu gelten, da sie in diesem Zusammenhang sinnlos ist. Es sei denn, man will sie in einem uneigentlichen Sinn verstehen, dergestalt, daß die Entsendung als Vollzug der Sühne gemeint ist. Die LXX übersetzt die im MT parallel konstruierten Ausdrücke לכפר עליו לשלח אתו, die durch Atnach getrennt sind, auf diese Weise: τοῦ ἐξιλάσασθαι ἐπ' αὐτοῦ ὥστε ἀποστεῖλαι αὐτόν, d.h., sie versteht das Wegschicken des Bockes als Sühnehandlung.

[66] Diese Unterscheidung hinsichtlich der Sühneriten entspricht dem Ergebnis der Analyse Elligers: Der Bearbeiter, der in Lev 16,3b.5-10.16*.18-20a.21*.22a.25-28 spricht, verfolgte ein doppeltes Ziel: "Offenbar wollte er dem Brauch der Entlassung des Sündenbockes die seiner Meinung nach ihm gebührende Stellung (wieder-)geben ... Zugleich bemühte er sich um eine Verteilung des theologischen Gewichtes auf die beiden Böcke und fand die Lösung in einer charakteristischen Zweiteilung ... Danach entsühnt das Blut des Jahwebockes Heiligtum und Altar von aller kultischen Unreinheit (טמאת), die die Israeliten an sie herangebracht haben 16*.18-20a, während der lebendige Bock alle sittliche Schuld (עונת) in die Wüste hiausträgt 21.22a." (ebd, 208.) Diese Unterteilung entspricht auch der jüdischen Auslegungsgeschichte. Abgesehen von bestimmten Spezialfragen (religionsgeschichtliche Herkunft des Asasel-Ritus etc.) übernehmen wir also die grundlegende *Unterscheidung Elligers von dinglicher und personaler Entsündigung*, die schon Noth vermutet hatte (Lev, 106f; dazu Wefing, Untersuchungen, 16), da sie 1. in der Gesamtinterpretation des Textes am meisten plausibel erscheint, 2. philologisch durch den Gebrauch der Präpositionen gestützt wird, 3. der Auslegungsgeschichte entspricht. Sie wird auch gesehen von Anderson/Culbertson, Inadequacy, 312ff; Bellas, Kapporeth, 31f.34; Levine, Presence, 73f.76, und ist durchweg Grundlage in der Kommentierung von Hoffmann, Leviticus, 432-464, bes. 434.444.448f (Hoffmann sieht jedoch die Quellenlage von Lev 16 und auch die Beziehung zu Ez 45,18.20 anders als es in dieser Arbeit vertreten wird). Wenham, Leviticus, 225-238, hat die These Milgroms, wonach die חטאת ein Reinigungsopfer darstellt, übernommen. Vgl. auch Strack, KK I, 335; Herzfeld, Geschichte II, 118f; Edersheim, Temple, 316f; Martin-Achard, Fêtes, 109f; Hruby, Yom Ha-Kippurim, 54ff; Kiuchi, Purification Offering, passim; Mildenberger, Karfreitag, 59-63; de Vaux, Lebensordnungen II, 368-372; Vriezen, Hizza, 220ff.231ff; Morris, Atonement (1983), 68ff (Morris möchte jedoch nur den Blutritus beim JHWH-Bock im Sinn einer Reinigung des Heiligtums verstehen, der Blutritus beim Jungstier soll der Reinigung des Hauses Aaron dienen, 71f, was aber keinen Anhalt am Text hat). Keine ausreichende Beachtung findet die getroffene Unterscheidung bei Kornfeld, Levitikus, 62-66; Schur, Versöhnungstag; Schenker, Versöhnung, 111-116, und im einschlägigen Abschnitt bei Moore, Judaism III, 492ff. 546ff.
Die Analyse Ottos (Fest, 70ff) unterscheidet sich sowohl von Elliger als auch von Wefing, da sie zwischen einer vorpriesterlichen Ritualüberlieferung und einer Redaktion durch P^g differenziert und mit literarischen Zusätzen zu P^g rechnet. Otto geht davon aus, daß das "P vorgegebene Ritual des Versöhnungstages ... dadurch gebildet worden [ist], daß ein in vorexilische Zeit hinabreichendes Ritual der Heiligtumsentsühnung mit dem alten, wohl bis in vorisraelitische Zeit zu verfolgenden Asaselbockritual, das auf die Entsühnung des Volkes Israel gedeutet wurde, so verbunden worden ist, daß beide Rituale durch einen verklammernden Losritus verschmolzen worden sind. Dabei gibt das Ritual der Entsühnung des Heiligtums den Rahmen für das Asaselbockritual ab" (ebd, 74). Trotz der differierenden

Detailergebnisse bestätigt auch Otto unsere These, wonach die Heiligtumsentsühnung von der Personentsühnung zu unterscheiden ist. Die Dissertation von A. Treiyer, Le Jour des Expiations et la Purification du Sanctuaire, Strasbourg 1982, erforderte eine eigene Behandlung, v.a. seine Sicht der Asasel-Gestalt. Für unseren Zusammenhang ist Folgendes zu erwähnen: Das entscheidende Kap. III befaßt sich mit Kontamination und Reinigung des Heiligtums (112-195). Treiyer unterscheidet zwei Typen der Kontamination: "1. Contamination légale, par laquelle la sainteté du sanctuaire était indirecte et moins compromise" (163f). "2. Contamination illégale, par laquelle la sainteté du sanctuaire était directe et absolument compromise" (164f). Dabei liegt folgende Doppelthese zugrunde, die Treiyer "le paradoxe du sacrifice" nennt (151): a) Bei den Sündopfern, die das ganze Jahr hindurch dargebracht werden, werden die Sünden mittels des Blutes an das Heiligtum übertragen und kontaminieren dieses (163). Davon wird es am Jom Kippur gereinigt. b) Rebellische Sünden kontaminieren allein durch die Anwesenheit der Sünder das Volk und das Heiligtum (165). Diese werden durch den Asaselbock hinausgetragen, da sie unsühnbar sind. Asasel wird dabei am Jom Kippur demaskiert als "la cause première de tout péché" (165). Der Jom Kippur bedeutet also nach Treiyer eine doppelte Reinigung des Volkes und des Heiligtums: "Par le sang d'une victime substitutive des péchés pouvant être pardonnés, et par l'expulsion et condamnation des rebelles." (165)

Kritik:

1. Es leuchtet nicht ein, daß der Blutritus einmal Sünden an das Heiligtum übertragen soll und im anderen Fall (Jom Kippur) zur Reinigung des gleichen Heiligtums dienen soll. Das von Treiyer im Anschluß an Milgrom angeführte Argument, daß beim Ritual der Asche der Roten Kuh (Lev 19) in gleicher Weise das Paradox von Rein und Unrein vorliege (186 A.143), sticht hier nicht, denn es geht in Lev 19 um die besondere Art der "Unreinheit", die jeden befällt, der die Asche der Roten Kuh zubereitet. Diese "Unreinheit" ist jedoch so zu verstehen, daß der Umgang mit dem Heiligen "unberührbar" macht und diese Unberührbarkeit durch einen speziellen Ritus wieder beseitigt werden muß. (Mündliche Auskunft von Dr. F.-W. Krämer, Neuendettelsau. Zur Problematik s. Milgrom, The Paradox of the Red Cow, in: ders., Studies, 85-95.) Die von Milgrom, ebd, 87, vollzogene Parallelisierung des Mannes, der die Asche der Roten Kuh herstellt mit dem, der Lev 16,28 den Rest des Tieres verbrennt, wirft Probleme auf: Nach Milgrom soll das חטאת-Blut die Unreinheiten absorbieren und tragen. Daraus resultiere die Verunreinigung dessen, der die Rote Kuh verbrennt. Gerade hier gibt es jedoch keine Parallelität zu Lev 16,28, denn der Tierkörper enthält eben kein Blut mehr. Das wurde vielmehr am Altar ausgegossen. Somit dürfte der Umgang mit dem Rest der חטאת keine Verunreinigung hervorrufen. Dennoch tut er es. Dies kann nur so erklärt werden, daß der Tierkörper etwas "Hochheiliges" ist, d.h. mit Gott in Kontakt bringt, weshalb derjenige, der ihn verbrennt, selbst "hochheilig" wird und daher einer Reinigung bedarf. Gleiches gilt für die Reinigungsriten des Hohenpriesters am Jom Kippur (gegen Milgrom, ebd, 87 A.5). Auch die Auskunft im ThWAT III, s.v. טמא, ist diskussionsbedürftig. Gerade aus akkadisch 'ikkibu' und 'asakku', die vom Hrsg. H. Ringgren, ebd, 354, genannt werden, könnten sich weiterführende Hinweise ergeben: Wie Ringgren darstellt, kommen beide "in gewissen Fällen dem Begriff 'heilig, (jemandem) geweiht' nahe". Bezieht man dies auf mJad III,2f, wonach die heiligen Schriften "die Hände unrein machen", so ist hierdurch ein Beleg für die Zusammengehörigkeit von "unrein" und "heilig" gegeben. Die Auskunft, daß "diese Schriften so heilig sind, daß man die Hände unwillkürlich als unrein betrachten muß" (Ringgren, ebd, 353), mutet zu modern an. Könnte nicht mJad III,2f zusammen mit den Problemen, die mit der "Unreinheit" beim Verbrennen des Kadavers des חטאת-Bockes (Lev 16) und der "Unreinheit" bei der Herstellung der Asche der Roten Kuh (Lev 19) verbunden sind, einen Hinweis enthalten, daß der von religionsgeschichtlicher Seite ins Spiel gebrachten Beziehung von Unreinheit und Heiligkeit/Tabu doch eine Bedeutung bei der Bestimmung der חטאת als Reinigungsritus zugemessen werden muß? (Vgl. zur Sache auch Lissowsky zu mJad III,4 in der Gießener Mischna. Es sei angemerkt, daß sich dieses Verständnis der "Unreinheit" verfolgen läßt bis hinein in die

Somit ergibt sich vorläufig: Der Blutritus an der כפרת (ἱλαστήριον) und Sündenvergebung im allgemeinen Sinn können so nicht zusammengeordnet werden. Man muß vielmehr genau differenzieren, welche Sünden durch den Blutritus an der כפרת (ἱλαστήριον) gesühnt werden[67]. *Bei der Blutapplikation im Allerheiligsten am Jom Kippur geht es um die Reinigung bzw. Weihe des Heiligtums*[68]. *Vergeben werden dabei die Sünden, durch die das Heiligtum verunreinigt wurde und nicht schlechthin alle. Bei der Interpretation von Röm 3,25f auf dem Hintergrund von Lev 16 ist also der Blutritus als Weiheritus in Anschlag zu bringen.*

b) Die Altarweihe in Ez 43,13-27

Zwei Texte aus dem Verfassungsentwurf des Ez sind in unserem Zusammenhang zu untersuchen, da sie mit der eben besprochenen Heiligtumsweihe eng verbunden sind und einen Blutritus am ἱλαστήριον kennen, der für die Interpretation von Röm 3,25f bedeutsam ist[69].

Ez 43,13-27 ist redaktionell nicht fest eingebunden, weder nach vorne noch nach hinten. Eine Umstellung erscheint jedoch nicht notwendig[70]. Der Text läßt sich in zwei Abschnitte untergliedern: V.13-17 die Altarbe-

gottesdienstliche Toralesung, die mit einer 'Jad' erfolgt. Die Ausführungen von M. Goodman, Sacred Scripture and 'Defiling the Hands', JTS 91, 1990, 99-107, gehen auf dieses Problem nicht ein.)
2. Die Handaufstemmung wird von Treyer konsequenterweise als Übertragungs- und nicht als Identifikationsgestus verstanden (143ff), wobei er zwischen der Aufstemmung mit einer Hand und der mit zwei Händen insofern unterscheidet: "l'imposition d'une seule main ... symboliserait la transmission d'un péché spécifique, ou tiendrait compte des pécheurs individuels, tandis que l'imposition des deux mains correspondrait aux sacrifices collectifs" (143). Diese Unterscheidung hat keinen Anhalt am Text und ist mit Janowski und Rendtorff abzulehnen. Die Beziehung von Lev 16 zu Ez 43;45 wird zwar gesehen (95f.108f), aber zum Verständnis der Riten nicht hinreichend ausgewertet.
[67] ὅν προέθετο ὁ θεὸς ἱλαστήριον ... ἐν τῷ αὐτοῦ αἵματι läßt somit bei unvoreingenommener Betrachtungsweise zunächst alles andere anvisieren als die Vergebung aller vor dem Tod Christi geschehenen Sünden.
[68] Zur Komplementarität von Reinigen und Weihen s. auch Vriezen, Hizza, 231ff.
[69] Zu unseren Texten aus dem Verfassungsentwurf des Ez s. neben den Kommentaren an Literatur: Herrmann, Sühne (1905), 59ff; Gese, Verfassungsentwurf (1957); Gray, Sacrifice (Repr. 1971), 309ff; J.D. Levenson, Theology of the Program of Restoration of Ez 40-48, HSM 10, Missoula 1976; M. Haran, The Law Code of Ez XL-XLVIII, HUCA 50, 1979, 45-71, hier: 61; E. Vogt, Untersuchungen zum Buch Ezechiel, 1981, bes. 154ff; S. Tuell, The Temple Vision of Ez 40-48. Proceedings of the Eastern Great Lakes Biblical Society 2, 1982, 92-103; Janowski, Sühne (1982), 228ff.232ff; J.G. McConville, Priests and Levites in Ezechiel, TyndB 34, 1983, 3-31; M. Greenberg, The Disign and Themes of Ezechiel's Program of Restoration, Interp 38, 1984, 181-208; J. van Goudoever, Ezechiel sees in Exile a new Temple-City at the Beginning of a Jobel Year, in: B. Lust, Hrsg., Ezechiel and His Book, BETL 74, Leuwen 1986, 344-349; S. Niditch, Ezechiel 40-48 in a Visionary Context, CBQ 48, 1986, 208-224. Zur äußeren Anlage des Tempels: Fohrer, Ez, 238; Maier, Hofanlagen, 55-67; Yadin, Temple Scroll I, 190ff; Busink, Tempel II, 701ff.
[70] Zimmerli, Ez II, 1089.

schreibung, V.18-27 die Altarweihe, wobei V.25-27 als Zusatz zu gelten hat[71].

aa) Ez 43,13-17

Der Altar ist ähnlich einem Treppenturm geformt. Anklänge an eine babylonische Ziqqurat werden verschiedentlich erwogen[72]. Beide Absätze heißen hebr. עזרה, griech. ἱλαστήριον, und zwar der eine τὸ μικρόν, der andere τὸ μέγα.

Der Begriff עזרה taucht bei Ez noch in 45,19 auf, dort ebenso als Bezeichnung des Altarkorpus[73]. Die LXX übersetzt an dieser Stelle mit ἱερόν und ergänzt καὶ ἐπὶ τὸ θυσιαστήριον[74].

Ezechiels Altarbeschreibung stellt ein theologisches Programm dar[75]. Die Orientierung des Altars geht nach Westen, d.h. Richtung Tempelhaus, das der Wohnung Gottes entspricht. Die Stufen sind im Osten angebracht, um "die im Opfer geschehende Ehrung Gottes wirklich 'vor Gott' geschehen zu lassen."[76] Entscheidend bei der Altaranordnung ist, daß sich der Altar von seiner Stellung her im Zentrum des gesamten Kultgeschehens befindet. Nachdem der Tempel des Ez keine כפרת im Allerheiligsten kennt (sie ist mit der Zerstörung des 1. Tempels verlorengegangen), findet dort auch keine Blutapplikation statt, sondern am Altar und an den Pfosten des Tempelhauses.

---

[71] Vogt, Untersuchungen, 155, hält V.18-21 für den Grundbestand. Nach Fohrer, Ez, 238.240, sind sowohl V.13-17 als auch V.18-26 als Nachträge anzusehen, jedoch aus unterschiedlicher Hand. Zwischen MT und LXX existieren Unterschiede kleiner Art, die die Gesamtinterpretation nicht berühren.

[72] Das Aussehen ist etwa so vorzustellen: Nach einer kleinen Brüstung, die ½ Elle breit ist, folgt eine Blutrinne von 1 Elle Breite und Tiefe, sodann der Fuß 2 Ellen hoch, 16 Ellen Seitenlänge, der erste Absatz 4 Ellen hoch, 14 Ellen lang, der zweite Absatz 4 Ellen hoch, 12 Ellen lang, sodann der Feuerherd von 12 Ellen Seitenlänge und die Hörner des Altars.

[73] Zum Begriff s. Driver, Ezechiel, 307f; vgl. auch Hurvitz, Priestly Code, 41ff, mit weiteren Belegen aus Mischna und Targum.

[74] In 2Chr 4,9 wird עזרה gebraucht als Bezeichnung für den Vorhof, die LXX übersetzt mit αὐλή. Sir 50,11 wird damit die Umgebung des Heiligtums bezeichnet. Sir 50 beschreibt, wie der Hohepriester, wenn er zum Altar hinaufsteigt, durch seine Erscheinung die עזרה des מקדש mit Glanz erfüllt. Die LXX übersetzt: περιβολὴ ἁγιάσματος. (Ob in Sir 50 das Jom-Kippur-Ritual angesprochen ist, ist umstritten; s.u. S. 71 A.1.) 2Chr 6,13 begegnet עזרה als später Ausdruck für den Vorhof bzw. den unteren großen Vorhof; s. hierzu auch Hurvitz, Priestly Code, 42.

[75] Die Beschreibung des Altarkorpus bei Ez stimmt jedoch nicht mit der Realität überein, wie sie sonst dargestellt wird. JosBell 5,5.6 nennt im Unterschied zu Ezechiel eine Rampe, die von Süden aus zum Altar hinaufführt. Bei Ez sind es Stufen im Osten. Zur Tempelanlage nach bMid s. Busink, Tempel II, 1529ff; Yadin, Temple Scroll I, 192ff.

[76] Zimmerli, Ez II, 1096. Vielleicht gehört die Form des Altars, die einer Ziqqurat entspricht, auch zum theologischen Programm und zwar als Antityp.

bb) Ez 43,18-24(25-27)

In diesem Abschnitt wird die Altarweihe selbst beschrieben. Ein Vergleich zwischen MT und LXX läßt einen wichtigen Unterschied in V.20 entdek-ken. MT: entsündigen + entsühnen (כפרתהו + חטאת); LXX: die Doppe-lung "entsühnen" ist weggefallen.
Der verwendete Begriff ἐξιλάσκομαι kann in der LXX sowohl entsündigen wie entsühnen bedeuten[77].
Ez 43,18-24 stellt einen Ritualtext dar, der an eine ältere Ritualtradition angelehnt ist. Der Grundbestand dürfte aus einer Zeit stammen, in der der zweite Tempel noch nicht stand[78]. Vergleichstexte zur Altarweihe sind Ex 29,36f; Lev 8,15* und v.a. Lev 16,18f. Koch vermutet hinter Ez 43 und Lev 16 eine "wörtlich gleiche Vorform"[79], die jedoch schon einen jeweils unterschiedlichen Überlieferungsweg hinter sich hatte, als sie von Ez bzw. P aufgegriffen wurde. In Ez 43,20 besteht im Hebräischen zu Lev 16,18 Wortberührung. In der LXX weisen beide Texte große Nähe auf.
Der Blutritus wirkt Sühnung, d.h. in diesem Fall Reinigung/Weihe des Al-tars[80]. Dabei ist in V.20 die Unterscheidung von kleiner und großer Altar-einfassung aufgegeben und nur noch von einer עזרה die Rede. Die Blutapplikation geschieht ähnlich der Weihe der Aaroniden (Lev 8,22f) an den Extremitäten[81]. Der Begriff חטא findet sich bei Ez (außer in 43,20.22f) nur noch in 45,18 bei der Heiligtumsreinigung. Zimmerli fragt, ob man die Handlung so verstehen darf, daß damit "die auf dem Volke und seinem Tempelort (Ez 8) liegende Versündigung" beseitigt werden soll[82]. Jedoch ist von der Beseitigung der auf dem Volk liegenden Versündigung nichts gesagt. Vielmehr geht es allein um den Tempelort, speziell den Altar. Sühne stellt also hier einen Weihe- und Reinigungsritus dar[83].

---

[77] Und zwar wird es gebraucht sowohl mit Akk.-Objekt als auch mit Präposition. In der Mehrzahl der Belege findet sich eine Konstruktion mit περί. 4mal steht es für חטא (ohne Ez 43,20), 75mal für כפר (bzw. 76 incl. Ez 43,20), daneben als Übersetzung von אשם, חלה pi., ידע ni., פלל pi., כפר pu., hitp., nitp. Zum LXX-Sprachgebrauch vgl. Dodd, ΙΛΑΣΚΕΣΘΑΙ, 352-360; Morris, ἱλάσκεσθαι, 227-233; Nicole, Doctrine of Propitiation, 117-157; Hill, Greek Words, 23ff; Young, Critics, 67-78 (mit Zusammenfassung von Dodd, Morris, Nicole, Hill, Koch); Nicole, "Hilaskesthai" Revisited, 173-177; Grayston, ΊΛΑΣΚΕ-ΣΘΑΙ, 640-656; Breytenbach, Versöhnung, 84ff.
[78] Zu diesen Fragen Zimmerli, Ez II, 1098f; Ercolano, Il Sangue, 441.
[79] Koch, Priesterschrift, 105, im Original gesperrt.
[80] Vgl. Lang, Art. כפר, 311.
[81] Ob sie wirklich ein Entfernen der "widergöttlichen Sündsubstanz, die dem von Men-schen aus irdischem Material erbauten Altar anhaftet", bedeutet, (so Zimmerli, Ez II, 1102; vgl. die Neuweihe des Altars 1Makk 4,44ff; dazu s. Schmitz, Opferanschauungen, 82f), kann hier dahingestellt bleiben. M.E. ist eher an eine Beschlagnahmung durch Gott zu denken (vgl. Elliger, Lev, 119, zu Lev 8,23).
[82] So erwägt Zimmerli, Ez II, 1102; vgl. 1106.1165f; s. auch Janowski, Sühne, 230. Jedoch ist Zimmerli, den Janowski, ebd, zitiert, vorsichtiger in seiner Formulierung.
[83] Hier greift, was Gese, Sühne, 100f, betont hat, daß nämlich die Sühnehandlung ur-sprünglich ein Weiheritus ist, ein "Hinzukommen zum Heiligen". Insofern der Weiheritus die Voraussetzung für künftige Opfer darstellt, ist ähnlich wie in Lev 16 beim Blutritus

Das Sündopfertier soll dann wie üblich (vgl. Lev 4,12.21; 8,17; 9,11; 16,27) "draußen vor dem Lager" verbrannt werden. Diese Aufforderung ergeht analog Lev 16,27 an eine Drittperson. Am zweiten Tag soll ein zweites Sündopfer dargebracht werden. Die Entsündigung endet also entsprechend Lev 16,18f mit der Darbringung eines zweiten Tieres. Das dem Propheten aufgetragene Doppelopfer stellt einerseits die Reinigung/Weihe des Altars dar und bedeutet zugleich die Eröffnung des Normalgeschehens[84]. V.25-27 ist v.a. inhaltlich als Nachtrag zu erkennen, da es eine zusammenfassende Anordnung darstellt, die sich jedoch mit dem Vorigen nicht genau deckt. Es könnte sich um eine spätere priesterliche Regelung handeln[85]. Entsprechend Ex 29,37 und Lev 8,33.35 wird eine sieben Tage dauernde Altarweihe befohlen. Im Unterschied zum Vorherigen, aber in Übereinstimmung mit Lev 16,19, wird in V.26 von "reinigen" (טהר) gesprochen[86].

Zusammengefaßt ergeben sich fünf/sechs auffällige Bezüge zwischen Lev 16 und Ez 43[87]:

1. Die Tatsache einer Entsühnungshandlung am Altar Ez 43,18ff - Lev 16,18f[88].

2. Der Blutritus Ez 43,20 - Lev 16,18 (Wortberührung!).

3. Die Verbrennung draußen vor dem Lager durch eine Drittperson Ez 43,21 - Lev 16,27.

4. Die Darbringung eines zweiten Tieres Ez 43,22 - Lev 16,15ff.

5. Die siebenfache Wiederholung der Reinigungszeremonie Ez 43,26 - Lev 16,19.

6. Aufgrund der LXX ist hinzuzufügen: das ἱλαστήριον als Ort der Entsühnungshandlung.

Worauf ist Ez 43,13ff inhaltlich gerichtet? *Es geht um die Frage, wie beim Neuanfang in Jerusalem ein Gott wohlgefälliges Opfer dargebracht bzw. wie*

---

letztlich freilich auch hier das JHWH-Israel-Verhältnis angesprochen. Auch Rendtorff, Studien, 206, betont den Weihe- und Reinigungscharakter der חטאת, den er für eine genuine Funktion derselben hält.

[84] Vgl. Zimmerli, Ez II, 1104.

[85] Ebd, 1105.

[86] Zum Tempeleinweihungsritus vgl. 1Makk 4,36ff, wo ebenfalls "reinigen" und "weihen" (καθαρίζω und ἐγκαινίζω) parallel gebraucht werden.

[87] Zur Parallelität und Differenz zwischen Ez und Lev 16 vgl. Zimmerli, Ez II, 1101-1105.1157-1161. Auf die Beziehung zwischen Ez 40-48 und P geht Haran, Law Code (s.o. A.69), 45-71, ein.

[88] Wobei dies Lev 16,20 und Ez 43,20 jeweils durch כפר pi. mit dir. Objekt ausgedrückt wird. Nach Brichto, Slaughter, 35, hat כפר, wenn es mit dir. Objekt verwendet wird, immer den Sinn "purify, decontaminate, purge". Brichto bestreitet jedoch ansonsten insgesamt den Sinn von "sühnen" ("expiate or atone", 34) und sieht כפר pi. als Derivat vom Substantiv כופר an, mit der Bedeutung von "ransom" oder "substitution"; dagegen Lang, Art. כפר, 303ff, bes. 309; Maass, Art. כפר, 844f; Anderson/Culbertson, Inadequacy, 321. Zur Debatte um den Sinn von כפר pi. vgl. die Zusammenfassung bei Lang, Art. כפר, 308-310.

das Heiligtum, in dem Gott wieder wohnen soll, neu geweiht werden kann. Diese Weihe wird am zentralen Sühneort (LXX: ἰλαστήριον) vollzogen. Den Auftrag erhält der Prophet[89].

c) Die Entsündigung des Heiligtums in Ez 45,18-20

Neben Ez 43,13-27 ist ein weiterer Text zum Verständnis des Jom-Kippur-Rituals aufschlußreich. Er steht zu Ez 43,13-27 in enger Beziehung. Die Verse 18-20 in Ez 45 heben sich vom darauf Folgenden (Anweisung für Passa) markant ab. Es geht um die aus Ez 43,18ff bekannte Form der Entsühnung des Kultortes[90]. Die Tatsache jedoch, daß in V.19 der Vollzug der Entsühnung nicht mehr dem in V.18 angeredeten Propheten zufällt, son-dern ausdrücklich dem Priester, was zu 43,20 einen Unterschied darstellt, wirft die Frage auf, ob nicht vielleicht "die Regelung von [45,]18-20a schon näher bei P liegt als 43,18ff"[91].

Nach Ez 45,18 soll am 1.I. ein Entsündigungsritual des Tempels stattfin-den[92]. Im Unterschied zu 43,18ff, einer erst- und einmaligen Entsündigung, geht es hierbei um eine jährlich wiederkehrende Angele-genheit. Das Datum 1.I. steht in Spannung zu Ez 40,1 (vgl. Lev 25,9), wo ein anderer Neujahrstermin erscheint. Vermutlich hält das jetzige Datum des Jom Kippur (10.VII.) diesen alten Neujahrsanfang fest[93]. Nach V.20 soll das Ritual am 7.I. wiederholt werden. Die LXX nennt einen anderen Zeitpunkt, den 1.VII.! Dieses Datum wird verschiedentlich als ursprüng-lich angesehen, doch gehen wir mit Gese, Zimmerli u.a. davon aus, daß die Angabe der LXX gegenüber dem MT sekundär ist, da sich die Septime als Zeitpunkt für eine Wiederholung auch sonst findet[94]. Es besteht also kein Anlaß, durch textkritische Operationen die LXX-Lesart in den MT einzutragen. Sie ist aus der Tendenz der LXX zu erklären, die Daten zu vervollständigen[95].

---

[89] Bedeutsam für den neutestamentlichen Zusammenhang ist eine Bemerkung von Zim-merli, wonach der den Opferdienst eröffnende Prophet, zu einem "neuen Mose" werde (Ez II, 1106).

[90] Sowohl Form als auch Inhalt des Rituals legen es nahe, beide Stücke aus der gleichen Hand herzuleiten (so z.B. Gese, Verfassungsentwurf, 79, dort weitere Literatur). Zimmerli, Ez II, 1160, hält es aufgrund bestimmter Differenzen auch für diskutabel, für Ez 45,18-20a jüngere Herkunft anzunehmen. Er entscheidet die Frage jedoch nicht, auch nicht ebd, 1246.1249, wo er erneut Bezug darauf nimmt.

[91] Zimmerli, Ez II, 1161.

[92] Vgl. dazu de Vaux, Lebensordnungen II, 328.371; Ercolano, Il Sangue, 448ff.

[93] Gese, Verfassungsentwurf, 78; Zimmerli, Ez II, 1160. Zur Terminfrage s. auch oben A.21 und Gray, Sacrifice, 309ff.

[94] Belege: Lev 23,8; Num 28,25. Vgl. dazu Gese, Verfassungsentwurf, 76 samt A.2; Zim-merli, Ez II, 1161; Janowski, Sühne, 228f A.220. Die Septime als Zeitpunkt der Wiederho-lung findet sich auch bei der Reinigung des Hauses 11QT 49,19f; 50,3f.15.

[95] Gese, Verfassungsentwurf, 78, vgl. ebd, 8f samt A.1.

Betrachtet man den Ritus selbst, so fällt auf, daß aus dem "ohne Zweifel volleren Ritual dieses Tages"[96] nur das Element der Entsündigung durch das Blut des Sündopfers (חטאת) erwähnt wird. Dabei sollen die Türpfosten des Tempelhauses, die vier Ecken der Altareinfassung (עזרה) und die Pfosten der Tore des inneren Vorhofes mit Blut bestrichen werden[97]. Ez 43,20 waren es die Hörner des Altars, die vier Ecken der Einfassung (עזרה) und der Rand, die bestrichen werden sollten. Das Vorgehen erinnert an den Passaritus, Ex 12,7[98]. Gegenüber Ez 43,20, wo der Altar selbst als Ort der Sühnopferdarbringung im Mittelpunkt der Weihehandlung steht, geht es hier in Ez 45,18-20 um das gesamte Heiligtum, wobei die genannten Einzelobjekte des Blutritus für das Ganze stehen (V.18: המקדש, LXX: τὸ ἅγιον). Die LXX gibt dabei in V.19 den MT nicht exakt wieder. Sie läßt die Blutapplikation an folgenden Objekten geschehen: ... δώσει ἐπὶ τὰς φλιὰς τοῦ οἴκου καὶ ἐπὶ τὰς τέσσαρας γωνίας τοῦ ἱεροῦ καὶ ἐπὶ τὸ θυσιαστήριον καὶ ἐπὶ τὰς φλιὰς τῆς πύλης τῆς αὐλῆς τῆς ἐσωτέρας. D.h. die in 43,20 so bezeichnete Altareinfassung (עזרה), die die LXX dort mit ἱλαστήριον wiedergab, wird hier mit ἱερόν übersetzt. Daß dies die Einfassung des Altars sein soll (עזרה למזבח) wird von der LXX nicht realisiert. Sie liest die Stelle vielmehr so, als seien damit zwei unterschiedliche Objekte gemeint, weshalb sie noch θυσιαστήριον hinzufügt (wohl als Übersetzung für מזבח). ἱερόν bedeutet in der Regel das Tempelhaus, kann jedoch auch die Tempelanlage in ihrer Gesamtheit bezeichnen[99].

V.20aβ gibt den Grund der Entsündigung an: "Wegen desjenigen, der irrtümlich und unwissend (sündigt)"[100]. Dabei kann es sich um eine "Unterschrift für V18-20aα" handeln oder wohl eher um eine Glosse[101]. Sachlich richtig ist daran, daß das Sühnopfer zur Sühne von Sünden dargebracht wird, die בשגגה/השגגה begangen wurden[102].

V.20b findet sich dann im Sinn einer nachträglichen Qualifizierung der Begriff כפר[103]. Der Versteil wird ebenfalls in der Regel als Glosse be-

---

96 Zimmerli, Ez II, 1161.
97 Zu den zu unterschiedlichen Zeiten veränderten Toren des Innenhofes s. Vogt, Untersuchungen, 163 A.22.
98 Zum Bestreichen der Pfosten vgl. den von Dalman, Arbeit und Sitte VII, 94f, geschilderten Ritus beim Erstbezug eines Hauses (erwähnt auch von Rost, Studien, 44). Als Absicht notiert Dalman: "Wenn wir nicht für das Haus schlachten, stirbt einer der Bewohner als Opfer" (94). Danach wird auf dem Dach ein weißer Stoffstreifen an einem Stock als Zeichen des Dankes gegen Gott angebracht.
99 Bauer, WB[6], s.v.
100 Übersetzung nach Zimmerli, Ez II, 1158. Die Übersetzung ist nicht eindeutig gesichert, vgl. Gese, Verfassungsentwurf, 78f.
101 Ebd, 79; Zimmerli, Ez II, 1161; Janowski, Sühne, 228f A.220.
102 Siehe dazu unten S. 80ff.
103 Zur Beziehung von כפר und חטא vgl. Janowski, Sühne, 230, mit reichen Literaturhinweisen!

trachtet[104]. Sowohl die Bezeichnung des Tempels als הבית im Unterschied zu V.18 מקדש[105] als auch das plötzliche Auftreten der 2. Pers. Pl. sprechen dafür. Die LXX übersetzt den Versteil mit λήμψη παρ᾽ ἑκάστου ἀπόμοιραν καὶ ἐξιλάσεσθε τὸν οἶκον. Dabei stellt ἀπόμοιρα ein Hapaxlegomenon dar. Cod. A fügt noch erläuternd hinzu "ἀγνοοῦντος". Es geht in Ez 45,18-20 wie auch in Ez 43,18ff um ein Sündopfer (חטאת)[106]. Allen Brandopfern, die auf dem Altar dargebracht werden, wird ein großes Sündopfer vorangestellt. "Die Rituale für die Altarweihe und den doppelten Sühnetag zu Beginn des Jahres (...) könnten ... sehr wohl widerspiegeln, wie im nachexilischen Kult der Sühnegedanke seine volle Bedeutung zu gewinnen beginnt."[107] Wie erwähnt[108], ist die genuine Funktion der חטאת ursprünglich ein Weiheritus für den Brandopferaltar. Dies wird von P weitertradiert (vgl. Lev 8,15aβ.bβ; Ex 29,36f; Lev 16,18; Ex 30,10) und ist rudimentär beim Chronisten noch erkennbar (vgl. 2Chr 29,24). Neben dieser älteren חטאת-Überlieferung, bei der die Entsühnung von Heiligtum und Altar im Mittelpunkt steht, gibt es noch eine andere, die sich auf die Entsühnung Israels bzw. seiner kultischen Repräsentanten bezieht. Sachliche Zusammenhänge lassen sich über die kultgeschichtliche Entwicklung herstellen. Lev 17,11 ist dafür ein zusammenfassender Ausdruck[109]. Beim Sündopfer geht es um die Sünde, die בשגגה/שגגה verübt wurde[110]. Eine willentliche Verfehlung "kann nicht durch ein allgemeines Entsühnungsfest gesühnt werden" (vgl. Num 15,30f; Lev 6,21ff)[111].

d) Der Jom Kippur in Festkalendern des Alten Testaments

Die übrigen Texte des Alten Testaments, die mit dem Jom Kippur in Beziehung stehen, bestätigen (z.T. indirekt) die ritualgeschichtliche Unterscheidung von Person- und Heiligtumssühne am Versöhnungstag.

---

[104] Gese, Verfassungsentwurf, 79 mit Lit.; Janowski, Sühne, 228f A.220, Zimmerli, Ez II, 1161.

[105] Zum unterschiedlichen Gebrauch von בית und מקדש siehe Gese, Verfassungsentwurf, 126. In V.19 war durch הבית das Tempelhaus im engeren Sinn gemeint; vgl. Zimmerli, Ez II, 1161.

[106] Die Bemerkung von Zimmerli, Ez II, 1161, daß in 45,18-20 nirgends die Bezeichnung חטאת erscheine, ist angesichts von V.19 unverständlich.

[107] Zimmerli, Ez II, 1249.

[108] S. dazu oben Abschnitt V.a, S. 45ff und unten Abschnitt VII.a, S. 80ff.

[109] Janowski, Sühne, 234ff. 242ff.

[110] Gese, Verfassungsentwurf, 79 samt A.3; Janowski, Sühne, 241; vgl. ausführlicher unten S. 80ff.

[111] Gese, Verfassungsentwurf, 79.

aa) Lev 23,26-32

Der Text steht innerhalb des Festkalenders des Heiligkeitsgesetzes (P[h])[112]. Nach Elliger gehören V.26-31 zu P[h4], V.32 stellt einen späten Nachtrag dar[113]. יום (ה)כפרים taucht hier V.27.28 erstmals als Bezeichnung des Tages auf[114]. V.28 nennt den Effekt des Tages: כי יום כפרים הוא לכפר עליכם לפני יהוה אלהיכם. Daher ist strikte Arbeitsruhe und Fasten geboten. Aus Lev 23,26ff werden einerseits die doppelte Wurzel des nachexilischen Versöhnungstages, wie auch die unterschiedlichen Aspekte der Entsühnung deutlich: Der Sündenbocktag, an dem die Gemeinde entsündigt wurde und die Entsündigung des Heiligtums, die ursprünglich wohl zu den Initiationsriten des Herbstfestes gehörte. Nach Elliger wurden die beiden getrennten Entsühnungstage (für Heiligtum und Gemeinde) auf einen Tag zusammengelegt und vom Herbstfest getrennt, "wobei das Ritual des Sündenbocktages die Grundlage abgab und das Ritual des Tempelreinigungstages in sich aufnahm."[115]

bb) Lev 25,9[116]

Das zu Lev 23,26ff Ausgeführte findet seine Bestätigung in Lev 25,9. Der Vers ist literarisch uneinheitlich. V.9a ist der Vorlage zuzurechnen, V.9b P[h1].[117] Den in der Quelle erwähnten Hornblasetag (zugleich Beginn des Jobeljahres, ursprünglich Beginn des Laubhüttenfestes) setzt P[h1] mit dem Versöhnungstag gleich. Nach Lev 23,24 war der Hornblasetag der 1.VII. nicht der 10.VII. Wie kommt es zur Verlegung auf den 10.VII.? Nach Elliger ist der Grund darin zu sehen, daß der 10.VII. ursprünglich der Tag der Heiligtumsentsündigung war[118]. Vermutlich wird darin ein altes Neujahrsdatum sichtbar[119]. Allerdings bleibt bemerkenswert, daß die Ausrufung des Jobeljahres auch in späterer Zeit mit dem Versöhnungstag zusammenfällt.

cc) Num 29,7-11[120]

Num 28,1-30,1 bietet den Jahreszyklus von Lev 23 unter systematisierendem Gesichtspunkt im Hinblick auf den Tempeldienst (vgl. Ez 45,21-25; 46,11.13-15). Num 29,1 gilt der 1.VII. als Tag des Hornblasens, für den 10.VII. ist Kasteiung, Versammlung und Opfer angeordnet. Im Vergleich zu Lev 23; 25 sind die Opferanordnungen ausführlich. Neben Brandopfern (ein junger Stier, ein Schafbock, sieben einjährige Schafe), Speis- und Trankopfern

---

[112] Die Hauptmasse von Lev 23 läßt sich nach Elliger, Lev, 311, "fast restlos" auf die beiden Schichten P[h3] und P[h4] verteilen. Dabei stellte P[h3] ursprünglich möglicherweise einen reinen Kalender für Laien dar (Elliger, Lev, 312; P[h] steht für das Heiligkeitsgesetz). Zum Text vgl. auch Treyer, Le Jour des Expiations, 47-50.

[113] Elliger, Lev, 303.318-320. Aufgrund inhaltlicher Indizien ist der Festkalender in Lev 23 jüngeren, nachexilischen Datums (Elliger, Lev, 312).

[114] Sonst nur noch Lev 25,9. כפרים bedeutet sonst in P: Sündopfer zur Altarentsühnung Ex 29,36; 30,10; Entsühnungsopfer am Versöhnungstag Num 29,11; bei Veruntreuung Num 5,8; Sühngeld Ex 30,16 (Elliger, Lev, 318 A.23). Zur Bildung des Abstraktnomens s. Janowski, Sühne, 20 mit A.26. 105.265 mit A.432f.

[115] Elliger, Lev, 319.

[116] S. neben den Kommentaren auch Treyer, Le Jour des Expiations, 50-53.

[117] Elliger, Lev, 320.336.344f.

[118] Ebd, 320f.

[119] Vgl. Ez 40,1, dazu Zimmerli, Ez II, 1160. Die Erklärung von Milgrom, in: Herr u.a., Art. Day of Atonement, 1387, daß das Jobeljahr nicht ohne Entsündigungsritus beginnen könne und daher die Zusammenlegung zu erklären sei, ist ritualgeschichtlich keine ausreichende Begründung.

[120] Vgl. dazu auch Treyer, Le Jour des Expiations, 53-56.

soll ein Ziegenbock als Sündopfer (חטאת) dargebracht werden und zwar über das Versöhnungssündopfer (חטאת הכפרים) hinaus. Der Text gehört zu den jüngsten Stücken des Pentateuch[121]. Literarisch liegt etwas wie ein "Anhang zur Pentateucherzählung" vor[122], wobei inhaltlich und terminologisch exilisch-nachexilische Texte vorausgesetzt werden[123]. Das Sündopfer des Ziegenbockes begegnet in Num 28,1-30,1 an mehreren Stellen in nachklappenden Zusätzen[124]. Besonders zu vermerken ist, daß Num 29,7-11 vom Asasel-Ritus nichts zu wissen scheint. Der Akzent liegt auf den darzubringenden Brandopfern und den nicht näher bezeichneten Kasteiungen.

dd) Neh 9,1ff[125]

Neh 8, wo man erwarten würde, daß nach dem Bericht über die Versammlung am 1.VII. (V.2) mit der Verlesung des Gesetzes (V.3) auch der Versöhnungstag erscheint, schweigt darüber. Vielmehr findet das Volk am nächsten Tag (V.13) - mehr oder weniger zufällig beim Lesen des Gesetzes (V.14) - die Bestimmungen über das Laubhüttenfest, das sofort acht Tage lang gefeiert wird (V.18). Neh 9,1ff berichtet dann von einer Bußversammlung am 24.VII.[126] Geht man von der literarkritischen Umstellung der Texte aus, so muß der Bußgottesdienst in Neh 9 verstanden werden als Reaktion auf die "Mischehen" (Esr 9-10), die man als Schuld empfand. Die Bußversammlung ist geprägt von Bußgewändern, Sündenbekenntnis und gipfelt in der Übernahme einer Verpflichtung. Von Opfern ist keine Rede. Morgenstern macht auf die Affinität des Gebetes zum Ritual des Versöhnungstages aufmerksam[127].

ee) 2Chr 7,8-10

Ebenso vermißt wird eine Erwähnung des Versöhnungstages in 2Chr 7,8-10. Salomo feiert sieben Tage im 7. Monat die Tempelweihe, am 8. Tag ist eine Festversammlung, worauf noch einmal sieben Festtage folgen. Der Festkalender sieht also so aus[128]:
8.-14.VII.: Tempelweihe.
15.-22.VII.: Laubhüttenfest (vgl. Lev 23,34.39; Ez 45,25; Num 29,12).
23.VII.: Heimkehr der Festteilnehmer.
Schon die LXX hat dies nicht übernommen, sie erwähnt die zweiten sieben Festtage nicht. Vergleicht man dazu die Tempelweihe, wie sie in 1Kön 8,2.62ff zeitlich fixiert wird, so

---

[121] Noth, Num, 190.

[122] Ebd.

[123] Der Text dürfte noch jünger als Num 15,1-16 sein, da die dort geforderten Speis- und Trankopfer hier als gegeben vorausgesetzt werden (Noth, Num, 190).

[124] Noth, Num, 190, rechnet dazu: 28,15a.22.30; 29,5.11a.16a.19a.22a.25a.28a.31a.34a.38a.

[125] Zu Neh 9,1ff vgl. Gunneweg, Neh, 117ff.

[126] Literarkritisch erfolgt häufig eine Umstellung inerhalb Esr-Neh: Esr 1-6; 7-8; Neh 8; Esr 9-10; Neh 9-10; Neh 1-7; Neh 11-13. Zu den literarkritischen Fragen s. Tamara C. Eskenazi, The Structure of Ezra-Nehemia and the Integrity of the Book, JBL 107, 1988, 641-656; Gunneweg, Neh, 119; R. Smend, Die Entstehung des Alten Testaments, Stuttgart u.a. 1981², 225-227.

[127] J. Morgenstern, The Chanukkah Festival (s.o. A.21), 19ff, sieht in Neh 9,5-37 einen Teil aus der synagogalen Liturgie des Neujahrsfestes aus der Zeit vor Esra, in der Neujahr und Versöhnungstag noch ungeschieden auf dem 10.VII. lagen. Der Chronist habe sie dann in seinen Tagen als Teil der Jom-Kippur-Liturgie angesehen. Dagegen Zeller, Sühne, 66 A.86. Aufgenommen und weitergeführt hinsichtlich der Anfänge synagogaler Liturgie wird Morgensterns These von L. Liebreich, The Impact of Nehemia 9,5-37 on the Liturgy of the Synagoge, HUCA 32, 1961, 227-237.

[128] S. Rudolph, HAT I.21, 217.

scheint es, daß auch hier Tempelweihe und Laubhüttenfest zusammenfallen. In 2Chr 7 fällt Sukkot richtig auf den 15.-22.VII. Ein möglicher Jom Kippur müßte also innerhalb des Tempelweihfestes vorher stattgefunden haben. Doch davon lesen wir nichts. Hierin könnte ein weiteres Indiz für einen ursprünglichen Zusammenhang einer jährlichen Tempelweihe/-reinigung mit dem Sühnetag zu finden sein.

e) Die Sühne für Heiligtum und Gemeinde in 2Chr 29,18-24

Neben den priesterschriftlichen Texten Ex 29,36f; 30,10; Lev 8,15aβ.bβ[129] (den betreffenden Versen in Lev 16) und Ez 43,19*-22; 45,18-20a[130] ist die Tradition einer Entsühnung des Heiligtums noch in 2Chr 29,18-24 greifbar[131]. Der Text gehört in den Zusammenhang des chronistischen Berichtes von der Kultreform Hiskias (2Chr 29,3-31,20)[132]. Nach erfolgter Tempelreinigung, die sechzehn Tage in Anspruch nahm (2Chr 29,17), soll nun der Altar JHWHs geheiligt werden (V.18)[133]. Dazu werden jeweils sieben Farren, Widder und Lämmer als Brandopfer[134] und sieben Ziegenböcke als Sündopfer dargebracht. Das Blut der Brandopfertiere wird an den Altar gesprengt (V.22), danach werden die Sündopfer geschlachtet, nachdem König und Volk die Handaufstemmung vollzogen haben[135]. Die Ziegenböcke werden in V.21 als לחטאת על־הממלכה ועל־המקדש ועל־יהודה (das Königshaus, das Heiligtum, Juda) bezeichnet. D.h. in zwei Fällen geht es um Personen, in einem um das Heiligtum[136]. Das Königshaus steht hier wohl für die Repräsentanten des Volkes - auch in kultischer Hinsicht. Damit ist die gleiche Struktur wie Lev 16 gegeben, wo ebenfalls zuerst für den Hohepriester und sein Haus, sodann für das Heiligtum und dann für die Gemeinde Israels die Sühne vollzogen wird. Schwierigkeiten bereitet die Formulierung in V.24: ויחטאו את־דמם המזבחה לכפר על־כל־ישראל ("sie führten mit ihrem Blut den Ritus der Entsündigung am [Brandopfer-]Altar durch, um Sühne zu schaffen für ganz Israel"). חטא pi. begegnet hier in der seltenen Bedeutung "einen Ri-

---

[129] Es handelt sich jeweils um Interpretationszusätze, die die ältere חטאת-Überlieferung repräsentieren; Janowski, Sühne 233.

[130] S. dazu oben, S. 61ff.

[131] Zu 2Chr 29,23f s. schon oben A.57.

[132] Dazu Th. Willi, Die Chronik als Auslegung. Untersuchungen zur literarischen Gestaltung der historischen Überlieferung Israels, FRLANT 106, Göttingen 1972, 199ff; P. Welten, Geschichte und Geschichtsdarstellung in den Chronikbüchern, WMANT 42, Neukirchen 1973, 180.182f; Janowski, Sühne, 205f mit A.105. 230 mit A.226. 241.

[133] Die Tempelreinigung der Makkabäer (1Makk 4,42-59) scheint vom Vorbild dieser Reinigung beinflußt zu sein (Jerusalemer Bibel, A. zu 2Chr 29,20).

[134] Rudolph, HAT I.21, 296, ergänzt "לעלה" in V.21, das wegen Homoioteleuton ausgefallen sein dürfte. Ihm schließen sich Rendtorff, Studien, 80 A.3. 93, und Janowski, Sühne, 205 A.103, an.

[135] Ob mit einer oder mit zwei Händen, ist grammatikalisch nicht zu entscheiden.

[136] Rudolph, HAT I.21, 297, meint, daß mit "Heiligtum" auch das Kultpersonal angesprochen sei.

tus der Entsündigung durchführen"[137]. Es fällt auf, daß vor der Durchführung des Entsündigungsritus erst der Altar durch das Blut der Brandopfer besprengt werden muß, um für die folgenden Opfer tauglich zu sein. Die Handaufstemmung, die die Personsühne anzeigt, erfolgt nur bei den Ziegenböcken. Von daher kann 2Chr 29,13f nicht als Beleg dafür gelten, wie ihn Janowski verwenden will, ein nahezu ununterscheidbares Zusammenhängen von dinglicher und personaler Sühne auszudrücken[138], sondern zeigt, wie beide Aspekte zwar zusammengehören, jedoch auch in einem so späten Text noch zu unterscheiden sind.

f) Zusammenfassung

In Lev 16 geht es wie auch in Ez 43 (45) bei der Durchführung des Blutritus an der כפרת *bzw.* עזרה *um die Entsühnung bzw. Weihe des Heiligtums.* In der LXX bezeichnet ἱλαστήριον sowohl in Lev 16 als auch in Ez 43 den zentralen Sühneort. Eine כפרת fehlt im Tempelentwurf des Ez. Die zentrale Sühnstätte ist bei Ez konsequenterweise der große Brandopferaltar. *Die Vergebung, die durch den Blutritus am* ἱλαστήριον *erwirkt wird, ist bezogen auf Verunreinigungen des Heiligtums.* (Die Vergebung der übrigen Sünden erfolgt Lev 16 nicht durch den Blutritus, sondern durch den Asasel-Bock.) *Die fundamentale Unterscheidung von Personsühne und Heiligtumssühne wird durch die übrigen diskutierten Belege bestätigt.* Aufgrund der Beziehung von Ez 43 und 45 wird klar, daß auch in Ez 43 der größere Zusammenhang des Jom Kippur angesprochen ist. Die Berührung geht bis in die Formulierung.

g) Konsequenzen für die Interpretation von Röm 3,25f*

Bei Janowski liegt im Anschluß an Gese das Schwergewicht in Lev 16 auf dem Blutritus. Er will die darin zum Ausdruck kommende Existenzstellvertretung darstellen[139]. Dabei kommt die Beseitigung der Sünde durch den Asasel-Bock, wie sie sich in der redaktionellen Endgestalt des Textes findet, zu kurz. Eine Interpretation von Röm 3,25f* auf dem Hintergrund von Lev 16 kann jedoch nicht die Theologie von Pg zum Ausgangspunkt nehmen. Dies wirkt sich aus auf die Folgerungen, die die genannten Interpreten für die Auslegung von Röm 3,21ff ziehen: Sie beachten zu wenig die Unterscheidung der Riten, d.h. welche Sünden durch welchen Ritus beseitigt werden, vernachlässigen den Aspekt der Heiligtumsreinigung und kommen daher zu einer nur teilweise richtigen Interpretation. Daß Jesus

---

[137] So auch noch Lev 6,19; 9,15; s. Janowski, Sühne 206 A.105. 230 A.226.
[138] Janowski, Sühne, 241; vgl. dazu oben A.57.
[139] Gleiches gilt für Stuhlmacher, Wilckens u.a., s.u. Abschnitt VIII, S. 150ff.154f.159ff.

zur כפרת des Glaubens gemacht wurde, die jetzt öffentlich zu sehen sei, stellt nur einen Aspekt des Geschehens dar und muß aufgrund des traditionsgeschichtlichen Hintergrundes um Aussagen ergänzt werden, die den Blutritus adäquat zur Sprache bringen. Dieser Blutritus hat eine Reinigungs- bzw. Weihehandlung zum Inhalt. Dies ist in die Interpretation von Röm 3,25f* einzubeziehen.

VI

Die Sühne am Jom Kippur in weiteren frühjüdischen Belegen

Nach der in Abschnitt V getroffenen fundamentalen Unterscheidung innerhalb der Sühneriten am Jom Kippur in der Bibel stellt sich die Frage, ob dies in der jüdischen Auslegungstradition eine Bestätigung erfährt oder nicht. Hierzu gehen wir in zwei Schritten vor: Zunächst sollen noch weitere frühjüdische Belege, in denen der Jom Kippur erwähnt wird, untersucht werden[1], um dann (Abschnitt VII) auf die Differenzierung innerhalb der Sühneriten einzugehen.

---

[1] Wir betrachten dabei näher die Belege bei Josephus, Philo, aus der Qumranliteratur und dem TgLev. Die Belege bei Sir und im Buch Jub sind - wie kurz darzustellen ist - hinsichtlich unserer Fragestellung unergiebig.

Ob in *Sir 50,5-21* eine Anspielung auf den Versöhnungstag vorliegt, ist umstritten. Wenn ja, dann liegt der Akzent zumindest nicht auf einer detailgetreuen Beschreibung der Riten, sondern auf der Ergriffenheit des Volkes bei der Ausführung des Dienstes am Jom Kippur. V.15 beschreibt wohl ein Trankopfer, das Lev 16 nicht kennt. V.8 bezieht sich auf ein anderes Fest als V.6 bzw. V.5. Vgl. zur Sache Gaster, Festivals, 168-186; Skehan/di Lella, Wisdom, 546-555. Wie Safrai, Versöhnungstag, 32 A.1, lehnt auch di Lella, Wisdom, 551, einen Bezug zum Jom Kippur ab und bezieht (mit F. O'Fearghail, Sir 50,5-21: Yom Kippur or the Daily Whole Offering?, Bib 59, 1978, 301-316) auf mTam VI,3-VII,3. Einen Bezug zum Jom Kippur lehnt auch Sanders, Paulus, 318, ab; anders Lehmann, Yom Kippur, 117-124; vgl. dazu Janowski, Sühne, 261 A.402. Es verdient zumindest Beachtung, daß Sir 50,20-21 in der Abodah des Versöhnungstages mYom VI,2 zitiert wird, und Sir 50,5ff im Synagogengottesdienst am Jom Kippur begegnet; vgl. dazu C. Roth, Ecclesiasticus in the Synagoge Service, JBL 71, 1952, 171-178.

Für das Jubiläenbuch ist bedeutsam, daß der Versöhnungstag an zwei Stellen überhaupt Erwähnung findet, da das Buch die Geschichte von der Schöpfung bis zum Empfang der Gesetzestafeln am Sinai beschreibt, also den Sühnopferkult eigentlich noch gar nicht kennen kann. (Nach Jub 6,14 ist Noah der erste, der ein Tamidopfer, nach 6,2f ist er auch der erste, der Sühn- und Brandopfer darbringt. Anders Gen 8,20f, wo es sich um ein Brandopfer ohne Sühnecharaker handelt; vgl. dazu Koch, Sühne, 221 A.7; ders., Sühneanschauung, 73f.)

Jub 5,17f: "Und über die Kinder Israel ist geschrieben und angeordnet: Wenn sie sich zu ihm bekehren in Gerechtigkeit, wird er vergeben alle ihre Übertretung und wird verzeihen alle ihre Sünde. Es ist geschrieben und angeordnet: Er wird barmherzig sein zu allen, die sich bekehren von aller ihrer Sünde einmal jedes Jahr." (Übersetzung nach Berger, Jub JSHRZ II.3, 352. Davenport, Eschatology, 47f A.2, hält V.18 für eine späte Hinzufügung und sieht keine notwendige Beziehung zum Versöhnungstag vorliegen. Zur Quellenlage von Jub 5,1-19 und zur Beziehung von 5,17f zu 34,18f s. Davenport, ebd, 47ff, bes. 48 samt A.; Charles, in: Charles II, 20.)

Die enge Beziehung von vorheriger Buße und Vergebung am Versöhnungstag begegnet auch beim zweiten Beleg *Jub 34,12-19*: Der 10.VII. gilt zugleich als der Tag der Entführung Josephs, deshalb ist er ein Trauertag (V.12f. 18). An diesem Tag wird durch einen Ziegen-

a) JosAnt 3,240-243

Dieser Beleg liefert einen wichtigen Beitrag zu unserer Problemstellung[2]:

"Am zehnten Tag desselben Monats nach dem Neumond fastet man bis zum Abend und
opfert einen Stier, zwei[3] Widder und sieben Lämmer, und außerdem einen Bock als
Sündopfer. Dazu bringt man noch zwei Böcke heran, von denen man den einen lebendig in
die Wüste jenseits der Grenze entsendet, als Abwendung und Entschuldigung für die Sünden des ganzen Volkes, während man den anderen an einen ganz reinen Ort außerhalb der
Stadt bringt und ihn dort mit seiner Haut zusammen verbrennt, ohne ihn überhaupt gereinigt zu haben. Damit zugleich verbrennt man einen Stier, der nicht vom Volk herangebracht wurde, sondern den der Hohepriester auf seine eigenen Kosten gestiftet hat. Sobald
dieser [Stier] geschlachtet ist, bringt [der Hohepriester] von dem Blut in das Heiligtum, wie
auch von dem Blut des Bockes und besprengt mit dem Finger siebenmal das Dach[4] und
ebenso oft den Boden, desgleichen das Heiligtum selbst und rings um den goldenen Altar.
Das übrige [Blut] bringt er ins Freie und [sprengt] es rings um den größeren [Altar][5]. Danach legt man die Extremitäten, die Nieren, das Fett und die Leber auf den Altar; der Hohepriester aber stiftet noch aus seinen Mitteln einen Widder als Brandopfer für Gott."

Dabei ist beachtenswert:
1. Josephus nennt neben weiteren Opfern ausdrücklich den Stier des Hohenpriesters und die zwei Böcke[6].
2. Der Blutritus unterscheidet sich von Lev 16: Dort findet eine Blutapplikation an כפרת, Offenbarungszelt und am Brandopferaltar statt, hier
dagegen im Innern, am Heiligtum und am goldenen Altar[7].

---

bock (nach B F M sind es Ziegenböcke, Berger, Jub JSHRZ II.3, 495 A.e.) gesühnt. An
ihm sollen sie "über ihre Sünde und über alle ihre Vergehen und über alle ihre Verirrungen
betrübt" sein, "auf daß sie sich an diesem Tage reinigen, einmal des Jahrs". (V.19, Übersetz-
zung nach Littmann, in: Kautzsch II, 98.) S. dazu M. Testuz, Les idées religieuses du livre
des Jubilées, Paris Genf 1960, 149f; Sanders, Paulus, 360. Zur Unterscheidung der Sünden-
begriffe s. Schmitz, Opferanschauungen, 76f. Es ist nicht zu entscheiden, ob "Ziegenbock"
den Bock für JHWH oder für Asasel meint.
[2] Übersetzung in Anlehnung an Thackeray. Zu dieser Stelle vgl. Schmitz, Opferanschauungen, 176f; Olitzki, Flavius Josephus, 45-49.
[3] Diff. Lev 16,5; Num 29,8.
[4] Josephus benutzt bezeichnenderweise nicht den Begriff ἱλαστήριον. Der Sache nach
meint er jedoch mit ὄροφος die כפרת (LSJ, s.v.: "reed used for thatching a house"; "cover").
[5] Lev 16,18 erwähnt nur einen Altar. Zu dieser Übersetzung vgl. auch Thackeray, Josephus
IV, 433, und die lateinische Überlieferung bei Niese, 206 Textanm.
[6] Vgl. Philo, SpecLeg I,188. Zur Anzahl der Opfertiere, die in der Überlieferung dififfe-
riert, s. Windisch, Barn HNT Erg.III, 344; Maier, Tempelrolle, 89; Yadin, Temple Scroll I,
132-134.
[7] Dies entspricht der Praxis der Mischna. Insgesamt steht die Beschreibung des Ritus näher bei der Mischna als bei Lev 16. Jedoch findet die zweite Blutsprengung in mYom V,4
gegen den Vorhang statt (wohl in Ausführung der vagen Angabe Lev 16,16b: "ebenso ver-
fahre er mit dem Offenbarungszelt"). Am Brandopferaltar ist auch dort keine Sprengung
vorgesehen, sondern das Blut wird am Fuß ausgegossen, mYom V,6; vgl. dazu Abschnitt
VII, S. 87f A.31.

3. Die Blutapplikation im Innern findet zweimal je siebenmal statt am ὄροφος (=Dach, Deckel) und desgleichen am Boden[8].

4. Stier und Bock werden außerhalb des Lagers verbrannt, jedoch werden neben Nieren und Fett auch Leber und Extremitäten der beiden Tiere zusammen mit einem weiteren Widder als Brandopfer dargebracht[9].

5. Die Effizienz der Darbringung wird ausdrücklich nur beim Asasel-Bock genannt: Er dient als "Abwendung und Entschuldigung für die Sünden des ganzen Volkes" (ἀποτροπιασμὸς καὶ παραίτησις). Was die Blutapplikation im Heiligtum bedeutet, wird nicht genannt, jedoch spricht die Tatsache, daß Josephus die mischnische Praxis weitgehend bestätigt, dafür, daß er dies ebenso als Reinigungshandlung verstand.

Die Bedeutung des Textes liegt darin, daß Josephus den einzigen zeitgenössischen Beleg für das Ritual des Versöhnungstages im 1. Jh.n.Chr. bietet. Josephus bestätigt darin (indirekt) die getroffene Unterscheidung der Sühnehandlungen am Jom Kippur[10].

b) Philo SpecLeg I,186-188; II,196

Der Versöhnungstag wird im Schrifttum Philos mehrfach erwähnt[11]. Die Spiritualisierung und Allegorisierung der konkreten Vorgänge, die Philo vornimmt, erschwert die Verwendbarkeit hinsichtlich unserer Fragestellung[12]. Dennoch verdienen zwei (drei) Belege in unserem Zusammenhang

---

[8] Zum Ritus in mYom vgl. Baneth, Mischnajot II, 295f.

[9] Diff. mYom, vgl. Baneth, ebd, 296. Nach Lev 16 wird nur das Fett auf dem Brandopferaltar verbrannt.

[10] Die übrigen Belege bei Josephus, in denen der Jom Kippur Erwähnung findet, tragen in dieser Hinsicht nichts aus, weder positiv noch negativ: JosBell 5,228 wird der Jom Kippur als Fasttag zur Ehre Gottes bezeichnet (vgl. 1QpHab 11,7f; CD 6,19); JosBell 5,236 spricht vom jährlichen Gang des Hohenpriesters ins Allerheiligste; in JosBell 4,164 könnte entweder eine Anspielung auf 1Kön 19,10.14 und die Erfolglosigkeit Elias vorliegen oder (wahrscheinlicher) auf Lev 16,10.20-22: In einer Rede beklagt der Hohepriester Ananos die Schändung des Tempels und seine eigene Untätigkeit. Er sollte lieber "wenn nötig, allein hingehen und gleichsam in der Wüste (s)ein eigenes Leben hingeben für die Sache Gottes" (καὶ καθάπερ ἐν ἐρημίᾳ τὴν ἐμαυτοῦ ψυχὴν ἐπιδώσω μόνην ὑπὲρ τοῦ θεοῦ). "Der Hohepriester nähme dann gleichsam die Schuld des Volkes auf sich und brächte sich selbst als Opfer dar." (Michel-Bauernfeind II.1, 214 A.48.) Der von Josephus gebrauchte Begriff νηστεία zur Bezeichnung des Versöhnungstages meint jedoch nicht nur diesen: JosAnt 5,166 (Fasttag); 11,134 (Fasttag); 14,66 (Versöhnungstag); 14,487 (Versöhnungstag); 17,165 (Fasten Esther); 18,94 (Versöhnungstag). Zur Problematik der Angabe JosAnt 14,66 s. Marcus, Josephus VII, 480f A.c. Josephus dürfte wohl den Versöhnungstag meinen, aber nur aufgrund einer falschen Kombination; vgl. auch Bauer, WB[6], s.v.

[11] Belege: All II, 52.56; III,174; Gig 52; Post 48.70-72; Ebr 86.88-90; Plant 14.61; Congr 89.107; Her 84.113.179; Som I,216-218; II,188f.231-233; Mos II,23-24; SpecLeg I,72.84.186ff; II,193-203; vgl. Colson, Philo X, 253f; Schmitz, Opferanschauungen, 148ff.

[12] Vgl. hierzu Wolter, Rechtfertigung, 60ff A.120; Schmitz, ebd, 133-175, bes. 148-152.156-158.160f.

besondere Aufmerksamkeit: SpecLeg I,186-188; SpecLeg II,196 (vgl. Post 48).

SpecLeg I,186-188: Hier begegnet der Jom Kippur im Zusammenhang der Beschreibung der Festopfer (180-189). Der Festtag am 10.VII. hat solche Anziehungskraft, daß er auch von solchen beachtet wird, die sonst völlig unreligiös sind (186). Philo hebt die zwei Aspekte des Tages heraus, 1. als Festzeit, 2. als Zeit der Reinigung von Sünden (187)[13]. Sieben Lämmer des Festes werden zur Siebenerzahl als Zahl der Vollkommenheit in Beziehung gesetzt. Drei Tiere kommen zur Reinigung von den Sünden hinzu:

προστάττει γὰρ δύο χιμάρους ἀνάγειν καὶ κριόν, εἶτά φησι δεῖν τὸν μὲν ὁλοκαυ-
τοῦν, διακληροῦν δὲ τοὺς χιμάρους, καὶ τὸν μὲν λαχόντα τῷ θεῷ θύειν, τὸν δ'
ἕτερον εἰς ἀτριβῆ καὶ ἄβατον ἐρημίαν ἐκπέμπειν ἐφ' ἑαυτῷ κομίζοντα τὰς ὑπὲρ
τῶν πλημμελησάντων ἀράς, οἳ μεταβολαῖς ταῖς πρὸς τὸ βέλτιον ἐκαθάρθησαν,
εὐνομίᾳ καινῇ παλαιὰν ἀνομίαν ἐκνιψάμενοι[14].

Die Reinigung von den Sünden findet nach diesem Text durch den in die Wüste geschickten Sündenbock statt. Er trägt alle Verfluchungen mit sich hinaus. Dem Blutritus mißt Philo keine besondere Bedeutung zu, sondern allegorisiert sofort[15].

SpecLeg II,196: Im Zusammenhang geht es um eine Auslegung des dritten (vierten) Dekaloggebotes (SpecLeg II,39-222). Hierbei kommt Philo in II,193-203 auf den Versöhnungstag zu sprechen. Er nennt ihn ein "Fasten" (193), das größte der Feste (194), den "Sabbat der Sabbate" (194). Dieser Name hat drei Begründungen: 1. weil er der Tag der Selbstkasteiung ist (195), 2. weil der ganze Tag dem Gebet gewidmet ist (196), 3. weil das Fasten in eine Zeit fällt, in der alle Früchte eingebracht sind, und es daher ein besonderes Zeichen der Pietät darstellt (197ff). Bei den Gebeten des

---

[13] διττοὺς δ' ἔχει λόγους τὸ ἀξίωμα τῆς ἡμέρας, τοὺς μὲν ὡς ἑορτῆς, τοὺς δὲ ὡς κα-
θάρσεως καὶ φυγῆς ἁμαρτημάτων, ἐφ' οἷς ἀμνηστία δέδοται χάρισι τοῦ ἵλεω θεοῦ μετάνοιαν ἐν ἴσῳ τῷ μηδὲ ἁμαρτάνειν τετιμηκότος. Cohn conj. μηδέ statt μηδέν, wie in den
HSS zu lesen ist (s. Colson, Philo VII, 206 Textanm.). "Die Würde des Festes besteht in
zwei Aspekten, denen einen als Festtag, dem anderen als Reinigung und Loskommen (Cohn:
"Abwendung") von Sünden, für die eine Amnestie erlassen worden ist durch die Gnade des
barmherzigen Gottes, welcher die Umkehr gleich wert erachtet hat, wie das Nicht-Sündi-
gen."
[14] "Er befiehlt nämlich, noch zwei Böcke und einen Widder darzubringen, wobei er sagt,
daß der eine als Ganzopfer darzubringen und über die Böcke das Los zu werfen sei. Der
eine Ausgeloste sei Gott zu opfern, der andere sei in die weglose und einsame Wüste zu
schicken, auf sich die Verfluchungen tragend, die auf den Übertretern lasteten, die nun
gereinigt wurden (Cohn: "entsühnt") durch die Hinwendung zum Besseren und die durch
einen neuen Gehorsam gegenüber dem Gesetz den alten Ungehorsam abgewaschen haben."
[15] Vgl. Schmitz, Opferanschauungen, 160f.

Tages geht es darum, Vergebung für die bewußten und unbewußten Sünden zu erbitten (παραίτησις ἁμαρτημάτων ἑκουσίων τε καὶ ἀκουσίων).
Philo nimmt dadurch Bezug auf die umfassende Sühnung, die der Versöhnungstag bringen soll, sowohl für die erkannten wie auch die unerkannten Sünden[16].

c) 11QT 25-27[17]

Die beiden Hauptbelege für den Versöhnungstag in Qumran sind 1QpHab 11,(2-3).4-8[18] und 11QT 25,10-27fin[19]. Ersterer von beiden trägt hinsichtlich unserer Fragestellung keine Aspekte bei[20]. Anders jedoch 11QT 25-27[21]: Hier haben wir einen Beleg, der sich unserem bisherigen Befund nicht nahtlos einzuordnen scheint[22].
Der Autor der Tempelrolle faßt darin die im Pentateuch verstreuten Anweisungen über den Versöhnungstag zusammen. Dabei bringt er Klarheit 1. in die auch im Pentateuch umstrittene Frage der Anzahl und Art der Tiere, 2. in die Frage der Abfolge der Opfer[23].
Nachdem in Kol. 25 in einem ersten Abschnitt die Anzahl der Widder auf drei festgelegt wurde[24], geht es in Kol. 26 um die Abfolge der Darbringung. Dabei sind die ersten vier Zeilen ausgefallen bzw. finden sich un-

---

[16] Die gleiche Formulierung findet sich Post 48, nur daß ἁμαρτήματα durch ἀδικήματα ersetzt ist. In SpecLeg I,226ff, wo es um das Sündopfer geht, unterscheidet Philo ebenfalls willentliche und unwillentliche Sünden.
[17] Zur Sühnevorstellung in Qumran s. Janowski, Sühne, 259-265, und die dort genannte Literatur; weiterhin Janowski/Lichtenberger, Enderwartung, 31-62, mit weiterer Literatur; Baillet, DJD VII (4Q 482-520); Yadin, Temple Scroll I-III; Callaway, Erwägungen, 95-104; den Literaturbericht von H. Lichtenberger, Literatur zum Antiken Judentum, VF I, 1988, 2-21, und den bislang ersten Teil des Forschungsberichts von A.S. van der Woude, Fünfzehn Jahre Qumranforschung (1974-1988), ThR 54, 1989, 221-261.
[18] S. hierzu S. Talmon, Yom Hakkippurim in the Habakuk Scroll, Bib 32, 1951, 549-563; K. Elliger, Studien zum Habakuk-Kommentar vom Toten Meer, BHTh 15, Tübingen 1953, 45f.211-218.
[19] Eine Beziehung zu Lev 16 und Ez 43,19f sieht Yadin, Temple Scroll I, 49.93ff, auch in den Ausführungen des Ordinationsrituals 11QT 15-17 vorliegen.
[20] Gleiches gilt für die anderen Belegstellen, die bei Janowski, Sühne, 260f A.402, genannt werden. Hinzuzufügen ist noch 4Q 508 (Baillet, DJD VII, 177ff), worin Reste eines Gebetes für den Versöhnungstag enthalten sind; vgl. dazu 4Q 34bis (DJD I, 153f).
[21] Zum Alter der Tempelrolle und zu den Einleitungsfragen s. Yadin, Temple Scroll I, 386ff und passim.
[22] Zum Text und zur Interpretation von 11QT 25-27 s. Maier, Tempelrolle, 37f.89; Yadin, Temple Scroll I, 131-134; II, 110ff. Zur Frage, inwieweit die Aussagen in 11QT sich von der übrigen Qumranliteratur unterscheiden, vgl. Lichtenberger, Atonement, 164-167; ders., VF I, 1988, 2-21. Zu 11QT s. jetzt auch Mell, Neue Schöpfung, 104f.
[23] Yadin, Temple Scroll I, 131f; Maier, Tempelrolle, 89. Zur rabbinischen Diskussion vgl. Hoffmann, Mischnajot II, 294.
[24] Vgl. JosAnt 3,240; Philo SpecLeg I,188. Anders Maimonides, ed. Danby, Laws I,1, der seinerseits R. J^ehuda folgt und nur von zwei Widdern ausgeht.

leserliche Buchstabenreste. Es besteht jedoch kein Zweifel, daß hierin von
der Schlachtung des Jungstiers des Hohenpriesters und vom Auslosen der
beiden Böcke die Rede war[25]. Kol. 26,5 wird das Schlachten des einen
Bockes (JHWH-Bock) und die Blutapplikation angeordnet. Jedoch fehlen
nähere Details, es heißt nur, mit dem Blut des Bockes soll verfahren werden, wie mit dem Blut des Sündopferstieres des Hohenpriesters. Das Fett
mit dem dazugehörigen Speis- und Trankopfer soll auf dem Altar, der
Rest beim Sündopferstier (vermutlich außerhalb) verbrannt werden. Nach
der Waschung soll der Hohepriester zum Asasel-Bock kommen, über seinem Kopf die Sünden bekennen, sie auf den Kopf des Tieres legen und
den Bock durch einen bereitstehenden Mann in die Wüste schicken; dies
wird Vergebung erwirken. In 27,1f sind Teile ausgefallen, dennoch ist les-
bar ‏על בני ישראל ונסלח להמה‏[26].
Der letzte Abschnitt, Kol. 27,1-10 enthält Anweisungen für die Brandopfer
und Schlußbestimmungen, die v.a. die Einhaltung der Ruhe betreffen.
Die in Lev 16 und der jüdischen Traditionsliteratur[27] festzustellende Unterscheidung von Heiligtumssühne und Personsühne scheint hier keine
Rolle zu spielen. Die Sühne durch den JHWH- und den Asasel-Bock bezieht sich unterschiedslos auf die "Sünden des Volkes". Ein Tempelreini-
gungsritus ist nicht erkennbar. Trotz der Tatsache, daß die ersten vier
Zeilen in Kol. 26 ausgefallen sind, ist nicht damit zu rechnen, daß dort
eine Spezifikation der Blutriten vorkam.[28]
Es kann überlegt werden, ob sich Gründe für diesen Sachverhalt angeben
lassen, die in der Gesamtkonzeption der Tempelrolle liegen, wodurch die
bisher vertretene Sicht dann auch durch den (scheinbar) negativen Befund
der Tempelrolle eine Bestätigung erfahren könnte:
Die Sicht der Qumrangemeinde, daß das Jerusalemer Heiligtum gänzlich
verunreinigt sei, hat zur Ablehung des Jerusalemer Tempelkultes geführt[29]. Sühne kann nicht durch die Darbringung von Opfern im Tempel
von Jerusalem erreicht werden, daher muß in einer 'Welt ohne Tempel'
nach anderen Möglichkeiten gefragt werden[30]. Die Sühnefunktion wird auf
die reine Gemeinde übertragen (1QS 2,25-3,12; 5,6; 8,6)[31]. "Sühne und
Reinheit sind demnach nicht von kultischen Reinigungsriten, sondern allein von dem der Gemeinde verliehenen Geist Gottes abhängig, der die

---

[25] S. die Rekonstruktion bei Yadin, Temple Scroll II, 116.
[26] Yadin, Temple Scroll II, 119.
[27] S. dazu unten S. 82-90.
[28] Soweit ein erster Eindruck dies vermitteln konnte, liefert auch (die leider noch immer
unveröffentlichte Schrift) 4QMMT zu dieser Fragestellung keine neuen Anhaltspunkte. Zu
4QMMT s. The Qumran Chronicle 2, Dez. 1990, 1-12.
[29] Vgl. dazu Gärtner, Temple, 1-46; Janowski/Lichtenberger, Enderwartung, 39-41.53-57,
mit weiterer Literatur.
[30] Janowski/Lichtenberger, Enderwartung, 53.
[31] Dazu ebd, 48ff.

Glieder der Gemeinde zur rechten Demut (...) bringt, die ihrerseits auf die Erfüllung der Gebote gerichtet ist."[32] Dem scheinen die Aussagen in 11QT zu widersprechen, denn hier wird ein Kult dargestellt, der erkennen läßt, daß die Qumrangemeinde der Kultfrömmigkeit grundsätzlich positiv verbunden bleibt. Beide Konzeptionen schließen sich auf den ersten Blick aus, harmonieren dann aber dennoch, wenn man in Betracht zieht, daß es bei der Beschreibung des Kultus in 11QT um eine Fiktion geht, einen idealisierten Tempel, der so nicht existiert[33]. Die Beschreibung des Tempels in 11QT bezieht sich auf den Tempel, wie er jetzt sein sollte: "... so wie hier in der Tempelrolle beschrieben, hätte Salomo eigentlich den ersten Tempel bauen müssen. Was er wirklich gebaut hat und was infolge des Kyrosedikts nach dem Muster des salomonischen Tempels als 2. Tempel wiederaufgebaut worden war und zur Zeit des TR-Verfassers[34] in mehr oder minder veränderter Form real vorhanden war, ist demnach nicht gemäß Gottes Angaben gebaut worden und daher unzulänglich. So fallen schroffste Kritik am bestehenden Tempel mit höchster Bejahung des Tempelkultes ineins."[35] Vor diesem Hintergrund, einer Spannung zwischen der Ablehung des Jerusalemer Tempels und der Konzeption eines (nichtexistenten) legitimen Heiligtums, sind die Ausführungen zum Versöhnungstag in 11QT zu bewerten: "Der mit der Distanzierung vom entweihten Jerusalemer Heiligtum lebensnotwendig gewordene Übergang von der Kultfrömmigkeit zur nichtkultischen Torafrömmigkeit stellt ... nicht einfach einen Bruch mit der Tradition dar: Begriffe wie Tempel und Kult wurden nicht eliminiert, sondern *umgedeutet*, d.h. auf die Gemeinde (als Tempel) und deren Handeln (Lobpreis und vollkommener Wandel) bezogen."[36] Der jetzige jerusalemische Tempel ist inakzeptabel, daher ist die Sühnefunktion auf die Gemeinde übertragen. Der künftige, von dem 11QT 29,10[37] handelt, ist noch nicht da, er wird von Gott selbst geschaffen werden und keiner Reinigung mehr bedürfen. Hierin könnte ein Grund zu sehen sein, daß bei der Darstellung des Rituals des Großen Versöhnungstages die Unterscheidung von Heiligtumssühne und Personsühne unterblieben ist. Das jetzige Heiligtum ist die Gemeinde. Sie wartet darauf, daß der nichtexistente, idealisierte Tempel der Tempelrolle durch den eschatologischen Tempel ersetzt wird (11QT 29,8-10)[38]:

---

[32] Janowski/Lichtenberger, Enderwartung, 49.
[33] Lichtenberger, Atonement, 165.
[34] TR = Tempelrolle
[35] Maier, Tempelrolle, 67f; Janowski/Lichtenberger, Enderwartung, 53.
[36] Janowski/Lichtenberger, Enderwartung, 55f.
[37] S. dazu Janowski/Lichtenberger, Enderwartung, 56f; Yadin, Temple Scroll I, 182-188; Callaway, Erwägungen, 95-104. Zur Frage einer "Zweiheiligtümerthese" (Callaway) in 11QT 29,6-10 s.u. S. 164 A. 88.
[38] Lichtenberger, Atonement, 166. Zu 11QT s. auch unten Abschnitt VIII.h, S. 163-165.

"Und ich will heiligen mein [Heili]gtum mit meiner Herrlichkeit, da ich wohnen lassen werde [(9)] über ihm meine Herrlichkeit bis zum Tag der Schöpfung, an dem ich (neu) schaffe mein Hei[ligtum (?),] [(10)] um es mir zu bereiten für all[ez]eit entsprechend dem Bund, den ich geschlossen habe mit Jakob in Bethel."[39]

Bis dies von Gott her geschehen wird, stellt die Gemeinde in ihrem gegenwärtigen "gottesdienstlichen" Leben die Antizipation des eschatologischen Gottesdienstes am Tag der (Neu-)Schöpfung dar[40].

d) 4QTgLev[41]

In 4Q 156 = 4QTgLev liegt uns ein Fragment eines vorchristlichen Pentateuchtargums vor[42]. Es enthält Lev 16,12-15.18-21. Die Frage, ob es sich dabei um ein Fragment eines vollständigen Pentateuchtargums handelt oder um das eines Rituals[43], kann für unsere Belange offen bleiben. Der Text stellt, abgesehen von einigen kleinen Änderungen, eine wörtliche Übersetzung des MT dar[44].
Für unseren Sachverhalt von Interesse ist zum einen die Tatsache, daß in V.14 das hebr. כפרת, das die späteren Targumim beibehalten[45], durch das aram. כסיא wiedergegeben wird, was "Deckel" bedeutet[46]. D.h. 4QTgLev

---

[39] Übersetzung nach Janowski/Lichtenberger, Enderwartung, 56. Die Lesung "Schöpfung" (בריאה = בריה), die paläographisch wahrscheinlicher ist als "Segen" (ברכה), wird neben Lichtenberger auch von van der Woude, Tempelrol II, 284 A.9; Qimron, zit. bei Yadin, Temple Scroll II, 129; Callaway, Erwägungen, 98, und jetzt auch von Mell, Neue Schöpfung, 106, bevorzugt (auch van der Woude, Qumranforschung, 238.247, geht davon aus). Anders Yadin, Temple Scroll I, 183; II, 129 (der aber die Lesung בריה für möglich hält, vgl. ebd, II, 129, und ebd, I, 412); Maier, Tempelrolle, 39.89f. Lichtenberger, Atonement, 166f, liest noch "Tag des Segens", hat dies aber in Janowski/Lichtenberger, Enderwartung, 56, in "Tag der Schöpfung" korrigiert.

[40] Lichtenberger, Atonement, 167; Janowski/Lichtenberger, Enderwartung, 57.

[41] Die von Freedman/Mathews publizierte althebräische Leviticus-Rolle (11QpaleoLev) aus der Rockefeller-Collection, Jerusalem, enthält aus Lev nur die Abschnitte Lev 16,2-4; 16,34-17,5; 23,22-29 und hat für unsere Fragestellung keine Bedeutung. D.N. Freedman/K.A. Mathews, The Paleo-Hebrew Leviticus Scroll (11QpaleoLev), Winona Lake (Indiana) 1985, 32-35.42.87f. Zu 11QpaleoLev s. auch K.A. Mathews, The Leviticus Scroll (11QpaleoLev) and the Text of the Hebrew Bible, CBQ 48, 1986, 171-207; É. Puech, Notes en marge de 11Q Paléo Lévitique. Le fragment L, des fragments inédits et une jarre de la grotte 11 (Planches I-III), RB 96, 1989, 161-183.

[42] S. dazu de Vaux/Milik, DJD VI, 86-89; Fitzmyer, Targum of Leviticus, 5-23; ders., The Aramaic Language and the Study of the New Testament, JBL 99, 1980, 5-21; P. Schäfer, Art. Bibelübersetzungen II. Targumim, TRE IV, 216-228; Angerstorfer, 4QTgLev, 55-75; Janowski, Sühne, 272f A.466; Beyer, Die aramäischen Texte, 278-280.

[43] S. Angerstorfer, 4QTgLev, 61; Beyer, Die aramäischen Texte, 278.

[44] S. dazu Beyer, Die aramäischen Texte, 279; Angerstorfer, 4QTgLev, 70-73. Einen Vergleich verschiedener Tg-Rezensionen bieten de Vaux/Milik, DJD VI, 87ff, und Angerstorfer, 4QTgLev, 62-70.

[45] Beyer, Die aramäischen Texte, 279.

[46] Vgl. dagegen den technischen Gebrauch des Terminus in der LXX, Vulgata, Pᵉschitta.

sieht die Funktion der כפרת nur noch darin, ein Kultgerät zu sein, das zur Ausstattung des Tempels gehört, und sieht sie nicht mehr in der theologisch prägnanten Weise der Priesterschrift[47]. Dies mag daran liegen, daß die כפרת in Qumran keine Bedeutung mehr hatte, wie auch das Fehlen in 11QT 25-27 belegt, wo man Kol. 26,4ff ihre Nennung erwarten würde[48]. Der andere für uns relevante Sachverhalt besteht in der Hinzufügung von בית in V.20 und in der unterschiedlichen Konstruktion von (rekonstruiertem) כפר pi. mit על statt mit ית[49]:

כד]שיצי לכפר]ה על בית קדשא]ועל] משכן זמנא ועל מדבחא:
יקרב] צפירא חיא:

("Nachdem [er fertig entsühnt hat] das Heiligtum [und] die Wohnung des Termins und [den Altar, wird er herbeibringen] den lebenden Ziegenbock."[50])

Durch die Einfügung von בית in den Vers wird der Eindruck verstärkt, daß die Entsühnung sich tatsächlich auf das Tempelgebäude bezieht. Die gleiche, auf dingliche Entsühnung bezogene Konstruktion כפר על findet sich in V.18 und 19[51].

---

[47] Janowski, Sühne, 273 A.466.
[48] Ebd. Als Ausstattungsgegenstand des Allerheiligsten ist sie auch der Tempelrolle bekannt, vgl. 11QT 3,9; 7,9. Nach Beyer, Die aramäischen Texte, 279, ist 4QTgLev aufgrund sprachlicher Indizien nicht in Qumran geschrieben, was dieses Argument hinfällig machen würde.
[49] Die Akkusativpartikel ית kommt im Text überhaupt nicht vor (Beyer, Die aramäischen Texte, 279).
[50] Rekonstruktion und Übersetzung nach Beyer, Die aramäischen Texte, 280.
[51] Eine Zusammenfassung findet sich am Ende von Abschnitt VII, S. 91.

VII
Die Sünden und ihre Sühne in der jüdischen Tradition

Zum Verständnis des Jom-Kippur-Rituals ist es notwendig zu unterscheiden, welches Tier für welche Sünden sühnt. Diese Differenzierung macht deutlich, daß der Blutritus an der כפרת (ἱλαστήριον) die Sünden betrifft, durch die das Heiligtum verunreinigt wurde. Die Auslegungsgeschichte von Lev 16 beleuchtet diesen Sachverhalt. Wir gehen aus von der grundlegenden Unterscheidung, ob eine Sünde "versehentlich" oder "mit erhobener Hand" geschehen ist, stellen dann die rabbinische Diskussion der Sühneriten dar und beziehen sie auf die Jom-Kippur-Liturgie.

a) Die Funktion des Sündopfers

Die Sühnbarkeit eines Vergehens durch ein Sündopfer ist daran gebunden, daß die Übertretung des Gesetzes nicht bewußt, ביד רמה (mit erhobener Hand[1]), sondern unbewußt oder unbeabsichtigt, בשגגה (im Irrtum), verübt wurde[2]. Das in Lev 4f überlieferte Sündopfergesetz wird in Num 15,22-31 ergänzt und modifiziert[3]. Num 15,25b fügt dabei ausdrücklich hinzu: "Denn es liegt eine שגגה vor, und sie haben ihre Gabe als Feueropfer für JHWH und ihr Sündopfer für JHWH dargebracht, wegen ihrer שגגה." Num 15,30f stellt klar, was mit dem geschehen soll, der absichtlich sündigt: "Derjenige aber, der ביד רמה handelt, er gehöre zu den Einheimischen oder den Fremdlingen, der lästert JHWH; dieser soll aus der Mitte seines Volkes ausgerottet werden."[4]

---

[1] Es existieren dazu im Alten Testament nur drei Belege: Ex 14,8; Num 15,30f; 33,3, von denen nur Num 15,30f in unserem Sinn zu verstehen ist. Diese Unterscheidung setzt sich jedoch später durch.

[2] Zur Unterscheidung בשגגה - ביד רמה vgl. v.a. Janowski, Sühne, 254ff; Kellermann, Sündopfergesetz, 107-113, bes. 111f; Knierim, Sünde, 67ff; Rendtorff, Studien, 200ff; Treyer, Le Jour des Expiations, 121ff.

[3] Janowski, Sühne, 254, im Anschluß an Kellermann, Sündopfergesetz, 108ff.112f.

[4] Num 15,32-36 berichtet von einer bewußten Sabbatschändung und der Tötung des Betroffenen "draußen vor dem Lager". Zur Ausrottungsformel vgl. W. Horbury, Extirpation and Excommunication, VT 35, 1985, 13-38; Klinghardt, Gesetz, 186ff. Zum Verfahren in Qumran s. 1QS 5,1-9,25; CD 10,3; dazu Kellermann, ebd, 112.

Die Einleitung Lev 4,1f, sowie die Unterabschnitte in Lev 4,3 - 5,13 werden vom Motiv der Unabsichtlichkeit der Sünde bestimmt[5]. Nur für sie gibt es Sühne durch die חטאת.

Dabei ist für die Darbringung der חטאת mit einer Entwicklung zu rechnen, und zwar sowohl hinsichtlich des Blutritus als auch hinsichtlich des Umgangs mit dem Übriggebliebenen wie auch der Handaufstemmung[6]. Für die חטאת zur Personsühne ist konstitutiv:

1. Der Blutritus erfolgt nach vorheriger Handaufstemmung.
2. Die Fettstücke werden auf dem Brandopferaltar verbrannt[7].
3. Die übriggebliebenen Teile werden entweder von den Priestern gegessen oder im anderen Fall, wenn das Blut in das Heiligtum gelangt und dort gesprengt worden war (הזה Lev 6,23; vgl. 4,3-12.13-21), erfolgt die Verbrennung des gesamten Restes außerhalb des Lagers[8].

Die Vorstellung ist dabei die, daß diese Sünden, selbst wenn sie unvorsätzlich geschehen, eine Begegnung des Menschen mit Gott verunmöglichen, und der Sünder sein Leben verwirkt hat. Die Handaufstemmung bedeutet die Identifikation mit dem Opfertier, das stellvertretend den Tod des Sünders stirbt. Durch dessen Blut erfolgt die "zeichenhaft-reale Lebenshingabe des Opfernden an das Heiligtum Gottes"[9]. Bei dieser Form der חטאת geht es um die Personsühne[10].

---

[5] "Alle Unterabschnitte von Lev 4,1-5,13 stehen unter der *einen* Thematik: חטאת-Opfer zur Sühnung unvorsätzlich begangener Sünden je nach Stand und Vermögen des Sünders." (Janowski, Sühne, 255.) Der Begriff אשם bedeutet in diesem Zusammenhang noch nicht einen Opferterminus bzw. ein "Wechselwort" für חטאת, sondern heißt in diesem Zusammenhang "schuldhaftflichtig" bzw. "Schuldpflicht, Haftpflicht, Wiedergutmachung" (Janowski, Sühne, 257; Kellermann, Art. אשם; Knierim, Art. אשם; anders Rendtorff, Studien, 207ff). Um אשם als Opferterminus geht es nach Janowski, Sühne, 257f, erst in Lev 5,14ff.
[6] Janowski, Sühne, 234ff. 242ff.
[7] Dieser Teil fehlt in dem חטאת-Ritual von Ez 43,20f; 45,19. Er dürfte auch in Lev 16,25 sekundär sein. (Elliger, Lev, 206.216; Janowski, Sühne, 237 A.254; Rendtorff, Studien, 221; Wefing, Untersuchungen, 137f).
[8] Vgl. dazu Elliger, Lev, 86, der Lev 6,23 für einen Zusatz ansieht, da er schon die Bestimmung in Lev 4,3-12.16f voraussetzt und stilistisch von 16,17.27 abhängig ist. Zur Frage nach der ursprünglichen Zusammengehörigkeit von kleinem Blutritus und Verbrennung des Restes vgl. Janowski, Sühne, 236ff samt A.250ff. Eine andere Sicht vertritt Rendtorff, Studien, 224f. Zum Zusammenhang von חטאת und אשם vgl. Janowski, Sühne, 257ff, der wiederum v.a. auf den Ergebnissen von Kellermann, Sündopfergesetz; ders., Art. אשם, 463-472, bes. 467ff, und Knierim, Art. אשם, fußt. Kellermann, Art. אשם, 469 (im Anschluß an Elliger, Lev, 53ff): "Das 'asam-Opfer ist keine alte Opferart, sondern wurde aus der hatta't als Bußopfer für alle Fälle grober Fahrlässigkeit und schließlich als Schuldopfer in schweren Fällen entwickelt."
[9] Janowski, Sühne, 241 (im Original kursiv), s. zusammenfassend ebd, 241f; Gese, Sühne, 97. Zur Handaufstemmung s. auch oben Abschnitt V.a, S. 51f A.37.39.
[10] Zur חטאת vgl. jüngst Zohar, Repentance (1988); Marx, Sacrifice (1989), dort 28 A.1 die wichtigste neuere Lit. Gegen Zohar, der Milgroms These eines "Purification-Rite" bestritten hatte, s. Milgrom, Modus Operandi (1990). Die entscheidenden Arbeiten von Milgrom zur חטאת sind gesammelt in Milgrom, Studies (1983). Milgrom hebt darauf ab, daß die חטאת ausschließlich ein Reinigungsopfer für das Heiligtum, das durch die Sünde verunreinigt wurde, sei. Damit Gott weiterhin dort wohne, müsse es gereinigt werden. Vgl. Wen-

Nun liegt jedoch in Lev 16 der Akzent beim Blutritus auf der Entsündigung des Heiligtums. Diese Verschiebung ist nicht ungewöhnlich. Vielmehr gilt, wie Janowski bestätigt hat, daß die חטאת ursprünglich eine Heiligtumsweihe darstellte (vgl. Ez 43,19*-22 und 45,18-20a): "Durch die Applikation des חטאת-Blutes an den ... Brandopferaltar (...) [wird] die Entsühnung von Altar und Heiligtum gewirkt"[11]. "Indem der Priester den Ritus der entsündigenden und sühnenden Hingabe des Sündopferblutes, in dem die נ פ ש des Opfertieres ist (Lev 17,11), am Brandopferaltar vollzieht, wird dieser und - weil er nach priesterlicher Kulttradition urspünglich in der Mitte der Tempelanlage steht - damit das ganze Heiligtum geweiht."[12] Dies stellt die ältere, ezechielische Auffassung dar, neben der die jüngere P-Auffassung (Entsühnung Israels und seiner kultischen Repräsentanten) eine Fortentwicklung bedeutet. Die ältere Auffassung wird neben Ez 43,20; 45,19 ebenfalls repräsentiert durch Lev 8,15aβbβ; Ex 29,36f; Ex 30,10 und v.a. Lev 16,18![13] Damit ist nicht bestritten, daß zwischen beiden חטאת-Überlieferungen, der zur Entsühnung von Dingen und der zur Entsühnung von Menschen ein sachlicher Zusammenhang besteht[14], jedoch soll betont werden, daß gerade der Blutritus am Jom Kippur den Akzent auf die Heiligtumsweihe legt.

b) Die Sühneriten nach tYom II,1

Wie genau den Interpretatoren von Lev 16 diese Unterscheidung der Sühneriten bewußt war, geht aus der Auslegungsgeschichte hervor. Die im Pentateuch angelegte und im gesamten Alten Testament noch nicht konsequent durchgeführte Unterscheidung von Sünden ביד רמה und Sünden בשגגה[15] wird in den späteren Schriften zur Norm[16]. Vorsätzliche Sünden werden strenger beurteilt und gelten zuweilen als unsühnbar[17]. Insgesamt jedoch gelten in der rabbinischen Tradition auch beabsichtigte Sünden un-

---

ham, Lev, passim; Kiuchi, Purification Offering. Die חטאת als "Purification-Offering" versteht auch Levine, Presence, 101-108, jedoch unterscheidet er zwei Typen. S. dazu die Kritik von Milgrom, Studies, 70ff.75. Die Diskussion kann hier nicht fortgeführt werden. Insgesamt scheint für künftige Überlegungen wichtig, die ritualgeschichtliche Entwicklung der חטאת stärker mit einzubeziehen, um aus der Alternative Sündopfer-Reinigungsopfer herauszukommen.

[11] Janowski, Sühne, 233 (im Original kursiv).
[12] Ebd.
[13] Rendtorff, Studien, 220; Janowski, Sühne, 233.
[14] Hierauf geht Janowski, Sühne, 234ff, ein. Wir übernehmen damit nicht die generelle These von Milgrom, wonach die חטאת überhaupt als Reinigungsopfer zu betrachten sei. Gegen Milgrom s. Janowski, Sühne, 241f A.287.
[15] Vgl. Rendtorff, Studien, 199ff; Larsson, Toseftatraktat, 142.
[16] Die Unterscheidung bestätigt auch Jub 34,19.
[17] Larsson, Toseftatraktat, 142; vgl. Jub 22,14; 30,9ff; 33,13.17; 1QS 9,1; weitere Belege bei Larsson, ebd, 142.

ter der Bedingung der Buße im Anschluß an Lev 16,21 als sühnbar am
Versöhnungstag. Der Sündenbock bringt Sühne für alle, auch für die vorsätzlichen Sünden[18].
Dabei unterscheiden die Rabbinen begrifflich zwischen זדונות (entspricht ביד רמה) und שגגות (entspricht בשגגה).
Für die begriffliche Zuordnung im einzelnen ist tYom II,1 aufschlußreich[19]:

Wie bekennt er [die Sünden]? Er sagt: "Ach, Herr, ich habe mich vor dir verschuldet, gefrevelt, gefehlt, ich und mein Haus. Ach, bei dem Herrn, schaffe doch Sühne für die Verschuldungen und Frevel und Verfehlungen, mit denen ich mich vor dir verschuldet und gefrevelt und gefehlt habe, ich und mein Haus, so wie es in der Tora Mose deines Dieners,
von dem Mund deiner Herrlichkeit geschrieben steht: ... denn an diesem Tag soll er für
euch Sühne schaffen u.s.w." Und es sagt [die Schrift]: Und er soll über ihm[20] alle Verschuldungen der Kinder Israels und alle ihre Frevel hinsichtlich aller ihrer Verfehlungen bekennen. - Worte des R. Me'ir. Aber die Weisen sagen: Verschuldungen sind die vorsätzlichen
Sünden; Verfehlungen sind die unbeabsichtigten Sünden; Frevel sind die widersetzlichen
Sünden. - Soll er [also], nachdem er die vorsätzlichen Sünden und die widersetzlichen Sünden bekannt hat, [dann etwa] zurückkehren und die unbeabsichtigten bekennen?! [Nein,]
sondern so sagt er: "Ich habe vor dir gefehlt, mich verschuldet, gefrevelt, ich und mein
Haus ..." Und ebenso haben wir die Art gefunden, wie alle [anderen] Bekennenden bekennen. Salomo sagt: Wir haben gefehlt, uns verschuldet, sind ungerecht gewesen. David sagte:
wir haben gefehlt samt unseren Vätern, uns verschuldet und ungerecht gehandelt. Daniel
sagte: Wir haben gefehlt, uns verschuldet und ungerecht gehandelt und gefrevelt und wi-
dersetzlich gehandelt. - was ist es [aber], was Mose sagt: ... der Verschuldung und Frevel
und Verfehlung vergibt ...? - Und so sagt er: "Ich habe vor dir gefehlt, mich verschuldet und
gefrevelt ..."

Es geht bei dieser Diskussion um die Reihenfolge der zu bekennenden
Sünden. Das Alter dieses Sündenbekenntnisses - es ist "höchstwahrschein-
lich das älteste erhaltene Formular"[21] - wird deutlich aus einem Vergleich
mit Tob 3,3; Jub 34,19 und v.a. 1QS 1,23-26. Die Reihenfolge des R. Me'ir
stimmt mit der in 1QS 1,23-26 überein. Für R. Me'ir sind die חטאים der
Oberbegriff, deshalb will er diese am Ende der Reihenfolge stehen haben[22]. Dies geschieht vermutlich in Anlehnung an Lev 16,30, wo im Unterschied zu V.21, in dem alle drei Begriffe erscheinen, nur חטאת genannt
wird. Von daher fühlt er sich berechtigt, חטאת als Gesamtbegriff für Sünde anzusehen, dem die anderen substituiert werden können[23]. Die עונות

---

18   Vgl. mShevu I,6; s. dazu unten; weitere Belege bei Larsson, ebd, 143.

19   Text nach Larsson, Toseftatraktat, 15f. Eine ähnliche Diskussion findet sich mYom III,8
dazu bYom 36b. Eine andere Reihenfolge im Bekenntnis gegenüber 36b findet sich 41b.
Zum Inhalt allgemein vgl. auch Schmitz, Opferanschauungen, 112f, der jedoch zu unsrer
speziellen Fragestellung nichts beiträgt.

20   D.h. dem Sündenbock (Larsson, Toseftatraktat, 140).

21   Larsson, Toseftatraktat, 145 A.24.

22   Zur Zusammenstellung von פשע, עון, חטאת s. Knierim, Sünde, 229-235.

23   Larsson, Toseftatraktat, 143f.

und die פשעים werden am Jom Kippur als חטאים angesehen, deswegen sind sie sühnbar[24].

Tabellarische Übersicht[25]:

עונות - Verschuldungen LXX: ἁμαρτία, ἁμάρτημα, ἀνομία, ἀδικία.	vorsätzliche Sünden	זדנות LXX: ὕβρις, ὑπερηφανία
פשעים - Frevel LXX: sehr verschieden	widersetzliche Sünden	מרדים LXX: ἀποστασία ἀπόστασις, ἀφίστημι, ἀθετέω
חטאות - Verfehlungen LXX: ἁμαρτία, ἁμαρτάνω, zuweilen ἀδικία	unbeabsichtigte Sünden	שגגות LXX: ἄγνοια, ἀγνοέω, Konstr.mit ἀκούσιος

---

[24] Zur Unterscheidung innerhalb des Sündenbegriffes im Neuen Testament vgl. Hebr 9,7; 10,26ff; zu Philo s.o. Abschnitt VI.b, S. 73ff. Als grundlegend zur Beurteilung der Sünden und der Sühne in der rabbinischen Anschauung gilt die Regel R. Jischma'els (s. Lohse, Märtyrer, 35f). Die Regel lautet in der Textform von tYom IV (V),6:
"R. Jischma'el sagte, es gibt vier Arten der Sühne:
1. Übertritt jemand ein Gebot und kehrt um, so weicht er nicht von dort bis man ihm vergibt. Denn es heißt: 'Kehrt um, ihr abtrünnigen Söhne, denn ich will heilen die Folgen eures Abfalls' (Jer 3,22).
2. Übertritt jemand ein Verbot und kehrt um, so hat die Umkehr aufschiebende Wirkung und der Versöhnungstag gewährt Sühne. Denn es heißt: 'Denn an diesem Tage (dem Versöhnungstage) wird er (Gott) euch Sühne schaffen' (Lev 16,30).
3. Übertritt aber jemand ein Gebot, auf dem Ausrottungsstrafe und vom Gericht verhängte Todesstrafe steht, und kehrt um, so bewirken die Umkehr und der Versöhnungstag Aufschub und die Leiden sühnen. Denn es heißt: 'Mit dem Stock werde ich ihre Vergehung heimsuchen und mit Schlägen ihre Schuld'(Ps 89,33).
4. Läßt sich aber jemand die Entweihung des göttlichen Namens zuschulden kommen und kehrt um, so hat weder die Umkehr die Kraft, Aufschub zu bewirken, noch der Versöhnungstag die Kraft zu sühnen, sondern die Umkehr und der Versöhnungstag sühnen ein Drittel und die Leiden an den übrigen Tagen des Jahres sühnen ein Drittel und der Tod wischt weg (d.h. sühnt völlig). Denn es heißt: 'Diese Missetat soll nicht gesühnt werden, bis daß ihr sterbet' (Jes 22,14). Das lehrt, daß der Tod (die Schuld) tilgt."
Zur Überlieferungsgeschichte der Regel und den Interpretationsfragen siehe Lohse, Märtyrer, 34f samt A. und der dort angeg. Lit.; weiterhin Safrai, Versöhnungstag, 41ff, wo auch die unterschiedlichen Versionen der auf R. Jischma'el zurückgeführten Überlieferung geboten werden. Dabei stellt sich heraus, daß trotz geringfügiger Unteschiede zwischen Tosefta und Palästinischem Talmud hinsichtlich der Lästerung des göttlichen Namens, die Grundvorstellung in allen die gleiche bleibt, und die Derascha identisch ist (Safrai, ebd, 46). Nach Lohse spricht "nichts dagegen, diese Aussagen über die einzelnen Sühnmittel bis in die Zeit Jesu zurückzudatieren"; ebd, 34 A.4. Dies ist jedoch nur bedingt haltbar.
[25] Vgl. dazu Larsson, Toseftatraktat, 140ff, und die dort angegebene Literatur.

tYom II,1 belegt die Differenzierung innerhalb des Sündenbegriffes. Ein Problem der Interpretation ist begründet in der Tatsache, daß es in den Ausführungen des R. Me'ir zunächst um das Sündenbekenntnis zu gehen scheint, das der Hohepriester für sich und sein Haus ablegt, dann jedoch bezieht sich der Gelehrte zur Begründung seiner Aussage auf den Sündenbock und die über ihm zu bekennenden Sünden, wodurch die Sünden des Volkes angesprochen sind.

c) Welche Sünde wird durch welchen Ritus gesühnt?

Diese Frage beschäftigt die Diskussion in mShevu I,2-7[26]:

Überall, wo vorher (vor der Tat) Wissen darum war (daß man unrein sei) u. wo nachher Wissen darum war (daß man trotz der Unreinheit ins Heiligtum gegangen oder sonstwie mit Heiligem [zB Opfern] in Berührung gekommen sei), in der Zwischenzeit aber (während der Tat) war es verborgen (in Vergessenheit geraten), siehe, da ist ein solcher ein steigendes u. fallendes (seinen Vermögensverhältnissen angepaßtes) Opfer schuldig. War Wissen vorher da, aber nicht nachher, so hält der im Inneren (im Allerheiligsten) hergerichtete Bock u. der Versöhnungstag (Schuld u. Strafe) in der Schwebe, bis es ihm bewußt wird; dann hat er ein steigendes u. fallendes Opfer darzubringen. War vorher kein Wissen da, wohl aber nachher, so schafft der draußen hergerichtete Bock (s. Nu 29,11) u. der Versöhnungstag Sühne ... Für etwas, wobei weder vorher noch nachher Wissen war, schaffen die Böcke der Feste und die Neumonde Sühne. Das sind Worte des R. J^ehuda (um 150). R. Schim'on (um 150) sagte: Die Böcke der Feste schaffen Sühne, aber nicht die Böcke der Neumonde ... R. Meir (um 150) sagte: Die Sühne aller Böcke ist gleichmäßig für die Verunreinigungen des Heiligtums u. seiner heiligen Opfer ... R. Schim'on b. J^ehuda (aus K^ephar 'Ikos? um 180) sagte in seinem [R. Schim'ons] Namen: Die Böcke der Neumonde schaffen Sühne für den Reinen, der Unreines aß; über sie gehen hinaus die Feste, denn sie schaffen Sühne für einen Reinen, der Unreines aß u. für etwas, wobei weder vorher noch nachher Wissen war; über sie hinaus gehen die des Versöhnungstages, denn sie schaffen Sühne für den Reinen, der Unreines aß u. für das, wobei weder voher noch nachher Wissen war, u. für das, wobei vorher kein Wissen war, wohl aber nachher. Man sagte zu ihm: ... darf man den einen anstatt des anderen darbringen? Er antwortete: Ja! ... *Sie alle werden dargebracht, um Sühne zu schaffen für das Heiligtum u. seine heiligen Opfer. Für mutwillige Verunreinigungen des Heiligtums u. seiner heiligen Opfer schaffen der im Inneren hergerichtete Bock u. der Versöhnungstag* (in Gemeinschaft mit jenem) *Sühne. Für alle übrigen Übertretungen in der Tora, die leichten u. die schweren, die mutwilligen u. die versehentlichen, die*

---

[26] Übersetzung nach Bill. III, 177f (Hervorhebungen W.K.). Zur Frage, inwieweit die in der Mischna vorausgesetzte Sühnevorstellung als Hintergrund herangezogen werden kann, s. Milgrom, in: Herr u.a., Art. Day of Atonement, EncJud I, 1384: "Despite the expansion and reinterpretation of the ritual of the Day of Atonement during the Second Temple period, the Mishnah is a reliable guide to the interpretation of the biblical account of the ritual, because the *function* of the sacrifice never changed." (Hervorhebung W.K.) Zur Diskussion des Beleges s. Milgrom, Studies, 77ff. Der Schreiber von mYom war nach bBer 63a Zecharjah ben Kebutal, der vor 70 n.Chr. am Tempel Dienst tat (Safrai, Versöhnungstag, 33).

wissentlichen u. die unwissentlichen, Gebote u. Verbote, mit der Ausrottung (durch Gott) u. mit dem Tode durch den (irdischen) Gerichtshof zu bestrafende, schafft der in die Wüste fortgeschickte Bock Sühne. Dies gilt sowohl von den (gewöhnlichen) Israeliten als auch den Priestern als auch von dem gesalbten Priester (= Hoherpriester). Was besteht für ein Unterschied zwischen den Israeliten u. den Priestern u. dem gesalbten Priester? *Nur der, daß der Farre (Lv 16,11ff) für die Priester Sühne schafft, wegen Verunreinigung des Heiligtums u. seiner Heiligen Opfer* (während dies bei den Israeliten der Bock Lv 16,15ff bewirkt). R. Schim'on (um 150) sagte: Wie das Blut des Bockes, der im Inneren hergerichtet wird, für die Israeliten Sühne schafft, so schafft das Blut des Farren für die Priester Sühne; wie das Sündenbekenntnis bei dem in die Wüste zu entsendenden Bocke für die Israeliten Sühne schafft, so schafft das Sündenbekenntnis beim Farren für die Priester Sühne.[27]

Das verhandelte Problem ist das Wissen bzw. Nichtwissen um kultische Reinheit bzw. Unreinheit. Die Sühnkraft der Sündopfer steht zur Diskussion. Ist die Sühne der Böcke, die an einem Neumond dargebracht werden, vergleichbar bzw. austauschbar mit derjenigen eines Festopfers und derjenigen des Jom Kippur? Eine prinzipielle Einschränkung der Sühnkraft der dargebrachten Opfer auf bestimmte Sünden (unbewußte), ist dabei nicht beabsichtigt. In der rabbinischen Tradition gelten - wie erwähnt - auch die vorsätzlichen Sünden als sühnbar, weil man versucht, sie als unbeabsichtigt, und deshalb als sühnbar zu erweisen[28]. Es geht vielmehr um die richtige Zuordnung der Sühnkraft der Böcke hinsichtlich der wissentlichen und unwissentlichen Sünden, die aber *allesamt Verunreinigungen des Heiligtums* darstellen. Bei aller Diskussion um die Austauschbarkeit von Sühne ist die Wirkung des Farren und des Bockes am Versöhnungstag eindeutig: beide sühnen Verunreinigungen des Heiligtums. Dies ist nicht nur die Ansicht des R. Me'ir, der die Sühne aller Böcke (auch derer an Neumond und an Festen) gleichmäßig ansieht (bezogen auf die Verunreinigungen des Heiligtums und seiner heiligen Opfer), sondern darin besteht Einigkeit bei allen Beteiligten. Alle anderen Sünden werden durch den Asasel-Bock beseitigt[29]. Ähnlichen Inhaltes sind tShevu I,1 und SLev 16,16. Diese Tradition stützt somit die anhand von Lev 16 gewonnene

---

[27] Zur Interpretation s. Blackman, Mishnayot IV, 336-341; Hoffmann, Mischnajot IV, 220-224.

[28] Vgl. oben in diesem Abschnitt VII.b, S. 82ff; dazu Larsson, Toseftatraktat, 143f. Larsson verweist auf SNum Par 111 zu 15,25 (117,9ff Horovitz) Z.B. wird versucht, Diebstahl als unabsichtliche Sünde zu erweisen, indem man feststellt, er geschah nicht, um das Gesetz zu übertreten, sondern um sich zu bereichern. Und d.h. er geschah nicht, um das Gebot mutwillig zu übertreten, also nicht "mit erhobener Hand".

[29] Die Bedeutung des Sündenbocks zur Entsühnung geht auch aus einer am Ende von tYom überlieferten Baraita hervor (Text bei Safrai, Versöhnungstag, 47). Safrai folgert daraus, daß "während der Zeit des Tempels der Sündenbock die Entsühnung bewirkte, während nach der Zerstörung des Tempels Entsühnung durch den Tag der Versöhnung erreicht wurde, aber erst am Ende des Tages" (47). Die These von Adler, wonach die vom Asasel-Bock gesühnten Sünden Irrtumssünden sein sollen, läßt sich so nicht halten (vgl. mYom VI,2); Adler, Versöhnungstag, 178ff; dazu Meinhold, Joma, 17.

These, wonach sich die Blutriten am Jom Kippur auf die Entsühnung des Heiligtums beziehen.

d) Die Diskussion im Traktat Joma[30]

Wenn wir die Diskussion in mYom und bYom ansehen, dann ändert sich an der bisher getroffenen Entscheidung nichts. Im Gegenteil findet unsere Unterscheidung von Sühne für Personen und Sachen eine Bestätigung. Zunächst fällt auf, daß der Akzent auf dem Sündenbekenntnis zu liegen scheint und die Diskussion sich stark darum dreht. Dies ist verständlich aus der Tatsache, daß kein Kult mehr existiert und das Bekenntnis daher an Bedeutung gewinnt. Gegenüber den Angaben in Lev 16 wird es dreimal gesprochen[31]. Es ist zu beachten, daß das Sündenbekenntnis über dem

---

[30] Mischna-Übersetzung nach Meinhold, Übersetzung der Gemara nach Goldschmidt. Über das Alter der in mYom verwendeten Traditionen gibt deren Verwendung in Barn Aufschluß. Vgl. dazu Köster, Synoptische Überlieferung, 158, der meint, daß Barn, da Justin diesen kenne, keinesfalls später als 140 n.Chr., eher jedoch um die Jahrhundertwende, evtl. in der Zeit des Ignatius anzusetzen sei. Dagegen P. Vielhauer, Geschichte der urchristlichen Literatur, Berlin u.a. 1985, 611: Barn 16,3f beziehe sich auf den Wiederaufbau des Jerusalemer Heiligtums durch die Römer als Jupitertempel unter Hadrian, daher sei seine Entstehung nach 130 (- 140) anzusetzen.

[31] Zum Sündenbekenntnis: Safrai, Versöhnungstag, 50ff. Zum Ablauf der Einzelhandlungen am Jom Kippur: Meinhold, Joma, passim; Neusner, History, 34.III, 61-124; Baneth, Mischnajot II, 294-296; Deiana, Il rito di kippûr, 483-497, und v.a. Delitzsch, Art. Versöhnungstag, 1710-1714. Nach Delitzsch ist mit folgender Reihenfolge zu rechnen:
1. Handaufstemmung und Bekenntnis über dem Farren wegen der Verunreinigungen des Hohenpriesters und seines Hauses.
2. Auslosung der beiden Böcke.
3. Handaufstemmung und Bekenntnis über dem Farren wegen der Verunreinigungen durch die Priesterschaft.
4. Schlachtung des Farren.
5. Rauchopfer hinter dem Vorhang.
6. Blutritus im Allerheiligsten mit Blut des Farren.
7. Schlachtung des Bockes.
8. Blutritus im Allerheiligsten mit dem Blut des Bockes.
9. Blutritus am Vorhang mit dem Blut des Farren.
10. Blutritus am Vorhang mit dem Blut des Bockes.
11. Mischen des Blutes beider Tiere und Blutritus am Räucheraltar.
12. Ausgießen des restlichen Blutes am Brandopferaltar.
13. Handaufstemmung und Bekenntnis über dem Asasel-Bock, Übergabe an einen Laien, der diesen fortführt.
14. Verbrennen der Fettstücke von Farren und Bock.
15. Verbrennen der restlichen Tierkörper außerhalb des Lagers durch Priester.
16. Schriftlesung im Frauenvorhof.
17. Musafopfer.
18. Herausholen der Räuchergeräte aus dem Allerheiligsten.
19. Darbringung des abendlichen Räucheropfers und Versorgung der Lampen im Heiligen.
Die Handlungen des Hohenpriesters sind von einem mehrmaligen Kleiderwechsel begleitet. Im Allerheiligsten und bei den eigentlichen Handlungen des Versöhnungstages amtiert er in einer weißen Tracht, Musafopfer und Räucheropfer werden im goldenen Ornat vollzogen, bei der Schriftlesung steht die Wahl der Kleider frei (mYom VII,1.3). Ebenso

Farren zweimal[32] (mYom III,8; IV,2), über dem Asasel-Bock einmal
(mYom VI,2), jedoch nicht über dem Bock für JHWH gesprochen wird.
Dabei wird das erste Sündenbekenntnis in der Ich-Form gesprochen: "Ich
habe mich vor dir vergangen, ... ich und die Meinigen" (mYom III,8). Das
zweite Bekenntnis schließt die Priesterschaft mit ein: "Ich habe mich vor
dir vergangen, ... ich, die Meinigen und dein heiliger Stamm, die Söhne
Aarons" (IV, 2). Beim Asasel-Bock lautet die Formulierung: "Dein Volk,
dein Haus Israel hat sich vor dir vergangen ..." (VI,2).
Die Handaufstemmung erfolgt ebenso nur beim Farren (zweimal) und
beim Asasel-Bock (einmal), d.h. nur in Verbindung mit dem Sündenbekenntnis (!), in allen Fällen aber ausdrücklich mit beiden Händen (שתי
ידיו)[33].
Eine Diskussion der Frage, welcher Ritus welche Sünden betrifft, findet
sich in der Gemara zu mYom V,7, bYom 61a. Die Frage ist, ob die verschiedenen Verrichtungen auch gültig sind, wenn sie in einer anderen
Reihenfolge durchgeführt werden. Der Schriftvers, der im Hintergrund
steht, ist Lev 16,16, jene Stelle, in der der Dienst des Hohenpriesters im
Allerheiligsten als Entsündigung des Heiligtums bezeichnet wird:

---

hat der Hohepriester an diesem Tag sich insgesamt fünfmal zu baden und zehnmal Hände
und Füße zu waschen.
Für die Durchführung des Asasel-Ritus s. mYom VI,4-8: Man begleitet den Bock-Führer
und bietet ihm Speise an. Am Tempel wurde vorher auf baldige Entsendung gedrängt:
"Weshalb säumt dieser Bock, die Sünden der Generation sind zahlreich." (bYom 66b;
Goldschmidt, Talmud II, 944.) Der karmesinfarbene Wollstreifen wird geteilt, einer wird
an den Felsen, der andere Teil dem Bock zwischen die Hörner gebunden (mYom VI,6).
Nach R. Jisma'el war der Wollstreifen an der Tempeltür befestigt (mYom VI,8). Gemäß
bYom 67a hing der "rotglänzende Wollstreifen" ursprünglich innen an der Tempeltür,
wurde aber von dort entfernt und schließlich am Felsen befestigt. Wenn der Bock zu Tode
gestürzt ist, soll dieser Streifen sich weiß färben (Hintergrund: Jes 1,18). bYom 39b berichtet, daß dies 40 Jahre vor der Tempelzerstörung (70 n.Chr.) nicht mehr eingetreten sei
(Goldschmidt, Talmud II, 864f), was als Unheilszeichen gedeutet wurde. Der Asasel-Bock
gilt als etwas "Abgetrenntes, Verbotenes", keiner, der ihn findet, darf von ihm essen. In der
Schule R. Jischma'els lehrte man: "Azazel sühnt für die Sünden von ûza und Azaél" (bYom
67b; Goldschmidt, Talmud II, 947), das sind nach äthHen 10,4ff die Anführer der "Götter-
söhne" Gen 6,1ff, die alles Lasterhafte und Verwerfliche unter den Menschen eingeführt
haben sollen (vgl. Bill. III, 781ff; s. dazu auch unten Abschnitt VIII.d, S. 114ff).
Über den Ort, an dem Bock hinabstürzt s. C. Schick, In welche Gegend wurde der Sündenbock geführt?, ZDPV 3, 1880, 214-219; dagegen Strobel, Sündenbock-Ritual, passim, bes.
154ff (Karte S. 153), der für den Dschebel el-Muntar votiert. Diese Erhebung ist auch heute noch von Jerusalem aus über das Kidron Tal auf einem Höhenzug in südöstlicher Richtung gut erreichbar (Wegbeschreibung bei Strobel, ebd, 154ff). Beeindruckend ist die freie
Sicht entlang des Höhenrückens bis hinüber zum Tempelberg.
[32] Neusner, History, 34.III, 93; s. dazu oben Abschnitt V, S. 53, A.41.
[33] Die Tatsache, daß bei der Darbringung des Bockes für JHWH keine Handaufstemmung
erfolgt, ist ein erneutes Indiz dafür, den Blutritus hier nicht als Teil der חטאת zur Perso-
nenentsündigung zu verstehen, sondern ihn als Reinigungsritus für das Heiligtum zu begreifen. Zum Sinn der Handaufstemmung beim Priesterfarren vgl. das Zitat von R.
Schim'on.

R. Schim'on: "Wie das Blut des Ziegenbocks, welches innerhalb [gesprengt wird], *Jisrael wegen Verunreinigung des Tempels und seiner heiligen Gegenstände* Sühne schafft, ebenso schafft das Blut des Farren *den Priestern wegen Verunreinigung des Tempels und seiner heiligen Gegenstände* Sühne; und wie ferner das Sündenbekenntnis über dem fortzuschickenden Sühnebock Jisrael wegen aller anderen Sünden Sühne schafft, ebenso schafft das Sündenbekenntnis über dem Farren den Priestern wegen aller anderen Sünden Sühne."[34]

Diese Aussage deckt sich sachlich mit mShevu I,7, wo ebenfalls R. Schim'on als Autor erscheint[35].

Es ergibt sich folgende Systematik der Sühneriten[36]:

Blut des Farren:	Verunreinigung des Tempels durch Priester.
Blut des JHWH-Bockes:	Verunreinigung des Tempels durch das Volk.
Handaufstemmung und Bekenntnis beim Farren:	Alle anderen Sünden der Priester.
Handaufstemmung und Bekenntnis beim Asasel-Bock:	Alle anderen Sünden Israels.

Es kommt also vor die Entsündigung des Volkes die Entsündigung des Heiligtums zu stehen. Lev 16,20 wurde somit als Abschluß einer auf den Tempel und seine Geräte bezogenen Sühnehandlung betrachtet. Dies belegt die folgende Aussage, bYom 61a:

"Die Rabbanan lehrten: *Wenn er die Entsündigung des Heiligtums vollendet hat,* das ist das Allerheiligste; *das Offenbarungszelt,* das ist der Tempel; *den Altar,* dem Wort gemäss; dies lehrt, dass für diese alle besondere Entsündigungen erforderlich sind."[37]

Die genaue Unterscheidung bestätigt auch bYom 57a. Es geht dabei um die Frage, was geschieht, wenn das Blut des Farren und des Bockes vermischt wurden, ehe die Entsündigung des Heiligtums vollendet wurde:

---

[34] Übersetzung nach Goldschmidt, Talmud II, 927 (Hervorhebung W.K.).

[35] Vgl. dazu auch yShevu I,10; 33c, ed. Wewers, Shevuot, 89ff samt A.256. 257.261. yShevu I,10: "(Die Sühne durch den fortzuschickenden Bock gilt) sowohl für einen Israeliten als auch für Priester als auch für den gesalbten Priester (= Hoherpriester). Was ist der Unterschied zwischen einem Israeliten, Priestern und dem gesalbten Priester? Nur (der), daß das Blut des Farrens für die Priester und für die Verunreinigung des Heiligtums und seiner heiligen (Opfer durch sie) Sühne schafft. Rabbi Shim'on sagte: wie das Blut des Bocks, der innerhalb (des Tempels) hergerichtet wird, für einen Israeliten Sühne schafft, so schafft das Blut des Farrrens für die Priester Sühne. Wie das Bekenntnis bei dem fortzuschickenden Bock für einen Israeliten Sühne schafft, so schafft das Bekenntnis bei dem Farren für die Priester Sühne." (Übersetzung nach Wewers, Shevuot, 89f.) In diesem Zusammenhang ist nicht allein die Unterscheidung "absichtliche-unabsichtliche Sünden" zu bedenken, sondern auch die Unterscheidung "Verunreinigung des Heiligtums"-"übrige Sünden" und darüber hinaus die Unterscheidung hinsichtlich der anvisierten Personen zu beachten.

[36] Anders Milgrom, Studies, 79.

[37] Übersetzung nach Goldschmidt, Talmud II, 927 (Hervorhebung im Original).

"Haben sich beide Arten Blut vermischt, so sprenge er, wie Raba sagte, einmal nach oben und siebenmal nach unten, und dies wird für beide angerechnet. Als sie dies vor R. Jirmeja vortrugen sprach er: Die thörichten Babylonier lehren, da sie in einem dunklen Land wohnen auch dunkle Lehren; demnach würde er ja das Blut des Ziegenbocks nach oben früher sprengen als das des Farren nach unten, und die Gesetzeslehre sagt ja: *Wenn er die Entsündigung des Heiligtums vollendet hat,* zuerst musst du die Entsündigung durch das Blut des Farren vollenden und nachher durch das Blut des Ziegenbocks."[38]

e) Die mittelalterliche Auslegung bei Raschi

Unsere bisher dargelegte Sicht erfährt eine (nicht unwesentliche) Bestätigung durch die Auslegung von R. Scheʿlomo ben Jizchaq (=Raschi 1040-1105)[39]. Zu Lev 16,6 "er sühne für sich und sein Haus", erklärt Raschi, daß dies das Sündenbekenntnis für sich und sein Haus meine. V.10 "um auf ihm zu sühnen" sei ebenfalls das Sündenbekenntnis angesprochen. V.11: Das zweite Sündenbekenntnis legt er für sich und seine Brüder, die Kohanim, ab (vgl. Ps 135,19). "Seine ganze Sühne bezieht sich aber nur auf die Verunreinigungen des Heiligtums und der Heiligtümer, wie es heißt (V.16), er sühne für das Heiligtum ob der Unreinheiten der Kinder Israel."[40] Zu V.15: "Was der Stier für die Kohanim sühnt, das sühnt der Ziegenbock für Israel; das ist der Ziegenbock, auf den das Los 'für den Ewigen' gekommen ist."[41] Zu V.16: "Ob derjenigen, die in Unreinheit ins Heiligtum gegangen sind und denen es nachher nicht zum Bewußtsein gekommen ist; so heißt es all ihrer Vergehungen; und Vergehen ist ein Versehen ... Und ihrer Missetaten, auch wenn sie mit Bewußtsein in Unreinheit hineingegangen sind."[42] Der Asasel-Ritus wird nur von V.10 her in den Blick genommen, um das dortige Sündenbekenntnis zu erwähnen[43].

Zusammenfassend kann also festgehalten werden, daß die Auslegungsgeschichte von Lev 16, wie sie in der jüdischen Traditionsliteratur begegnet, die anhand von Lev 16 gewonnene Unterscheidung von Sühne für Personen und Sachen bestätigt.

---

[38] Übersetzung nach Goldschmidt, Talmud II, 917 (Hervorhebung im Original).
[39] Zur Bedeutung Raschis s. nur A. Rothkoff u.a., Art. Rashi, EncJud 13, 1558-1565, und die dort angegebene Literatur.
[40] Raschi, Pentateuchkommentar ed. Bamberger, 320.
[41] Ebd.
[42] Ebd.
[43] Die Unterscheidung der Sünden und der Sühne mit Bezug auf Lev 16,16 vollzieht auch Maimonides. Im Zusammenhang der Sühnkraft der Opfer erklärt er, wie die Verunreinigungen des Tempels und seiner Hl. Geräte beseitigt werden können; s. Maimonides, Code IX, ed. Danby IV, 134-139; und Maimonides, פרק ה' כרך ה' .משנה תורה, ed. Arama.

f) Noch einmal: Die Sühne am Jom Kippur und Röm 3,25f*

Wie wir schon am Ende von Abschnitt V feststellen konnten, so wird es durch die jüdische Tradition bestätigt: Der Blutritus im Allerheiligsten am Jom Kippur stellt eine Reinigungs- bzw. Weihehandlung dar. Der Asasel-Bock ist kein Sühnopfer. Die unterschiedlichen Riten beziehen sich auf unterschiedliche Sünden. Wenn die Formulierung in Röm 3,25a "eingesetzt zum ἱλαστήριον ... kraft seines Blutes" den Jom-Kippur-Zusammenhang im Blick hat, dann bezieht sich dies zunächst auf den Blutritus im Heiligtum, nicht auf den Asasel-Bock. Daher ist eine Interpretation zu fordern, die diesen Sachverhalt mitbedenkt. Es wäre dann unwahrscheinlich, daß in der Fortsetzung dieses Satzes in Röm 3,25b.26a generell die Sündenvergebung der vorher, in der Zeit der Geduld Gottes, geschehenen Sünden angesprochen werden sollte. Da die Unreinheiten des Volkes den Kult verunmöglichen, muß erst das Heiligtum gereinigt werden, bevor weitere Opfer dargebracht werden können[44].

Nach Sjöberg[45] liegt aufgrund von mShevu I,2-5 beim gesamten Kultus der Schwerpunkt auf dem Sündenbock (Asasel-Bock) am Jom Kippur. Auf ihn konzentriere sich alles, denn durch diesen Ritus fände die "Sühnung fast aller Sünden" statt. Dies trifft nur bedingt zu. Vielmehr vollzieht gerade mShevu I,2-7 eine genaue Differenzierung. Röm 3,25f hat den Asaselbock-Ritus nicht im Blick, sondern den Blutritus, der mit den Sündopfertieren vollzogen wird. Dieser Blutritus geschieht, wie aus den Texten hervorgeht, zur Reinigung von spezifischen Sünden, er bedeutet eine auf das Heiligtum bezogene Weihehandlung. Es wird daher zu fragen sein, wie dieser differenzierte Jom-Kippur-Zusammenhang in Röm 3 in den Blick gerät.

---

[44] Neusner, Idea of Purity, 21; s.o. Abschnitt V, S. 55 A.54.
[45] Sjöberg, Gott, 177.

VIII
Das Gesamtverständnis der vorpaulinschen Überlieferung

Ausgehend von den geschehenen Vorarbeiten kann nun die von Paulus verwendete Überlieferung in Röm 3,25f* einer zusammenfassenden Interpretation zugeführt werden. Wir vergegenwärtigen uns dazu noch einmal die bisherigen Ergebnisse:

1. Die Untersuchung von Tradition und Redaktion hat ergeben, daß Paulus in Röm 3,21-26, einem Text, der sowohl von seiner redaktionellen Stellung im Röm wie auch von seinem Inhalt her zentralen Charakter hat, ein vorpaulinisches Überlieferungsstück verarbeitet, das vermutlich folgenden Umfang hatte[1]:

ὃς προετέθη ἱλαστήριον
ἐν τῷ αὐτοῦ αἵματι
διὰ τὴν πάρεσιν τῶν προγεγονότων ἁμαρτημάτων
ἐν τῇ ἀνοχῇ τοῦ θεοῦ.

2. Die lexikographische Untersuchung hat ergeben, daß ἱλαστήριον zwar eindeutig den כפרת-Zusammenhang anspricht, aber doch nicht auf diesen eingeengt werden darf, sondern schon vom LXX-Sprachgebrauch her allgemeiner mit 'Sühneort' wiederzugeben ist.

3. Der Gedanke an einen stellvertretenden Sühnetod der Märtyrer war z.Zt. des Paulus im hellenistischen Judentum zumindest ansatzweise vorhanden. Die Frage, ob 4Makk 17,21f im Hintergrund von Röm 3,25f steht, darf jedoch nicht allein aufgrund des Begriffes ἱλαστήριον entschieden werden, sondern muß die theologische Problematik von Sühne mit in Rechnung setzen.

4. Der Blutritus an der כפרת stellt eine Entsühnungs- und Weihehandlung dar, die sich auf die Sünden bezieht, durch die das Heiligtum verunreinigt wurde. Er kann nicht pauschal mit Sündenvergebung gleichgesetzt werden. Die Sühne am Jom Kippur erfordert daher eine genaue Unterscheidung der Sünden und der Sünder.

5. Zwischen Lev 16 und Ez 43; 45 bestehen enge Beziehungen, sowohl ritualgeschichtlicher wie auch sühnetheologischer Art, die bei der Interpretation des Blutritus am ἱλαστήριον beachtet sein wollen.

---

[1] S. dazu oben Abschnitt II. Zur paulinischen Rezeption und zur Entstehung der Überlieferung s. die Abschnitte IX. und X.

6. Die jüdische Tradition bestätigt die Differenzierung der Sühneriten und der Sünden am Jom Kippur.

Die Struktur der erschlossenen Formel scheint klar: Eine Aussage über das, was sich im Geschick Jesu ereignete, wird durch eine Präpositionalbestimmung mit διά begründet. Die Formel wäre damit strukturell vergleichbar mit Röm 4,25, wo ebenfalls Aussagen über das Geschick Jesu durch διά-Bestimmungen begründet werden. Doch diese Beurteilung ist umstritten. Bezüglich der Interpretation des Traditionssatzes lassen sich folgende Probleme nennen:

- Worauf nimmt προτίθεσθαι ἱλαστήριον Bezug?
- Was ist durch αἷμα ausgedrückt?
- Wie ist die syntaktische Beziehung der Präpositionalbestimmung zu προτίθεσθαι ἱλαστήριον zu beschreiben?
- Worin bestehen inhaltlich die προγεγονότα ἁμαρτήματα?
- Meint πάρεσις eine vorläufige Nichtanrechnung oder eine endgültige Vergebung der Sünden?
- Wird durch ἀνοχή ein göttliches Verhalten, eine göttliche Eigenschaft oder eine bestimmte Zeitepoche beschrieben?

Wir versuchen eine Antwort zu finden, indem wir zunächst die syntaktische Beziehung klären, sodann die durch die Begriffe πάρεσις, ἀνοχή und προγεγονότα ἁμαρτήματα angesprochenen Fragen behandeln, um schließlich προτίθεσθαι ἱλαστήριον zu interpretieren.

a) Der syntaktische Zusammenhang (διά c.acc.)

διά c.acc. hat im neutestamentlichen und im klassischen Griechisch in den allermeisten Belegen lokale oder kausale Bedeutung[2]. Da der erste Fall ausscheidet, haben wir es prima vista mit einer Begründung zu tun. Dies erweist sich jedoch im vorliegenden Satz in der Auslegung vieler als sperrig, da im Anschluß an Kümmel[3] πάρεσις meist mit ἄφεσις gleichgesetzt und im Deutschen mit 'Vergebung' wiedergegeben wird. Die Übersetzung müßte dann lauten: "Der als ἱλαστήριον eingesetzt wurde ... w e g e n der Vergebung der vorhergeschehenen Sünden ..." Damit ist der Anschluß unklar: Die "Vergebung" vorhergeschehener Sünden kann nicht der Grund, sondern höchstens das Ziel der Einsetzung Jesu zum ἱλαστήριον sein. Dem trägt Käsemann Rechnung, indem er διά c.acc. hier mit "so, daß" wiedergibt[4]. Die Präposition bekommt damit einen instrumentalen Sinn. Es ist

---

[2] BDR § 222; Bauer, WB⁶, 362; Moulton, Grammar III, 267f; Schwyzer, Grammatik II, 452-454.

[3] Kümmel, Πάρεσις (1952), 157.164.

[4] Käsemann, Röm, 85. Käsemann, Röm, 93, möchte διά c.acc. mit "durch" übersetzen; ähnlich Schlier, Röm, 102. Die Übersetzung von Schlier geht davon aus, daß der Erweis der Gerechtigkeit Gottes darin bestehe, daß er die vorher, in der Zeit seiner Geduld

umstritten, ob διά c.acc. im Neuen Testament in diesem Sinn überhaupt begegnet, es wäre dann eher διά c.gen. zu erwarten[5]. Schlier sieht Belege hierfür nur im joh Schrifttum: Joh 6,57; Apk 12,11; 13,14[6], Kümmel auch in Röm 8,10.20[7]. Wilckens übersetzt mit "um willen"[8]. Damit bekommt διά einen mehr finalen Sinn[9]. Aber würde man dann nicht eher ein ἵνα c.verb.fin. oder εἰς c.acc. erwarten?

Der finale Sinn von διά c.acc. kann im neutestamentlichen Griechisch keineswegs als gesichert gelten. Schon im klassischen Bereich sind die Belege für finalen Sinn rar. Sie wurden zusammengestellt und diskutiert von Sharp, Taylor und Meecham[10]. Bei genauer Betrachtung können nur Plato, Politeia, 524c und Polybios, II,56,11-12 als gesichert gelten[11]. Jedoch liegen die Dinge noch einmal anders für den Bereich des Neuen Testaments. Als Belege für finalen Sinn werden genannt: Röm 4,25; 8,20; 13,5; 1Kor 11,9; Phil 3,8; Mk 2,27; Joh 11,42; 12,30[12]. Doch auch hier ist keine wirkliche Sicherheit für prospektiven Sinn zu erreichen[13]. Der einzige Beleg, der ernsthaft diskutabel scheint, ist Röm 4,25. Hier könnte das erste

---

geschehenen Sünden habe dahingehen lassen, was jetzt dadurch, daß Christus gestorben sei, nicht mehr möglich wäre. "Jetzt ist die Zeit der Entscheidung, auch wenn, ja gerade wenn das Erscheinen der Gerechtigkeit Gottes das Erscheinen seiner Gnade ist" (Schlier, Röm, 113). Diese Sicht mag Apg 17,30 zugrunde liegen, nicht jedoch unserer Stelle. Für instrumentalen Sinn plädiert auch Kümmel, Πάρεσις, 164. Kümmel nennt an Belegen aus dem Profangriechischen Dionysius Halic., Ant.Rom. VIII,33,3; Aelius Aristides, 24,1; dazu aus der LXX Sir 15,11.

[5] Nach Käsemann, Röm, 93, soll διά c.acc. = διά c.gen.; vgl. Wilckens, Röm I, 196 A.558, der dies ebenfalls sprachlich für durchaus möglich hält.

[6] Schlier, Röm, 113.

[7] Kümmel, Πάρεσις, 164.

[8] Wilckens, Röm I, 183. Dies hängt zusammen mit der Parallelität, die Wilckens, ebd, 190, für die ganze Formel zu erkennen glaubt; s.o. Abschnitt II, S. 20 A.73.

[9] So auch Lietzmann, Röm, 51: " 'entsprechend, im Hinblick auf' wie 15,15; Phm 9 (vgl. Rm 12,1)". Der von Lietzmann angezogene Beleg aus Dittenberger, Syll.[3] II, 557,23, bringt jedoch wiederum die Bedeutung "auf Grund von". Finalen Sinn sehen auch Kessler, Bedeutung, 270; Zeller, Sühne, 60f. Der von Käsemann u.a. zitierte Artikel von Meecham (s. A.10), dessen Belege den "prospective sense" stützen sollen, tendiert gerade in die entgegengesetzte Richtung!

[10] Sharp, For Our Justification, 87f; Taylor, Great Texts, 298; Meecham, Rom iii.25f, 564. Es handelt sich um Thucydides, 2,89; 4,40.102; 5,53; Aristoteles, Eth.nic. 1125ᵃ8 (bei Sharp, Meecham und Taylor zu korrigieren); Plato, Pol. 524c; Polybius, II,56,11-12, wobei der finale Sinn der Belege bei Thucydides und Aristoteles verschiedentlich angezweifelt wird; Meecham, ebd, 564.

[11] Meecham, ebd, 564.

[12] BDR § 222; Meecham, ebd, 564; Schlier, Röm, 113. Zerwick, Biblical Greek, 37 Nr. 112, und Moulton, Grammar III, 268, nennen außerdem noch Mt 24,22 und Röm 11,28, wobei Moulton jedoch abschwächt: es gäbe "indications of a later final sense, denoting purpose" (268).

[13] Percy, Probleme, 92 A.53; Sharp, For Our Justification, 87f; Taylor, Great Texts, 298. Sowohl für Röm 8,20, wie auch für 13,5 läßt sich finaler Sinn nicht sicher erweisen. Gleiches gilt für Mk 2,27; Joh 11,42; 12,30. Auch die von Zeller, Sühne, 61 A.58, und Wilckens, Röm I, 196, angeführte Parallelität des διά c.acc. mit dem folgenden ἵνα-Satz in Phil 3,8 ist nicht zwingend für finales Verständnis.

διά kausalen, das zweite finalen Sinn zu haben[14]. Doch fragt es sich, ob mit der δικαίωσις eine von der Rechtfertigung im Kreuzesgeschehen unterschiedene, erst in der Zukunft liegende Gerechtmachung gemeint ist, denn nur dann ließe sich der finale Sinn wirklich erweisen. Hiergegen steht zumindest Röm 5,9f. Es wird daher angemessen sein, Röm 4,25 aus seiner rhetorischen Struktur als 'synthetischen Parallelismus' zu erklären, wobei "die Verteilung von Tod und Auferstehung auf Sündentilgung und Rechtfertigung keinen theologischen, sondern nur rhetorischen Grund" hat[15]. Meecham warnt daher davor, aufgrund einer so schmalen textlichen Basis weitreichende exegetische Schlüsse zu ziehen. Er konstatiert zwar, daß im hellenistischen Griechisch die Präpositionen "noticeably fluid" seien, jedoch könne man keinen eindeutigen Beleg für finalen Sinn nennen, höchstens eine Tendenz. Erst im modernen Griechisch lasse sich für διά c.acc. (dort dann γιά) ein "prospective sense" nachweisen. Sein Fazit lautet: "In view of the overwhelming use ... in a *causal* and retrospective sense in the classical and Hellenistic language it is precarious to depart from that sense in these two Pauline passages (sc. Röm 3,25; 4,25), and still more so to support exegetical conclusion on so rare a meaning of the preposition."[16]

Auszugehen ist nach alledem von kausalem Sinn. Ein finaler Sinn kann nur angenommen werden, wenn die kausale Deutung scheitert. Dies ist nicht der Fall. Wir halten also fest: *Die mit* διά *eingeleitete Präpositionalbestimmung bringt eine Begründung für die Einsetzung Jesu zum* ἱλαστήριον *zum Ausdruck.* Es ist zu fragen, wieweit das Verständnis von πάρεσις diese Entscheidung noch einmal problematisiert oder bestätigt.

b) πάρεσις - endgültige Vergebung oder vorläufiges Hingehenlassen?

Im Verständnis von πάρεσις finden sich in der Forschung zwei hauptsächliche Positionen: eine, die darin einen vollgültigen "Erlaß" der Sünden sehen will, und eine andere, die im Sinn von "Hingehenlassen" ein vorläufiges Nicht-Berücksichtigen bzw. Nicht-zur-Rechenschaft-ziehen erblickt[17].

---

[14] Käsemann, Kuss, Michel, Schlier, Wilckens, z.St; Moulton, Grammar III, 268 ("because of" und "with a view to"); dagegen Schlatter, Röm, 173.

[15] So Kuss, Röm I, 195, unter Zitation von Weiss; vgl. Dodd, Nygren, z.St., ebenso Sharp, For Our Justification, 90; Meecham, Rom iii.25f, 564.

[16] Meecham, ebd, 564 (kursiv im Original).

[17] Eine Sonderstellung nehmen Lyonnet und Rath ein. Lyonnet meint, Paulus "voulu évoquer une «rémission» en effet absolument *sui generis* et en particulier totalement distincte de la rémission du péchés que procure la plénitude des temps" (Notes, 57), nämlich die speziell auf Israel bezogene Vergebung durch Christus (Notes, 58). Dies werde auch durch das Vorkommen von ἀνοχή bestätigt, da dieser Begriff nur im Zusammenhang mit Israel begegne (Röm 2,4; 3,25; 9,22; Notes, 59 samt A.3). Die Problematik der These Lyonnets besteht darin, daß in seiner Auslegung πάρεσις von der als Heilsbegriff verstandenen δικαιοσύνη θεοῦ her interpretiert wird und damit der Sinn präjudiziert ist.

An Lyonnets Ergebnisse knüpft Mansetus Rath in seiner (unveröffentlichten) Dissertation: De Conceptu 'Paresis' in Epistula ad Rom (3,25), 1965, an. Nachdem die Arbeit nur schwer zugänglich ist, soll ihr Gedankengang hier kurz skizziert werden. (Ich danke Herrn Prof. E. Pax OFM, durch dessen Hilfe mir die Arbeit im Studium Biblicum Franciscanum, Flagellatio Jerusalem, zugänglich wurde.) Raths Arbeit versteht sich ausdrücklich als eine Auseinandersetzung mit der Interpretation, die Lyonnet vorgelegt hat (Praefatio, S.I). Sie hat drei Hauptteile: Im ersten Hauptteil untersucht er das Verständnis von Paresis in der Geschichte der Exegese (3-16). Dabei geht er auf die griechischen (§1) und die lateinischen Väter (§2) ein und zeichnet die Auslegung von Thomas bis ins 20. Jh. nach (§3). Sein Ergebnis lautet, daß es in der Geschichte der Auslegung folgende hauptsächliche Positionen gab: "Nam interpretationem invenit in sensu remissionis (ac 'aphesis' aut specialis), praetermissionis (aut dilationis) et alicuius interni status debilis causati a peccato" (15). Im zweiten Hauptteil (17-32) folgen "investigationes linguistica circa vocem 'paresis'", wobei er zunächst die profangriechischen Belege des Substantivs (§1), dann die des Verbums (§2) und schließlich die LXX-Belege des Verbums (§3) untersucht. Das Ergebnis lautet, daß ein dreifacher Sinn festzustellen sei: "languor/paralysis, remissio/condonatio et praetermissio (cum diversis discriminibus: dimissio, omissio, neglectio)" (31). Der Sinn in Röm 3,25 könne nur aus dem Zusammenhang erschlossen werden. Im dritten Hauptteil (33-133), dem eine Zusammenfassung folgt (134-137), geht Rath auf Röm 3,25 ein. Er untersucht dabei zunächst den weiteren Kontext, Röm 1-3 (§1), dann den engeren, Röm 3,21-26 (§2). Der folgende Abschnitt (§3) befaßt sich mit den Begriffen διχαιοσύνη θεοῦ, ἱλαστήριον, ἀνοχή τοῦ θεοῦ. Dabei versteht er die Gerechtigkeit Gottes als "actio Dei salvifica pro credentibus" (70). Der Begriff ἱλαστήριον "intentionaliter ad kapporeth alludat, non quidem in sensu aequiperationis sed in sensu imaginis" (103). Für ἀνοχή gilt: "Conceptus ... complexivus est et exprimit duas ideas: ideam sustentationis und ideam patientiae" (111). Ἐν τῇ ἀνοχῇ τοῦ θεοῦ bezeichne die Zeit des Alten Testaments (117), deren augenfällige Signatur eine "insufficientia sacrificiorum" sei (118), der Paulus nun seine Konzeption von πάρεσις entgegensetze.

Rath schließt sich somit in der Sicht von πάρεσις als 'Vergebung für Israel' der These Lyonnets an, nimmt dann jedoch eine besondere Akzentsetzung vor: πάρεσις meine zwar "remissionem peccatorum in tempore sustentationis Dei" (125), aber Gott habe auch in der Zeit des Alten Testaments Sünden nur "propter Christum" vergeben (125). πάρεσις beschreibe daher eine "quasi in anticipatione", d.h. "modo non directe per Christum sed indirecte" erfolgte Vergebung (126). Da Paulus Vergebung ohne Christus nicht denken könne, habe er eine Relation der im Alten Testament unstreitig erfolgten Vergebung im Kultus zu der durch Christi Tod geschehenen herstellen müssen. Dies habe er getan, indem er jenen speziellen Begriff πάρεσις geprägt habe (127.136). "Ita invenimus Paulum adhibuisse terminum specialem, hapaxlegomenon in NTo, ad designandam remisionem specialem, quae sub aspectu historiae salutis, i.e. respectu redemptionis in Christo Jesu praeter tempus praestitutum vel praeter ordinem stabilitum cum Christo incipientem in cultu iam pro iudaeis, quorum electionis ea re Deus honorem habebat, locum habebat ... concludebamus 'paresis' ... nihil aliud esse quam forma specialis, in qua dicta iustitia tempore VTi apparebat." (136f) Rath schlägt daher als sachgemäße lateinische Übersetzung für πάρεσις den Begriff "praeter-remissio" vor (133).

Diese spezielle These zu πάρεσις läßt sich jedoch nur durchführen, wenn man in Röm 3,25f paulinische Eigenformulierung vorliegen sieht, und wenn man auch für die Zeit des Alten Testaments nur eine "remissio propter Christum" als paulinische Sichtweise annehmen will. Daß dieser Gedanke einer "vorchristlichen" Wirksamkeit Jesu nicht unmöglich ist, belegt die im Neuen Testament bezeugte Vorstellung der Schöpfungsmittlerschaft Jesu (vgl. Kol 1,15ff; Joh 1,1ff; Hebr 1,2f), wie auch die Vorstellung der Teilhabe der alttestamentlichen Glaubenden an der künftigen (himmlischen) Heimat, bzw. dem Heil in Christus (Hebr 11,1ff; vielleicht auch Eph 1,12, sofern die "judenchristliche" Deutung zutrifft; dazu Schnackenburg, Eph, 62f). Nun hat die Vorstellung der Schöpfungs-

Diejenigen Ausleger, die πάρεσις mit ἄφεσις = Erlaß gleichsetzen, beziehen sich dabei auf Kümmel, der die Belege für πάρεσις einer eingehenden
Prüfung unterzogen hat[18]. Kümmel kommt dabei zum Ergebnis, daß
πάρεσις in Röm 3,25 den vollständigen Erlaß und nicht ein vorläufiges
Nichtbeachten meine[19]. Er erreicht dies jedoch nur unter Einbeziehung
des Kontextes, denn, wie er zu Recht bemerkt, läßt sich aus dem lexikographischen Befund allein nicht "über die Frage entscheiden, welche dieser beiden Bedeutungen in Rm 3,25 vorliegt"[20]. Doch damit stehen wir vor
einem Zirkelschluß: Kümmel schließt - ohne eine Unterscheidung zwischen Tradition und Redaktion in Röm 3,25f zu vollziehen[21] - vom Kontext her, und zwar ausgehend von der zweiten finalen Bestimmung (πρὸς
τὴν ἔνδειξιν κτλ. V.26), auf den Sinn von πάρεσις[22]. Kümmel kommt damit
zwar zu einem einigermaßen sinnvollen Verständnis des Satzes[23], dies ist
jedoch erkauft um den Preis einer Einebnung des spezifischen Aussagege-
haltes[24]. Es muß methodisch ein anderer Weg gewählt werden[25].

---

mittlerschaft Jesu ihre Vorbilder in der jüdischen Weisheitsspekulation und kann unschwer
daran anknüpfen. (Vgl. die bei Conzelmann, 1Kor, zu 1Kor 8,6; bei Schnackenburg, Joh I,
zu Joh 1,3 und im Exkurs ebd, 290ff, genannte Literatur; außerdem ders., Joh IV, 102-118,
bes. 108ff; s. jetzt auch die Arbeit von Habermann, Präexistenzaussagen.) Die Vorstellung
ist auch im Corpus Paulinum zu belegen: 1Kor 8,6 ist hier zu nennen (s. dazu Habermann,
ebd, 159ff), ebenso Phil 2,6-11 (Habermann, ebd, 91ff), wenngleich in der Zeit nach Paulus
eine viel stärkere Betonung nachzuweisen ist. 1Kor 10,1ff belegt, daß Christus für Paulus
auch "schon in der vorchristlichen Geschichte Israels wirksam war" (Schnackenburg, Joh
IV,108; Habermann, ebd, 189ff.215ff). Andererseits findet sich als Spezifikum paulinischer
Theologie gerade eine "theozentrische" Argumentation (vgl. Röm 11,36; 1Kor 15,28).
Insofern ist die These Raths nicht schlechthin abzulehnen: In der paulinischen Aufnahme
der Formel mag der Gedanke einer Vergebung "propter Christum" auch für die
alttestamentliche Geschichte des Gottesvolkes angelegt sein. Für die Formel selbst scheint
er jedoch aus philologischen und überlieferungsgeschichtlichen Gründen nicht zuzutreffen.
[18] Kümmel, Πάρεσις, 154-158.162-164.
[19] Ebd, 164. Einen grundsätzlichen Bedeutungsschwerpunkt im Sinn von "Vergebung" sehen auch Lyonnet, Notes, 50-54; Rath, Paresis, 31f.
[20] Kümmel, Πάρεσις, 158.
[21] Kümmel, Πάρεσις, 164, nennt zwar die Möglichkeit, daß eine Formel vorliege, zieht
aber für seine Interpretation daraus keine Schlüsse.
[22] Kümmel, Πάρεσις, 161ff.
[23] "Ihn (Christus) hat Gott als Sühnemittel durch sein Blut öffentlich hingestellt für den
Glauben, und dadurch wollte er seine Gerechtigkeit erzeigen, indem er die zur Zeit der
Geduld Gottes begangenen Sünden erließ, und er wollte dadurch seine Gerechtigkeit in
der Gegenwart erzeigen, um selber gerecht zu sein und den an Jesus Glaubenden gerecht
zu sprechen" (Kümmel, Πάρεσις, 165).
[24] Das eigentlich präjudizierende Moment in Kümmels Argumentation stellt ein in bestimmter Weise festgelegtes Vorverständnis von δικαιοσύνη θεοῦ dar, von welchem aus
auf πάρεσις und den übrigen Text geschlossen wird (162). Wenn jedoch δικαιοσύνη θεοῦ
jeweils zur paulinischen Ergänzung der Überlieferung gehört, fällt dieses Argument dahin.
[25] Und dies obwohl Hübner, Paulusforschung, 2711, die Kümmel'sche Interpretation der
Begriffe πάρεσις und ἔνδειξις für "endgültig" erklärt hat.

Der Begriff πάρεσις taucht in der Graecität insgesamt nur selten auf[26]. In der LXX existiert für das Substantiv kein Beleg. Folgende Belege aus dem Profangriechischen werden für das Substantiv genannt[27]: Plutarch, Comp. Dion.Brut. 2; Dionysius Halicarnassensis, Ant.Rom. VII,37,2; Hippokrates, Epid. 4,45; Aretaeus, S.D. 1,7; Plutarch, Mor. 652e; Damascius, Pr. 440; Phalaris, Ep. 81,1; Appianus, Reg. 13; Athenagoras, De Resurrectione 16. Der Sinn ist "Durchlassen", "Vorbeilassen", "Erlaß", "Hingehenlassen", "Nachlassen der Kraft" oder im medizinischen Sinn "Paralyse", "Erschlaffung", "Lähmung"[28].

Aus dem Schrifttum des Josephus sind noch JosAnt 9,240; 11,236 hinzuzufügen, wo jeweils der Sinn "Erschlaffung", "Lähmung" vorliegt[29].

Daneben ist das Verb παριέναι in einer ganzen Reihe von Belegen bezeugt[30]. Die beiden neutestamentlichen Vorkommen sind Lk 11,42 und Hebr 12,12, wo der Sinn "unterlassen" bzw. "schlaff werden" vorliegt. Im Sinn von "erschlafft" begegnet das Verbum auch mehrfach in der LXX (2Sam 4,1; Jer 4,31; Sir 2,12.13; 4,29; 25,23 hier stets Partizip), aber ebenso im Sinn von "in Ruhe lassen" (Ex 14,12), "auslassen/vorbeilassen" (Jdt 12,12), "unbeachtet lassen" (Ps 138,8).

Bei Josephus liegen 47 (48 incl. Ant 4,72) Belege vor. Das Bedeutungsspektrum reicht von "erschlaffen", "erlahmen", "mutlos o. schwach werden" über "durchlassen", "gestatten" bis "übergehen", "unterlassen", "verzichten", "ungenutzt lassen"[31].

Folgende Belege aus den alttestamentlichen Pseudepigraphen sind zu nennen[32]: VitAd 26,1; JosAs 6,1; 11,1; TestJob 18,4; Arist 81,2; 173,3; 175,5; HArtapanus 9,27,23.24. Dabei ist die Bedeutung "schwächen", "erschlaffen", "durchlassen", "Eintritt gewähren", "vorbeilassen" zu verzeichnen.

---

[26] Kümmel diskutiert den Sachverhalt anhand folgender substantivischer und verbaler Belege: Plutarch, Comp.Dion.Brut. 2; Dionysius Halic., Ant.Rom. II,35,4; VII,37,2; Phalaris, Ep. 81,1; BGU 624,21; Dion Chrysostomus 30,19; Lycurg, c.Leocr. 9; Xenophon, Eq.Mag. 7,10; JosAnt 15,48; Aristophanes, Ran. 699; Dittenberger, OGIS 444,16; 669,50; 1Makk 11,35. Den wichtigen Beleg Sir 23,2 nennt er zwar, läßt ihn aber aus Verstehensgründen unbesprochen.

[27] Bultmann, Art. ἀφίημι κτλ., 506f; LSJ, 1337; Rath, Paresis, 17-32.

[28] Bedeutungsspektrum bei LSJ, 1337: letting go, dismissal; release; slackening of strength, paralysis; remission of debts; neglect.

[29] Rengstorf, Hrsg., Concordance, s.v.

[30] Nach Wonneberger, Syntax, 236, darf das Verbum zur Bedeutungsaufhellung herangezogen werden, da πάρεσις eine "Produktiv-Bildung" aus dem Verbalstamm sei. Zerwick/Grosvenor, Analysis II, 466, leiten πάρεσις von πάρειμι ("let pass") ab und verstehen so: "*overlooking*, not in the sense of 'neglecting', but allowing to go unpunished; or perhaps *partial remission*".

[31] Rengstorf, Hrsg., Concordance, s.v.

[32] Denis, Concordance, 613.

An Belegen aus dem Profangriechischen nennt Bultmann[33]: Aristophanes, Ran. 699; Xenophon, Eq.Mag. 7,10; Dionysius Halic., Ant.Rom. II,35,4; Dittenberger, Syll.[3] 742,33.39; Dittenberger, OGIS 669,50. Die Diskussion muß hier nicht im einzelnen wiederholt werden[34]. Überblickt man die Gesamtheit der Belege, so ist festzuhalten, daß *das Substantiv um die Bedeutungsinhalte "Erlaß", "Hingehenlassen" oszilliert bzw. im medizinischen Sinn die "Erschlaffung, Paralyse" meint. Von einer eindeutigen Tendenz im Sinn von "Erlaß" kann im Ernst keine Rede sein*[35]. Auch die Zusammenschau der verbalen Belege läßt keine eindeutige Festlegung zu[36]. Besonders ist zu notieren, daß *die LXX-Belege an keiner Stelle den Sinn "vergeben" aufweisen*[37]. Es können also sowohl Substantiv als auch Verbum in beiderlei Sinn gebraucht werden. Wie Kümmel und Schlier richtig bemerken, *ergeben die Belege aus sich heraus keine hinreichende Gewißheit für eine Entscheidung. Den Ausschlag im Verständnis von πάρεσις in Röm 3,25 kann daher nur der Kontext geben*[38].

Die bisherigen Arbeiten, die πάρεσις aus dem Kontext zu erklären suchten (Kümmel, Lyonnet, Rath), taten dies stets so, daß sie ohne Unterscheidung von Tradition und Redaktion in Röm 3,25f ihren Ausgangspunkt bei der δικαιοσύνη θεοῦ wählten. Dies führte dazu, daß aufgrund des Verständnisses von δικαιοσύνη θεοῦ als Synonym für 'Gottes Heilswerk in Christus' πάρεσις nicht anders denn als "Vergebung", "Erlaß", "remissio" verstanden werden konnte. Der Blick auf den Kontext muß jedoch noch in andere Richtung erfolgen: Beim Heranziehen von Vergleichsstellen verdient nicht allein das Vorkommen des Begriffes πάρεσις Aufmerksamkeit. In Röm 3,25 geht es um πάρεσις τῶν προγεγονότων ἁμαρτημάτων, d.h. um den Umgang mit "Sünden/Verfehlungen" und nicht um den Erlaß von Geldschulden (Phalaris, Ep. 81,1) oder die Freilassung Gefangener (Plutarch, Comp.Dion.Brut. 2) etc. Hier nun werden vier Belege wichtig, an denen παριέναι zusammen mit "Verfehlung(en)" begegnet, wobei der Sinn jeweils der gleiche ist. Diese sind:

---

[33] Bultmann, Art. ἀφίημι κτλ., 507,1ff; weitere Belege bei LSJ, s.v.; Bauer, WB[6], s.v.
[34] S. dazu Bultmann, Art. ἀφίημι κτλ., 506ff; Creed, ΠΑΡΕΣΙΣ, 28-30; Kümmel, Πάρεσις, 154ff; Lyonnet, Notes, 40-61, bes. 50ff; Michel, Röm, 153 A.16; Rath, Paresis, 17-32; Schlier, Röm, 112; Trench, Synonyma, 69-74; Wonneberger, Syntax, 236. Rath ordnet die substantivischen Belege in drei Gruppen: 1. Medizinischer t.t. (Hippokrates, Epid. 4,45; Plutarch, Mor. 652e; Aretaeus, S.D. 1,7; Alexander Trall.); 2. t.t. iuridicus (Dionysius Halic., Ant.Rom. VII,37,2; Phalaris, Ep. 81,1; Dion Chrys. 30,19); 3. sensus generaliore (Plutarch, Comp.Dion.Brut. 2; Appianus, Reg. 13; Suda; Hesychius). Umstritten in der Diskussion war v.a. der Beleg Dionysius Halic., Ant.Rom. VII,37,2; s. dazu Creed, ebd, 28-30; Michel, Röm, 153 A.16.
[35] Gegen Kümmel, Πάρεσις, 158; Wilckens, Röm I, 196; Lietzmann, Röm, 51.
[36] Kümmel, ebd, 157.
[37] Dies gilt auch für die hebräischen Äquivalente.
[38] Kümmel, Πάρεσις, 158; Schlier, Röm, 112; ähnlich Rath, Paresis, 31f.

α) Xenophon, Eq.Mag. 7,10[39]: τὰ οὖν τοιαῦτα ἁμαρτήματα οὐ χρὴ παριέναι
ἀκόλαστα.

Im Zusammenhang geht es darum, ob man Soldaten ihre Unbesonnenheit,
durch die sie eine militärische Aktion verderben, einfach durchgehen lassen soll oder nicht. Dies wird im Blick auf die geplanten strategischen
Ziele verneint: Man soll solches Verhalten nicht ungestraft hingehen lassen, da dies weiterer Unbesonnenheit nur Vorschub leisten würde. Von
"Vergebung" ist im Zusammenhang überhaupt keine Rede. Aufgrund des
ἀκόλαστα legt es sich nahe, παριέναι hier mit "hingehen lassen" wiederzugeben[40]. Es ist also zu übersetzen: "Diese Verfehlungen nun darf man
nicht ungezüchtigt dahingehen lassen."[41]

β) Dionysius Halic., Ant.Rom. II, 35,4[42]: παρίεμεν οὖν αὐτοῖς τὴν ἁμαρτάδα
ταύτην ἀζήμιον.
Creed hat gezeigt, daß für Dionysius πάρεσις und ἄφεσις zu unterscheiden
sind[43]. Um Vergebung geht es im vorliegenden Text nicht, vielmehr
darum, daß ein Fehlverhalten nicht die Konfiskation des Besitzes und die
Unfreiheit der Bürger nach sich zieht, sondern ungestraft bleibt[44]. Die
Übersetzung lautet daher: "Wir lassen ihnen diesen Fehltritt ungestraft
hingehen."

γ) JosAnt 15,48[45]: ὁ δὲ (Herodes) τὴν μὲν (Alexandra) ... ἐπ´ αὐτοφώρῳ τοῦ
δρασμοῦ συνέλαβεν, παρῆκε δὲ τὴν ἁμαρτίαν.
Im Zusammenhang geht es darum, daß Herodes Alexandra und ihren Be-
gleiter Aristobul, als diese gerade fliehen wollen, zwar auf frischer Tat ergreift, dann aber vorläufig Nachsicht übt, um gegenüber Cleopatra eine
bessere Position zu haben. Er stellt sich jedoch nur so, als gewähre er
Großmut, Milde und Verzeihung, um sie dann später zur Rechenschaft zu
ziehen[46]. Die Übersetzung lautet daher: "Er ließ das Vergehen vorläufig
ungestraft hingehen"[47]. Es geht also um einen vorläufigen Strafaufschub.

---

[39] Text nach Marchant; vgl. Kümmel, Πάρεσις, 157 A.6; Schlier, Röm, 112.
[40] Schlier, Röm, 112; dies muß auch Lyonnet, Notes, 52f, zugeben; vgl. Trench, Synonyma,
71; unklar bleibt, welchen Sinn Kümmel, ebd, 157 A.6, für diesen Beleg annimmt; Marchant, 277, übersetzt mit "let go unpunished".
[41] Mit Schlier, Röm, 112.
[42] Text nach Cary.
[43] Creed, ΠΑΡΕΣΙΣ, 29f; vgl. Trench, Synonyma, 72, wenngleich Creed die Gleichung ὀλοσ-
χερὴς πάρεσις = ἄφεσις, wie Trench sie für Dionysius Halic., Ant.Rom. VII,37,2 vor-
schlägt, ablehnt. Für ihn heißt πάρεσις in der genannten Stelle "to let the whole matter
drop" (29), d.h. "Fallenlassen" des Prozesses; vgl. Michel, Röm, 153 A.16.
[44] Vgl. Rath, Paresis, 25; Kümmel, Πάρεσις, 157 A.6; Lyonnet, Notes, 52f; Creed, ebd, 29f.
[45] Text nach Marcus/Wikgren.
[46] "Dann aber heißt der Satz gerade nicht: er vergab ihnen das Vergehen, sondern: er ließ
es ihnen im Augenblick hingehen." Schlier, Röm, 112.
[47] Gegen Kümmel, Πάρεσις, 157 samt A.6; Lyonnet, Notes, 53 A.1, der im Anschluß an
Th. Reinach mit "il lui fit grâce", d.h. im Sinn von "remise" verstehen möchte.

δ) Sir 23,2-3a[48]: "Wer schwingt die Peitsche[49] über mein Denken und die Zuchtrute[50] der Weisheit über meinem Herzen, ἵνα ἐπὶ τοῖς ἀγνοήμασίν μου μὴ φείσωνται καὶ οὐ μὴ παρῇ τὰ ἁμαρτήματα αὐτῶν[51], daß meine Unbedachtsamkeiten nicht überhand nehmen[52] und meine Sünden sich nicht mehren."
Der Passus entstammt einem "Gebet um Bewahrung vor unbedachten Reden und vor Sünden"[53]. Der Sinn läßt sich trotz einiger Probleme klar erschließen: Gott wird gebeten, Kraft zu verleihen, um nicht zu sündigen. Ein Zuchtmeister wird erfleht, der Verfehlungen nicht unbeachtet durchgehen läßt, damit diese nicht überhand nehmen, weil dies Gericht nach sich ziehen würde[54]. Subjekt von παρῇ ist ursprünglich vermutlich Gott[55]. Die ἀγνοήματα in V.2a entsprechen hebr. שגגה, d.h. den versehentlichen Sünden[56]. Sie stehen den ἁμαρτήματα V.2b parallel[57]. παριέναι steht

---

[48] Text nach Ziegler, Sirach; vgl. ebenso Rahlfs. Dieser Beleg wird von Kümmel unberücksichtigt gelassen, da er "sich nicht sicher erklären" lasse; Kümmel, Πάρεσις, 157f A.6. Dies kann so nicht stehen bleiben.

[49] Zu μάστιξ s. C. Schneider, Art. μαστιγόω κτλ., ThWNT IV, 521-525, hier: 524,10ff.

[50] Zu παιδεία s. G. Bertram, Art. παιδεύω κτλ., ThWNT V, 596-624, hier: 609,1ff.

[51] Hier ist vielleicht in μοῦ zu korrigieren; so Origenes, 12,300, "et peccata mea non praetereantur", s. Ziegler, Sirach, 230 Textanm.; Smend, Sirach, 204; Ryssel, in: Kautzsch I, 346 A.d.

[52] πληθύνειν, sich mehren, anwachsen, überhand nehmen, vollmachen; vgl. Bauer, WB[6], s.v.; G. Delling, Art. πλῆθος, πληθύνω, ThWNT VI, 274-282, hier: 279ff; J. Zmijewski, Art. πληθύνω, EWNT III, 249-252.

[53] Smend, Sirach, XXXII; Bertram, aaO, 609,1ff; Lyonnet, Notes, 53. Zum Text vgl. Skehan/di Lella, Wisdom, 318ff.322 (die dort vollzogene Umstellung von V.1b hinter V.4a hat für unseren Zusammenhang keine Konsequenzen); weiterhin: Peters, Sirach, 184f; Smend, Sirach, 204; Trench, Synonyma, 71f. Textkritische Fragen bei Smend, Sirach, CIX.204; Peters, Sirach, 185. Der hebr. Text von Sir 23,2 liegt leider nicht vor, vgl. die Skizze bei Bocaccio, Ecclesiasticus, Einleitung.

[54] Hinter diesen Versen steht die Vorstellung vom "Sündenmaß"; vgl. dazu Stuhlmann, Eschatologisches Maß, passim, v.a. 93ff. Stuhlmann ist jedoch zu sehr an dem Stichwort πληροῦν orientiert, weshalb er Sir 23,2f nicht diskutiert. Sir 23,2 ist im Zusammenhang mit Sir 5,4ff zu sehen; dazu s. Skehan/di Lella, Wisdom, 179ff. Ein ebenfalls in diesen Zusammenhang gehörender Text ist 2Makk 6,12-17 (hier jedoch bezogen auf die Völker; dazu Wichmann, Leidenstheologie, 18-21). Daß Ben Sira diesen Zusammenhang vor Augen hat, geht aus seinem übrigen Sprachgebrauch von πληθύνειν hervor: 23,16; 47,24; 48,16. Wenn Sünden überhand nehmen, zieht dies unweigerlich das Gericht Gottes nach sich. (Dieser Zusammenhang bleibt in der Übersetzung bei Sauer, Sirach JSHRZ III.5, 561, unklar.) In diesem Sinn begegnet πληθύνειν auch PsSal 10,1. Die Züchtigung Gottes, die vor der Vollendung des Sündenmaßes geschieht, ist Zeichen der Zuwendung Gottes, vgl. Hebr 12,5ff. Zur Sache: Michel, Hebr, 439f, mit weiteren Belegen; Wichmann, Leidenstheologie, 19f A.2. Wichmann nennt folgende Texte: 2Makk 6,12-17; Gen 15,16; Dan 8,23; 9,24; Mt 23,32; 1Thess 2,16; Barn 5,11; 14,5; Jub 14,16; PsPhilAnt 26,13; 36,1; 41,1; 47,9; EvPetr 17; Herm 6,2 (Vis II,2,2); 4Esr 15,6; Diog 9,2; bSot 9a; MidrTeh zu Ps 10,10 (Ausgabe Wünsche). Zu 2Makk 6,14 s. auch unten S. 133.

[55] Smend, Sirach, 204. Die Übersetzung der Jerusalemer Bibel setzt den Plural voraus.

[56] D.h. jenen, die während des Jahres angesammelt werden und bis zum Jom Kippur in der Schwebe, um dann gesühnt zu werden. Die LXX übersetzt in der Mehrzahl der Fälle hebr. שגג/שגגה mit ἀγνοεῖν κτλ./ἀκούσιος κτλ.

φείδομαι parallel. φείδομαι bedeutet "schonen", "auf etwas verzichten", "von etwas absehen"[58]. παριέναι meint also in unserem Fall "dahingehen o. durchgehen lassen", was zwar einem (vorläufigen) Übersehen gleichkommt, dann aber doch das Gericht heraufbeschwört[59].

Damit darf die Frage, was mit πάρεσις gemeint ist, als geklärt gelten: *Es geht um einen vorläufigen, zeitlich limitierten Umgang mit Sünden.* Den Ausschlag geben die zuletzt genannten Belege. Wenngleich für πάρεσις/παριέναι insgesamt gesehen sowohl die Bedeutungen "Erlaß/erlassen" wie auch "vorläufig nicht beachten/hingehenlassen" gleichermaßen möglich sind, so ist aufgrund der vier Belege, in denen παριέναι zusammen mit "Sünde(n)" erscheint, deutlich, *daß es sich bei πάρεσις in Verbindung mit Sünde nicht um endgültige "Vergebung" handeln kann.* Hier wäre ἀφιέναι/ἄφεσις zu erwarten[60].

Wir gehen somit davon aus, daß πάρεσις und ἄφεσις wohl zu unterscheiden sind und daß in unserem Text Röm 3,25 mit πάρεσις ein vorläufiges Hingehenlassen[61], ein "Schwebezustand" angesprochen ist[62]. πάρεσις bekommt damit den Charakter des Unvollkommenen und Vorläufigen.

[57] Vgl. 1Makk 13,39; dazu R. Bultmann, Art. ἀγνοέω κτλ., ThWNT I, 116-122, hier: 117,10.

[58] Bauer, WB[6], 1704.

[59] Ob die von Trench (Synonyma, 74) angeführte Stelle SapSal 11,23: παρορᾷς ἁμαρτήματα ἀνϑρώπων εἰς μετάνοιαν sachlich vergleichbar ist und in unseren Zusammenhang gehört, kann überlegt werden (dagegen Lyonnet, Notes, 60f). Die Akzente sind jedoch erkennbar unterschiedlich gesetzt: SapSal 11,23 wird das vorläufige Übersehen im Sinn einer Bußfrist als Möglichkeit zur Umkehr gedeutet, die wiederum in Gottes Erbarmen gründet (V.23a). Sir 23,2 stellt dieses vorläufige Übersehen eine Gefahr für den Gläubigen dar.

[60] Wobei anzumerken ist, daß das Sustantiv bei Paulus nicht belegt ist und das Verbum nur in Röm 4,7 als Zitat aus Ps 31,1 erscheint. ἄφεσις begegnet in der LXX im Sinn von "Vergebung" wenn überhaupt, dann nur Lev 16,26 hinsichtlich der Wirkung des Asasel-Bockes (Bultmann, Art. ἀφίημι κτλ., 507,31f). Doch ist dies nicht sicher zu entscheiden, denn εἰς ἄφεσιν stellt hier die Übersetzung von לעזאזל dar (vgl. Hatch-Redpath, Concordance, s.v.). לעזאזל wird von der LXX auch sonst (Lev 16,8.10) nicht als Eigenname übersetzt (Ausnahme: Hs M 18 in Lev 16,10; Lat codd. 91 94 95 in Lev 16,26; s. Wevers, Leviticus, App. zu 16,10.26), sondern wird mit ἀποπομπαῖος (2mal), ἀποπομπή (1mal) wiedergegeben. εἰς ἄφεσιν könnte somit auch die Freilassung/Entsendung des Bockes bezeichnen. Diese Unklarheit wurde in der Hs 527 empfunden, weshalb ἁμαρτιῶν ergänzt ist (s. Wevers, Leviticus, App. zu 16,26). Sonst dient ἄφεσις in der LXX als Übersetzung für יובל und שמטה (bzw. שמט), אפיק (Bachbett) und פלג (Kanal), bezeichnet aber auch "Freilassung", "eschatologische Befreiung", "Amnestie", "Steuererlaß" (Bultmann, ebd, 507,27-31; Deissmann, Bibelstudien, 94-97). Josephus gebraucht den Begriff für "menschliche Vergebung" (JosBell 1,481) und für "Freilassung" (JosAnt 2,67; 12,40; 17,185; s. Bultmann, ebd, 507, 34f). Im Sprachgebrauch des Neuen Testaments ist für ἄφεσις/ἀφιέναι neben den bekannten Möglichkeiten der Sinn "Vergebung/vergeben der Sünden" vielfach belegt (Mk 1,4; 2,5ff; 3,29; 4,12; 11,25; Mt 6,14f; Lk 7,47ff; Joh 20,23; Kol 1,14; Hebr 9,22 u.ö.; s. Bultmann, ebd, 508,9ff).

[61] So verstehen mit unterschiedlicher Akzentsetzung u.a. auch Kuss, Röm I, 159; Michel, Röm, 153; Percy, Probleme, 92; Schlier, Röm, 113f; Wonneberger, Syntax, 236.

[62] Anmerkungsweise sei erwähnt, daß dieses Verständnis von πάρεσις in Röm 3,25 zusammen mit Hebr 10,1-4 einen der Hauptstreitpunkte in der Föderaltheologie des Coccejus in Holland im 17. Jh. darstellte. Coccejus legte dar, daß es aufgrund beider Belege in

Ob der Akzent tatsächlich, wie Michel dies möchte, auf einem vorläufigen *Ungestraftlassen*[63] von Sünden, deren endgültige Abrechnung jedoch noch aussteht, liegt, kann gegenwärtig noch nicht entschieden werden. Hierzu ist die Untersuchung von ἀνοχή noch hinzuzunehmen. Abzulehnen ist jedoch die Sicht von Rath, der πάρεσις als Ausdruck für die "praeterremissio" jener Sünden verstehen möchte, die in der Zeit vor dem Kommen Jesu begangen wurden, wobei der Tod Jesu rückwirkend als Ermöglichungsgrund auch dafür anzusehen sei[64].

Wir verstehen πάρεσις vielmehr als Kennzeichnung des früheren Verhaltens Gottes gegenüber den Sünden der Menschen, das freilich erst aufgrund der Einsetzung Jesu zum ἱλαστήριον als solches erkennbar wird[65]. *Von hier aus ist nun aber auch die syntaktische Beziehung bestätigt, die für* διά *c.acc. vorgeschlagen wurde:* διά *ist nicht prospektiv, sondern retrospektiv zu verstehen.* Wenn also mit διὰ τὴν πάρεσιν ein Grund angegeben wird, dann muß die πάρεσις selbst die Ursache für das Handeln Gottes sein, das sich im προτίθεσθαι ἱλαστήριον zeigt.

Dabei ist entscheidend, daß die Qualifikation des früheren Handelns Gottes als πάρεσις nur vom Standpunkt der eschatologischen Erscheinung der Gerechtigkeit aus getroffen werden kann. Die Zeit der Rechtfertigung durch Christus läßt die Zeit davor als Zeit der πάρεσις erscheinen. So wie nur vom Standpunkt der Vollendung durch das Opfer Jesu die alttestamentlichen Opfer den Charakter der Vorläufigkeit annehmen (Hebr 10,1-18), so bekommt nur durch die Vergebung in Christus der Umgang mit den Sünden davor den Charakter der πάρεσις. Insofern ist das durch διά beschriebene Verhältnis kein einlinig kausales, sondern ein reziprokes! *Aufgrund dieses Verständnisses von* πάρεσις *erscheint die u.a. von Michel angenommene Beziehung zur Zeit vor dem Jom Kippur als durchaus sinnvoll.* Michel möchte in Analogie zu der dem Versöhnungstag vorausgehenden Zeit des Jahres πάρεσις als Zeit des Strafaufschubs verstehen: Gott gewährt "Aufschub ..., bis daß der Tag der Abrechnung kommt. So nimmt das Judentum an, daß Sünden im Lauf eines Jahres aufgespeichert werden, bis daß der große Versöhnungstag kommt und sühnt (Joma 8,8). Der Karfreitag tritt dann als eschatologisches Ereignis an das Ende der alten

---

der Zeit des Alten Bundes keine "Vergebung", sondern nur "Paresis" gegeben habe; vgl. dazu Trench, Synonyma, 70; H. Faulenbach, Art. Coccejus, TRE 8, 132-140, bes. 137. Zur Auffassung bei Coccejus s. v.a. dessen Römerbriefkommentar (1665) und Moreh Nebochim. Utilitas distinctionis duorum vocabulorum παρέσεως et ἀφέσεως (1665).

[63] So Michel, Röm, 153; Zahn, Röm, 196 ("Gerichtsaufschub").

[64] Rath, Paresis, 132f; s.o. A.17.

[65] Nach Schlier, Röm, 113, besteht die πάρεσις darin, "daß die getanen Sünden nicht erlassen, aber vorerst gütig vorbeigelassen werden, so daß Zeit zur Umkehr bleibt und, wenn man sie nicht als solche gebraucht, Zeit zur Ansammlung des Zornes Gottes für den eschatologischen Tag des Gerichtes." Hierbei wird nicht genug deutlich, daß die Bezeichnung πάρεσις nicht "*gütiges* vorbeilassen" meint, sondern den Charakter des Unvollkommenen betont, das auf Vervollkommnung warten läßt. Dies hängt damit zusammen, daß Schlier διά c.acc. im Sinn von "so, daß" verstehen möchte (ebd, 102).

Weltzeit und beendet die Periode der Geduld (ἀνοχή)."[66] Allein, diese Parallelisierung läßt sich terminologisch über das Stichwort πάρεσις so nicht nachweisen. πάρεσις/παριέναι oder deren hebr. Äquivalente tauchen an keiner Stelle als Kennzeichnung der Zeit vor der Abrechnung am Jom Kippur auf. Wir sind also auch hinsichtlich dieser von Michel vorgenommenen Parallelisierung erst noch auf die Untersuchung des Stichwortes ἀνοχή angewiesen[67]. Zunächst gilt es jedoch zu fragen, welche Sünden gemeint sind, die Gott bisher "hingehen ließ".

c) προγεγονότα ἁμαρτήματα

Die Begrifflichkeit προγεγονότα ἁμαρτήματα ist singulär im Neuen Testament. προγίνομαι stellt ein Hapaxlegomenon dar, für ἁμάρτημα existieren vier (sieben) Belege (Mk 3,28.29; Röm 3,25; 1Kor 6,18 und als v.l. Mk 4,12; Röm 5,16; 2Petr 1,9). Es stellt sich die Frage, welche Sünden hier angesprochen sind. Sind es generell "alle Fehlhandlungen, die vor dem Sühnetod Christi geschehen sind"[1] oder soll ein klar umgrenzter Bereich bezeichnet werden?
προγεγονότα als Perfekt-Form blickt auf ein in der Vergangenheit abgeschlossenes Geschehen zurück[2]. Dies bestätigen klassische wie auch hellenistische Belege: Diodorus Sic. 19,1,3; Herodot 2,146; 7,3; Hippokrates, Prog. 1; Plato, Smp. 219e; Plato, Lg. 699e; Scholion zu Apollonius v.Rhodos 4,411-13; Thucydides 1,1; 1,20; Xenophon, Cyr. 8,7,24; Xenophon, Mem. 2,7,9; 4,8,10; Decretum Byz.ap.Demosthenem 18,90; P.Hib. 1,96,8[3]. Es geht jeweils um "frühere" oder "vormalige" Sachverhalte oder Personen.
Die Belege aus der LXX und den Apostolischen Vätern weisen in die gleiche Richtung: 2Makk 14,3 (früherer Hoherpriester); 2Makk 15,8 (frühere Hilfe); SapSal 19,13 (vorausgegangene Donnerschläge); 1Clem 25,3 (der Vormalige); Herm 3,1 (Vis I,3,1; früheres Übel).
Mit den verschiedenen Formen von προγίνομαι werden also frühere, in der Vergangenheit abgeschlossene Angelegenheiten ausgedrückt. Ein Rückschluß darauf, wie lange diese schon zurückliegen, ist nicht möglich. Der Sinn kann sowohl perfektisch, wie auch plusquamperfektisch sein.
προγεγονότα ἁμαρτήματα bezeichnen Sünden einer vergangenen, abgeschlossenen Epoche. Dies ist die durch das Christusereignis abgeschlossene Zeit. Gleichwohl haben diese Sünden eine gegenwärtige Relevanz. Dies legt die für das Perfekt typische Gegenwartswirksamkeit des Vergangenen nahe. Eine genauere Spezifizierung aufgrund von προγεγονότα ist nicht möglich.

---

[66] Michel, Röm, 153; vgl. 154.
[67] S.u. Abschnitt VIII.d, S. 112-149.
[1] Wilckens, Röm I, 196; ebenso Kümmel, Πάρεσις, 162f; Zeller, Sühne, 72, u.a.
[2] Das Perfektum drückt die *"Dauer* des *Vollendeten"* aus (BDR § 340).
[3] Textausgaben für die klassischen Belege s. Literaturverzeichnis.

Nun existieren in der ur- und frühchristlichen Literatur mehrere Belege, in denen das Christusereignis mit früheren Sünden in Beziehung gesetzt wird: Hebr 9,15; Apg 17,30; 2Petr 1,9; Herm 77,3 (Sim VIII,11,3). Für Hebr 9,15 und Apg 17,30 wurde auch schon mehrfach in der Literatur eine Beziehung zu Röm 3,25f vertreten[4]. Jedoch ist das ein methodisch schwieriges Unterfangen, denn die genannten Belege sind sämtlich jünger als Röm 3,25f und stehen damit eher in der Wirkungsgeschichte dieses Textes.

Hebr 9,15: Vom Zusammenhang her geht es um die Überlegenheit der neuen διαθήκη gegenüber der alten[5]. Sie bringt Reinigung des Gewissens (9,14), αἰωνία λύτρωσις (9,12), ἄφεσις (10,18) und ἀθέτησις τῆς ἁμαρτίας (9,26)[6]. Hier werden die Sünden, die in der Zeit seit der Sinai-Gesetzgebung begangen und durch den Kultus nicht beseitigt werden konnten, da dieser nur äußerlich reinigen konnte (9,7; 10,1ff), endgültig aufgehoben. Hier geschieht, was der Opferkult nicht kann: ἀφαιρεῖν ἁμαρτίας (10,4). Sachlich völlig richtig nennt Hebr 9,15 die Sünde παράβασις, da es sich um Übertretung des Sinai-Gesetzes handelt. Der Tod Jesu beseitigt also die in der Zeit des Sinai-Gesetzes begangenen und durch den Kult nicht vergebenen Sünden[7].

Apg 17,30[8]: Die Aussage, die innerhalb der Areopagrede begegnet, nimmt eine Unterteilung der Zeit in zwei Epochen vor: die Zeit der Unwissenheit und die Zeit der Entscheidung, die mit der Auferweckung Christi und der damit initiierten Verkündigung des Evangeliums anhebt und bis zu dem von Gott bestimmten Gerichtstag geht[9]. Die Zeit der heidnischen Religiosität kommt unter das Stichwort "Unwissenheit" zu stehen. "Lukas vermei-

---

[4] Vgl. z.B. Kessler, Bedeutung, 289; Lyonnet, Propter remissionem, passim; Michel, Röm, 153; Roloff, Anfänge, 49 A.2; Schlier, Röm, 108.

[5] Vgl. 7,22; 8,6. Zum Hebr insgesamt und für Lit. s. auch unten Abschnitt XI, S. 235ff.

[6] Vgl. Braun, Hebr, 272; Hegermann, Hebr, 183.

[7] Vgl. Delitzsch, Hebr, 407-409; Lünemann, Hebr, 295; Riggenbach, Hebr, 269-272; Windisch, Hebr, 81. Zur Frage, ob sich die Vergebung auf Sünden unter dem alten Bund beschränkt, s. Bultmann, Theologie, 518; Grässer, Glaube, 161 A.75; Hegermann, Hebr, 183.

[8] Zum Gesamten der Areopagrede s. die bei Schneider, Apg II, 227ff, genannte Literatur, v.a. Norden, Agnostos Theos (1913); A. Harnack, Ist die Rede des Paulus in Athen ein ursprünglicher Bestandteil der Apostelgeschichte?, TU 39.1, Leipzig 1913, 1-46; O. Weinreich, De dis ignotis quaestiones selectae, ARW 18, 1915, 1-52; M. Dibelius, Paulus auf dem Areopag (1939), in: ders., Aufsätze zur Apostelgeschichte, Berlin 1953, 29-70; M. Pohlenz, Paulus und die Stoa, ZNW 52, 1949, 69-104; W. Eltester, Gott und die Natur in der Areopagrede, in: Neutestamentliche Studien für R. Bultmann, BZNW 21, Berlin 1954, 202-227; B. Gärtner, The Areopagus Speech and Natural Revelation, ASNU 21, Uppsala 1955; H. Hommel, Neue Forschungen zur Areopagrede Acta 17, ZNW 46, 1955, 145-178; W. Nauck, Die Tradition und Komposition in der Areopagrede, ZThK 53, 1956, 11-52; W. Eltester, Schöpfungsoffenbarung und natürliche Theologie im frühen Christentum, NTS 3, 1956/7, 93-114; F. Mußner, Einige Parallelen aus den Qumrantexten zur Areopagrede, BZ 1, 1957, 125-130; H. Conzelmann, Die Rede des Paulus auf dem Areopag (1958), in: ders., Theologie als Schriftauslegung, 91-105; J.C. Lebram, Der Aufbau der Areopagrede, ZNW 55, 1964, 221-243; H.U. Minke, Die Schöpfung in der frühchristlichen Verkündigung nach dem Ersten Clemensbrief und der Areopagrede, Diss. masch. Hamburg 1966; V. Gatti, Il discorso di Paolo ad Atene. Storia dell'Interpretatione esegesi teologia della Missione e delle Religioni, Parma 1979.

[9] Vgl. Roloff, Apg, 265.

det zwar das Wort 'Sünde', aber indem er der 'Unwissenheit' die Umkehr als Korrelat zu-
weist und sie zugleich in den Horizont des Gerichts stellt, deutet er an, daß sie für ihn nicht
nur intellektuelles Defizit, sondern existentielles Fehlverhalten ist: es besteht letztlich
darin, daß sich der Mensch schuldhaft der Gemeinschaft mit Gott dem Schöpfer entzogen
hat."[10] Eine Interpretation von V.30 darf nicht losgelöst von der zentralen Passage V.26-27
geschehen[11]. Hierin handelt es sich sowohl bei ποιεῖν ἐξ ἑνός als auch bei ὁρίσας προστεταγμένους καιροὺς καὶ τὰς ὁροθεσίας um Motive aus der Urgeschichte Gen 1-11. Dabei
ist jedoch nicht nur Gen 1 oder 2 angesprochen[12]. Die Deutung von ποιεῖν ist seit der Zeit
der alten Kirche umstritten[13]. In der LXX stellt der Begriff häufig die Übersetzung von
ברא dar, weshalb man in ποιεῖν vielfach einen Bezug zu Gen 1 erblicken möchte[14]. Dies
ist vom Begriff ποιεῖν her durchaus möglich[15], doch damit bekommt die syntaktische Konstruktion von V.26f eine große Härte: abhängig von diesem "schaffen" sind dann zwei finale
Infinitive κατοικεῖν ἐπὶ παντὸς προσώπου τῆς γῆς und ζητεῖν τὸν θεόν. Diese sprachliche Härte, die sich durch nichts mindern läßt, hat manche dazu bewogen, auf einen Anklang an Gen 1 zu verzichten und ἐποίησέν τε ... κατοικεῖν mit "er ließ wohnen" wiederzugeben und die Aussage in die Nähe des stoischen Gottesbeweises 'e consensu gentium' zu
rücken[16]. Das entscheidende Gegenargument, das gegen diese Deutung ins Feld geführt
wird, ist die Schwierigkeit ἐξ ἑνός zu deuten[17]. Doch eine Erklärung ist auch ohne den
Hintergrund des stoischen Gottesbeweises unschwer möglich, wenn man als "den einen",
von dem alle sich herleiten, nicht Adam, sondern Noah ansieht[18]. Dieses Verständnis wird
durch drei Beobachtungen gestützt: 1. Auch ἐπὶ παντὸς προσώπου τῆς γῆς nimmt auf die
Noahgeschichte Bezug (vgl. Gen 8,9)[19]. 2. Bei diesem Verständnis ist es dann nicht mehr
nötig, πᾶν ἔθνος ἀνθρώπων anders denn als "jedes Volk" zu verstehen, was das sprachlich
Nächstliegende ist[20]. 3. Auch in ὁρίσας προστεταγμένους καιροὺς καὶ τὰς ὁροθεσίας
steht die Noahgeschichte im Hintergrund, denn die "Zeiten und Grenzen" sind als Jahres-

---

[10] Roloff, Apg, 265.
[11] Dibelius, Paulus, 30.
[12] Zur schöpfungstheologischen Deutung s. die zahlreichen Belege bei Gatti, Il Discorso,
177-228.
[13] Eltester, Gott und die Natur, 211 A.13.
[14] Conzelmann, Apg, 108; Haenchen, Apg, 460f; Nauck, Tradition, 21; Gärtner, Areopagus
Speech, 152ff; Roloff, Apg, 261f; Schneider, Apg II, 240.
[15] Zu ποιεῖν als Bezeichnung des Schöpferwirkens Gottes s. neben V.24 und Apg 4,24;
7,50; 14,15 noch Gen 1,3; 3,14; Jes 42,5; 2Makk 7,28; SapSal 1,13 u.ö. (weitere Belege s.
Bauer, WB⁶, s.v.).
[16] Eltester, Gott und die Natur, 211 samt A.13; ders., Schöpfungsoffenbarung, 101; Pohlenz, Paulus, 85.
[17] Conzelmann, Rede, 97. Pohlenz sieht hier den stoischen Gottesbeweis 'e consensu gentium' im Hintergrund (Paulus, 88f).
[18] Vgl. die bei Gatti, Il Discorso, 181, gebotene Zusammenstellung der Motivparallelen
von Apg 17,26 und Gen 1-11. In der Regel wird Adam als "der Eine" angesehen; Minke,
Schöpfung, 99; Schneider, Apg II, 240; Roloff, Apg, 261.
[19] Vgl. Dibelius, Paulus, 37 A.3; vgl. auch Lk 21,35. Gatti, Il Discorso, 167, weist auf Gen
11,8f hin, wo diese Formulierung ebenfalls vorkommt.
[20] Vgl. Schneider, Apg II, 240 A.78. Nach Westermann, BK I.1, 706, kommt Apg 17,26 auf
die gleiche Ebene zu stehen wie die Völkertafel in Gen 10. Gewichtige grammatikalische
Gründe gegen das Verständnis "das ganze Menschengeschlecht" (so z.B. Conzelmann, Apg,
98ff; Dibelius, Paulus, 39f; Hommel, Aufbau, 161; Nauck, Tradition, 21; Roloff, Apg, 253;
Schneider, Apg II, 240) hat G. Schrenk, Urchristliche Missionspredigt im 1. Jahrhundert,
in: ders., Studien zu Paulus, AThANT 26, Zürich 1954, 140 samt A.8, geltend gemacht.

zeiten[21] (vgl. Apg 14,17; 1Clem 20,4.8) und Lebensräume[22] (vgl. Hi 38,8-11; Prov 8,28f; Jer 5,22) zu verstehen. Sie stehen in Beziehung zu Gen 8,21f, dem Schwur Gottes gegenüber Noah, die Erde nicht mehr zu verfluchen, auch die Überschwemmung durch die Urflut nicht mehr zuzulassen (vgl. Gen 7,11; 8,1), sondern für ein geordnetes Leben zu sorgen, solange die Erde besteht (vgl. auch Jer 5,22ff; 33,19ff)[23]. Damit dürfte es sich bei der Zeit der Unwissenheit V.30 (χρόνοι τῆς ἀγνοίας) um die seit der Sintflut vergangene Epoche handeln. Apg 17,30 sagt somit aus, daß Gott die seit Noah geschehenen Sünden "übersieht" (ὑπεροράω), seit Jesu Auferstehung aber die Zeit der Umkehr vor dem letzten Gericht angebrochen ist.

2Petr 1,9[24]: Im Zusammenhang geht es um die Bewährung der christlichen Tugend in Erkenntnis, Ausdauer, Frömmigkeit, Bruderliebe und Liebe überhaupt. Wem dies fehlt, der achtet es offenbar gering oder hat vergessen, daß ihm durch Christus Vergebung seiner früheren Sünden gewährt wurde. Die Formulierung nimmt Bezug auf die Taufe und versteht diese als καθαρισμὸς τῶν πάλαι ἁμαρτιῶν[25]. Der Horizont ist dabei ein individueller, eine Periodisierung wie in Röm 3,25 wird nicht vorgenommen.

---

[21] Zur Diskussion von καίροι s. v.a. Gärtner, Areopagus Speech, 147ff. 232f; Pohlenz, Paulus, 86f; R. Lapointe, Que sont les kairoi d'Act 17,26?, EeT 3, 1972, 323-328, die im Sinn von Geschichtsepochen deuten; dagegen Conzelmann, Apg, 108f; ders., Rede, 97f; Dibelius, Paulus, 31f; Eltester, Gott und die Natur, 206ff; Gatti, Il Discorso, 165-228; Minke, Schöpfung, 107.

[22] Zum Verständnis von ὁροθεσίαι s. v.a. Conzelmann, Apg, 108f; Dibelius, Paulus, 35; Eltester, Gott und die Natur, 212.214ff; Gärtner, Areopagus Speech, 148f; Pohlenz, Paulus, 86. Nach Eltester ist mit den gesetzten Grenzen die auch im Lob des Schöpfers verankerte Bändigung der Chaosgewalten gemeint, wodurch das Land vom Urmeer getrennt und dem Menschen Wohnraum erschlossen wurde (214ff, mit Belegen zum Chaoskampf). Auch im Sintflutbericht (Gen 7,11; 8,2 P) ist es die Urflut, deren geöffnete Schleusen das Land überschwemmen. Als Hauptbelege für Eltesters These gelten Ps 74,12-17; 104,9; Jer 38,36 (LXX); Gebet Manasses 2-3; ConstApost VII,34; VIII,12 (weitere Belege bei Eltester, Gott und die Natur, 214ff, und bei Nauck, Tradition, 16f). In Ps 74 und Jer 38 (LXX) ist die Verbindung des Motivs der Bändigung des Chaosmeeres mit dem der Jahreszeiten verbunden, wie das auch in Apg 17 vorliegt. In Lk 21,25f zeigt Lk "in einem apokalyptischen Zusammenhang Kenntnis jener Vorstellung von dem in der Endzeit wieder losgelassenen Meer" (Eltester, Gott und die Natur, 219; vgl. dazu 1Clem 20,1ff). Das Argument, das Conzelmann, Rede, 98, gegen Eltesters Deutung der Aussagen auf alttestamentlichem Hintergrund angeführt hat, daß die "nächsten, zeitgenössischen Belege (aus der Tradition der poseidonianischen Geschichtsbetrachtung und aus dem hellenistischen Judentum)" nicht für Eltesters These sprächen, wurde durch die bei Lebram, Aufbau, 224, und Mußner, Parallelen, 125ff, beigebrachten Belege aus dem Orpheustestament und aus Qumran widerlegt.

[23] Nach der Analyse des jahwistischen Berichtes durch H. Gese, Geschichtliches Denken im Alten Orient und im Alten Testament, ZThK 55, 1958, 127-145, bes. 134f.142f (= ders., Vom Sinai zum Zion, BEvTh 64, München 1974, 81-98), ist der Aufriß dieses Werkes der offiziellen sumerischen Geschichtsschreibung analog gestaltet: Schöpfung, Urzeit, Sintflut, Neubeginn der Weltgeschichte! Vgl. R. Rendtorff, Gen 8,21 und die Urgeschichte des Jahwisten, KuD 7, 1961, 69-78, hier: 75 (= ders., Ges.Stud.z.AT, ThB 57, München 1975, 188-197, hier: 194).

[24] Zu 2Petr 1,9 s. auch unten im Exkurs "Sünde", S. 111.

[25] Zur Auslegung vgl. W. Schrage, Der Zweite Petrusbrief, in: H. Balz/W. Schrage, Die Katholischen Briefe, NTD 10, Göttingen 1973, 118-149, hier: 128; W. Grundmann, Der Brief des Judas und der 2. Brief des Petrus, ThHK 15, Berlin 1986[3], 74f.

Herm 77,3 (Sim VIII,11,3)[26]: Auch in diesem Text geht es im individuellen Horizont um die Vergebung früherer Sünden. Wie in 2Petr stellt die Taufe (κλῆσις)[27] den Wendepunkt dar, sie soll bewahrt werden (77,2 = Sim VIII,11,2). Dabei betont Herm Gottes Langmut (μακρόθυμος ὢν ὁ κύριος, 77,1 = Sim VIII,11,1), die als Möglichkeit zur Buße dient.

Eine direkte Beziehung von Röm 3,25 zu 2Petr 1,9 und Herm 77,3 (Sim VIII,11,3) läßt sich somit nicht zeigen, und auch zu Apg 17,30 bzw. Hebr 9,15 bestehen erhebliche Unterschiede. Die προγεγονότα ἁμαρτήματα in Röm 3,25 dürfen weder mit den "Sünden unter dem ersten Bund" noch mit dem Fehlverhalten in der "Zeit der Unwissenheit" einfach gleichgesetzt werden, zumal an keiner der genannten Stellen der Begriff ἁμάρτημα begegnet.

Es stellt sich die Frage, ob eine genauere Bestimmung des Begriffsinhaltes von ἁμάρτημα möglich ist. Wir verschaffen uns dazu einen Überblick über die Begrifflichkeit für Sünde bei Paulus.

Exkurs: Zur Begrifflichkeit für Sünde bei Paulus

(13 Begriffe werden durch unsere alphabetische Statistik erfaßt.)

ἄγνοια : (4mal im NT) Apg 3,17; 17,30; Eph 4,18; 1Petr 1,14 - bei Paulus nicht belegt.

ἀγνωσία : (2mal im NT) 1Kor 15,34; 1Petr 2,15.

ἀδικία : (24mal im NT) Paulus: Röm 1,18 (bis); 1,29; 2,8; 3,5; 6,13; 9,14; 1Kor 13,6; 2Kor 12,13; 2Thess 2,10; 2,12.

ἁμάρτημα : (4mal im NT + 3mal v.l.) Mk 3,28; 3,29; 4,12 (v.l.); Röm 3,25; 5,16 (v.l.); 1Kor 6,18; 2Petr 1,9 (v.l.)

ἁμαρτία : Insgesamt 173 Belege. Eine Vielzahl der neutestamentlichen Belege (59) bei Paulus (davon allein 48 im Röm). Der paulinische Hauptbegriff (25mal im Hebr).

ἀνομία : (14mal im NT) Paulus: Röm 4,7 (Zitat); 6,19 (bis); 2Kor 6,14; (2Thess 2,3; 2,7).

ἀσέβεια : (6mal im NT) Paulus: Röm 1,18; 11,26 (im Zitat).

ἀσεβής : (8mal im NT) Paulus: Röm 4,5; 5,6.

ἥττημα : (2mal im NT) Röm 11,12; 1Kor 6,7.

παράβασις : (7mal im NT) Röm 2,23; 4,15; 5,14; Gal 3,19; 1Tim 2,14; Hebr 2,2; 9,15.

παρακοή : (3mal im NT) Röm 5,19; 2Kor 10,6; Hebr 2,2.

παράπτωμα : (19mal im NT) Paulus: Röm 4,25; 5,15(bis)16.17.18.20; 11,11; 2Kor 5,19; Gal 6,1; deuteropaulinisch: Eph 1,7; 2,1; Kol 2,13.

πταίω : (3mal im NT) Röm 11,11; 2Petr 1,10; Jak 2,10.

---

[26] Neueste Literatur zu Herm s. M. Leutzsch, Die Wahrnehmung sozialer Wirklichkeit im 'Hirt des Hermas', FRLANT 150, Göttingen 1989. Zu der genannten Belegstelle vgl. noch Herm 5,2 (Vis II,1,2); 7,1 (Vis II,3,1); 29,11 (Mand IV,1,11); 31,1 (Mand IV,3,1); 31,3 (Mand IV,3,3); 32,4 (Mand IV,4,4); 49,2 (Mand XII,6,2); 100,5 (Sim IX,23,5), wo jeweils πρότερος in Zusammenstellung mit einem Begriff für Sünde begegnet (ἁμαρτία, ἁμάρτημα, παράπτωμα). Dabei sind stets die vor der Hinwendung zum Glauben geschehenen Sünden gemeint.

[27] Vgl. Herm 31,6 (Mand IV,3,6); Dibelius, Herm HNT Erg.IV, 601.

Der für Paulus wichtigste Begriff bei der Kennzeichnung der Sünde ist der der ἀμαρτία (sg). Es ist längst hinreichend erkannt, daß Paulus von der Sünde als von einer Macht redet[28]. Daneben kennt Paulus jedoch noch andere Begriffe, die er spezifisch einsetzt, v.a.: ἀδικία - 11 von 24 Belegen bei Paulus.
παράπτωμα - 11 von 19 Belegen bei Paulus (5 in den Deuteropaulinen).
παράβασις - 4 von 7 Belegen bei Paulus.
ἀνομία - 4 (bzw. 6 incl. 2Thess) von 14 Belegen bei Paulus.

ἀδικία steht Röm 1,18 und 2,8 in Opposition zu ἀλήθεια, ebenso 1Kor 13,6 und 2Thess 2,10.12. In Röm 3,5 stehen unsere ἀδικία und Gottes δικαιοσύνη einander gegenüber, Röm 6,13 ἀδικία und δικαιοσύνη als zwei Mächte, denen ein Mensch dienen kann, und werden parallelisiert mit ἀμαρτία und θεός. Röm 9,14 fragt Paulus, ob es ἀδικία bei Gott gebe, da dieser in seiner Souveränität erwähle und verwerfe, welchen er wolle. 2Kor 12,13 gebraucht Paulus das Wort ironisch dafür, daß er keinen Unterhalt für seine Verkündigung beansprucht hat, wie es ihm, der üblichen Sitte entsprechend, zugestanden hätte. In allen Fällen meint ἀδικία das Unrecht im Sinn von Gesetz-Widrigkeit. Besonders an den Stellen mit der Opposition ἀδικία/ἀλήθεια wird deutlich, was hier gemeint ist: ἀλήθεια ist die im Gesetz geoffenbarte Wahrheit Gottes. ἀδικία tun, heißt, sich dem entgegen zu stellen.

παράπτωμα: Zum einen ist παράπτωμα Motivwort im Abschnitt Röm 5,12-21, hier kommt es allein 6mal vor. Die Sünde Adams wurde 5,14 παράβασις genannt (SapSal 10,1 heißt sie παράπτωμα). Röm 5,15(bis).16.17.18.20 werden Singular und Plural von παράπτωμα wechselweise gebraucht, um das Ereignis des Sündenfalls bzw. den im Leben des einzelnen sich wiederholenden Abfall von Gott (ἐφ' ᾧ [= ἐπὶ τούτῳ ὅτι] πάντες ἥμαρτον[29]) zu kennzeichnen. Röm 5,13 stellt fest, daß die ἀμαρτία schon vor dem Gesetz da war, jedoch wird diese ohne Gesetz nicht zugerechnet, vgl. Röm 4,15[30]. Der gleiche Sachverhalt wird 5,20 durch παράπτωμα ausgedrückt: Das Gesetz kam zwischenhinein, um den durch die παραπτώματα entstandenen Riß zu vergrößern. παράπτωμα meint "die durch die Schuld des Menschen hervorgerufene Störung seines Verhältnisses zu Gott."[31] Dies gilt auch für die anderen paulinischen Belege. παράπτωμα bezieht sich also nicht nur auf die Zeit unter dem Gesetz. Keinesfalls ist παράπτωμα ein milderer Ausdruck als ἀμαρτία[32].

παράβασις: Der Korrelatbegriff dazu ist νόμος. παράβασις bezeichnet die "*Sünde* nach ihrem Verhältnis zum *Gesetze*, d.h. z. rechtsgültigen od. mit Rechtskraft versehenen Forderung od. Verpflichtung"[33]. Daß mit "Gesetz" dabei nicht das kodifizierte Gesetz allein gemeint sein kann, sondern das Gesetz als Willenskundgabe Gottes, geht aus Röm 5,14 (s.o.) hervor. V.a. Röm 4,15 und Gal 3,19 legen nahe, daß bei Paulus Gesetz und παράβασις untrennbar zusammengehören: das Gesetz kam um der Sünde willen, d.h. um die Sünde als παράβασις zu zeigen. Es hat zwar Sünde schon vor dem Gesetz gegeben, aber sie wurde nicht als Sünde zugerechnet, denn wo kein Gesetz ist, da gibt es keine Gesetzesübertre-

---

[28] Vgl. dazu Bultmann, Theologie, § 23-25.
[29] Vgl. etwa Wilckens, Röm I, 316, und die A.1042 genannte Literatur.
[30] Dazu s. Friedrich, Ἀμαρτία, passim.
[31] W. Michaelis, Art. πίπτω κτλ., ThWNT VI, 161-174, hier: 172.
[32] Mit Michaelis, ebd, gegen A. Oepke, Der Brief des Paulus an die Galater (bearbeitet von J. Rohde), ThHK IX, Berlin 1973³, zu 6,1 (146f).
[33] Cremer, WB, 183 (Hervorhebung im Original); vgl. J. Schneider, Art. παραβαίνω κτλ., ThWNT V, 733-741, hier: 736.

tung[34]. Dieser Sinn von παράβασις wird von Hebr 2,2; 9,15 und 1Tim 2,14 bestätigt, wenngleich 1Tim 2,14 nicht das geschriebene Gesetz anvisiert ist.

άνομία ist kein paulinischer Vorzugsbegriff, er taucht von vierzehn Belegen im Neuen Testament 4mal (bzw. 6mal, nimmt man 2Thess 2,3.7 hinzu) bei Paulus auf. Nach Gutbrods Statistik[35] wird der Begriff häufig in der LXX gebraucht (ca. 60mal für עָוֹן, ca. 25mal für אָוֶן, ca. 20mal für פֶּשַׁע, ca. 25mal für חוֹעֵבָה, insgesamt kann er Übersetzung für 21 hebr. Termini sein[36]). άνομία ist Gegenbegriff zu δικαιοσύνη: Röm 6,19; 2Kor 6,14; dies geht auch aus Röm 4,7 hervor, wo άνομία im Rahmen eines Zitates vorliegt, aber bezogen ist auf δικαιοσύνη in V.6. 2Thess 2,3.7 bezeichnet άνομία das Gott Entgegengesetzte, vergleichbar mit άμαρτία[37].

άμάρτημα: Von den vier Belegen im Neuen Testament finden sich zwei in Mk 3,28 und 29, die beiden anderen bei Paulus (Röm 3,25; 1Kor 6,18; als v.l. noch Mk 4,12; Röm 5,16 und 2Petr 1,9). In der LXX bildet der Begriff 8mal die Wiedergabe von חַטָּאת, 4mal die Wiedergabe von פֶּשַׁע, 4mal von עָוֹן und je 1mal von חֵטְא, רֶשַׁע, דֶּרֶךְ, קֶצֶף.
Zu Mk 3,28f[38]: Außer bei Paulus taucht der Begriff άμάρτημα nur noch bei Mk im Zusammenhang mit der unvergebbaren Sünde auf[39]. άμαρτήματα und βλασφημίαι sind die beiden Kategorien, durch die das Umfassende der Sünde ausgedrückt werden soll. Klostermann[40] versteht das πάντα in Mk 3,28 als Oberbegriff für τὰ άμαρτήματα καὶ αἱ βλασφημίαι[41]. Nach Grundmann und Pesch[42] sind mit άμαρτήματα die Verfehlungen angesprochen, die das Verhältnis von Mensch zu Mensch stören, mit βλασφημίαι dagegen die Frevel gegen Gott. Lohmeyer[43] versteht άμαρτήματα als Tatsünden, βλασφημίαι als Wortsünden. Die Tatsache, daß es sich um einen "in der Sprache eines Rechtsparagraphen formuliert[en]" Ausspruch handelt[44], könnte ein Hinweis auf den Sitz im Leben dieses Satzes sein, die Gemeindeunterweisung, die Diskussion um die Frage nach den Grenzen der Vergebung durch Jesus. Die Formulierung ist auf dem Hintergrund der jüdischen Diskussion um die Sühnbarkeit von Sünden und die daraus resultierende Teilhabe an der jenseitigen Welt oder den Ausschluß davon zu sehen[45]. Was Lohmeyer als "ungenau" im Ausdruck empfindet[46], muß, vom jüdischen Sündenverständnis herkommend, so ungenau nicht sein. R. Jischma'el (gest. 135) unterscheidet - wie oben dargestellt - vier Klassen von Sünde[47], dabei gehört in die 4. Klasse die Entweihung des göttlichen Namens. Diese wird

---

34 Vgl. dazu auch Schneider, ebd.
35 W. Gutbrod/H. Kleinknecht, Art. νόμος κτλ., ThWNT IV, 1016-1084, hier: 1077-79.
36 Vgl. auch die Statistik von Quell, in: G. Quell/G. Bertram/G. Stählin/W. Grundmann, Art. άμαρτάνω κτλ., ThWNT I, 267-320, hier: 268f.
37 Vgl. Gutbrod, in: Gutbrod/Kleinknecht, aaO, 1078.
38 Zur traditionsgeschichtlichen Einordnung der Aussage vgl. Gnilka, Mk I, 146f.
39 In Mk 4,12 ist τὰ άμαρτήματα sicher als sekundäre Hinzufügung zu bezeichnen.
40 Klostermann, Mk, 38.
41 Mt hat πᾶς auf beides bezogen, wie aus seiner Formulierung hervorgeht: πᾶσα άμαρτία καὶ βλασφημία άφεθήσεται (Mt 12,31).
42 Grundmann, Mk, 84; Pesch, Mk I, 217.
43 Lohmeyer, Mk, 79f.
44 Ebd, 80; vgl. E. Käsemann, Sätze Heiligen Rechtes im Neuen Testament, in: ders., EVB II, Göttingen 1970³, 69-82, zu Mk 8,38 ebd, 78.
45 Vgl. dazu Bill. I, 636ff; IV,2, 1049ff; Moore, Judaism I, 465-467; Gnilka, Mk I, 151; Stählin/Grundmann, in: Quell u.a., Art. άμαρτάνω κτλ., 291f.
46 Lohmeyer, Mk, 80.
47 S.o. Abschnitt VII, S. 84 A.24.

weder durch die Buße schwebend, noch sühnt sie der Jom Kippur, sondern nur der Tod
(Jes 22,14). Daß βλασφημέω diesen Sinn haben kann (Entweihung des göttlichen Namens),
geht aus dem Sprachgebrauch der LXX hervor[48]. Versteht man die beiden Verse vom jüdischen Hintergrund her, dann wäre zu interpretieren: Alle Sünden (עָוֹן; פֶּשַׁע; חַטָּאת)
werden vergeben, sogar die Entehrung des Gottesnamens, jedoch nicht die Lästerung des
Hl. Geistes, da dieser sich in Krafttaten Jesu zeigt. ἁμάρτημα hat hier den Sinn eines die
drei Hauptkategorien von Sünde (עָוֹן; פֶּשַׁע; חַטָּאת) umfassenden Begriffes.
Zu 1Kor 6,18: Auch hier wird ἁμάρτημα gebraucht als Begriff, der alle Sünden zusammenfaßt. Die Formulierung erinnert (auch in der Konstruktion) an Mk 3,28, wo πάντα ...
τὰ ἁμαρτήματα καὶ αἱ βλασφημίαι ὅσα ἐὰν βλασφημήσωσιν als Zusammenfassung aller
vergebbaren Sünden erscheint. In der Wendung πᾶν ἁμάρτημα ὃ ἐὰν ποιήσῃ ἄνθρωπος
klingt wiederum die genannte jüdische Tradition an. Es geht also wieder um einen Begriff,
der das Umfassende ausdrücken soll[49].
Zu 2Petr 1,9: Die Stelle ist textkritisch nicht völlig gesichert. ἁμαρτίαι bieten: P[72], B, C, P,
049, 0209, M. Dagegen haben א, A, K, Ψ und Minuskeln ἁμαρτήματα. Es geht um die früheren Sünden (πάλαι), von denen eine Reinigung (καθαρισμός) erfolgte. καθαρισμός
meint in der LXX auch die Wiederherstellung kultischer Reinheit und kann Wiedergabe
von עשׂה/כפרים/טהרה sein[50]. Der Ort, an dem diese Reinigung geschieht, ist die Taufe[51].
Auch hier stellt ἁμάρτημα einen Sammelbegriff dar.
Zu Röm 5,16[52]: Besser bezeugt ist hier eindeutig ἁμαρτήσαντος. Es geht um die Sünde
Adams und um die im Anschluß an Adam von den Menschen vollzogenen Sünden. Paulus
bezeichnet sie im Zusammenhang von Röm 5,12-21 meist mit παράπτωμα. V.12/13 hat
Paulus davon gesprochen, daß die Sünde ihre Macht entfalten konnte, weil einer sündigte
und alle anderen diesem nachgerieten. Hier spricht Paulus von ἁμαρτία. Sie gibt es seit
Adams παράβασις (V.14), was die konkrete Übertretung des göttlichen Gebotes meint. Die
Bestätigung dafür ist der Tod, wenngleich die ἁμαρτία bis zum Kommen des Gesetzes
nicht zugerechnet wurde. Das πάντες ἥμαρτον (V.12) wird ab V.15 stets mit παράπτωμα
identifiziert. (Auch SapSal 10,1 wird der Sündenfall παράπτωμα genannt.) Nach Michaelis[53] vertritt παράπτωμα in unserem Zusammenhang das bei Paulus seltene ἁμάρτημα.

Aus dem Gebrauch der Begriffe geht hervor: 1. ἁμάρτημα stellt eine Bezeichnung für konkrete Sünden dar, eine Störung des Gottesverhältnisses
auch unabhängig vom Gesetz; 2. παράβασις ist auf das Vorhandensein des
Gesetzes beschränkt (Röm 5,13f; Gal 3,19); 3. παράπτωμα steht Röm 5,15ff
für ἁμάρτημα und ist diesem hier gleichbedeutend, es ist nicht wie παράβα
σις am Vorhandensein des Gesetzes orientiert.
Mit ἁμάρτημα werden somit auch Sünden bezeichnet, die jenseits oder vor
dem Kommen des Sinaigesetzes geschehen sind. ἁμάρτημα bezeichnet eine
grundsätzliche Verfehlung. Dies ist eine erneute Bestätigung, daß die in

---

[48] Vgl. H.W. Beyer, Art. βλασφημέω κτλ., ThWNT I, 620-624, hier: 620f. Geringfügige
Unterschiede bestehen zu tYom IV(V),6ff, vgl. Bill. I, 636.
[49] An Begriffen für Sünde tauchen im 1Kor noch folgende auf: ἁμαρτία (15,56); ἁμαρτίαι
(15,3.17; V.3 ist geprägte Formulierung); ἀγνωσία (15,34); ἀδικία (13,6); ἥττημα (6,7,
sonst nur noch Röm 11,12).
[50] Vgl. F. Hauck, Art. καθαρισμός, ThWNT III, 433.
[51] So Hauck, ebd.
[52] Diese v.l. ist nicht notiert bei Aland, Vollständige Konkordanz I, s.v.
[53] Michaelis, Art. πίπτω κτλ. (s.o. A.31), 172.

Hebr 9,15 genannten παραβάσεις, die unter dem ersten Bund geschahen, nicht einfach mit den προγεγονότα άμαρτήματα in Röm 3,25 identifiziert werden dürfen[54], obwohl eine Beziehung beider Stellen zueinander kaum geleugnet werden kann[55]. *Röm 3,25f* hat dagegen einen universalen Horizont[56]. Es sind alle vor dem Tod Jesu geschehenen Sünden gemeint. Das Perfekt zeigt an, daß ihnen eine gegenwärtige Wirksamkeit noch zukommt, denn mit diesen Sünden geschah bislang nur* πάρεσις, *d.h. sie wurden vorläufig hingehengelassen, ohne völlig beseitigt zu sein.* Die Untersuchung von άνοχή wird dies bestätigen.

d) έν τῇ άνοχῇ τοῦ θεοῦ

In der Diskussion finden sich hauptsächlich zwei Vorschläge, έν τῇ άνοχῇ τοῦ θεοῦ zu verstehen[1]:

1. Als Ausdruck für die Art und Weise, wie Gott Sünden vergibt. D.h. άνοχή wäre in sich selbst eine Bezeichnung für Gottes Heilshandeln[2]. έν wird dabei instrumental aufgefaßt und άνοχή rückt stark in die Nähe von μαχροθυμία oder wird deckungsgleich und dann im Sinn von "Vergebungsbereitschaft" interpretiert[3].

2. Als Bestimmung der Zeit, in welcher Gott Sünden hingehen ließ. D.h. άνοχή wäre nicht selbst eine Bezeichnung für Gottes Heilshandeln, sondern würde Kennzeichen einer bestimmten Zeitspanne sein, die mit dem Tod Jesu an ihr Ende gekommen wäre.

Bei manchen Auslegern ist das Verständnis von άνοχή gekoppelt mit demjenigen von πάρεσις: Man versteht πάρεσις als Erlaß und die göttliche

---

[54] Gegen Kessler, Bedeutung, 289.

[55] Dies wird im Zusammenhang auch durch die Begriffe άπολύτρωσις und αἷμα nahegelegt, die Röm 3,24f und Hebr 9,14f auftauchen und auf den gleichen Sachzusammenhang hinweisen. Den Zusammenhang betont auch Strobel, Hebr, 180.

[56] Obwohl dieser universale Horizont in Apg 17,30 anvisiert ist, paßt doch auch diese Vergleichsstelle nicht völlig in unseren Rahmen, insofern sich der Areopagredner an Heiden wendet und deren Situation vor Christus als "Zeit der Unwissenheit" kennzeichnet, wohingegen der judenchristliche Hintergrund von Röm 3,25f nahe liegt. Zur Frage, ob auch in Röm 3,25f mit der Verarbeitung eines "topos der Heidenmissionspredigt" zu rechnen ist (Roloff, Anfänge, 49 A.2) s.u. Abschnitt X.c, S. 229ff.

[1] Die von Strecker, Befreiung und Rechtfertigung, 502, vorgenommene Bestimmung von έν τῇ άνοχῇ τοῦ θεοῦ als paulinische Interpretation der Formel, hat sich nicht durchsetzen können.

[2] So vielfach im Anschluß an Zeller, Sühne, 60: "Es geht nicht um die Rehabilitierung eines durch seine Langmut kompromittierten Gottes, sondern um die Bezeigung des Heils gerade im Zurückhalten seines Zornes. In der Sühnetat Christi kommt Gottes Geduld nicht ans Ende; sie bricht erst recht in ungeahnter eschatologischer Tiefe auf."

[3] Als Begründung dafür dient u.a. Röm 2,4, wo beide Begriffe angeblich "ohne Bedeutungsdifferenz zusammenstehen" (Zeller, Sühne, 62 A.63). S. im Anschluß an Zeller Stuhlmacher, Gerechtigkeitsanschauung vor Paulus, 83f, der die άνοχή dann aber doch im Zusammenhang des aufgehaltenen Gerichtszorns sieht (84).

ἀνοχή als jene Kraft, die diesen Erlaß zustande brachte[4]. Doch wird auch die andere Sicht vertreten, wonach πάρεσις als Erlaß und ἀνοχή als Geduldsperiode verstanden werden muß[5]. Diejenigen, die πάρεσις im Sinn von Hingehenlassen interpretieren, sehen in der ἀνοχή konsequenterweise eine Zeitspanne[6].

Im Folgenden soll der Befund für ἀνοχή erhoben und mit den Ergebnissen für das Verständnis von πάρεσις und προγεγονότα ἁμαρτήματα in Beziehung gesetzt werden. Eine Hauptfrage wird dabei sein, inwiefern die in der Literatur häufig anzutreffende Ineinssetzung von ἀνοχή und μακροθυμία berechtigt oder abzulehnen ist[7].

aa) ἀνοχή und μακροθυμία: Zurückhaltung und Langmut Gottes

1. Die Belege für das Substantiv
Der Begriff ἀνοχή taucht im Neuen Testament neben Röm 3,25 nur noch Röm 2,4 auf. Hier steht er in enger Beziehung zu χρηστότης und μακροθυμία, wobei jeweils Gott das Subjekt ist.
In der Profangraecität stellt ἀνοχή (häufig im Plural) einen t.t. für "Waffenstillstand" dar (Xenophon, Mem. 4,4,17; Polybius II,6; Plutarch, Rom. 19; Plutarch, Pel. 29; Dionysius Halic., Ant.Rom. III,59; VIII,68; Decretum ap. Demosthenem 18,164; Alcidamas, Od. 668,30; Aeschines 2,31), bedeutet aber auch "Verspätung, Hemmung" einiger Tage (P.Oxy 1068,14f), "Erlaubnis" zum Ausruhen (Herodianus 3,6,10.21), "Unterbrechung", "Pause" (Diodorus Sic. 11,36,4; Dio Cassius 39,30), "Linderung, Erleichterung" von Krankheit (Philumenus ap. Oribasium, Syn. 8,3,4), "Nachsicht, Zurückhaltung" (Epiktet, Diss. 1,29,62), und ἀνοχή kann gleichbedeutend sein mit ἀνατολή "Aufgang" (Pollux 4,157)[8].
In der LXX begegnet das Substantiv nur in 1Makk 12,25, wo es im Zusammenhang kriegerischer Auseinandersetzungen die "Verzögerungszeit", die "Verschnaufpause" bezeichnet.
Im Schrifttum Philos von Alexandrien ist ein Beleg zu nennen, LegGai 100, wo der t.t. "Waffenstillstand" vorliegt.
Josephus bietet vier Belege, wo ebenfalls jeweils im Zusammenhang kriegerischer Handlungen die "Kampfpause", der "Aufschub", der "Waffenstillstand", die "Verschnaufpause" durch ἀνοχή ausgedrückt wird (JosBell 1,173; Ant 6,72.73; 7,281).

---

[4] Z.B. Käsemann, Röm, 94; Zeller, Sühne, 62.70f.
[5] Z.B. Kümmel, Πάρεσις, 163; Schrage, Röm 3,21-26, 83.
[6] Z.B. Michel, Röm, 153; Strobel, Untersuchungen, 199.
[7] Hinsichtlich der zuletzt genannten Ineinssetzung der beiden Begriffe, bezieht sich ein Großteil der Ausleger immer wieder auf die Untersuchung von Zeller, Sühne.
[8] Zu den Belegen s. LSJ, 148; Pape, WB I, 242; Bauer WB[6], 143f. Textausgaben s. Literaturverzeichnis.

Im Bereich der pseudepigraphischen Literatur des Frühjudentums existieren zwei Belege: Arist 194,5; Hen 13,2.

Arist 194,5 ist die "Zurückhaltung", der "Aufschub", das "Zuwarten" Gottes beim Gericht gemeint[9]:

καὶ γὰρ ὁ θεὸς διδοὺς ἀνοχὰς καὶ ἐνδεικνύμενος τὰ τῆς δυναστείας φόβον ἐνκατασκευάζει πάσῃ διανοίᾳ[10].

"Denn auch Gott flößt, indem er Aufschub gewährt und nur mit seiner Macht droht, dem menschlichen Geist Furcht ein."[11]

Dabei dient dieses Zuwarten Gottes als Vergleichspunkt im Zusammenhang einer auf kriegerische Macht bezogenen Frage: Wie kann man seinen Feinden Furcht einflößen? Indem man ihnen droht, dann aber Waffenstillstand gewährt.

In Hen 13,2 wird mit ἀνοχή das bezeichnet, was Asasel, einem der gefallenen Engel (vgl. Gen 6,1-4), nicht gewährt wird: "Nachsicht", "Aufschub" der Strafe[12]. Dieser Beleg stellt eine für uns wichtige Vergleichsstelle dar, zumal hier der Kontext des Krieges verlassen ist. Im Zusammenhang geht es darum, daß Asasel[13], der als einer der Anführer der (gefallenen) Engel gilt[14], die volle Strafe des Gerichtes zu tragen hat, weil er die Menschen Böses gelehrt hat. Schon in 10,4-6 wird von seiner Bestrafung gehandelt, die grausamer ausfällt als die für Schemichasa[15]. K.13 gehört schon zur Henoch-Tradition[16]. Zusammen mit den anderen Wächtern wird ihm das Gericht verkündigt. Asasel soll keinen Frieden finden (13,1). Durch Henoch wird ihm folgender Gerichtsspruch zuteil (13,2)[17]:

---

[9] Text nach Pelletier, Lettre d'Aristée, 192; vgl. Wendland, in: Kautzsch II, 21.
[10] Zu Einleitungsfragen und Literatur s. Charlesworth, Pseudepigrapha and Modern Research, 78-80; Delling, Bibliographie, 96-98; Denis, Introduction, 105-110.
[11] Übersetzung nach Wendland, in: Kautzsch II, 21; vgl. Meisner, Arist JSHRZ II.1, z.St.
[12] Beer, in: Kautzsch II, 244; zur Sache s. M. Küchler, Schweigen, Schmuck und Schleier. Drei neutestamentliche Vorschriften zur Verdrängung der Frauen auf dem Hintergrund einer frauenfeindlichen Exegese des Alten Testaments im antiken Judentum, NTOA 1, Freiburg (CH) Göttingen 1986, 278.
[13] Die Schreibweise wechselt in der Überlieferung zwischen "Asael" und "Asasel"; vgl. dazu S. Ahituv, Art. Azazel, EncJud 3, 999-1002 (Lit!); Black, Enoch, 121 (Lit!); Janowski, Sühne, 268f A.447 (Lit!); Bill. III, 780ff. Nach Black ist die Identität beider Gestalten unbestreitbar.
[14] Vgl. Beer, in: Kautzsch II, 242 A.c; Küchler, Schweigen, 258-301, bes. 278ff. Eine Aufstellung der Namen der Anführer ebd, 248.
[15] Küchler, Schweigen, 270f. Zur Lokalisierung des Verbannungsortes Asasels (Dudael) vgl. Bill. III, 784; Beer, in: Kautzsch II, 242 A.c.d; Küchler, Schweigen, 271 A.35; Strobel, Sündenbock-Ritual, 150f.
[16] Küchler, Schweigen, 276ff. Zum Einbau der Asasel-Tradition in die Schemichasa-Tradition und dieser beiden in die Henoch-Tradition vgl. Küchler, Schweigen, 258ff.270 A.34.272f.277.301.
[17] Text nach Black, Apokalypsis Henochi Graece; vgl. Denis, Concordance, Anhang.

(2) καὶ ἀνοχή καὶ ἐρώτησίς σοι οὐκ ἔσται περὶ ὧν ἔδειξας ἀδικημάτων καὶ περὶ πάντων τῶν ἔργων τῶν ἀσεβειῶν καὶ τῆς ἀδικίας καὶ τῆς ἀμαρτίας ὅσα ὑπέδειξας τοῖς ἀνθρώποις.

(2) Aufschub oder ein Gnadengesuch wird es für dich nicht geben wegen der Ungerechtig-keiten, die du gezeigt hast und wegen aller gottlosen Werke und des Unrechts und der Sünde, die du den Menschen aufgezeigt hast[18].

Nachdem dieses Urteil die Wächter mit Furcht und Schrecken erfüllt hat (V.3), bitten sie Henoch, doch ein Gnadengesuch zu verfassen (V.4), da-mit ihnen ἄφεσις (Vergebung) und μαχρότης zuteil werde (V.6). μαχρότης kann dabei entweder als "Länge der Tage" (ימים ארך) oder als "Lang-mut" (אפים ארך) verstanden werden. Der Zusammenhang mit Hen 10,9f und Gen 6,3 legt die erstere Möglichkeit nahe[19].

Aufschub oder ein Gnadengesuch wird es für Asasel nicht geben. Hen 13,2 stehen ἀνοχή und ἐρώτησις durch καί ... καί verbunden nebeneinander[20]. Das Verhältnis von ἀνοχή und ἐρώτησις ist dabei weder koordinierend noch explikativ, sondern im Sinn eines weder-noch zu verstehen[21]. In V.6, wo von Henochs Abfassung der Bittschrift berichtet wird, wird deren Inhalt genannt: "'Flehrufe' ... um Vergebung und Erstreckung [des Lebens]"[22]. Es ist daher zu übersetzen: "Weder Aufschub noch ein Gnadengesuch wird es für dich geben."[23] ἀνοχή ist hier im Sinn von "Strafaufschub", "Gerichtsaufschub" zu verstehen[24]. Es bezeichnet die vorläufige Hinausschiebung des Strafgerichtes. Dies wird auch durch das in Hen 6-19 vorgestellte Zeitschema unterstrichen[25]: Hen 12,1 greift vor das in 6-11 Erzählte zurück. Damit ist Hen 6-11 in Hen 12-19 eingebunden. Für den zeitlichen Ablauf bis zum Ende sind in Hen 6-11 folgende Etappen vorgestellt: "Zuerst das Vernichtungsgericht an den Wächtersöhnen, dann die Zeit der vorläufigen Präsenz des Bösen in der Welt und schliesslich das Endgericht."[26] Der Autor selbst und seine Zeitgenossen leben in den 70 Generationen vorläufiger Präsenz des

---

18 Übersetzung in Anlehnung an Küchler, Schweigen, 278; vgl. Milik, Enoch, 192.
19 Küchler, Schweigen, 279 A.6.
20 In der äthiopischen Version ist "Barmherzigkeit" als dritte Größe angefügt; vgl. Black, Enoch, 32; Beer, in: Kautzsch II, 244 A.b.
21 Vgl. BDR § 444,3.
22 Küchler, Schweigen, 279.
23 Vgl. die Übersetzung bei Black, Enoch, 32.
24 Anders Isaak, in: Charlesworth I, 19. Seine Übersetzung lautet: "They will put you in bonds, and you will not have (an opportunity for) rest and supplication." Durch nichts im Zusammenhang ist jedoch diese den spezifischen Sinn verschleiernde Übersetzung ange-zeigt. Vgl. dagegen die Übersetzung bei Black, Enoch, z.St., mit "forbearance". Doch auch diese trifft nicht völlig den Sinn. Sachgemäß wäre mit "to suspend/postpone judgement" wiederzugeben.
25 S. dazu Küchler, Schweigen, 281.
26 Küchler, Schweigen, 251.

Bösen[27], einer Zeit der ἀνοχή, die den Wächtersöhnen jedoch nicht gewährt wird. Diese werden aufgrund der Schwere ihrer Vergehen sofort zur Rechenschaft gezogen[28].

Aus der frühchristlichen Literatur sind drei Belege aus dem Hirt des Hermas zu nennen: Herm 63,1 (Sim VI,3) "Einhalt, Unterbrechung" der Strafe; 82,1 (Sim IX,5) und 91,2 (Sim IX,14) "Unterbrechung" beim Bau. Wie schon bei πάρεσις festzustellen war, so enthält auch der Begriff ἀνοχή einen Aspekt der "Vorläufigkeit" und des noch nicht Endgültigen. Innehalten, Aufhalten, Hemmung, Aufschub, Nachsicht, Linderung, Zurückhaltung kennzeichnen entweder eine zwischenzeitliche Unterbrechung oder eine vorläufige Suspension[29]. Die von Zeller konstatierte Beziehung zum Bußmotiv läßt sich nur in Herm 82,1; 91,2 nachweisen[30].

Um eine breitere Argumentationsbasis zum Verstehen von ἀνοχή zu gewinnen, werfen wir einen Blick auf die Belege des Verbums ἀνέχω.

2. Die Belege für das Verbum

Das Verbum ἀνέχομαι ist im Neuen Testament an 15 Stellen belegt, Belege im Akt. liegen nicht vor. Dabei treten folgende Sinngehalte auf: jemanden oder etwas aushalten, ertragen (Mk 9,19[parr]; Mt 17,17; Lk 9,41; 2Kor 11,1[bis]; 11,19; 11,20; Eph 4,2; Kol 3,13; 2Thess 1,4), durchhalten, aushalten, erdulden (1Kor 4,12; vgl. dazu das Adjektiv ἀνεκτός Lk 10,12par.14par); etwas aufnehmen, sich gefallen lassen, zuhören (2Kor 11,4; 2Tim 4,3; Hebr 13,22) und als t.t. der Rechtssprache: eine Klage annehmen (Apg 18,14)[31].

In der Profangraecität[32], im Schrifttum Philos[33] und bei Josephus[34] ist ein breites Bedeutungsspektrum zu verzeichnen. Der Sinn im Akt.: erheben,

---

[27] Ebd.

[28] Auf die Parallelität dieser Aussagen zu 1Petr 3,20 sei hier nur hingewiesen; vgl. dazu Goppelt, 1Petr, 247ff.250 A.54; vgl. auch Jub 5,2ff; 2Petr 2,9. Zur Sintflut als Typos des Endgerichts im Judentum und Christentum s. die bei Goppelt, 1Petr, 254, genannten Belege. Zum Problem insgesamt J.P. Lewis, A Study of the Interpretation of Noah and the Flood in Jewish and Christian Literature, Leiden 1968; Louis Ginzberg, The Legends of the Jews Bd. I, Philadelphia 1954[10], 143-181; Bd. V, Philadelphia 1968[8], 167-206.

[29] Aus diesem Rahmen fällt Pollux 4,157, heraus, wo ἀνοχή mit ἀνατολή gleichbedeutend ist.

[30] Zeller, Sühne, 62ff.

[31] Vgl. Bauer, WB[6], 130; Schlier, Art. ἀνέχω κτλ., 360f.

[32] Belege bei LSJ, 136f.

[33] Es liegen 53 Belege für ἀνέχω, sowohl im Akt. als auch im Med. vor: Opmund 128; All I 93; III 193; Sacr 9.34.79; Det 107; Post 135; Imm 32.72.126; Ebr 166; Conf 60(bis).92; Migr 23; Her 238; Congr 5; Mut 107; Som I 125; Abr 176; Jos 65.79.118; VitMos I 205.239; II 39.205.211; Decal 98; SpecLeg I 117.330; II 59.66.252; III 32.48.200; IV 43.103; Virt 150.196; OmnProb 36.56.81; Aet 138; LegGai 133.201.208.222.268.275.335; (es kommen noch 5 Belege aus ApolJud hinzu: VIII,7,5.6.11.17.19). Belege nach Index Philoneus.

[34] Josephus bietet 88 Belege, sowohl im Akt. als auch im Med.: Bell 1,74.202.242.413; 2,128.372.435; 3,535; 4,55.165.178.259.596.606; 5,73.159.160.200.203.224.572; 6,222; 7,69.189. 281; Ant 3,10.26.53.79.130.199; 4,3.40.87.305; 6,4.76.79.359; 8,111; 9,37; 10,271; 11,54;

hochhalten, hochheben, stützen, tragen, aufrecht erhalten, hervorstellen, aufgehen (Sonne), emporkommen, hervorquellen, entspringen, entstehen, in Erscheinung treten, sich ergeben, verwinden (Schmerz), haltmachen, verweilen, innehalten; im Med.: aushalten, (geduldig) ertragen, dulden, zulassen, sich gefallen lassen, hinnehmen, übers Herz bringen, an sich halten, sich beherrschen, zusammenhalten, beachten[35]. Aus der pseudepigraphischen Literatur sind sechs Belege zu nennen[36]. Der Sinn ist: emporheben, zurückhalten, ertragen, sich zurückhalten, sich an etwas halten. In der LXX ist ἀνέχω Akt./Med. insgesamt 17mal belegt[37]. Dabei ist der Sinn im Akt.: etwas unterlassen, etwas zurückhalten, hemmen, vorenthalten; im Med.: jemanden oder etwas ertragen, durchhalten, sich zurückhalten, an sich halten, sich vorenthalten. Überblickt man die Belege des Verbums, fällt auf, daß "ἀνέχω, das im profanen Griechisch act und med im trans und intr Sinn in verschiedener Bedeutung vorkommt"[38], in der biblischen (und der ihr nahestehenden) Literatur jedoch nur in wenigen Hauptbedeutungen vorliegt. Im Akt.: jmd. oder etwas zurückhalten, im Med.: jmd. oder etwas aufnehmen, ertragen, aushalten, sich zurückhalten, an sich halten[39].

Die Belege des Verbums bestätigen damit auf ihre Weise, die für ἀνοχή festgestellte Vorläufigkeit oder zeitliche Begrenztheit. Noch unklar ist die Beziehung von ἀνοχή zu μακροθυμία κτλ. Wir versuchen diesem Problem näherzukommen, indem wir die betreffenden LXX-Belege und deren hebräische Äquivalente untersuchen.

3. Der LXX-Sprachgebrauch von ἀνοχή κτλ. und μακροθυμία κτλ.

Im Folgenden soll geprüft werden, ob sich vom Sprachgebrauch der LXX her ein Zusammenhang zwischen ἀνοχή und μακροθυμία nachweisen läßt. Dabei geht es speziell um die Auseinandersetzung mit der These von Zeller, der beide Begriffe, da sie in Röm 2,4 zusammen mit χρηστότης in einer Formulierung nebeneinander stehen, gleichsetzt und dann ἀνοχή im

---

14,157; 15,48.101.329.415; 16,73.115.210.293(bis).305.399; 17,34.86.209.212.226; 18,175.241.347; 19,12.13.25.26.68.77.83.252.254.256; 20,39.47; Vita 392; Ap 2,126.160. Folgende drei Belege sind textkritisch unsicher: Ant 3,79(bis); 18,350; Ap 2,175. Belege nach Rengstorf, Hrsg., Concordance I, 121f.

[35] Bedeutungen nach LSJ, 136f; Rengstorf, Hrsg., Concordance I, 121.

[36] TestAbr (rec.long.) 2,10 (ἀνέχομαι); PsSal 17,18 (ἀνέσχεν); TestJob 41,3 (ἀνεχόμενοι); 41,4 (ἀνέξομαι); Sib 3,559 (ἀνασχόμεναι); FJub 37,18 (ἀνεχομένου). Belege nach Denis, Concordance.

[37] Rehkopf, Septuaginta-Vokabular, 24, nennt nur 16 Belege.

[38] Schlier, Art. ἀνέχω κτλ., 360,29f.

[39] Apg 18,14 fällt wegen des technischen Gebrauchs aus diesem engen Rahmen, ebenso Sib 3,579 (ἀνασχόμεναι) = "emporheben" der Hände zum Himmel).

Sinn von "Vergebung" deutet[1]. Hierzu werden wir alle LXX-Belege für ἀνοχή κτλ. und μακροθυμία κτλ. und deren hebräische Äquivalente überprüfen, um zu fundierten Aussagen zu kommen. Wir verschaffen uns dazu zunächst (I) einen Überblick über das Wortfeld, gehen sodann (II) die Belege im einzelnen durch, um schließlich (III) zusammenzufassen.

I) Das Wortfeld von ἀνοχή κτλ., μακροθυμία κτλ.

α) Die Belege für ἀνοχή κτλ. und μακροθυμία κτλ.
Nach Zahn[2] soll ἀνοχή nicht von ἀνέχεσθαί τινος herzuleiten sein, hieße also nicht 'Geduld', sondern von ἀνέχειν c.acc., hieße also 'Zurückhalten des Zorns'[3]. Anders urteilen Liddell-Scott-Jones[4], bei denen die beiden Belege Röm 2,4 und 3,26 unter II. von ἀνέχεσθαι abgeleitet erscheinen, ebenso Schlier[5]. Zeller, der sich Zahn anschließt, sieht den Begriff auch etymologisch in der Nähe des hebräischen אֶרֶךְ אַפִּים[6].
Nun fällt jedoch auf, daß an keiner Stelle des kanonischen Alten Testaments אֶרֶךְ אַפִּים mit ἀνοχή κτλ. übersetzt wird, sondern stets mit μακρόθυμος (Ex 34,6; Num 14,18; Neh 9,17(2Esd 19,17 LXX); Ps 86,15(85 LXX); Ps 103,8(102 LXX); Ps 145,8(144 LXX); Prov 14,29; 15,18(bis); 16,32; Joel 2,13; Jon 4,2; Nah 1,3)[7]. Dabei ist, außer an den vier Belegstellen aus den Proverbien, jeweils Gott das Subjekt der Aussage. μακρόθυμος kann auch die Übersetzung sein von אֶרֶךְ רוּחַ (Koh 7,8) und von קַר רוּחַ (Prov 17,27). Subjekt ist hier jeweils der Mensch.
Ähnliches gilt für das Substantiv: אֶרֶךְ אַפָּךְ wird in Jer 15,15 (Subjekt: Gott) mit μακροθυμία wiedergegeben[8], gleichfalls steht μακροθυμία für אֶרֶךְ אַפִּים in Prov 25,15 (Subjekt: Mensch).

---

[1] Zeller, Sühne, 67.71. Dies kann jedoch nur mit einer Zusatzannahme geschehen, daß nämlich aufgrund von Qumran-Belegen Gottes Langmut (אֶרֶךְ אַפִּים) mit "Vergebung" gleichzusetzen sei. Doch die von Zeller angezogenen Belege tragen die Beweislast nicht. 1QS 1,18ff: Hier ist Langmut nicht belegt. 1QH 17,17f: Hier geht es um Gottes Barmherzigkeit, dabei begegnet Langmut in einer Aufzählung von Gottes Verhaltensweisen gegenüber den Menschen. Eine Gleichsetzung von Langmut mit סליחות ist durch nichts angezeigt. 1QH 1,6: Hier wird die Langmut Gottes im Gericht genannt. Die von Zeller, Sühne, 69, festgestellte "Uminterpretation der Gerechtigkeit Gottes in der Gerichtsdoxologie" in ein "langmütiges, sühnendes Erbarmen" ist so nicht aus dem Text belegbar. 1QH 16,16: Hier klingt die bekannte Formel aus Ex 34,6f an (s.u.). 4QBt 3,VI,2: Hier wird Langmut nicht erwähnt. CD 2,4f: Zwar werden Langmut und Vergebung nebeneinander genannt, Sühne gibt es jedoch nur für solche, die Buße tun. D.h. auch hier bedeutet Gottes Langmut nicht schon die Vergebung selbst, sondern ist Ermöglichungsgrund und Chance zur Umkehr, welche die Voraussetzung für Vergebung darstellt (s. zu den Qumran-Texten auch unten S. 128, A.68).
[2] Zahn, Röm, 110 A.9; vgl. Zeller, Sühne, 62 A.63.
[3] So auch Michel, Röm, 114 A.8; aufgenommen von Strobel, Untersuchungen, 199; vgl. auch Schlier, Art. ἀνέχω κτλ., 361,19ff.
[4] LSJ, 148.
[5] Schlier, Art. ἀνέχω κτλ., 361,15ff.
[6] Zeller, Sühne, 62, A 63.
[7] Zu Sir 35,19 s.u.
[8] Hier wäre Hatch-Redpath, Concordance, s.v. μακροθυμία zu korrigieren.

Das Verbum μακροθυμεῖν ist in Prov 19,11 die Wiedergabe von אַף הַאֲרִיךְ und in Koh 8,12 (א²)⁹ von אֲרֵךְ hi. (Subjekt: jeweils Mensch).
Für die übrigen Belege von μακρόθυμος/μακροθυμία/μακροθυμεῖν liegen keine hebräischen Äquivalente vor. Hi 7,16 - μακροθυμήσω - Subj.: Hiob; Ps 7,12¹⁰ - μακρόθυμος - Subj.: Gott; SapSal 15,1 - μακρόθυμος - Subj.: Gott; Jes 57,15 - μακροθυμία - Subj.: Gott; Bar 4,25 - μακροθυμήσατε - Subj.: Menschen; Dan 4,27 (Th.)¹¹ - μακρόθυμος - Subj.: Gott; 1Makk 8,4 - μακροθυμία - Subj.: römische Truppen; 2Makk 6,14 - μακροθυμῶν - Subj.: Gott; 2Makk 8,26 (R) - οὐκ ἐμακροθύμησαν - Subj.: jüdische Truppen¹².

Sieht man sich die Belegstellen von ἀνοχή/ἀνέχειν in der LXX an, fällt auf, daß damit nirgends אֶרֶךְ אַפַּיִם wiedergegeben wird¹³. Der einzige Beleg, an dem das Substantiv ἀνοχή in der LXX auftaucht, steht in 1Makk 12,25. Hier geht es darum, daß Jonatan dem kriegerischen Gegner keine ἀνοχή geben will, um in das Land einzufallen, weswegen er ihm entgegenzieht.

Für ἀνέχω Akt./Med. liegen in der LXX insgesamt 17 Belege vor:

Gen 45,1	- ἀνέχεσθαι	- אָפַק hitp.	- Subj.: Joseph
1Kön 12,24(B)	- ἀνέσχον	- שׁוּב	- Subj.: Soldaten¹⁴
Hi 6,11	- ἀνέχεται	- אָרֵךְ hi.	- Subj.: Hiob
Hi 6,26	- ἀνέξομαι	- נשׁא (?)	- Subj.: Hiob
Sir 48,3	- ἀνέσχεν	- עָצַ(צ)ר	- Subj.: Elia
Jes 1,13	- ἀνέχομαι	- יכל	- Subj.: Gott
Jes 42,14	- ἀνέξομαι	- אָפַק hitp.	- Subj.: Gott
Jes 46,4	- ἀνέχομαι	- סבל	- Subj.: Gott
Jes 63,15	- ἀνέσχου	- אָפַק hitp.	- Subj.: Gott¹⁵
Jes 64,11(64,12 LXX)	- ἀνέσχου¹⁶	- אָפַק hitp.	- Subj.: Gott
Am 4,7	- ἀνέσχον	- מָנַע	- Subj.: Gott
Hag 1,10	- ἀνέξει	- כלא	- Subj.: Himmel (Gott)¹⁷

Keine hebräischen Äquivalente liegen an folgenden Stellen vor:

2Makk 9,12	- ἀνέχεσθαι	- Subj.: Antiochus
3Makk 1,22	- ἠνείχοντο	- Subj.: Menschen
4Makk 1,35	- ἀνέχεται	- Subj.: Menschen

---

⁹ S. Hatch-Redpath, Concordance II, s.v.
¹⁰ Hatch-Redpath, ebd, 893, nennen Ps 7,11.
¹¹ Hatch-Redpath, ebd, 893, geben 4,24 an.
¹² Auf Sir wird insgesamt gesondert eingegangen, s.u.
¹³ Hi 6,11 findet sich ἀνέχεται als Übersetzung von אָרֵךְ hi. (Aq. gibt hier mit μακροθυμεῖν wieder).
¹⁴ Hier liegt keine Übersetzung, sondern eine Paraphrase vor.
¹⁵ Zur Korrektur des MT s.u. A.141.
¹⁶ Zeller, Sühne, 62 A.63, notiert für Jes 64,11 ἀνέχεσθαι als Übersetzung von חשׁה und zieht daraus weitreichende Schlüsse; dies trifft wohl nicht zu.
¹⁷ ἀνέχω steht hier in Parallele zu ὑποστελεῖται, im MT steht beidemal כלא.

4Makk 13,27   - ἀνέσχοντο   - Subj.: Menschen
PsSal 17,18   - ἀνέχειν   - Subj.: Himmel (Gott)[18]

Zwischenbilanz aus dieser Zusammenstellung:

1. μακροθυμία κτλ. und ἀνοχή κτλ. müssen unterschieden werden. Es geht nicht an, μακροθυμία und ἀνοχή aufgrund der Tatsache, daß sie in Röm 2,4 angeblich "ohne Bedeutungsdifferenz zusammenstehen"[19], gleichzusetzen.

2. In vier von elf Fällen stellt ἀνέχομαι die Wiedergabe von אפק hitp. dar.

3. אפק hitp. und ארך אפים, die im Alten Testament zwei zu differenzierende Ausdrücke darstellen, müssen in ihrer jeweiligen Relevanz für die neutestamentlichen Begriffe μακροθυμία und ἀνοχή untersucht werden.

β) Die Belege für אפק hitp.

Besondere Aufmerksamkeit verdienen die Stellen, in denen אפק hitp. erscheint, da dieser hebr. Begriff reflexivem ἀνέχομαι genau entspricht. Eigentlich heißt אפק hitp. "stark sein", "sich ein Herz fassen", "sich ermannen", "wagen" (1Sam 13,12; 1QH 14,4.9)[20]. Jedoch nimmt es auch die Bedeutung an: "an sich halten, um seinen Empfindungen nicht freien Lauf zu lassen"[21], im Deutschen vergleichbar mit "sich beherrschen", "sich zusammennehmen", "Gefühlsregungen bewußt unterdrücken", "sich bemeistern"[22]. Die griechische Übersetzung von אפק hitp. ist auf zwei (drei) Möglichkeiten beschränkt:

Gen 43,31   - ἐνεκρατεύσατο[23]   - Subj.: Joseph.
Gen 45,1   - ἀνέχεσθαι   - Subj.: Joseph.
1Sam 13,12   - ἐνεκρατευσάμην[24]   - Subj.: Saul.
Est 5,10(5,9 LXX) - [ἐθυμώθη σφόδρα]   - Subj.: Haman.
Jes 42,14   - ἀνέξομαι   - Subj.: Gott.
Jes 63,15   - ἀνέσχου   - Subj.: Gott.
Jes 64,11   - ἀνέσχου κύριε   - Subj.: Gott.

Die beiden griechischen Übersetzungsvarianten für אפק hitp. sind ἐγκρατεύομαι und ἀνέχομαι. Nirgends findet sich im kanonischen MT μακρόθυμος κτλ. als Übersetzung von אפק hitp. Sowohl Gott als auch Menschen können Subjekt des Verbums sein. Die Betrachtung der Belege von אפק hitp. unterstreicht erneut, daß ἀνοχή κτλ. bzw. μακροθυμία κτλ. keinesfalls einfach gleichgesetzt werden können, da es keine Überschneidungen in der Übersetzung gibt. Wie es scheint, ist durch ἀνοχή zunächst ein anderer Zusammenhang angesprochen als durch μακροθυμία.

---

[18] Ebenso findet sich ἀνέχω/ἀνέχομαι in der Übersetzung von Aq. in Prov 28,3 (für hebr. עשק); bei Sm. in Hi 21,3 (für hebr. נשא); Prov 28,3 (עשק); Jes 1,13 (für hebr. יכל); Jer 6,11 (כול); Hab 1,13 (für hebr. יכל); bei Th. in Prov 28,3 (עשק); Jes 1,13 (יכל); bei Al. in 1Sam 13,12 (als Übersetzung von אפק hitp.; s. dazu Field, Origenis Hexaplorum I, 507).
[19] Zeller, Sühne, 62 A.63.
[20] Vgl. KBS I, 77; Gesenius[18], 90; Hi 12,21 אפיקים ist nach Ges.-B., WB, 59, unklar, die Jerusalemer Bibel übersetzt 'die Starken', ebenso Gesenius[18], 88; Horst, BK XVI.1, 177, 'die Gewaltigen', zur Bedeutung von אפק s. auch Horst, ebd, 195.
[21] Ges.-B., WB, 60.
[22] Vgl. KBS I, 77; Westermann, ATD 19, 87.
[23] Zu Gen 43,31 vgl. 1Makk 8,4: κατεκράτησαν ... τῇ μακροθυμίᾳ. Die gleiche Verwendung bei JosBell. 6,37, dazu Horst, Art. μακροθυμία κτλ., 379 A.28.
[24] Vgl. Hatch-Redpath, Concordance I, 87; Al. bieten hier ἀνέχειν, s.o. A.18.

γ) Der Befund im Buch Jesus Sirach

Eine Sonderstellung nimmt Sir 32,22-26 (bzw. 35,18-20 nach der Zählung Lévis, die im Folgenden zugrunde gelegt wird,) ein. Sir 35,19 (καὶ ὁ κύριος οὐ μὴ βραδύνῃ οὐδὲ μακροθυμήσῃ ἐπ᾽ αὐτοῖς) ist der einzige LXX-Beleg, in dem אפק hitp. durch μακροθυμεῖν wiedergegeben wird. Auch ἀνέχειν ist in Sir belegt, der Begriff gibt in 48,3 ein (vermutetes) עצר wieder[25]. Nun sieht der Sprachgebrauch in Sir folgendermaßen aus:

Sir 2,4	- ---	- μακροθύμησον	- Subj.: Mensch
Sir 5,4	- ארך אפים	- μακρόθυμος	- Subj.: Gott
Sir 5,11	- ארך רוח	- μακροθυμία	- Subj.: Mensch
Sir 18,11	- ---	- ἐμακροθύμησεν	- Subj.: Gott
Sir 35,19	- אפק hitp.	- μακροθυμήσῃ	- Subj.: Gott
Sir 48,3	- עצר	- ἀνέσχεν	- Subj.: Elia

Nach der statistischen Erhebung des Wortfeldes sind nun die Begriffsinhalte der einzelnen Belege zu überprüfen.

II) Begriffsinhalte

α) μακρόθυμος

1.) μακρόθυμος als Wiedergabe von ארך אפים

Ex 34,6f: Sämtliche Vorkommen von μακρόθυμος als Übersetzung von ארך אפים mit Gott als Subjekt hängen mit einer Formel zusammen, wie sie in Ex 34,6f erstmals auftaucht. Mit der Interpretation der beiden Verse sind mehrere Probleme verbunden: a) Wer spricht? b) Handelt es sich um den ursprünglichen Zusammenhang oder wurde das Bekenntnis später eingefügt? Wenn es sich um einen Zusatz handelt, wie ist dessen ursprünglicher Sitz im Leben zu bestimmen? c) Gehörten die Verse 6-7 ursprünglich zusammen oder sind sie später zusammengewachsen? Daß es sich um Formelgut handelt, ist unbestritten, die Frage ist nur, ob wir es mit einer alten Formel zu tun haben, die evtl. der Quellenschrift J entstammt[26] oder ob es sich um relativ junges Überlieferungsgut handelt[27].

Das Kapitel Ex 34 berichtet in seinem Grundbestand, den die jahwistische Erzählung darstellt, vom Bundesschluß am Sinai[28]. Die Formel V.6f stellt eine Gottesprädikation dar, die

---

[25] Vgl. dazu die Ausgabe von Strack, Jesus Sirach hebr., z.St.; Bocaccio, Ecclesiasticus, z.St. und des Historical Dictionary, Book of Ben Sira, z.St.

[26] So z.B. Scharbert, Formgeschichte, passim; Wolff, BK XIV.2, 58, mit "?".

[27] So z.B. Jeremias, Kultprophetie, 17f samt A.4. Zum Alter der Formulierung vgl. neben der bei Scharbert, ebd, 131, genannten Lit. Wolff, BK XIV.3, 140; Zimmerli, in: Conzelmann/Zimmerli, Art. χάρις κτλ., 368f; L. Schmidt, 'De Deo', BZAW 143, Berlin u.a. 1976, 86ff, und zuletzt Spieckermann, "Barmherzig ...", 3ff. Nach Schmidt, ebd, 91ff, wurde die Formel als solche frühestens z.Zt. Jeremias gebildet. Spieckermann, ebd, 5, sieht den ältesten Beleg der Rezeptionsgeschichte der Formel in Ex 34,6f, einem spätdeuteronomistischen Text vorliegen, rechnet jedoch mit einer vorexilischen Traditionsgeschichte (4f.18). In ihrer vollen Gestalt begegnet sie jedoch nur in exilisch-nachexilischen Texten (3).

[28] Wie weit der sekundäre Zuwachs geht, ist auch für das Kapitel als ganzes umstritten (vgl. dazu Noth, ATD 5, z.St.; ferner ders., Überlieferungsgeschichte des Pentateuch, Stuttgart 1948, 33; Perlitt, Bundestheologie, 203ff; E. Aurelius, Der Fürbitter Israels, CBQ.OTS 27, 1988, 57-126, hier: 116ff).

im Rahmen einer Theophanieschilderung begegnet[29]. Die Formel ist an verschiedenen
Stellen des Alten Testaments belegt, jeweils mit kleineren oder größeren Abweichungen:
neben Ex 34,6f in Joel 2,13; Jon 4,2; Neh 9,17; Ps 86,15; 103,8; 145,8. Reste finden sich in
Num 14,18; Ps 111,4; 2Chr 30,9; Nah 1,2f; vgl. auch Ps 112,4; Neh 9,31.[30] In Ex 34,6 begegnet ארך אפים im Zusammenhang mit anderen Begriffen, die sämtlich Gottes Gnädigsein
gegenüber seinem Volk ausdrücken[31].

Faßt man die Beobachtungen zusammen, muß man davon ausgehen, daß Ex 34,6f ursprünglich 1. nicht Gottesrede war, 2. nicht in diesen Zusammenhang gehörte, sondern
später eingefügt wurde, 3. keine in sich zusammenhängende Formel darstellt, sondern aus
Einzelelementen zusammengewachsen ist.

Damit stellt sich die Frage der theologischen Interpretation. Spieckermann hat die ein-
leuchtende Erklärung gegeben, daß die in Ex 34,6 vorliegende ursprüngliche Gnadenformel bewußt von den deuteronimistischen Interpreten hierhin gesetzt wurde, um damit der
Wende von der exilischen zur nachexilischen Zeit ihren theologischen Ausdruck zu verleihen[32]. Die aus der Tradition überkommene Formel war dazu geeignet, weil ihr als Aussage
über den barmherzigen und gnädigen Gott jeglicher Hinweis auf den rächenden Gott fehlte. V.7 muß dann als eine nachträgliche Erläuterung angesehen werden, in der das Stichwort חסד aus V.6 in zweierlei Hinsicht erläutert wird: a) in der Unterstreichung der Ernst-
haftigkeit des göttlichen Zorns, b) in der Begrenzung dieses Zorns auf drei bis vier Generationen, was ein Zeichen der Hoffnung darstellt.

ארך אפים stellt hierbei einen Heilsbegriff dar: Gottes Langmut ist Zeichen der Zuwendung zu seinem Volk, sie steht parallel zu רב חסד ואמת (LXX: πολυέλεος καὶ ἀληθι-
νός). Die Formulierung רחום וחנון, die in der ersten Hälfte der Formel vorkommt,

---

[29] Nach Scharbert, Formgeschichte, 131, sind bei der Frage, ob Gott oder Mose spricht,
grammatikalisch vier Möglichkeiten denkbar. Die Akzentsetzung der Masoreten deutet
darauf hin, daß Gott spricht. Num 14,18, wo nahezu die gleiche Formel auftaucht, wird
ausdrücklich darauf Bezug genommen, daß Gott sich selbst so vorgestellt habe. Scharbert
möchte daher von einer "Offenbarungsformel" sprechen (131), muß jedoch zugeben, daß
die Formel, nimmt man sie aus dem Kontext heraus, eher als ein Gebetsanruf an Gott aufzufassen ist, wie sie ja sonst auch begegnet, und daß eine Offenbarungsformel, in der Gott
von sich in der 3.Pers. spricht, für die Selbstoffenbarung Gottes im Pentateuch eine Ausnahme darstellen und zumindest sehr auffallen würde (Scharbert, ebd, 132.131). Wollte
man dagegen davon ausgehen, daß Mose redet, dann würde das eine Doppelung der Anrede des Mose an Gott bedeuten (V.6f und 9), die sich nicht bruchlos erklären ließe. Die
Gottesprädikation in V.6f ist als Bekenntnis im Grunde die Konsequenz auf einen positiven
Bescheid, nämlich der in V.9 ausgesprochenen Bitte. Verse 6-7 wirken wie ein Einschub: in
einer späteren Zeit wird Gott dafür gepriesen, daß er der Bitte des Mose entsprochen hat
(Noth, ATD 5, 213.215). Sie sind kaum ursprünglich eine Selbstvorstellung Gottes, sondern
eher eine nachträglich eingefügte (kultische) Bekenntnisformel. So etwa auch Spieckermann, "Barmherzig ...", 3 u.ö., der von einer "Gnadenformel" spricht und deren enge Verbindung mit der Gebetspraxis im israelitischen Kultus hervorhebt (9.18). Zimmerli (aaO,
369) versteht Ex 34,6 "als die Ätiologie eines gottesdienstlichen Geschehens am Heiligtum".
Die eigentliche Heimat sieht Zimmerli in der "gottesdienstlichen Beschreibung und
Rühmung" JHWHs (ebd. Ex 34,6f bzw. eine Parallelformulierung taucht im heutigen Synagogengottesdienst in dieser Funktion nach wie vor auf, vgl. Elbogen, Gottesdienst, 76).
[30] Vgl. dazu das Schema bei Scharbert, ebd, 132, und die Zusammenstellung bei Spiek-
kermann, ebd, 1f A.4.
[31] Scharbert, ebd, gliedert Ex 34,6f in vier kultische Bekenntnisformeln auf. Diejenige, die
unser Stichwort ארך אפים enthält, soll fogendermaßen gelautet haben: יהוה אל רחום
וחנון ארך אפים ורב חסד (ואמת).
[32] Spieckermann, "Barmherzig ...", 9f.

stellt dabei eine der "relativ seltenen adjektivischen Prädikationen" JHWHs dar[33]. Es geht dabei nicht um Gottes Wesen, sondern um sein Handeln - bzw. zeigt sich sein Wesen in seinem Handeln.

Im jetzigen Kontext stehen die Gnade und Treue Gottes der Tatsache gegenüber, daß Gott zwar vergibt, aber die Sünde dennoch "nicht völlig ungestraft läßt, indem er Väterschuld heimsucht an Kindern und Enkeln, an der dritten und vierten Generation"[34]. Insofern ist die Langmut Gottes kein Anzeichen dafür, daß das Gericht unterbleibt, sondern bedeutet eine Begrenzung desselben.

Num 14,18[35]: Unter direkter Bezugnahme auf Ex 34,6 wird Gott gebeten, seine Macht zu erzeigen (V.17) und dem Volk zu vergeben (V.19). Dabei ist der Umfang der aus Ex 34 bekannten Formel von Bedeutung: V.18 nimmt nicht Ex 34,6a auf, sondern setzt ein: יהוה ארך אפים ורב חסד. Dann folgt der größte Teil dessen, was auch in Ex 34,7 erscheint. Im Gegensatz zu Ex 34,6f fehlt רחום וחנון אל und ואמת (letzteres wird von der LXX hinzugefügt). Sodann fehlt נצר חסד לאלפים. Bei der Sünde, die Gott verzeiht, werden nur עון und פשע erwähnt, nicht חטאת (anders die LXX, sie hat entsprechend Ex 34,7 alle drei). Es bleibt von der "Gnadenformel" (Spieckermann) nur ein Teil übrig: "JHWH, langmütig und reich an Huld, Schuld und Frevel vergebend." (Die LXX ist näher am Text der Formel, wie er auch in Ex 34 vorliegt.) Der Kontext ist völlig verändert: es handelt sich bei V.18 um ein Motiv, das in einer Fürbitte gebraucht wird, um Gott zum Verzeihen zu bewegen. Mose erinnert Gott an seine Selbstaussage. Der Fortgang des Textes V.20ff stellt Gottes Antwort auf die Bitte des Mose dar: er will vergeben, aber nicht völlig von seinem Zorn absehen. Die Angehörigen der Wüstengeneration, die schon zehnmal murrten, sollen nicht ins Land kommen. Der Begrenzung der Vergebung entspricht die Reduktion des Lobpreises göttlicher Gnade im Vergleich zu Ex 34,6f. ארך אפים (μακρόθυμος) bedeutet in diesem Zusammenhang die Zügelung des Zornes. Der Zorn kommt nicht zu seiner vollen Auswirkung, sondern wird gemildert.

Neh 9,17 (2Esd 19,17 LXX)[36]: Neh 9 enthält eine große Bußliturgie[37]. Am Ende steht das Bekenntnis, Gottes Tun in Heil und Gericht sei gerecht, die Untreue liege dagegen auf Seiten der Menschen (V.33ff). Jetzt aber solle ein Neuanfang versucht werden (V.36f), und

---

[33] Zimmerli, in: Conzelmann/Zimmerli, Art. χάρις κτλ., 369,2f.

[34] Übersetzung nach Noth, ATD 5, 213.

[35] Num 14 berichtet, daß das Volk sich vor dem Einzug ins Land Kanaan aufgrund der Kundschafterberichte gegen Mose und Aaron auflehnt und diese steinigen will. Dies wird verhindert durch eine Gotteserscheinung V.10. Gott spricht zu Mose: Er kündigt die Vernichtung des Volkes an und verheißt demgegenüber, Moses eigene Nachkommenschaft zahlreich zu machen und diese statt der Israeliten zu beerben. Mose spricht daraufhin ein Fürbittgebet zu Gott und bittet ihn, unter Bezugnahme auf die anderen Völker, von seinem Plan abzulassen, da diese sonst an Gottes Macht zweifeln könnten, brächte er sein Volk nicht in das gelobte Land.

[36] Der Text ist für Zeller ein Beleg für die These, wonach in liturgischer Tradition Langmut und Vergebung zusammengehörten (Zeller, Sühne, 64ff). Doch stimmt gerade die LXX-Überlieferung damit nicht zusammen.

[37] Nach der Verlesung des Gesetzes durch Esra und dem Laubhüttenfest im 7. Monat (Kap. 8), wird am 24. dieses Monats ein Bußgottesdienst gefeiert, bei welchem Esra ein großes Bußgebet spricht. Er erinnert dabei die Zuhörer an die ganze Geschichte des Volkes Israel: die Taten Gottes, die Abwendung des Volkes, die Strafen und die Barmherzigkeit Gottes, die das Volk nie ganz preisgab. (Zu diesem Gebet vgl. Texte wie 1Kön 8; Ps 106; Dan 9; auch Jes 63f; Bar 1,16-3,8.) Die häufig vorgenommene Umstellung (Esr 1-6;7-8; Neh 8; Esr 9-10; Neh 9-10; Neh 1-7; 11-13) hat jedoch für unseren Zusammenhang keine Bedeutung (s. dazu oben Abschnitt V, S. 67 A.126).

Gott möge darum die Bedrängnis abwenden[38]. In V.17 wird Gott als ein אלוה סליחות bezeichnet, wofür die Formel als Exemplifizierung dient[39]. Die LXX läßt diese Bezeichnung Gottes als אלוה סליחות weg. Gottes Langmut, die zusammen mit seiner Barmherzigkeit und Gnade erscheint, ist der Grund, warum Israel nicht dem Vernichtungsgericht preisgegeben wurde, sondern die Strafe begrenzt blieb und Umkehr des Volkes zu Gott bewirken sollte (V.31). Insofern hängt die Umkehr hier indirekt mit Gottes Langmut zusammen, sie ist jedoch kein Anlaß, daß die Strafe völlig ausbliebe.

Ps 86,15 (85,15 LXX): Ps 86 ist die Klage eines Einzelnen[40]. In zwei Phasen wird die Klage vorgebracht: V.1-13; V.14-17. V.15ff ist direkte Anrede an Gott: der Beter bittet, Gott möge ihn sehen, ihm Kraft geben, ihn retten. Vor dieser Bitte um sein Eingreifen wird Gott gepriesen als barmherzig und gnädig, langmütig und reich an Erbarmen und wahrhaftig. Die Prädikation ist der Grund, warum der Beter zu Gott um Hilfe flehen kann. Dabei wird nicht auf konkrete, aktuelle Vorgänge angespielt, die Prädikation Gottes erscheint vielmehr formelhaft.

Gottes ארך אפים (μακρόθυμος) taucht ähnlich wie in Ps 145 (144 LXX) als Heilsbegriff auf, der parallel zu Gnade und Barmherzigkeit steht (s.u.).

Ps 103,8 (102,8 LXX): Die Rahmung des Psalms (V.1-2.20-22), der imperativische Lobruf, kennzeichnet ihn als beschreibenden Lobpsalm (Hymnus)[41]. Der Psalm ist in seiner Struktur kunstvoll gestaltet[42]. V.8 stellt die Mitte des ganzen Psalms dar[43]. Die Barmherzigkeit ist das Thema. Sie hebt den Zorn zwar nicht auf, aber begrenzt ihn. Die Barmherzigkeit Gottes währt ein Leben lang, der Zorn hat seine Grenze, er dauert einen Augenblick (V.17). Zorn ist dabei nicht "die Gemütsbewegung eines jenseitigen Wesens. Er ist das Wirken einer richtenden und vernichtenden Macht, das ein notwendiger Bestandteil der Wirklichkeit ist. ... Wäre Gott nicht der Richter, dann verlöre die Geschichte ihr

---

[38] Im Rahmen dieses Gebetes wird dann die Situation, die Num 14 beschreibt, angeführt, das Murren der Väter in der Wüste und die von Mose in seinem Gebet gebrauchte Formel erscheint: Gott habe sein Volk trotz dessen Ungehorsam nicht verlassen, sondern sei ihm treu geblieben, weil er ein verzeihender, erbarmender und langmütiger Gott sei. Auch in der Folgezeit habe Gott immer wieder Nachsicht geübt und in seinem großen Erbarmen keine Vernichtung bereitet (V.30f). Zwar habe es Strafen für das Volk gegeben, doch hatten diese ein pädagogisches Ziel (V.27.28.30) und nicht den Sinn eines Vernichtungsgerichtes.

[39] Die durch ורב וחסד bedingte textkritische Schwierigkeit betrifft nicht den Text der LXX, dort erscheint die Formel in bekannter Gestalt.

[40] Zur Gattungsbestimmung s. Westermann, Struktur, 266-305, bes. 280ff; ders., Lob und Klage, 48ff; ders., Ausgewählte Psalmen, 53ff; Kraus, BK XV.2[5], 761: "Gebetslied des Einzelnen".

[41] Westermann, Ausgewählte Psalmen, 168; Kraus, BK XV.2[5], 871: Danklied, das zum Hymnus tendiert (anders ders., BK XV.2[4], 701: "Danklied und Hymnus eines Einzelnen"). Zur Diskussion um die gattungsgeschichtliche Bestimmung vgl. die Zusammenfassung bei Kraus, BK XV.1[5], 54f. Sprachliche Indizien lassen an eine nachexilische Abfassung denken: Anspielungen auf die Botschaft Dt- und Trtjesajas (V.9: Jes 57,16; V.15f: Jes 40,6ff), aramaisierende Suffixformen in V.3ff (vgl. Kraus, BK XV.2[5], 872).

[42] Westermann, Ausgewählte Psalmen, 169ff. Die Verse 8-18 stellen den Hauptteil dar, der in zwei Abschnitte gegliedert ist: V.8-13.14-18. Dabei kann man V.8-13 folgendermaßen unterteilen: Lob der Barmherzigkeit Gottes (V.8); Gottes Zorn, der von der Barmherzigkeit in Grenzen gehalten wird (V.9); Barmherzigkeit wirkt Sündenvergebung (V.10); drei Vergleiche zur Exemplifizierung (V.11-13).

[43] Westermann, Ausgewählte Psalmen, 170; Spieckermann, "Barmherzig ...", 10.

Gleichgewicht. Denn in seinem Zorn reagiert Gott auf Verderben, auf Lebensbedrohendes aller Art; die Kraft des Zornes Gottes dient dem Leben."[44] Den Zorn überwiegt die Gnade, dies wird in V.9 und 10 nochmals herausgearbeitet: nicht auf immer zürnt er und nicht ewig hadert er. Nicht entsprechend dem, was die Menschen verdienen, erfolgt die Vergeltung. Wie in Ex 34[45], Num 14, Neh 9 bedeutet auch hier die Langmut Gottes ein Verhalten, das den Zorn abmildert und begrenzt. Zwar hebt seine Langmut den Zorn nicht völlig auf, aber sie führt zu einer starken Reduktion.

Ps 145,8 (144,8 LXX): Psalm 145 ist ein alphabetischer Psalm, dessen Entstehungszeit aufgrund der Form spät angesetzt wird[46]. Es handelt sich um einen gottesdienstlichen Lobpsalm, die Rahmung (V.1-2.21) läßt ihn als Lob des Einzelnen erscheinen[47]. Den Kern bilden V.8-9 zusammengenommen mit V.3[48]. Gottes Gottsein wird im Nebeneinander von Majestät und Güte gepriesen. ורחום חנון ist hier im Vergleich zu den bisherigen Belegen umgestellt[49]. Hier findet sich auch גדול חסד statt wie bisher רב חסד[50]. In der LXX schlägt sich das nicht nieder, hier stimmt Ps 144,8 (LXX) mit Ps 102,8 (LXX) wörtlich überein. Gottes ארך אפים (μακρόθυμος) ist hier verwendet als Heilsbegriff, parallel zu Gnade und Barmherzigkeit. Eine Identifikation von Langmut und Vergebung ist jedoch nicht angezeigt.

In den Belegen aus den Proverbien erscheint μακρόθυμος als Übersetzung von ארך אפים jeweils als menschliche Tugend. Hier dürfte ein weisheitliches Motiv sichtbar werden.

Prov 14,29: ein Einzelspruch[51]. Langmut und Jähzorn verhalten sich wie Einsicht und Torheit[52]. Die LXX verschiebt die Begriffe durch die Übersetzung: Sie nennt (V.29b) statt des Jähzornigen den Kleinmütigen ὁ δὲ ὀλιγόψυχος ἰσχυρῶς ἄφρων.

Prov 15,18: Erneut geht es im MT um den Gegensatz zwischen Jähzorn und Langmut. Die LXX übersetzt zutreffend. Sie bietet jedoch dann über den MT hinaus einen Zusatzvers, in dem der Langmütige und der Gottlose einander gegenübergestellt werden. Ein Langmütiger löscht das Gericht aus, aber der Gottlose erweckt es noch mehr.

Prov 16,32: "Besser ist ein Langmütiger als ein Starker und wer sich selbst beherrscht (ist besser) als der, der eine Stadt erobert." Die LXX lenkt in ihrer Wiedergabe von רוח durch ὀργή in eine bestimmte Richtung. μακρόθυμος steht parallel zu der Zurückhaltung des

---

[44] Westermann, Ausgewählte Psalmen, 170.
[45] Im Vergleich zu Ex 34,6f liegt hier in Ps 103 eine kürzere Fassung der Formel vor.
[46] Kraus, BK XV.2[5], 1128; Westermann, Ausgewählte Psalmen, 158. Bestätigend hierfür ist auch der (teilweise) aramäische Sprachgebrauch und "die Abgeschliffenheit der Formen" (Kraus, BK XV.2[5], 1128).
[47] Bedeutsam ist das Vorkommen des Begriffes מלכות (V.13). Hierin und in weiteren Formulierungen (z.B. V.1a) steht der Psalm den JHWH-Königspsalmen (Ps 93; 95-100) nahe.
[48] Westermann, Ausgewählte Psalmen, 161.
[49] Dies ist auf die äußere Struktur des Psalms zurückzuführen, da der Buchstabe ח erforderlich war.
[50] Dies stellt eine auch sonst belegte Variante dar (1Kön 3,6; 2Chr 1,8; Ps 57,11; 86,13; 108,5.) Jedoch findet sich an keiner anderen Stelle גדול־חסד, sondern stets החסד הגדול oder eine Umschreibung.
[51] Plöger, BK XVII, 175.
[52] Ähnlich wurde schon Prov 14,17 Jähzorn mit Torheit gleichgesetzt.

Zorns und wird dadurch konkretisiert, wie das Starksein durch die Eroberung einer Stadt konkret wird. Draufgängertum ist schlechter als Bedächtigkeit.

Joel 2,13[53]: In Joel 2 geht es um einen Aufruf zur Umkehr vor dem Tag JHWHs[54]. V.12aβ-13a stellen dabei den Aufruf, V.13b-14 die Begründung dar. Die bekannte Formel taucht hier als Begründung eines Bußrufes auf. Dabei ist sie im Wortlaut von den übrigen Stellen bis auf Jon 4,2 dadurch unterschieden, daß hier als letztes Glied steht: ונחם על־הרעה. Die Übereinstimmung mit dem Jonabuch ist jedoch "nicht zufällig"[55]. Joel 2,14a stimmt wörtlich mit Jon 3,9a zusammen und auch sachlich besteht Übereinstimmung: "Die Katastrophenansage weckt Buße beim Hörer, diese Buße aber führt dazu, daß Gott das Angedrohte zurücknimmt."[56]

Gottes Langmut stellt also hier die Begründung und Möglichkeit für Israels Umkehr dar. Die Buße wiederum verwandelt den Charakter des יום יהוה von einem Tag des Schreckens in einen Tag der Freude[57]. Für die weitere Untersuchung bleibt festzuhalten, daß die Rede von Gottes Langmut im vorliegenden Text zum einen in Verbindung mit der Jom-JHWH-Vorstellung erscheint, zum andern mit der Möglichkeit zur Buße verbunden ist.

Jon 4,2[58]: Die in 3,10 berichtete Abkehr Gottes von seinem Zorn bringt Jona großen Mißmut (4,1). Er wird zornig und schreit zu Gott. 4,2-11 ist ein Dialog zwischen Jona und Gott.

---

[53] Nach Wolff, BK XIV.2, 3, dürfte die Zeit, in die die Prophetie Joels gehört, zwischen 445 und 343 gelegen haben (vgl. auch Jörg Jeremias, Art. Joel/Joelbuch, TRE 17, 91-97; S. Bergler, Joel als Schriftinterpret, BEATAJ 16, Frankfurt u.a. 1988, 363ff).

[54] Wolff, BK XIV.2, 43. Drei Einheiten lassen sich erkennen: ein Warnruf mit anschließender Feindschilderung (1-11); ein mehrgliedriger Aufruf zur Buße (12-14); ein Aufruf zur Volksklage (15-17), der in seinem Grundbestand der Schlußstrophe des Aufrufs zur Volksklage in Joel 1 entspricht (Wolff, ebd, 45ff).

[55] Wolff, BK XIV.2, 58.

[56] Wolff, ebd, 58. Wolff fragt, wo die gemeinsame Wurzel zu suchen ist und findet sie in den Jeremiaüberlieferungen (Jer 18,7f; 26,3.13.19; 42,10) und beim Deuteronomisten (Ex 32,12.14; 2Sam 24,16), denn auch hier begegne im Zusammenhang des Wortes von der Umkehr die Rede, daß Gott sich des Unheils gereuen läßt. Wolff spricht von einer "alten Bekenntnisformel" (ebd, 58), die durch die Wendung von der Reue Gottes in der Zeit der prophetischen Gerichtsankündigung neu interpretiert werde. Anders Jeremias: Nach ihm dürfte sie ihren Sitz im Leben "am ehesten in den Klagefeiern Israels der exilischen und frühnachexilischen Zeit gehabt haben" (Jeremias, Kultprophetie, 17f samt A.4). Die unterschiedlichen Akzente zwischen Joel und Jona betont Spieckermann, "Barmherzig ...", 15f: Jona beziehe Gottes Langmut auch auf die Völker, Joel dagegen nur auf Israel.

[57] Zu diesem Zusammenhang vgl. Bergler, Joel, 72ff.149f.165ff.

[58] Für eine angemessene Würdigung dieser Belegstelle ist die literarische Eigenart des Buches Jona zu bedenken. Nach Wolff haben wir eine Novelle vor uns, in der verschiedene Stilmittel der Komik (Satirik, Groteske, Ironie) eingesetzt werden (Wolff, BK XIV.3, 58-64). Die zeitliche Ansetzung dürfte in der frühhellenistischen Epoche zu erfolgen haben (Wolff, ebd, 54-56.64). Die Erzählung setzt Menschen voraus, die Gottes "Nachsicht mit den heidnischen Großmächten, denen Israel seit Jahrhunderten preisgegeben ist, nicht mehr begreifen können" (Wolff, ebd, 64). Im heutigen Synagogengottesdienst wird das Buch als Festrolle am Jom Kippur gelesen, auch als Hinweis auf die Weite des göttlichen Vergebungswillens (vgl. hierzu Elbogen, Gottesdienst, 149-154). Der Erzähler wendet in Jon 3 die jeremianisch-deuteronomistische Erkenntnis, daß die eigentliche Funktion des prophetischen Gerichtswortes die sei, die Hörer zur Umkehr zu bewegen, in "kühner" Weise auf ein Fremdvolk an (Wolff, ebd, 66). Dabei ist die Abkehr vom Zorn, wie in Jon

Jona fühlt sich bestätigt in seiner Flucht nach Tarschisch, denn er wußte, daß Gott gnädig sei und gütig, zögernd im Zorn und reich an Huld, daß er das Unheil bedaure. Die LXX gibt den Ausdruck הרעה על נחם durch μετανοῶν ἐπὶ ταῖς κακίαις wieder: Wenn das Volk umkehrt, dann "kehrt auch Gott um" vom Unheil, das er zugedacht hatte (vgl. Joel 2,13). Die Vergebungsbereitschaft Gottes ist das Problem, das im Jonabuch erzählerisch entfaltet wird. Die Nachsicht Gottes mit den Sündern wird nun aber allein darin begründet, daß Gott als der Schöpfer nicht die Vernichtung seiner Geschöpfe will. Eine Konsequenz aus Gottes Zurückhaltung des Zorns ist die damit gegebene Möglichkeit der Umkehr (Kap. 3). Jedoch erzwingt nicht die Umkehr das Anhalten des Zorns, sondern dieses ermöglicht die Umkehr, die wiederum eine Frucht der Gerichtspredigt darstellt.

μακρόθυμος ist hier die in Gott selbst begründete Haltung Gottes, die ihn nicht gleich zuschlagen, sondern zögern läßt und damit den Menschen die Chance der Umkehr eröffnet[59].

Nah 1,3[60]: In Nah 1,2-10 wird ein beschreibender Lobpsalm bzw. ein JHWH-Hymnus überliefert[61], der eine alphabetische Versfolge (א-כ) aufweist und in seiner jetzigen Gestalt von Gottes Eifer und Zornesglut gegenüber den Feinden bzw. seiner Hilfe für die Seinen redet[62]. Grundstock von Nah 1 ist ein Psalm, der nicht von Nahum stammt und in dem es um eine Scheidung innerhalb Israels ging. In einer Nachinterpretation (V.2b.3a.9f.12f; 2,1) werden die Feinde außerhalb Israels gesehen - in den Babyloniern. Die "potentielle Notzeit (צרע), von der der Hymnus sprach (V.7a), wird in V.9b ... zu einer real erfahrenen."[63]

1,6 und 3,9 vorbereitet und dann in Jon 4 ausgeführt wird, ganz in Gottes freie Entscheidung gestellt und nicht eine zwingende Folge der Umkehr (Wolff, ebd, 66.128.135ff).
[59] Zu dieser Akzentverlagerung gegenüber der dtr Theologie s. Spieckermann, aaO, 15f.
[60] Der Prophet Nahum gehört in die Zeit vor dem Zusammenbruch des assyrischen Reiches 612 v.Chr. Jedoch ist die Frage der Einheitlichkeit des Buches insgesamt sowie des ersten Kapitels umstritten (vgl. dazu Jeremias, Kultprophetie, 12-19, der mit mehrfacher Überarbeitung rechnet).
[61] F. Horst, Art. Nahumbuch, BHH II, 1282; Rudolph, KAT XIII.3, 150.
[62] Der Psalm stammt kaum von Nahum selbst, sondern stellt eine Hinzufügung dar, die selbst noch einmal überarbeitet wurde. Gründe hierfür sind nach Jeremias, aaO, 16: a) es gibt keinerlei terminologische Anklänge an die folgenden Worte Nahums; b) der Hymnus ist - anders als die übrige Verkündigung Nahums - an möglichen Gegensätzen innerhalb Israels interessiert, was besonders aus V.7f deutlich hervorgeht; c) die Bezeichnung Gottes als קנ(ו)א אל (V.2a) bezieht sich im Alten Testament sonst "stets in kultpolemischem Sinn" auf JHWHs Zorn gegen "abtrünnige, zum Götzendienst abgefallene Israeliten". Diese Einsichten haben Auswirkungen auf die Interpretation von V.3. Der Text von Nah 1,3 ist textkritisch unklar: im Qere wird das "o" von גדול verkürzt. Damit wird der Doppelausdruck וגדול־כח einheibig (Rudolph, KAT XIII.3, 151 Textanm.). Dies hat zu Konjekturen Anlaß gegeben. Elliger nimmt den Vorschlag von BHS auf und liest חסד statt כח (Elliger, ATD 25, 3). Dies würde auch besser zu der bisher bekannten Formel passen. Die Ausdrucksweise חסד גדול steht auch Ps 145,8. Doch ist sehr fraglich, ob diese Konjektur gerechtfertigt ist (vgl. Rudolph, ebd, 154 A.6: "Ein arger Mißgriff"). Weiterhin fallen V.2b-3a aus dem akrostichischen Aufbau heraus. Dies führt dazu, daß Elliger V.2b-3a als spätere Glossen (unterschiedlicher Nachinterpretatoren) ansieht (Elliger, ATD 25, 3.5f). Doch der akrostichische Aufbau kann nicht der letzte Grund für die Ausscheidung von V.2b-3a sein (vgl. Rudolph, ebd, 154 samt A.4.6), hierzu können nur inhaltliche Gründe Anlaß geben.
[63] Jeremias, Kultprophetie, 17.

Diese aber ist nach 2,1 nun beendet[64]. Damit werden die Babylonier die Gegner Gottes (2b.3a). Die Nachinterpretation greift das Bekenntnis zur Langmut Gottes auf. Dadurch wird auf das Exil als Strafe Gottes für Israels Abfall zurückgeblickt, es findet nun durch Gottes Langmut ein Ende[65]. Es ist nun zu fragen, ob dieses Verständnis auch für die LXX zutrifft. Mag eine Konjektur in V.3a (כח - חסד) für den MT noch diskutabel (wenn auch abzulehnen) sein, so gilt für die LXX, daß ihr mit Sicherheit כח zugrunde lag. Die LXX übersetzt: μεγάλη ἡ ἰσχὺς αὐτοῦ. Inwiefern die LXX anders versteht, geht aus der Fortsetzung in V.3b hervor. Analog zu Am 1,14 liest die LXX nicht סופה (= Unwetter, Sturm: καὶ σεισθήσεται ἐν ἡμέρᾳ συντελείας αὐτῆς), sondern סופה (= Ende + Suffix: ἐν συντελείᾳ καὶ ἐν συσσεισμῷ ἡ ὁδὸς αὐτοῦ). Die LXX versteht das, was über Gottes Zorn formuliert wird, als Aussage über den Zorn am Ende der Tage[66]. Von daher fällt Licht auf den Gegensatz von μακρόθυμος und ἰσχύς in V.2b. In der Tat hat Gottes Langmut dazu beigetragen, daß durch die noch nicht erfolgte Strafe Zweifel an der Macht Gottes entstehen konnten. Dagegen erfolgt die Versicherung, daß Gott zwar langmütig sei, dies jedoch nicht bedeute, daß er Sünden ungestraft lasse. Das "scheinbare Ausbleiben der göttlichen Strafe [ist] kein Zeichen von Schwäche und Ratlosigkeit"[67]. Am Ende wird Gott wohl einschreiten. Dies gilt für die Feinde des Gottesvolkes. Langmut hat hier nicht den positiven Sinn von "Vergebungsbereitschaft" wie in Ex 34,6 u.ö., sondern spricht die Verzögerung der Strafe an[68].

---

[64] Die Abhängigkeit in 2,1 ist die des Nahumtextes von Dtjesaja und nicht umgekehrt (vgl. die Argumente bei Jeremias, Kultprophetie, 14f; dagegen Rudolph, KAT XIII.3, z.St.).

[65] Daß das Bekenntnis V.3a "ein Eingestehen geschehener Schuld impliziert", wie Jeremias, ebd, 17, ausführt, trifft mit Blick auf Ps 145,8 nicht so pauschal zu.

[66] Zum σεισμός vgl. Joel 2,10.

[67] Rudolph, KAT XIII.3, 154. Was Rudolph hier für den MT als Sinn herausarbeitet, gilt jedoch für die LXX! Zur Formulierung, Gott lasse "nicht ganz ungestraft", vgl. Jer 46,28 (26,28 LXX).

[68] Damit kommt die Stelle in die Nähe von Sir 5,4ff (s.u.). Die von Zeller für ארך אפים angeführten Belege aus den Qumran-Schriften bestätigen unsere bisherigen Ergebnisse für Gottes Langmut.

1QH 1,6: Der Text ist sehr fragmentarisch:

לפני חן]מ[ ]ואריך אפים במשפ]ט ואתה] צדקתה בכל מעשיכה

Lohse (Texte, 113) übersetzt: "vor [...] und langmütig im Gerich[t. Und du] bist gerecht in allen deinen Werken".

1QH 16,16 (von Zeller, Sühne, 69, zwar zitiert, aber ohne Stellennachweis): Auch dieser Text ist sehr beschädigt:

כ]ב[וד ואן]ורחום א[ר]ו[ך א]פי[ם]]חסד ואמת ונושא פשע

Lohse (Texte, 169) übersetzt: "He[rr]lichkeit [...] und barmherzig, la[ng]m[ü]tig [...] Gnade und Treue und Sünde vergebend". Die Fortsetzung in V.17 legt es nahe, eine Verbindung zu der in Ex 34,6f etc. belegten Formel zu sehen: "mitleidig mit [...] und die, die [deine] Ge[bote] halten, die umkehren zu dir in Treue und mit ganzem Herzen [...]."

1QH 17,17f: (17) ... לספר צדקותיך ואריך אפים
(18) [ ]ומעשי ימין עוזך]וסליח[ו]ת על פשעי ראשונים ...

Lohse (Texte, 171) übersetzt: "... um deine gerechten Taten zu erzählen und langmütig [...] und die Werke deiner mächtigen Rechten [und die Vergebungen] der Sünden der Früheren ...".

CD 2,4f: (4) ... ארך אפים עמו ורוב סליחות (5)... לכפר בעד שבי פשע ...

Lohse (Texte, 69) übersetzt: "Langmut ist bei ihm und reiche Vergebungen, um Sühne zu schaffen, für die, die von der Sünde sich abgewandt haben."

Sir 5,4: Ganz anders als in den bisherigen Belegen ist Gottes Langmut hier nicht einfach ein Warten auf des Sünders Umkehr, sondern ein Zuwarten zum Gericht. Die Beziehung zu 2Makk 6,14 ist unübersehbar[69]. Keiner, dem nicht für seine Sünde die Strafe auf dem Fuß folgt, soll sicher sein, daß sie damit vergessen sei. Gott hat den längeren Atem - d.h. er schlägt zu, wenn das Maß voll ist. Es wird davor gewarnt, auf Vergebung hin zu sündigen und Gottes Barmherzigkeit als Sicherheit zu mißbrauchen. Barmherzigkeit und Zorn sind in gleicher Weise da. Die Umkehr soll nicht aufgeschoben werden, denn der Tag des Zorns kommt unerwartet[70]. In V.7 erfolgt dann ein Neueinsatz: ein Aufruf zur Umkehr, weil der Zorn des Herrn (Tag des Zorns) pötzlich ausbricht.

2.) μαχρόθυμος als Übersetzung von אֶרֶךְ רוּחַ
Koh 7,8: Ein Sprichwort, in dem der Langmütige den Vorzug gegenüber dem Hochfahrenden bekommt. μαχόθυμος bezeichnet hier wiederum eine menschliche Charaktereigenschaft. Aus dem Zusammenhang geht jedoch hervor, daß die Stimmung nicht optimistisch wie in Prov 14,29; 15,18; 16,32 ist, sondern daß es angesichts der Uneinsehbarkeit göttlichen Planens und Handelns besser ist, der Mensch "resigniert demütig", als er "hadert vermessen"[71].

3.) μαχρόθυμος als Übersetzung von קַר רוּחַ
Prov 17,27[72]: קַר רוּחַ heißt eigentlich "kaltblütig"[73]. V.27a beschreibt den Einsichtigen, der seine Worte zurückhält (so auch V.28). V.27b nennt den einen Mann der Vernunft, der einen kühlen Kopf behält. Die LXX interpretiert in eine bestimmte Richtung: Wer auf harte, strenge, unbarmherzige Worte verzichtet, kann als Einsichtiger gelten und wer langmütig ist, als Mann des Verstandes. Langmut ist hier gleichbedeutend mit Milde.

β) μαχροθυμία als Übersetzung von אֶרֶךְ רוּחַ / אֹרֶךְ אַפִּים / אֹרֶךְ אַפֶּךְ
Jer 15,15[74]: Im MT ist für das Adjektiv אֶרֶךְ das Substantiv אֹרֶךְ zu punktieren[75]. Jeremia bittet Gott, ihn nicht in seiner Langmut dahinzuraffen[76]. Die Langmut Gottes, das Zögern

---

[69] S.u. In diesen Zusammenhang gehört auch der Ausspruch, der R. Chanina (ca. 250) zugeschrieben wird (zit. nach Bill. III,77): "Wer da sagt, daß der Allbarmherzige nachsichtig וּתֹרֵן sei (Sünden straflos hingehen lasse), dessen Eingeweide mögen (durch Durchfall) hinschwinden יִתּוֹתְרוּן; er ist vielmehr langmütig, treibt aber das Seine bei."
[70] Ein solcher Tag des Zornes war nach Sir schon einmal, z.Zt. des Noah, da: s. 44,17-18!
[71] Lauha, BK XIX, 128.
[72] "Das Kapitel [17] hinterläßt den Eindruck, die Weite des menschlichen Lebens vom weisheitlichen Standpunkt zu betrachten, ohne eine Vollständigkeit erreichen zu wollen." (Plöger, BK XVII, 200.)
[73] Horst, Art. μαχροθυμία χτλ., 379 A.24.
[74] Die beiden ersten Worte von V.15 stellen den Abschluß von V.11 dar. 12-14 sind ein Einschub, 13-14 eine Dublette zu 17,3f (Rudolph, HAT I.12, 104 Textanm.; vgl. Jerusalemer Bibel, Textanm. z.St.). Jer 15,10-21 gehört zu den sog. Konfessionen des Jeremia. Zur Diskussion um dieselben s. die bei Spieckermann, "Barmherzig ...", 4 A.13, genannten Arbeiten.
[75] Vgl. BHS, Apparat; Rudolph, ebd, 104 Textanm.; auch jüngst Spieckermann, ebd, 4 A.14.
[76] Hierbei ist sinngemäß zu ergänzen: Gott möge Jeremia nicht aufgrund der Langmut gegenüber Jeremias Feinden durch den Tod hinraffen werden lassen.

seiner Rache, bedeutet für Jeremia eine lebensgefährliche Bedrohung, da dadurch den Feinden Gelegenheit gegeben ist, Jeremia zu bedrängen[77]. In der LXX ist das יתקחנ ausgelassen. Dadurch entfällt ein Stück der Dringlichkeit, und das Stürmische des Drängens Jeremias ist gemildert. Die μαχροθυμία Gottes ist hier auch nicht wie im MT auf die Feinde bezogen, denen gegenüber Gott seine Langmut fallen lassen soll, sondern sie bezieht sich auf das Sich-Hinziehen der Hilfe. Gott soll des Jeremia gedenken, ihn erretten vor den Verfolgern, μὴ εἰς μαχροθυμίαν. μαχροθυμία bezieht sich somit hier auf das Hinauszögern der Hilfe Gottes.

Prov 25,15[78]: Die von BHS vorgeschlagene Konjektur קָצִין - קִצֵּף (= Zorniger), ist durch nichts gerechtfertigt[79]. Die LXX stimmt mit dem MT in V.15a nicht völlig überein: ἐν μαχροθυμίᾳ εὐωδία βασιλεῦσιν. μαχροθυμία meint hier die Beharrlichkeit als menschliche Charaktereigenschaft.

Sir 5,11: μαχροθυμία (אֶרֶךְ רוּחַ) ist hier bezogen auf die Geduld, die einer beim Antworten aufbringen soll. μαχροθυμία hat hier den Sinn von Bedächtigkeit.

γ) μαχροθυμεῖν als Übersetzung von אֶרֶךְ hi. / הַאֲרִיךְ אַף

Koh 8,12: א[2] (Sinaiticus suppletor) bietet hier eine v.l. Hinter Koh 8,1-15 steht die Erfahrung, daß Gottes Zorn Frevler nicht sofort trifft, sondern diese im Übermut handeln können, als ob es Gottes Zorn nicht gäbe. Damit kommt die Stelle in die Nähe von Sir 5,4ff; Nah 1,3; und des Ausspruchs von R. Chanina (s.o.), obwohl das Stichwort von Gottes Langmut im MT nicht fällt (vgl. auch Jes. 57,11b).
Die LXX geht nicht ganz mit dem MT. Für מֵאָה (st.cs. von מֵאָה = hundertfach) hat sie מֵאָז gelesen (= ἀπὸ τότε) und hat das hebr. אָרֵךְ hi., das hier elliptisch "lange leben" bedeutet[80], im Sinn der göttlichen Langmut gegen den Sünder verstanden (ἀπὸ μαχρότητος). Nach dem ersten Stichus von V.12 hat א[2] um einen Stichus erweitert: ἀπέθανεν καὶ μαχροθυμία [ἐ]π' αὐτῷ, dies wohl als Wiedergabe von אָרֵךְ hi. D.h. die göttliche μαχροθυμία ist hier einerseits positiv verstanden als Langmut mit dem Sünder, andererseits ist sie eine Infragestellung der Weltordnung, weil durch sie der Schein erweckt wird, als könne man sündigen, ohne zur Rechenschaft gezogen zu werden[81].

Prov 19,11: Die Einsicht in die Gegebenheiten des Lebens läßt einen Menschen nicht jähzornig und aufbrausend sein, sondern macht ihn langmütig und verlangsamt seinen Zorn[82]. Diese Langmut bringt es mit sich, daß eine Verfehlung nicht geahndet, sondern übergangen wird. Die LXX hat den Text verändert: ἐλεήμων ἀνὴρ μαχροθυμεῖ. Nicht Einsicht, sondern Erbarmen bringt Langmut hervor. Dies liegt im Trend jener Belege (z.B. Ex

---

[77] Die Bitte, Gott möge schnell handeln und nicht zögern, entspricht einem Motiv in den Klagepsalmen des Einzelnen, worin Gott gebeten wird, eilend zu helfen (vgl. z.B. Ps 22,20; 38,23; 40,14; 70,2.6; auch Ps 31,3; 69,18).
[78] Der Vers stellt ein Sprichwort dar, das die Macht der Ausdauer beschreibt. Dabei ist nicht das Adjektiv, sondern das Substantiv gebraucht.
[79] Vgl. Plöger, BK XVII, 296 Textanm.
[80] Lauha, BK XIX, 157. Auch Aquila, Symmachus und Theodotion differieren, sie lasen vermutlich מה (vgl. Lauha, ebd, 154 Textanm.).
[81] Sachlich liegt hier eine Berührung mit dem Thema des Jonabuches vor.
[82] V.11b kann dabei als eine Explikation von V.11a verstanden werden (Plöger, BK XVII, 222).

34,6f), in denen μακροθυμία neben Erbarmen und Güte steht. Jedoch handelt es sich hier um eine menschliche Charaktereigenschaft und nicht um ein göttliches Verhalten.

δ) μακρόθυμος κτλ. ohne hebräische Äquivalente
Hi 7,16[83]: Es handelt sich in Hi 6,1-7,21 um Hiobs Stellungnahme nach der Eliphasrede. Der MT lautet:
"Ich mag nicht mehr[84]. Nicht ewig lebe ich.
Laß ab von mir! Ein Hauch sind meine Tage."
Die LXX läßt das erste Verbum unübersetzt und fährt sofort weiter:
οὐ γὰρ εἰς τὸν αἰῶνα ζήσομαι, um dann zu ergänzen
ἵνα μακροθυμήσω.
Subjekt des μακροθυμεῖν ist Hiob. Der Vers erinnert an Hi 6,11, dort geht es um die Zeit, die Hiob noch aushalten soll. Verbum dort ist ἀνέχεσθαι. Aquila gibt Hi 6,11 ebenfalls durch μακροθυμήσω wieder. An beiden Stellen geht es um die Geduld als Charaktereigenschaft.

Ps 7,12: MT und LXX differieren in entscheidendem Maß. Während im MT das Sichwort Langmut auch nicht durch ein entferntes Äquivalent erscheint, hat die LXX es eingefügt und damit den Sinn von V.12b ins Gegenteil verkehrt[85]:

MT (12a)   Gott[86] ist ein Richter des Gerechten
   (b)   und ein Gott, der zürnt alle Tage (זעם ואל)[87]
   (13)   Fürwahr, wieder schärft er (der Feind!) sein Schwert,
          spannt seinen Bogen und zielt.

LXX (12)   Gott ist ein gerechter Richter und mächtig (ἰσχυρός) und
          langmütig (μακρόθυμος),
          der nicht jeden Tag Zorn herauführt (ἐπάγειν)[88].
   (13)   Wenn ihr nicht umkehrt, wird sein Schwert glänzen,
          seinen Bogen hat er gespannt und er hat ihn bereitet,
   (14)   und in ihm ist ein Werkzeug des Todes bereitet,
          seine Pfeile hat er zu brennenden gefertigt.

Mit V.14b ist die LXX wieder zum Sinn des MT zurückgekehrt[89]. V.12 stellt im MT eine Prädikation Gottes dar, in unserem Fall ein Element einer "Gerichtsdoxologie"[90]. Der Be-

---

[83] Zum Kontext des Verses s.u. S. 137 zu Hi 6,11.
[84] S. Ges.-B., WB, 394; vgl. Horst, BK XVI.1, 94: "Ich bin es leid!" KBS II, 513, erwägen V.16 mit V.15 zusammenzuziehen.
[85] Zu den Korrekturen der LXX in ihrer Übersetzung des MT vgl. generell J.W. Wevers, Septuaginta-Forschungen II. Die Septuaginta als Übersetzungsurkunde, ThR 22, 1954, 171-190.
[86] Kraus, BK XV.1[5], 191, rechnet mit einer Korrektur von יהוה in אלהים durch Aufnahme in den elohistischen Psalter.
[87] Buber, Preisungen, z.St. übersetzt: "dem Gottherrn, alletag dräuend".
[88] ἐπάγειν ist t.t. in 2Petr 2,5!
[89] Nach Westermann, Lob und Klage, 60, stellt Ps 7 die zum Lob gewandelte Klage eines Einzelnen dar; dagegen Kraus, BK XV.1[5], 192f: "Gebetslied". Kraus, ebd, 189, spricht inhaltlich von einer "Appelation an das gerechte Gericht Gottes" (vgl. ebd, 192.196). Gott wird gebeten, die Sache des Beters in die Hand zu nehmen und sich in seinem Zorn zu erheben (V.7).
[90] Kraus, ebd, 193.198.

ter erwartet, daß Gott sich als der זעם אל jetzt erweist. V.13 spricht dann erneut vom Feind, der sein Schwert schärft und den Bogen spannt[91]. Anders die LXX: sie macht aus "Gott, dem Richter des Gerechten", der "täglich zürnt", einen "gerechten Richter", ergänzt "mächtig und barmherzig" und ändert dann in "der nicht täglich den Zorn heraufführt". Damit ist sie in einem völlig anderen Zusammenhang, was sich auch in der Abänderung von V.13 in eine Mahnung niederschlägt: "Wenn ihr nicht umkehrt." (Wer?) Wandte sich im MT der Feind schon wieder neuen Ränken zu (ישוב), so macht die LXX daraus eine Aufforderung zur Umkehr. Ausgelöst hat diese Änderung die Gottesprädikation in V.12, die durch Erweiterung mit traditionellen Termini in eine übliche Form gebracht wurde. Dies wiederum veranlaßte dann die Änderungen in V.12b.13.14a. Gottes Gerichtshandeln und seine Langmut gehören offenbar zusammen. Das Richten Gottes kann nicht allein stehen.

SapSal 15,1: Der Vers stellt einen Lobpreis Gottes dar. Im Kontext geht es um Götzenbilder. Die Völker verehren "namenlose Götzen", was aller Übel Anfang ist, da sich darin eine Selbsttäuschung des Menschen manifestiert, in welcher der Mensch meint, sündigen zu können, ohne mit Strafe rechnen zu müssen. Israel dagegen hat einen lebendigen Gott und weiß, daß dieser Rechenschaft fordert. Aber Israel weiß auch, daß dieser Gott "gütig ist und getreu, langmütig und in Erbarmen das All regiert". Die Beziehungen zu Ex 34,6 etc. sind nicht zu übersehen. Die Langmut Gottes ist auch hier jenes Verhalten Gottes, das Sünden nicht einfach dahingehen läßt, aber dennoch Vergebungsbereitschaft beinhaltet.

Jes 57,15[92]: V.15 erinnert an Jes 6. Der MT bietet eine Schwierigkeit: Wie ist die Fortsetzung nach Gottes Thronen in der Höhe zu verstehen? Westermann ergänzt אראה und erhält dadurch "ich blicke auf den Demütigen und Zerschlagenen, um den Mut der Gebeugten zu beleben und das Herz der Zerschlagenen zu beleben"[93]. Die LXX hat diese Schwierigkeit des MT umgangen. Die Gottesrede ist beibehalten, ebenso die an Jes 6 erinnernden Prädikate in V.15a, jedoch V.15b ist verkürzend umformuliert: "Den Kleinmütigen gebe ich μακροθυμία, und den im Herzen Zerschlagenen gebe ich Leben." Die Parallelität von ζωή und μακροθυμία legt es nahe, hier im Sinn von "Ausdauer" bzw. "Standhaftigkeit" zu interpetieren. Andererseits dürfte μακροθυμία an dieser Stelle durch die Fortsetzung in V.16 hervorgerufen sein: "Gott will nicht ewiglich strafen und dauernd zürnen." Seine Strafe hat eine Begrenzung[94]. Jes 57,16 enthält das Motiv der Begrenzung des göttlichen Zorns, das auch sonst im Zusammenhang mit μακρόθυμος schon begegnete (vgl. neben Ps 103,8f noch Ex 34,7; Num 14,18; Neh 9,17.31). Es ist zu vermuten, daß der mit μακρόθυμος κτλ. angesprochene Zusammenhang von Gottes Langmut und der Begrenzung seines Zorns in nachexilischer Zeit so stark war, daß in der LXX in Jes 57,15b dies den Ausschlag für die Übersetzung gab. μακροθυμία wäre also hier aus dem bekannten Kontext als Begrenzung des göttlichen Zorns zu verstehen.

---

[91] Der Text ist insgesamt mit großen textkritischen Problemen behaftet, vgl. dazu Kraus, ebd, 191f. Soviel ist jedoch deutlich, daß V.13 wieder vom Feind und dessen Ränkeschmieden spricht (s. Kraus, ebd, 199; vgl. auch Kittel, KAT XIII, z.St.).

[92] In Jes 57,14-21 geht es um eine Heilsankündigung (Westermann, ATD 19, 260).

[93] Westermann, ebd, 262 (Übersetzung W.K.).

[94] Dies erinnert an Ps 103,9, der wie oben festgestellt, nachexilisch ist und starke Anklänge an die Botschaft Dt- und Trtjesajas aufweist. In Ps 103,8(102 LXX) begegnete das Stichwort μακρόθυμος, hier jedoch im Sinn des göttlichen Erbarmens mit den Sündern.

Bar 4,25: Der Vers findet sich innerhalb des prophetischen Abschnitts des Buches Baruch[95]. Dem unter dem Exil als Strafe Gottes leidenden Volk wird gesagt, es möge geduldig den Zorn Gottes tragen, denn die jetzt siegenden Feinde würden in Bälde untergehen (ἐν τάχει). Bar 4,5ff wird dem Volk Mut zugesprochen: die Strafe soll nicht zur Vernichtung des Volkes dienen, sondern (V.28) Umkehr bewirken. μακροθυμεῖν bedeutet somit im vorliegenden Fall, sich geduldig unter das Strafgericht Gottes zu stellen und auszuharren.

Dan 4,27 (Th.): Daniel gibt Nebuchadnezar den Rat, durch Wohltaten seine Sünden und durch Mitleid mit den Armen seine Ungerechtigkeiten zu sühnen (wiedergutzumachen), dann werde auch Gott mit Nebuchadnezars Übertretungen langmütig (μακρόθυμος) verfahren. Dies ist der einzige Beleg, an dem Gottes Langmut in Beziehung gesetzt wird zu menschlichen Wohltaten. Langmut bezeichnet hier Gottes Milde.

1Makk 8,4: μακροθυμία meint im vorliegenden Fall die "Ausdauer", die die Römer hatten, den "langen Atem" in der Unterwerfung ihrer Gegner in Spanien.

2Makk 6,14[96]: Der Gedanke der Strafe nach dem Maß der begangenen Schuld begegnet in 2Makk häufig (5,10; 9,6.28; 13,8 u.ö.). In 6,12-17 wird der Sinn der Verfolgung bedacht. V.17 führt aus, daß es sich um einen Einschub in die fortlaufende Erzählung handelt. Die Gerichte Gottes dienen nicht zur Vernichtung, sondern sind ein Mittel der Pädagogik. Die rasch erfolgende Strafe Gottes ist kein Zeichen der Verstoßung, sondern im Gegenteil ein "Zeichen großer Gnade". Ganz anders verfährt Gott mit den Völkern: hier wartet er langmütig zu (ἀναμένει μακροθυμῶν), bis das Sündenmaß voll ist und dann straft er[97]. Israel dagegen erlangt durch die sofortige Züchtigung niemals das τέλος der Sünden[98]. Die göttliche Langmut ist hier im Unterschied zu allen übrigen Belegen kein Zeichen eines göttlichen Heilswillens, sondern Zeichen der Hingabe an das Gericht. Wem Gott Langmut erweist, der arbeitet daran, das Maß vollzumachen[99].

2Makk 8,26 (R): Weil der Sabbat hereinbrach, konnten sie die Verfolgung nicht weiterführen (οὐκ ἐμακροτόνησαν κατατρέχοντες αὐτούς). Die Ed. Sixtina (R) bietet statt dessen ἐμακροθύμησαν (s. Hatch-Redpath, s.v.). μακροθυμεῖν bedeutet hier "Ausdauer haben".

Sir 2,4: μακροθύμησον wird dem gesagt, der seinen Weg mit Gott gehen will. Er soll in der Bewährung ausharren.

Sir 18,11: Gott ist langmütig (ἐμακροθύμησεν κύριος) und voll Erbarmen über die Menschen, denn er kennt ihre Geringfügigkeit und sieht ihr schlimmes Ende voraus, daher ge-

---

[95] Bar 1,1-14: Einleitung; 1,15-3,8: Gebet (Schuldbekenntnis und Hoffnung); 3,9-4,4: weisheitlicher Abschnitt; 4,5-5,9: prophetischer Abschnitt.
[96] Zu den Einleitungsfragen den 2Makk betreffend, s.o. Abschnitt IV, S. 34. Zu 2Makk 6,12-17 s. Wichmann, Leidenstheologie, 18-21.
[97] Zu dieser Vorstellung vgl. Wichmann, Leidenstheologie, 19f, und die oben S. 101 A.54, genannten Belege.
[98] Vgl. zu dieser Sicht der Strafe als gnädige Züchtigung aus der Zeit des 1. Jh. v.Chr. PsSal 7,3.5; 10,1-3; 16,10.
[99] Vom Wortlaut her steht diese Stelle in krassem Gegensatz zu Sir 35,19ff, sachlich meint sie dasselbe. Der Gedanke, daß Gott zuwartet, bis das Maß voll ist, findet sich auch in Sir 5,4ff (zu Sir s.u.).

währt er Sühne (ἐξιλασμός). Hier ist die Langmut eine Voraussetzung dafür, daß Gott Sühne ermöglicht und nicht den Sünder vernichtet. Aus V.13 wird klar, daß diese Sühne mit Umkehr (ἐπιστρέφειν) verbunden ist.

ε) ἀνοχή

Das in der LXX nur in 1Makk 12,25 belegte Substantiv ἀνοχή ist dort ohne hebräisches Äquivalent. Es geht um eine dem Feind nicht gewährte ἀνοχή: D.h. es gibt keine vorübergehende Einstellung der Kampfeshandlungen, damit der Feind keine Verschnaufpause erhält[100]. Dies entspricht dem Sprachgebrauch in der Profangraecität (s.o. S. 113).

ζ) ἀνέχω

1Kön 12,24 (B)[101]: Die Übersetzung der LXX ist als eine Paraphrase anzusehen. Im MT geht es darum, daß auf Gottes Geheiß alle Kämpfenden heimkehren. Die LXX übersetzt: κατέπαυσαν τοῦ πορευθῆναι κατὰ τὸ ῥῆμα κυρίου. Cod. B liest: ἀνέσχον τοῦ πορευθῆναι κατὰ τὸ ῥῆμα τοῦ κυρίου. Sie hielten sich zurück, weiterzuziehen gegen die Truppen des Nordreichs. ἀνέχω mit gen. (hier: subst. Inf.) meint in diesem Fall die Zurückhaltung, das Unterlassen.

Am 4,7[102]: In Am 4,6-11 handelt es sich um eine prophetische Anklage[103]. V.12 zieht die Summe: "Mache dich bereit zur Begegnung mit deinem Gott!"[104] Gott sandte seinem Volk eine Reihe von Plagen mit zunehmender Härte, um es zur Umkehr zu bewegen. Dies schlug fehl. Eine der Plagen, die zweite, war die Zurückhaltung des Regens bis drei Monate vor der Ernte. Diese Plagen sind jedoch noch nicht das Ende der Wege Gottes, sie haben erzieherische Funktion, sie wollen zur Umkehr bewegen. Die Vorenthaltung des Regens ist ein Glied in der Kette des Strafhandelns Gottes[105]. ἀνέχειν stellt in Am 4,7 die Übersetzung von hebr. ענב dar, was "zurückhalten", "hemmen", "vorenthalten" bedeutet. Es meint hier als Verbum mit Akk. Obj. die Zurückhaltung einer Sache von Gott her im Zusammenhang mit dessen Strafhandeln.

---

[100] LSJ, 148, übersetzen mit "time, opportunity" und geben als weiteren Beleg für diesen Begriffsinhalt P.Oxy 1068,15 (3. Jh.) an, wo sie ἡμερῶν ἀ. mit "delay of some days" wiedergeben. Somit ist der zeitliche Aspekt evident.

[101] V.24 gehört zur Gottesrede (V.22ff), in der in Form eines Botenspruches das Verbot ausgesprochen wird, daß Nordreich und Südreich miteinander kämpfen. V.24b stellt dann die Ausführung dar und berichtet, daß die Truppen gemäß dem Befehl Gottes heimkehren.

[102] Am 4,6-12 ist strophisch aufgebaut, der Kehrvers ("ihr habt euch nicht zu mir bekehrt") wird regelmäßig wiederholt (Am 4,6.8.9.10.11). Das Gleichmaß des Strophenaufbaus ist jedoch nicht streng durchgehalten. Eine Gottesspruchformel schließt sich jeweils an (Wolff, BK XIV.2, 250).

[103] Es geht nicht um "Strafandrohung" (Wolff, ebd, 251).

[104] Zu dieser Formulierung vgl. H.W. Wolff, Die eigentliche Botschaft der klassischen Propheten, in: H. Donner u.a., Hrsg., Beiträge zur alttestamentlichen Theologie (FS W. Zimmerli), Göttingen 1977, 547-557, hier: 555, vgl. 552.

[105] Reihen von Gerichtstaten Gottes, die zur Umkehr reizen sollen, finden sich auch sonst im Alten Testament: Lev 26; Dtn 28; 1Kön 8; s. dazu die detaillierte Aufstellung bei Wolff, BK XIV.2, 252.

Hag 1,10: Wir befinden uns mit Hag 1,10 innerhalb des ersten "Wortereignisberichtes" im Buch Hag[106]. Dem Volk wird vorgeworfen, es habe falsche Prioritäten gesetzt. Deshalb halte der Himmel den Regen und die Erde ihren Ertrag zurück (beidemal כלא)[107]. Die LXX übersetzt das erste כלא[108] mit ἀνέχειν, das zweite mit ὑποστέλλομαι[109]. In Hag 1,10

---

[106] Wolff, BK XIV.6, 15.18. Die Verse 4-11 weisen eine strukturelle Verschiedenheit bei gleichzeitiger thematischer Verbundenheit der Sprüche auf. V.9 stellt eine Gottesspruchformel dar. Vermutlich handelt es sich um eine Auftrittsskizze (Wolff, ebd, 17). Es geht um den ausgebliebenen Segen, der deshalb nicht eintrifft, weil man zwar angefangen hat, nach der Heimkehr aus dem Exil Häuser zu bauen, aber das Heiligtum Gottes noch darniederliegt. Zur Frage, welche konkreten Mißverhältnisse angesprochen sind, vgl. O.H Steck, Zu Haggai 1,2-11, ZAW 83, 1971, 355-379, hier: 370ff; Wolff, ebd, 30f, und die dort genannte Literatur.

[107] Letztlich ist der Urheber Gott selbst, vgl. 1,11. Wolff vermutet, daß Fluchtradition hier mit einfließt (ebd, 31).

[108] כלא (q.) erscheint im Alten Testament nicht in eschatologischem Kontext (vgl. aber die folgende Anmerkung). Meist wird es durch χωλύειν wiedergegeben: Gen 23,6; Num 11,28; Ps 40 (39 LXX),10; Ps 119 (118 LXX),101; Koh 8,8; Jes 43,6, aber auch durch ἀποχωλύειν (1Sam 6,10; 25,33), χαταχλείειν (Jer 32 [39 LXX], 3), μαχρύνειν (Ps 40 [39 LXX], 12), παραδιδόναι (Ps 88 [87 LXX],9), ὑποστέλλομαι (Hag 1,10), φυλάσσειν (Jer 32 [39 LXX],2), ἐμποδίζειν (Sir 35 [32],3). כלא (ni.) wird durch χωλύειν wiedergegeben (Ex 36,6; Ez 31,15) bzw. durch συνέχειν (Gen 8,2).

[109] ὑποστέλλομαι bedeutet im Med. "an sich halten", "sich zurückziehen" (Rengstorf, Art. στέλλω κτλ., 598). Im Neuen Testament finden sich vier Belege. Apg 20,18ff(bis): Paulus hat seinen Gemeinden nichts vorenthalten. Gal 2,12: Petrus hält oder zieht sich zurück. Hebr 10,38: sich heimlich machen (dabei ist Hebr 10,38 Zitat von Hab 2,4). In Hebr 10,39 findet sich als hap.leg. ὑποστολή: Mangel an Verläßlichkeit, Fahrigkeit (vgl. dazu Rengstorf, ebd, 599). In der LXX gibt es nur wenige Belege: neben Hag 1,10 noch Dtn 1,17; Hi 13,8; Hab 2,4; SapSal 6,7. Nach Rengstorf ist für Hi 13,8 die Bedeutung "sich verstecken" anzunehmen, ähnlich für Hab 2,4, wohingegen für Dtn und SapSal die Bedeutung "scheuen" vorzuliegen scheint (Rengstorf, ebd, 598,12ff). Nun ist Hab 2,4 eine Schlüsselstelle für das Neue Testament, v.a. für Paulus und den Hebr (vgl. dazu Strobel, Untersuchungen, passim). Dabei ist aufschlußreich, daß Hab 2,4 in Hebr 10,38ff gänzlich zitiert wird, jedoch mit der bedeutsamen Umstellung von V.4a und b, wodurch gegenüber MT und LXX eine eindeutige Verständlichkeit erreicht wird. Es ist nun auf den Gerechten Gottes zu beziehen (vgl. Strobel, Hebr, 206). Der MT bereitet große Schwierigkeiten, doch auch der LXX-Text ist in seinem Verständnis umstritten (vgl. Rengstorf, ebd, 598; Rudolph, KAT XIII.3, 213.217). Hab 2,4 kann nur im Zusammenhang mit V.3 gesehen werden:
(3) διότι ἔτι ὅρασις εἰς καιρὸν καὶ ἀνατελεῖ εἰς πέρας καὶ οὐκ εἰς κενόν· ἐὰν ὑστερήσῃ, ὑπόμεινον αὐτόν, ὅτι ἐρχόμενος ἥξει καὶ οὐ μὴ χρονίσῃ. (4) ἐὰν ὑποστείληται, οὐκ εὐδοκεῖ ἡ ψυχή μου ἐν αὐτῷ· ὁ δὲ δίκαιος ἐκ πίστεώς μου ζήσεται.
Hier steht ἐὰν ὑποστείληται (V.4) parallel zu ἐὰν ὑστερήσῃ (V.3b). Der Sinn im MT ist, daß die Schauung zwar verziehen kann, jedoch nicht völlig ausbleibt. Die LXX versteht V.3bβ als Aussage über den ἐρχόμενος, der nicht verzieht. V.4a ist dann auf diesen ἐρχόμενος zurückbezogen: falls er zurückwiche, bzw. sich zurückhielte, hätte Gott keinen Gefallen an ihm. ὑποστέλλομαι bezeichnet hier in Hab 2,4 das Zurückhalten bzw. Nicht-in-Erscheinung-treten des "Kommenden". Es handelt sich somit um einen eschatologischen Kontext. Der von Gott Kommende wird sich nicht zurückhalten. ὑποστέλλομαι ist daher nicht mit "sich verstecken" wiederzugeben, sondern analog Hag 1,10 mit "sich zurückhalten" (gegen Rengstorf, ebd, 598). Zur Frage der personalen Erwartung in Hab 2,3f vgl. Strobel, Untersuchungen, 47f.53-57 mit Lit. In der Adventsliturgie wird dieses Verständnis der LXX zugrunde gelegt, um die Erwartung des Kommenden auszudrücken.

ist sowohl ὑποστέλλομαι als auch ἀνέχειν Ausdruck der göttlichen Erziehung. Die Zurückhaltung des Regens und der Frucht des Bodens soll zum Nachdenken bringen.

Sir 48,3[110]: אשות (שלוש ויורד) שמים ר(צ)ע אל בדבר. Die LXX bietet: ἐν λόγῳ
κυρίου ἀνέσχεν οὐρανόν. Subjekt des Satzes ist Elia, der im Auftrag Gottes handelt. Dabei
heißt עצר "den Himmel verschließen" und steht für die Zurückhaltung des Regens[111]. Es
geht analog Am 4,7 und Hag 1,10 um den Zusammenhang des göttlichen Richtens. Dabei
wird hier jedoch nicht wie in Am und Hag auf den erzieherischen Wert der Strafe abgehoben[112].

PsSal 17,18[113]: Im Kontext von PsSal 17 geht es um die Hoffnung auf die Wiederverherrli-
chung des Thrones Davids. V.3 nennt die Erwartung des göttlichen Erbarmens für Israel
und die Erwartung göttlichen Gerichtes für die Völker. V.5 nennt die Sünde als den Grund
der augenblicklichen Not, in der sich das Volk befindet. V.15-20 nehmen Bezug auf V.5f
und stellen dar, daß schon vor der Zeit des Pompejus Vergehen zu konstatieren waren,
weshalb das Gericht kam. V.18 nennt die konkrete Strafe: die Zerstreuung unter die Völker, weil der Himmel an sich hielt (ἀνέσχεν), Regen auf die Erde zu träufeln. Wie in Am
4,7; Hag 1,10; Sir 48,3 ist auch hier die Zurückhaltung des Regens ein Bild für die Heilsab-
wendung Gottes[114]. PsSal 17,21 wird Gott gebeten: "sieh darein und laß den König, den
Sohn Davids erstehen"[115]. ἀνέχειν bezeichnet also hier die Zurückhaltung Gottes aufgrund

---

[110] Sir 48,3 steht innerhalb einer Beschreibung der Herrlichkeit Gottes, die mit 42,15 einsetzt und zunächst die Herrlichkeit Gottes in der Natur beschreibt, um dann von 44,1 ab
die Geschichte des Gottesvolkes anhand wichtiger Gestalten als Ort darzustellen, wo Gottes Herrlichkeit sich zeigt. Elemente des berichtenden und beschreibenden Lobes gehen
nebeneinander her. Zum hebräischen Text von Sir siehe Boccaccio, Ecclesiasticus, und die
Ausgabe des Historical Dictionary, Book of Ben Sira.
[111] Die Zurückhaltung des Regens ist u.a. Gottes Gerichtshandeln aufgrund der Sünden
unter Rehabeam und Jerobeam (vgl. Sir 47,23ff).
[112] Sachlich steht 1Kön 18,36ff im Hintergrund, wo das Verschließen des Himmels und das
Herabkommen des Feuers zum einen den wahren Propheten, zum anderen den wahren
Gott in Erscheinung treten lassen sollte.
[113] Die PsSal stammen vermutlich aus der Zeit um die Mitte des 1. Jh. v.Chr.; darauf deuten die zeitgeschichtlichen Bezüge in PsSal 8,15-21 (pompeianische Besetzung Jerusalems
63 v.Chr.) und 2,26f (Tod des Pompeius 48 v.Chr.) hin (M. Karrer, Der Gesalbte. Die
Grundlagen des Christustitels, Hab. masch. Erlangen 1988, 287). "Die theologische Haltung
entspricht weithin dem Pharisäismus." (Rost, Apokryphen, 90; vgl. Schüpphaus, Die Psalmen Salomos, 158; dagegen mit äußerster Zurückhaltung Karrer, Der Gesalbte, 286f.)
PsSal 17 u.18 sind geprägt von einer aktuellen messianischen Erwartung mit starkem politi-
schem Akzent. Vgl. daneben aber auch 2,25: "Zögere nicht (χρονίζειν), Gott, ihnen auf
[ihr] Haupt zu vergelten, des Drachen Übermut in Schmach zu wandeln." (Übersetzung
nach Kittel, in: Kautzsch II, 133.) Zur - hier nicht zu verhandelnden - Problematik der
Messiaserwartung der PsSal im größeren Kontext messianischer Erwartung des Judentums
s. Karrer, Der Gesalbte, 286-293.302-307. Nach Karrer stellt die Erwartung in den PsSal
eine Ausnahme dar und ist keinesfalls Ausdruck für eine "allgemeine religiöse Dominanz
jüdisch-herrscherlicher Gesalbtenerwartung in Palästina z.Z. Jesu" (ebd, 306).
[114] Die Begründung in V.19b erinnert stark an Jes 59,9.14 (vgl. Jes 56,1; 58,2). Aus Jer
23,5; 33,15 geht hervor, daß für die messianische Zeit erwartet wurde, daß Recht und Gerechtigkeit geübt werden. V.19a nennt die Zurückhaltung der Quellen. Das dort gebrauchte Verb συνέχεσθαι entspricht der Übersetzung von כלא ni. in Gen 8,2.
[115] Die Aufforderung ἰδέ entspricht Jes 63,15. Dort wird Gott aufgefordert, vom Himmel
zu sehen und dann gefragt, ob er angesichts dieser Situation noch an sich halten könne und

der Sünden des Volkes. Deren Aufhebung würde das Kommen des Heils für Israel und die Vernichtung der 'gottlosen Heiden' bedeuten.

ϑ) ἀνέχομαι

1.) ἀνέχομαι als Übersetzung verschiedener hebräischer Äquivalente

Hi 6,11: Hiob klagt, wie lange er noch Qual aushalten müsse[116]. אֹרֶךְ hi. wird hier durch ἀνέχεται wiedergegeben[117]. Der Begriff ist elliptisch zu verstehen als "lang machen", "ertragen": "Wie beschaffen ist meine Kraft, daß ich ausharre?"; "Wie beschaffen ist meine Zeit, daß meine Seele durchhält?" Die LXX gibt insgesamt sehr frei wieder[118]. Aquila übersetzt das אַאֲרִיךְ נַפְשִׁי mit μακροθυμήσω. Horst hält dies für sachlich zutreffend[119]. Doch würdigt er dadurch nicht genügend eine Bedeutungsverschiebung. Die LXX fragt nach der Zeitspanne, die noch bevorsteht und die es zu ertragen gilt, bei Aquila liegt das Gewicht auf der Geduld als innerer Kraft. Damit hat sich Aquila noch ein Stück weiter vom MT entfernt, als dies in der LXX schon geschieht. Der MT fragt nach dem Ziel, auf welches hin das Ertragen gerichtet ist, die LXX nach der Zeitspanne, in der das ἀνέχομαι noch geschehen soll, Aquila nach der Geduld[120]. In der LXX überwiegt der temporale Aspekt.

Hi 6,26[121]: Der LXX-Text differiert in V.26b erheblich vom MT.
MT: "Sind Wind die Worte des Verzweifelnden?"
LXX: οὐδὲ γὰρ ὑμῶν φθέγμα ῥήματος ἀνέξομαι.
Der Unterschied zwischen MT und LXX betrifft auch schon V.25. Hatch-Redpath[122] geben יָאַשׁ ni. als mögliche Vorlage an. Aber das ist ausgeschlossen. Man könnte evtl. davon ausgehen, daß eine Verlesung von נֹאָשׁ (= Pt. ni. von יָאַשׁ) in נֹשֵׂא (= heben, tragen) vorliegt[123]. "Weder läßt mich die Rüge eurer Worte aufhören, noch ertrage ich das Verkünden eurer Rede." Bauer[124] nennt als Bedeutung von ἀνέχομαι "sich gefallen lassen", "zulassen", "billigen". Damit wäre die Übersetzung "und ich lasse mir das Verkünden eurer Rede nicht gefallen" zu bevorzugen. Hiob will die Reden seiner Freunde nicht mehr länger ertragen und billigen und demgegenüber selber reden, wie er seine Situation sieht. ἀνέχομαι bezieht

---

nicht das Heil kommen lassen müsse. Die gleiche Struktur findet sich in PsSal 17. Die Begründung für das Ausbleiben des Heils ist die Sünde des Volkes. Die Strafe Gottes hat zur Einsicht geführt. Jetzt kommt die Frage, ob damit nicht die von Gott gesetzte Zeit erfüllt sei, daß der Messias kommen könne. Die Erwartung in PsSal 17 ist gegenüber Trtjes personalisiert, doch geht es letztlich in beiden Fällen um das Kommen des Heils.

[116] Der Vers befindet sich innerhalb der Stellungnahme Hiobs nach der Eliphasrede, die von 6,1-7,21 geht. Hi 6 bezieht sich dabei auf die Freunde, Hi 7 ist an Gott gerichtet. Eine "dichterisch frei nachgestaltete forensische Parteirede liegt hier vor, ... ausgeziert ... mit einer Fülle von Vergleichsbildern" (Horst, BK XVI.1, 99).

[117] Anders als in Koh 8,12 (אֲשֶׁר), wo sich μακροθυμεῖν findet.

[118] Hebr. קֵץ durch χρόνος; vgl. Horst, aaO, 94ff.

[119] Horst, Art. μακροθυμία κτλ., 378 A.13.

[120] Vgl. Fohrer, KAT XVI, 161 Textanm.: LXX übersetze "ziemlich zutreffend", Aquila dagegen bringe den Gedanken der Langmut mit hinein.

[121] Hiob kann die Reden seiner Freunde nicht mehr ertragen. Der Vers bezieht sich auf V.24: "Belehrt mich, so will ich schweigen, und wenn ich gefehlt habe, erklärt (φράζειν) es mir." Hier gehen MT und LXX zusammen.

[122] Hatch-Redpath, Concordance I, s.v. ἀνέχειν, 87.

[123] Vgl. Horst, BK XVI.1, 96, Textanm. zu V.26.

[124] Bauer, WB[6], 130.

sich auch hier auf die Zeit, in der Hiob sich die Reden der Freunde gefallen ließ, sie ist nunmehr abgelaufen.

Jes 1,13: Gott kann die Opferpraxis nicht mehr ertragen[125]. Entscheidend für das Verständnis ist die Deutung von אָוֶן, V.13: es ist "die frevlerische Gesinnung, welche die menschliche Gemeinschaft, die nur auf Vertrauen beruhen kann, zerstört. Ein Festbetrieb, bei dem אָוֶן seine Blüten treiben kann, muß ... [für Gott] unerträglich sein"[126]. לֹא אוּכַל (Gott kann es nicht ertragen) steht hier als Kurzform für לֹא אוּכַל לִשְׂאֵת [127].

ἀνέχεσθαι meint somit hier ein Aushalten auf Seiten Gottes, kein An-sich-Halten.

Jes 46,4: Gott verheißt, den Rest Jakobs bis ins Greisenalter zu ertragen[128]. "Tragen" ist ein Motivwort des gesamten Abschnittes Jes 46,1-13. Gottes Tragen des Volkes durch die Katastrophe des Exils hindurch einerseits, und das Umhertragen von Götterbildern, die nicht helfen können andererseits, stehen einander gegenüber[129]. Das Tragen Gottes wird in zwei Begriffen ausgesagt: נָשָׂא und סָבַל. Dabei wird נָשָׂא (V.3) von der LXX nicht wörtlich übersetzt. Der MT enthält einen synonymen Par. memb., der zweimal das Aufbürden und Beladen zum Ausdruck bringt, die LXX dagegen gibt נָשָׂא durch παιδεύομαι wieder. V.4 wiederholt die LXX die Beteuerung, daß Gott bis ins Alter derselbe bleibe. ἀνέχομαι ist hier Übersetzung von סָבַל nach erneutem Einsatz mit ἐγώ. Dabei stellt ἀνέχομαι hier einen zusammenfassenden Begriff für das Tun Gottes dar. Es wird durch ἀνίημι, ἀναλαμβάνομαι und σῴζω näher bestimmt. Gott wird sein Volk nicht preisgeben, sondern an ihm festhalten bis ins Alter. Interessanterweise gibt die LXX das zweite סָבַל in V.4 nicht erneut durch ἀνέχεσθαι wieder, sondern durch ἀναλαμβάνομαι, was "aufheben", "aufnehmen" bedeutet. ἀνέχεσθαι meint also im vorliegenden Fall Gottes verläßliches Durchtragen seines Volkes, das Festhalten an ihm.

2Makk 9,12: Antiochus kann seinen eigenen Fäulnisgeruch nicht mehr "ertragen".

3Makk 1,22: Die Bürger Jerusalems können es nicht "zulassen" oder "dulden", daß Ptolemäus das Allerheiligste des Tempels betreten will.

---

[125] Die Einheit umfaßt Jes 1,10-17. Die Abgrenzung nach vorne ist durch שִׁמְעוּ דְבַר יְהוָה offensichtlich. Aber auch nach hinten wird durch die einleitende Formel יֹאמַר יְהוָה in V.18 der Anfang einer neuen Einheit (Gerichtsrede) deutlich (Wildberger, BK X.1, 50). Jes 1,10-17 stellt eine prophetische Thora dar; die Beziehungen zur Chokma wie zum Kult sind gleicherweise vorhanden (Wildberger, ebd, 36). Die Opferkritik hat schon Vorbilder, sowohl im ägyptischen Raum als auch im Alten Testament. Jesaja kann sich in der Formulierung an geprägte Formen anlehnen: vgl. 1Sam 15,22; auch Hos 6,6 (Wildberger, ebd, 36).
[126] Wildberger, ebd, 43f.
[127] Dazu vgl. Hab 1,13; Jer 44,22, wo ebenfalls mit אָכַל und נָשָׂא formuliert wird. An allen drei Stellen geht es darum, daß Gott bestimmte Zustände nicht (mehr) ertragen kann.
[128] Jes 46,1-4 ist ein relativ geschlossener Abschnitt innerhalb des größeren Zusammenhangs 46,1-13. Wir haben "Heilsankündigung" vor uns, die vorwegnimmt, was erst noch geschehen soll (Westermann, ATD 19, 145). Zur formgeschichtlichen Diskussion um die Gattung "Heilsankündigung" s. C. Westermann, Der Weg der Verheißung durch das Alte Testament, in: ders., Forschung am Alten Testament, Ges. Stud. II, ThB 55, München 1974, 230-249, hier: 233.235.237f.
[129] Das Tragen weist hinüber zu Jes 53,4, wo der Gottesknecht für die anderen trägt (Westermann, ATD 19, 147).

4Makk 1,35[130]: Durch den Verstand können die Triebe "gehemmt", d.h. unter Kontrolle gehalten werden[131].

4Makk 13,27: Die Bruderliebe läßt beim Anblick der gemarterten Brüder trotz des furchtbaren Anblicks "aushalten"[132].

2.) ἀνέχομαι als Übersetzung von אפק hitp.

An vier von elf Belegstellen, stellt ἀνέχομαι die Übersetzung von אפק hitp. dar.

Gen 45,1: Dieser Beleg kann nicht unter Absehung von Gen 43,31 interpretiert werden. In beiden Fällen findet sich im MT אפק hitp., wobei die LXX Gen 43,31 mit ἐγκρατεύομαι, in Gen 45,1 mit ἀνέχομαι übersetzt. ἐγκρατεύομαι bezeichnet das Sich-Enthalten, Sich-Selbst-Beherrschen[133]. Als Joseph seinen Bruder Benjamin sieht, ist er tief bewegt, kann sich nicht mehr beherrschen, geht deshalb in sein Gemach, um sich auszuweinen. Nachdem er seinen Gefühlen insgeheim freien Lauf gelassen und die Selbstbeherrschung wieder gefunden hat, kommt er zu den Brüdern zurück. Er gibt sich jedoch seinen Brüdern auch weiterhin nicht zu erkennen, sondern stellt diese noch auf eine harte Probe, bei der für die Brüder zunächst ungewiß bleibt, wie die Angelegenheit für sie ausgeht.

ἀνέχεσθαι meint im Fall von Gen 45,1: Zurückhaltung üben, keine Gefühle zeigen, um sich nicht zu erkennen zu geben. Diese Zurückhaltung ist nicht frei von pädagogischen Absichten.

Jes 42,14[134]: Die Übersetzung in der LXX könnte es nahelegen, daß der Text ursprünglich umfangreicher war. μὴ καὶ ἀεί könnte Wiedergabe von העולם oder הלעולם sein. Eine Gruppe von LXX-Handschriften bietet darüber hinaus ein zusätzliches ἀπ᾽ αἰῶνος[135]. Nach Westermanns Gattungsbestimmung stellt Jes 42,14-17 als "Heilsankündigung" die Antwort auf eine Volksklage dar[136]. In dieser Volksklage gehörte dann der Vorwurf des An-sich-

---

[130] Die von Deissmann für diese LA festgestellte Tautologie (vgl. V.35b), weswegen sie "sich weniger empfiehlt" (Deissmann, in: Kautzsch II, 154 A.a), könnte auch auf hebraisierenden Stil zurückgeführt und dann im Sinne eines Par. memb. verstanden werden. Die LA ἀνέχεται ist die am besten bezeugte (Klauck, 4Makk JSHRZ III.6, 694).

[131] Klauck, 4Makk JSHRZ III.6, z.St.; vgl. Deissmann, in: Kautzsch II, 153f.

[132] Klauck, ebd.

[133] Vgl. Bauer, WB[6], s.v.

[134] Die Überlieferung des MT ist zwar eindeutig, jedoch wird von den Kommentaren die fehlende Hebung in V.14aß als Problem genannt (vgl. Fohrer, z.St.; Elliger, z.St.). Elliger fügt daher im Anschluß an Fohrer u.a. הלעולם ein (Elliger, BK XI.1, 253). Dadurch wird 14aß zur Frage. Damit entfielen auch die formgeschichtliche Bestimmung "Heilsankündigung" und die Parallelen, die Westermann angibt. Vgl. inhaltlich Jes 63f (Westermann, ATD 19, 87f). Die Jesajarolle aus Qumran (A) fügt vor מעולם ein אך ein, was dem Metrum zugute kommt.

[135] Vgl. dazu Elliger, ebd, 253.261. Beachtung verdient auch die Übersetzung des Targum. Hier wird V.14a frei wiedergegeben: "Ich habe ihnen von jeher Frist gegeben, ob sie sich zum Gesetz bekehren würden; aber sie bekehrten sich nicht." Der Targum versteht somit das An-sich-Halten Gottes im Sinne einer Bußfrist! (Übersetzung nach Elliger, ebd, 254.)

[136] Zum Problem der "Heilsankündigung" vgl. neben Westermann, Weg der Verheißung (s.o. A.128) auch Elliger, ebd, 159f.

Haltens Gottes zum Motiv der "Anklage Gottes"[137]. Gottes An-sich-Halten wäre dann gleichbedeutend mit der Fortdauer seines Gerichtes[138].

Nun hat die Formbestimmung Auswirkungen auf den Inhalt: handelt es sich um eine Heilsankündigung als Antwort auf eine Volksklage, so ist das Schweigen und Zuwarten Gottes durch seinen Zorn motiviert[139]. Wenn Gott sein Schweigen bricht, greift er zugunsten seines Volkes ein (Jes 62,1). Gottes An-sich-Halten kann also eine Vorstufe zu Gericht oder Heil bedeuten oder selbst im Zusammenhang des göttlichen Strafhandelns stehen. Gottes Zuwarten ist jedoch nicht die letzte Entscheidung, sondern stellt immer die vorletzte Stufe dar[140].

Jes 63,15[141]: Das Volk klagt zu Gott: "Wo ist dein Eifer und deine Kraft, wo ist die Fülle deines Erbarmens und deines Mitleides, ὅτι ἀνέσχου ἡμῶν - daß du dich vor uns zurückhältst?"

---

137 Vgl. zur Gattung der Klage Westermann, Struktur, 277 A.34.

138 Inhaltlich spiegelt Jes 42,14 einen Umschwung im Verhalten Gottes. Bisher: Schweigen und An-sich-Halten; jetzt: Schreien wie eine Gebärende. V.14b nennt "Begleiterscheinungen einer sich im Gange befindenden oder dicht vor dem Abschluß stehenden Geburt" (Elliger, BK XI.1, 261). Die Verben bringen dies zum Ausdruck.

139 Westermann, ATD 19, 315, in der Auslegung von Jes 63,4-6. Elliger lehnt dies unter Hinweis auf Ps 50,21; 83,2; Hab 1,13; Jes 57,11 ab. An diesen Stellen gehe es jeweils auch um ein Schweigen Gottes, jedoch "zugunsten dessen, ... gegen dessen Bosheit er eigentlich einschreiten müßte." (Elliger, BK XI.1, 260.) Hab 1,13 muß hierbei als Beleg ausscheiden (s.o.!), ebenso Jes 57,11, denn hier geht es darum, daß Gott zwar nicht sofort strafend einschreitet, dies jedoch nicht mißverstanden werden darf. Westermann, ATD 19, z.St., hält Jes 57,7-13 für vorexilisch. Damit wäre der Sinn von V.11 völlig eindeutig. Ps 83,2 wird Gott gebeten, gerade nicht zu schweigen, denn sonst triumphierten die Feinde. So bleibt allein Ps 50,21, hier wäre Gottes Schweigen identisch mit seinem Nicht-Eingreifen zum Gericht, mit dem Untätig-Geschehen-Lassen. Insgesamt ist die Rede von Gottes Schweigen facettenreich: Der Psalmbeter bittet Gott, nicht mehr zu schweigen (Ps 28,1; 35,22 u.ö.); wenn Gott Bitten nicht erhört, dann schweigt er oder es heißt, er schläft (Ps 44,24 u.ö.); er schweigt und straft damit sein Volk (Jes 64,11); Ps 50,21 ist Gottes Schweigen als seine Langmut zu verstehen. Nach M. Delcor, Art. חרש, THAT I, 639-641, hier: 641, vgl. Ges.-B., WB, s.v., gehört hierher auch Zeph 3,17.

140 Elliger, BK XI.1, 260f. In der Wiedergabe unserer Stelle im Targum hat eine inhaltliche Verschiebung stattgefunden: Hier wird Gottes Zurückhaltung als Ermöglichung der Umkehr verstanden, ähnlich wie dies für Gottes ארך אפים in Joel 2 ausgesagt wurde. Hierdurch wird die von Strobel, Untersuchungen, 200, aufgeführte Traditionslinie teilweise bestätigt.

141 Den Vorschlag von Ges.-B., WB, 60, und von W. Thomas im Apparat von BHS zu Jes 63,15 aufgreifend, lese ich אל־נא תתאפק (vgl. Westermann, ATD 19, 310 A.2; dort muß es heißen: תתאפק und nicht תתאבק). Im nicht-korrigierten MT wäre zu übersetzen: "daß sie sich mir (dem Beter) vorenthalten", gemeint sind die Kraft und das Erbarmen Gottes (vgl. Buber, Kündung, z.St.). Die Korrektur des MT ergibt: "Halte doch nicht an dich!" Jes 63,15-64,11 stellt anerkanntermaßen eine Volksklage dar. Zur Gattung der Volksklage, vgl. Westermann, Rolle der Klage, 259f; Struktur, 273ff. Umstritten ist jedoch die zeitliche Einordnung des Psalms. Elliger, ebd, 258, erwägt, ob das Lied Jes 63f nicht "direkt von Dtjes abhängig" sei. Hierzu bringt ihn auch die Folge von Jes 42,14 auf 42,13, was schon für Trtjes eine vorgegebene Reihenfolge gewesen zu sein scheint (Elliger, ebd, 260f). Westermann denkt an die Zeit nach 587. Er setzt die Psalmen 89; 44; Jes 63f kurz nach dem Fall Jerusalems an (Westermann, ATD 19, 306f). Nachdem P.D. Hanson, The Dawn of Apokalyptic, Philadelphia 1975, 79-99, die nachexilische Herkunft unseres Textes vertreten und ihn als Protest, der eine innergemeindliche Rivalität zum Ausdruck bringe, verstanden

Jes 64,11 (12 LXX): Das Volk klagt zu Gott: "Über all dem hältst du noch an dich und schweigst und demütigst uns heftig!" Auch hier steht ἀνέσχου jeweils für אפק hitp. Die eigentliche Volksklage beginnt 63,15. Von da an folgt der Psalm dem üblichen Aufbau dieser Gattung[142]. Damit ist deutlich, an welcher Stelle die Aufforderung steht, Gott möge nicht an sich halten: es geht um die "Anklage Gottes", die zwar häufig als Warum-Frage erscheint, aber auch andere Formen annehmen kann[143]. Der Psalm endet mit einer bangen, an Gott gerichteten Frage, die ebenfalls in die "Anklage Gottes" gehört[144]. Gottes An-sich-Halten bedeutet hier somit Gericht, Preisgabe an die Feinde.

η) Die übrigen Belege von אפק hitp.[145]
1Sam 13,12: אפק hitp. taucht hier in seiner ursprünglichen Bedeutung auf: "sich ein Herz fassen", "sich ermannen", "wagen"[146]. אפק ist dabei Ausdruck einer Gefühlsregung Sauls. Die LXX übersetzt mit ἐγκρατεύειν.

Est 5,10 (5,9 LXX): Die Szene, in die Est 5,10 hineingehört, schildert den "Günstling Haman auf der Höhe des Glücks"[147]. Mordechai verweigert Haman die Ehrerbietung. Aber anstatt seinem Zorn freien Lauf zu lassen, nimmt Haman sich zusammen und läßt sich nichts anmerken. Er gibt seiner Zornesgesinnung nicht sogleich Ausdruck[148]. Die LXX nennt nur den Zorn Hamans (ἐθυμώθη σφόδρα, 5,9), daß er an sich hielt wird von der LXX übergangen.
Bezieht man אפק hitp. nur auf die aktuelle Stimmung, dann bedeutet es "seinen Zorn zügeln"; bezieht man das gesamte Vorhaben Hamans mit ein, nämlich die Juden in Persien auszurotten, dann bedeutet es, daß Haman "sich zurückhält", d.h. sich verstellt, um seinen Plan nicht zu gefährden, da die Zeit der Umsetzung noch nicht da ist. In beiden Fällen meint אפק hitp. die Selbstbeherrschung und Zurückhaltung einer Gefühlsregung für eine bestimmte Zeit.

In den Qumran-Schriften taucht אפק hitp. zweimal in den Hodajot Kap. 14 auf[149]. Dabei ist für 1QH 14,4 der Sinn nur mehr oder weniger zu erraten, da der Text große Lücken aufweist, V.9 ist dagegen eindeutig. Lohse übersetzt in beiden Fällen mit "sich zusammen-

---

hatte, hat jüngst H.G.M. Williamson, Isaiah 63,7-64,11. Exilic Lament or Post-Exilic Protest?, ZAW 102, 1990, 48-58, die übliche Sicht erneuert und wieder von "an exilic penitential liturgy, probably recited on the ruined site of the temple" (58) gesprochen.
[142] Westermann, ATD 19, 306. Die Verse 7-11 stellen nahezu einen selbständigen Geschichtspsalm dar.
[143] Vgl. zu diesem Sachverhalt Westermann, Struktur, 275f samt A.
[144] Vgl. Threni 5, auch Hab 1 ist hier vergleichsweise heranzuziehen. Hab 1 gibt sich zwar als Klage des Einzelnen, jedoch kann "im Zusammenhang des ganzen Buches ... nur eine Volksklage gemeint sein; 4a ist nur in einer KV [Klage des Volkes] möglich" (Westermann, ebd, 273 A.22). Auch in Hab 1,13 wird Gott durch eine andringende Frage angegangen, ob er denn noch zuschauen könne. (Vgl. in diesem Zusammenhang Apk 6,10ff!) In Jes 42,15 ist - wie das auch sonst möglich ist - noch ein Motiv zugewachsen: der Hinweis auf Gottes früheres Heilshandeln (Westermann, ebd, 277 A.33).
[145] Zu Gen 43,31 s.o. bei Gen 45,1.
[146] KBS I, 77; vgl. Ges.-B., WB, 60.
[147] Bardtke, KAT XVII.5, 340.
[148] Ebd, 341.
[149] Kuhn, Konkordanz s.v.

nehmen"[150]. V.8f wird Gott dafür gedankt, daß er dem Herzen seines Knechtes Einsicht gibt, die dazu führt (V.9), daß dieser sich von Freveltaten zurückhält und nicht tut, was Gott haßt (V.10f) und was in Gottes Augen böse ist (V.18). Dabei fällt auf, daß אפק hitp. in V.9 mit der Präpostion על konstruiert wird: "An-sich-Halten" - im Blick auf, hinsichtlich. 1QH 14,4 ist אפק hitp. mit אד konstruiert[151].

ι) Der Sprachgebrauch in Sir 35,19

μαχροθυμία κτλ. ist in Sir belegt in 2,4; 5,4; 5,11; 35,19, ἀνέχω in 48,3. Eine Ausnahme im gesamten bisherigen Befund stellt Sir 35,19 dar, da hier אפק hitp. durch μαχροθυμεῖν wiedergegeben wird: καὶ ὁ κύριος οὐ μὴ βραδύνῃ οὐδὲ μαχροθυμήσῃ ἐπ᾽ αὐτοῖς. Gott wird nicht zögern und langmütig sein gegenüber den Heidenvölkern, sondern Vergeltung üben und seinem Volk Gerechtigkeit erweisen.

Der Text weist einige interne Probleme auf. Nach Middendorp[152] stellt der Abschnitt 35,18ff eine Ergänzung dar. "Das Eingreifen Gottes in die gegenwärtige oder künftige Geschichte Israels gehört sonst nicht zu den Motiven Ben Siras."[153] Die Textüberlieferung selbst sieht wie folgt aus:

MsB[154] liest: "Und Gott zaudert nicht und wie ein Held hält er nicht an sich."
B hat in einer Randlesart: וגבור מה יתאפק.
G[155] hat wohl gelesen: ומה יאריך אף עליהם - dies entspräche οὐδὲ μὴ μαχροθυμήσῃ ἐπ᾽ αὐτοῖς. Nach Middendorp liegt hiermit ein zwar passender, "aber ziemlich sicher durch Gedächtnisfehler entstandener Vers [vor], der an die Stelle des ursprünglichen Verses trat"[156].
S (Syrischer Text): "Er wird nicht vernachlässigen noch aufhören." Dies scheint eine Umschreibung von MsB zu sein[157].

Strobel[158] sieht diese Stelle im Zusammenhang der Verzögerungsterminologie in der Wirkungsgeschichte von Hab 2,3f. Dies ist durch βραδύνη unabweisbar. Strobel geht jedoch nicht auf die terminologische Unterscheidung von ἀνοχή und μαχροθυμία ein, da es ihm v.a. um den Nachweis eines Themas geht. Er übersetzt: "Der Herr (der gerechte Richter) *zögert nicht*, noch *hält er an sich* mit seinem Gericht über die gottlosen Unterdrücker."[159] Die wörtliche Übereinstimmung des hebr. Textes mit Hab 2,3 ist offensichtlich. Jedoch wurde diese Terminologie in der LXX nicht beibehalten. Das sollte man in der Übersetzung kenntlich machen und übersetzen: "Gott wird nicht langmütig sein mit ihnen." Dabei muß durchaus, wie auch sonst in der LXX, mit einer bewußten Korrektur gerechnet werden. Dies wird umso wahrscheinlicher, betrachtet man den Zusammenhang: es geht Ben Sira um den Gegensatz zwischen Gottes Verhalten gegenüber Israel und gegenüber den Bedrückern. Was er seinen Hörern einschärfen will, ist die Gewißheit, daß Gottes Gericht bevorsteht und nicht durch irgendwelche Zeiten der göttlichen Zurückhaltung mehr auf

---

[150] Lohse, Texte, 163; vgl. Gesenius[18], 90.
[151] Im talmudischen Hebräisch ist אפק nicht belegt. Im heutigen Ivrit wird אפק hitp. in der Bedeutung gebraucht, wie es Gen 45,1 vorliegt: sich beherrschen, sich zurückhalten ("to control oneself"); s. dazu Alcalay, Dictionary, s.v.; angeführter Beleg: Gen 45,1.
[152] Middendorp, Stellung, 132ff.
[153] Ebd, 133.
[154] Die Hs-Bezeichnungen nach Middendorp.
[155] Griechische Übersetzung des Enkels, nicht identisch mit LXX.
[156] Middendorp, Stellung, 133.
[157] Ebd.
[158] Strobel, Untersuchungen, 63f.
[159] Ebd, 63 (kursiv im Original).

sich warten läßt, ja, daß Gott den Völkern gegenüber nicht seine Langmut mit dem Sünder zum Zug kommen lassen, sondern ein hartes Vergeltungsgericht üben wird. Bestätigend hierfür ist Kap. 36, in dem Gott gebeten wird, das Ende zu beschleunigen[160].

Für Sir kann somit festgehalten werden:

1. μακρόθυμος/μακροθυμία erscheinen in Sir analog der übrigen LXX als Bezeichnung einer menschlichen Charaktereigenschaft: Bedächtigkeit (5,11), Ausdauer (2,4).

2. Auch Gottes Langmut kann damit bezeichnet werden. Diese ist kein Anzeichen von Schwäche, sondern bedeutet dessen Zuwarten zum Gericht (5,4ff; vgl. 2Makk 6,14).

3. Gleichzeitig ist Gottes Langmut zusammen mit der Erkenntnis der Geringfügigkeit des menschlichen Lebens (18,11) die Voraussssetzung zur Gewährung von Sühne (ἐξιλασμός).

4. Der Gebrauch der Aktiv-Form entspricht dem in der übrigen LXX.

5. Im Unterschied zur übrigen LXX taucht μακρόθυμος in Sir als Übersetzung von אפק hitp. auf. Hier hat der Begriff die positive Färbung Gerichtsaufschub angenommen.

6. Aus Sir 35,18ff geht hervor, daß durch μακροθυμεῖν der Zusammenhang der eschatologischen Aufhalt-Thematik angesprochen ist.

III) Zusammenfassung des LXX-Sprachgebrauchs

α) μακροθυμία κτλ.

1. μακροθυμία κτλ. mit Gott als logischem Subjekt begegnet häufig in einem Satz des Gotteslobes (Ex 34,6f; Num 14,18; Neh 9,17 u.ö.)[161].

2. Mit einem Menschen als logischem Subjekt gewinnt der Begriff die Färbung 'Bedächtigkeit', 'Ausdauer' als menschliche Charaktereigenschaft.

3. *Inhaltlich läßt sich Gottes Langmut so beschreiben: Gewährenlassen, dem Zorn nicht sofort Raum geben, Ausdruck für Gottes Barmherzigkeit, Begrenzung des Gerichtes, Voraussetzung für die Buße*[162]. Insofern kann Gottes Langmut Zeichen seiner Heilsabsicht sein. Es stehen daher im Parallelismus membrorum: Langmut und Vergebung (Num 14,18), Langmut und Gnade/Vergebung (Neh 9,17), Langmut und Barmherzigkeit (Ps 86,15; 103,8; 145,8). *Eine Identifizierung von Langmut und Vergebung läßt sich jedoch nicht nachweisen.*

---

[160] Nach Middendorp, Stellung, 125-132, handelt es sich bei Kap. 36,1-17 ebenso wie beim vorigen Text um eine spätere Ergänzung. Doch dies besagt nichts hinsichtlich des Zusammenhangs, den der spätere Redaktor hier sah. Anders Strobel, Untersuchungen, 64, im Anschluß an Klausner, Messianic Idea, 255; Peters, Jesus Sirach, 291ff. Zur Abfassungszeit s. Middendorp, ebd, 132; Strobel, ebd, 64, beide denken an die Makkabäerzeit.

[161] Dagegen liegt in Jes 57,15 eine Selbstaussage Gottes durch den Mund des Propheten vor (Gottesrede). In Jer 15,15 fleht Jeremia, Gott möge mit seinem Zorn nicht zögern. In Dan 4,27 (Th.) wird *über* Gottes Langmut geredet, die sich zeigt, wenn menschlicherseits Barmherzigkeit geübt wird. In Koh 8,12 läßt die Langmut Gottes mit den Sündern Zweifel an der göttlichen Weltordnung aufkommen. In 2Makk 6,14 gilt die Langmut den Feinden, jedoch nicht in heilvoller Absicht, sondern damit das Sündenmaß voll werde. In Sir 5,4ff findet sich eine Warnung, Gottes Langmut nicht als Zeichen von Schwäche zu verstehen.

[162] Vgl. Hollander, Art. μακροθυμία, 936-938.

4. Eine von der Langmut als Heilsabsicht differierende Sicht liegt in 2Makk 6,14 vor: Hier ist Gottes Langmut Ausdruck seiner Vernichtungsabsicht. Israel wird sofort gestraft, seine Sünden wachsen daher nicht bis zum letzten an. Die Völker häufen Sünde auf Sünde, bis das Maß voll ist. 2Makk 6,14ff widerspricht buchstäblich Sir 35,18ff, meint jedoch sachlich dasselbe: daß Gott an den Feinden des Gottesvolkes unnachsichtig Gericht halten wird. Ist bei Sir die Langmut ein Zeichen für Gottes Heilsabsicht mit Israel, so ist sie in 2Makk ein Zeichen für Gottes Unheilsabsicht mit dessen Feinden.

5. Aus Sir 5,4ff wird deutlich, daß Langmut kein Zeichen dafür ist, daß Gott Sünde nicht ahnde. μαχροθυμία bedeutet nicht Übersehen oder Verzicht, die Spannung zwischen Zorn und Erbarmen wird nirgends abgeschwächt. "μαχροθυμεῖν ... stellt nur neben diesen Zorn ein Verhalten Gottes, das seine Auswirkung hinausschiebt, bis ein anderer Sachverhalt beim Menschen eingetreten ist, der eine Rechtfertigung dieses Hinausschiebens bedeutet. Tritt die neue Haltung nicht ein, so kommt der Zorn zu seiner vollen Auswirkung."[163]

6. Aufgrund der μαχροθυμία Gottes erfolgt die Forderung der Umkehr[164] (vgl. Joel 2,13; Ps 7,12f; Sir 5,4ff). Es ist jedoch wichtig zu betonen, daß dieser Zusammenhang mit der Buße im kanonischen Alten Testament nur in Joel 2,12ff vorliegt. Jon 4,2 besteht zwar auch ein Zusammenhang zwischen Buße und Gottes Verzicht auf das Gericht, jedoch in umgekehrter Reihenfolge. Ps 7,12f wurde in der LXX entscheidend korrigiert.

7. Aus Sir 35,19 geht hervor, daß μαχρόθυμος auch im Zusammenhang der eschatologischen Aufhalt-Thematik verwandt wird. Es scheint, als seien hier zwei ursprünglich getrennte Motive zusammengeflossen: a) das Motiv der Langmut als Zeichen für Gottes Barmherzigkeit, die der Vernichtung durch den Zorn eine Begrenzung gebietet; b) das Motiv des An-sich-Haltens Gottes. Gott wartet zu, bis die Zeit, die er gesetzt hat, erfüllt ist.

β) ἀνοχή χτλ.

1. *Es fällt auf, daß* ἀνέχω *(Akt.) außer in 1Kön 12,24(B) stets den gleichen Vorgang zum Inhalt hat: die Zurückhaltung des Regens als Ausdruck der Zurückhaltung des Heils durch Gott oder seinen Boten. Dabei ist bedeutsam, daß diese Zurückhaltung des Regens in PsSal 17 in eschatologischem Kontext steht. In allen anderen Fällen geht es um ein An-sich-Halten, ein Ertragen bestimmter Umstände - und zwar jeweils mit einer ausgesprochen temporalen Komponente. Das An-sich-Halten bzw. Ertragen bezeichnet eine bestimmte Epoche.*

2. ἀνέχομαι *kann beide Aspekte enthalten: das geduldige Ertragen (bzw. Nicht-mehr-Ertragen-Können) und auch das Sich-Vorenthalten, das, wenn es*

---

[163] Horst, Art. μαχροθυμία χτλ., 379f.
[164] Ebd, 380.

ein Verhalten Gottes darstellt, mit seinem Gerichtshandeln identisch ist. Es
wird dann zu einem Ausdruck seiner Abwesenheit und ist gleichbedeutend
mit seinem Schweigen (vgl. Jes 42,14; 64,11). ἀνέχομαι kann zwar den zeitlichen Aufschub des Gerichts beinhalten, ist aber nirgends Ausdruck für
ein gänzliches Aufgeben des strengen Gerichtes, ist also nicht mit "Vergebung" gleichzusetzen. Es kann im Gegenteil auch Ausdruck sein für die
Zurückhaltung des Heils[165].

γ) אפק hitp.

1. אפק hitp. taucht v.a. in zwei Zusammenhängen auf: a) um Gefühlsregungen vor anderen zu verbergen (Gen 43,31; 45,1; Est 5,10; auch 1Sam
13,12 gehört hierher, wenngleich hier die Bedeutung etwas differiert); b)
im Zusammenhang mit Gottes richterlichem Handeln (Jes 42,14; 63,15;
64,11). Das An-sich-Halten Gottes kann dabei gerade identisch sein mit
seinem Nicht-Eingreifen zum Heil. Die beiden Bedeutungen lassen sich
auch auf unterschiedliche Subjekte verteilen: Ist Gott Subjekt, geht es um
sein richterliches Handeln, ist ein Mensch Subjekt, so sind dessen Gefühlsregungen angesprochen.
2. Das An-sich-Halten Gottes hat keineswegs nur einen positiven Charakter: Gottes "Selbstbeherrschung" bedeutet Strafe für Israel und Sieg anderer Mächte (vgl. v.a. Jes 63,18). Auch das An-sich-Halten Josephs hat
einen durchaus negativen Aspekt: es läßt die Brüder in der Ungewißheit,
ob sie nun verurteilt werden oder nicht. Gen 43,31 stellt hierzu die erzäh-
lerische Voraussetzung dar. Est 5,10 ist mit der Verstellung die Absicht
verbunden, die Gegner zu täuschen.
3. Sieht man einmal von Sir ab, dann läßt sich für sämtliche Belege von
אפק hitp. feststellen, daß um eines bestimmten in der Zukunft liegenden
Zieles willen jeweils für eine gewisse Zeit Zurückhaltung erfolgt. Was danach folgt, ist durchaus offen: Die Zurückhaltung kann die Vorstufe vor
dem Einschreiten zum Heil für Israel und zum Gericht über die Völker
sein (Jes 42,14) oder eine Verstellung bedeuten (Gen 43,31; 45,1; Est
5,10). Das Zuwarten bedeutet aber in jedem Fall eine bestimmte, fest um-
grenzte Zeitspanne[166].
4. Im hebr. Text von Sir bekommt der Begriff in 35,19 die positive Färbung von "Gerichtsaufschub". Dieser soll den Feinden des Gottesvolkes

---

[165] Gegen Zeller, Sühne, 67f. Zeller argumentiert aufgrund von Esr 9,13: "Langmut meint
im Zusammenhang der Bußgebete nicht ein Gericht mit halber Kraft, sondern *Einhalt* (ἀνοχή) und Vergebung, bevor die Vernichtung ans Ende gekommen ist." Der MT liest in Esr
9,13: "Du hast zurückgehalten unterhalb des Maßes unserer Sünden." Zeller versteht den
hebr. Terminus חשׂך als Vorläufer für ἀνοχή. Sachlich gleich soll Ps 85,3f sein. Dies trifft
nicht zu: 1. Eine Durchsicht der Belege von חשׂך ergibt, daß er in der LXX an keiner Stelle
in die Nähe von ἀνοχή kommt. 2. ἀνοχή κτλ. bedeutet zwar auch Einhalt und Aufschub
der Strafe, aber dies ist stets etwas Vorläufiges und bedeutet nie endgültige Vergebung.
[166] Horst notiert für μακροθυμία ähnliche wie das letztgenannte Kennzeichen (Art.
μακροθυμία κτλ., 380).

nicht gewährt werden, sie werden vielmehr unnachsichtig zur Rechenschaft gezogen. Durch die im hebr. Text vorliegende Zitation von Hab 2,3 ist der Zusammenhang der eschatologischen Aufhalt-Thematik angesprochen[167].

4. Ergebnis

Ursprünglich entstammen die beiden Begriffe μακροθυμία und ἀνοχή unterschiedlichen Zusammenhängen. In beiden spielt die zeitliche Komponente eine wichtige Rolle[1]. *ἀνοχή meint die Zeit des göttlichen An-sich-Haltens, was sich sowohl auf die Zeit vor dem Kommen des Gerichtes als auch vor dem Kommen des Heils beziehen kann. μακροθυμία meint das durch Gottes Barmherzigkeit hervorgerufene Zuwarten, das eine Chance zur Umkehr darstellt.* ἀνοχή hat (wie auch μακροθυμία) selbst nie den Sinn "Vergebung".

Für die nach-alttestamentliche Zeit muß mit einer Vermischung der Zusammenhänge gerechnet werden. Es gibt eine enge Beziehung der beiden Begriffe, wenn es um das Hinausschieben des Gerichtes, das Zurückhalten des Zornes geht, wenngleich keine Identität vorliegt.

Durch beide Begriffe ἀνοχή und μακροθυμία ist für die neutestamentliche Zeit der Zusammenhang des eschatologischen Verzögerungsprozesses angesprochen, auf den in je spezifischer Weise hingewiesen wird.

Der Gebrauch von ἀνοχή im Sinn von "Waffenstillstand" entspricht genau dem in der LXX nachweisbaren Sachverhalt, daß das Zuwarten oder An-sich-Halten Gottes sich sowohl auf das Gericht wie auf das Heil beziehen kann.

ἀνοχή in Röm 3,26 hat somit zwei Aspekte: Gerichtsaufschub und Zuwarten Gottes, bis das von ihm gesetzte Maß der Zeit sich erfüllt. Damit umschreibt ἀνοχή sachlich genau das, was Gen 8,21f als Verhalten Gottes für den Bestand der Generationen nach der Sintflut[2] gilt: Gott wird an sich halten. "Die menschliche Sündhaftigkeit ... soll hinfort nicht wieder die gleiche Folge haben ... - es soll nun eine Zeit der Geduld ἀνοχή Röm 3,26 beginnen."[3]

Dieses Ergebnis wird bestätigt durch den Sachverhalt im Hirt des Hermas, wo sich drei Belege für das Substantiv ἀνοχή finden:

---

[167] Vgl. 2Petr 3,5ff; zur Sache s. Strobel, Untersuchungen, 63f.89ff.

[1] Strobel, Untersuchungen, 31, bemerkt, daß "der für unsere Begriffe anscheinend nur psychologische Begriff der 'Langmut' im hebräischen Sprachgebrauch einen ausgesprochen chronologischen Bedeutungsgehalt hat".

[2] Hier wäre eine genaue Darstellung der Beziehung von ἀνοχή (Röm 2,4; 3,26) zur Noahtradition erforderlich; vgl. vorläufig Strobel, Untersuchungen, 35f.94ff.129ff.289f.

[3] F. Delitzsch, Neuer Commentar über die Genesis, Leipzig 1887⁵, 185f; zustimmend zitiert von Westermann, BK I.1, 612.

Herm 63,1 (Sim VI,3,1): Der Seher bekommt die Gepeinigten in der Hölle zu sehen:

βλέπων οὖν αὐτὰ οὕτω μαστιγούμενα καὶ ταλαιπωρούμενα ἐλυπούμεν ἐπ᾽ αὐτοῖς, ὅτι οὕτως ἐβασανίζοντο καὶ ἀνοχὴν ὅλως οὐκ εἶχον.

Den Gepeinigten wird keine ἀνοχή gewährt, kein Einhalt der Strafe. 63,6 (Sim VI,3,6) beantwortet, wann dies der Fall sein wird: wenn sie Buße getan haben und keine Sünde mehr bei ihnen gefunden wird. Sie bekommen keinen Einhalt der Schläge, bis jeder seinen Taten entsprechend die Strafe empfangen hat. ἀνοχή bezeichnet hier den (nicht gewährten) zeitlichen Strafaufschub, die vorübergehende Unterbrechung.

Herm 82,1 (Sim IX,5,1) und 91,2 (Sim IX,14,2) sind zusammenzusehen. Im Zusammenhang geht es um eine Allegorie auf die Kirche (vgl. Herm 90 = Sim IX,13). Herm 80ff (Sim IX,3ff) schildert den Bau eines Turmes durch Engel. Herm 82,1 (Sim IX,5,1) tritt eine ἀνοχή ein. Dibelius übersetzt mit "Pause"[4]. Sachlich gemeint ist jedoch die Verzögerung der Parusie. Eine "Prüfung" des Bauwerkes soll vorgenommen werden (Herm 83ff = Sim IX,6ff). Daß es sich tatsächlich um die Hinauszögerung des endgültigen Kommens des Gottesreiches handelt, geht aus Herm 88 (Sim IX,11) hervor, dem Warten bis in die Nacht[5]. Herm 91 (Sim IX,14) erfolgt die Erklärung, warum eine ἀνοχή beim Bauen eingetreten ist: damit eine Möglichkeit zur Buße gegeben ist, damit die "herausgenommenen Steine" (vgl. Herm 84ff = Sim IX,7ff) wieder in den Turm eingefügt werden können. Was also wie eine "Pause" beim Bau des Turmes aussieht, bedeutet sachlich eine Verzögerung der Vollendung. ἀνοχή ist hier t.t. für das Sich-Hinauszögern der Vollendung des Reiches Gottes. Diese Verzögerung wird als Bußfrist interpretiert. Damit findet sich hier ein neuer Gedanke im Vergleich zu den bisherigen Belegen: Buße war bislang stets mit μακροθυμία verbunden (Joel 2; Jon 4; vgl. 2Petr 3). Die Begründung für die noch nicht stattgefundene Vollendung (vergleichbar PsSal 17) ist die bestehende Unreinheit des Gottesvolkes. Weil noch Sünde das Leben kennzeichnet, erfolgt noch keine Endvollendung. Hier bekommt eine Sicht die Oberhand, die das Aufhalten nicht theonom begründet, aufgrund einer Festsetzung Gottes[6], sondern anthroponom, aufgrund menschlicher Sünde[7].

---

[4] Dibelius, Herm HNT Erg.IV, 609; ähnlich Lake, Apostolic Fathers II, 229.
[5] Zur Bedeutung der Ankunft des Menschensohnes (des Messias) in der Nacht vgl. A. Strobel, Die Passa-Erwartung als urchristliches Problem in Lc 17,20f, ZNW 49, 1958, 157-196; ders., 'In dieser Nacht' (Lk 17,34), ZThK 58, 1961, 16-29; ders., Frühchristlicher Osterkalender, 29ff.
[6] Vgl. dazu Strobel, Untersuchungen, 90f.
[7] Eine solche Verschiebung ist schon aus dem Vergleich von Dt- und Trtjes zu belegen. V.a. in Jes 59,1ff wird das Ausbleiben der Endtheophanie mit den Sünden des Volkes be-

ἀνοχή weist hier in die Zeit des göttlichen Aufhaltens vor dem endgültigen Kommen des Reiches Gottes.

bb) Interpretation von ἐν τῇ ἀνοχῇ τοῦ θεοῦ

Aufgrund der gewonnenen Einzelergebnisse kann nun der Ausdruck ἐν τῇ ἀνοχῇ τοῦ θεοῦ interpetiert werden. Nachdem der zeitliche Aspekt von ἀνοχή als erwiesen gelten darf, kann mit ἐν τῇ ἀνοχῇ τοῦ θεοῦ nur *eine bestimmte Zeitspanne* gemeint sein. *Der Begriff ἀνοχή als solcher ist kein Heilsbegriff. Er beschreibt ein Zuwarten und An-sich-Halten Gottes. Wir übersetzen daher: "In der Zeit, da Gott an sich hielt" oder "in der Zeit göttlicher Zurückhaltung".*

Diese Zurückhaltung hat zwei Komponenten: die eine betrifft die *Zurückhaltung des Gerichts*, die andere die *Zurückhaltung des eschatologischen Heils*. Gericht und Heil sind in diesem Zusammenhang unlösbar miteinander verbunden.

Das Argument, daß ἀνοχή keine Zeitspanne meinen könne, da die Vergangenheit die Zeit der Offenbarung des Zornes gewesen, jetzt aber die Zeit der Gnade gekommen sei, verfängt nicht. Vielmehr läuft die Offenbarung des Zornes Gottes der Offenbarung der Gerechtigkeit "in eschatologischer Stunde parallel"[8]. Der Zorn Gottes ist im Zeitverständnis des Paulus nicht einfach auf die Zeit vor Christus bezogen, sondern hat auch eine gegenwärtige und futurische Komponente (Röm 1,18ff; 5,9)[9].

ἀνοχή hat ursprünglich mit einer Bußfrist nichts zu tun. Die Tatsache jedoch, daß man Gottes Gericht nicht als letztes Wort verstand, machte die Zeit davor selbst (also das An-sich-Halten Gottes) zur Umkehrmöglichkeit. Von hier aus ist eine Brücke zu μακροθυμία zu sehen.

---

gründet (vgl. dazu H.-J. Kraus, Die ausgebliebene Endtheophanie, ZAW 78, 1966, 317-332, hier: 323). Im Judentum kommen beide Linien nebeneinander zu stehen: die theonome, sichtbar in der Rede von der festgesetzten Zeit (4Esr 4,37; 7,74; syrBar 21,20f; 42,6; 59,6ff u.ö.) und die anthroponome, sichtbar in der Rede von der Bußfrist (syrBar 85,12 u.ö.); vgl. dazu Strobel, Untersuchungen, 40.77f.90 A.5.201; Stuhlmann, Eschatologisches Maß, 40ff.

[8] Strobel, Untersuchungen, 195; Bornkamm, Offenbarung, 9f.30ff; Luz, Geschichtsverständnis, 168f; gegen Lietzmann, Röm, z.St. (1,17f).

[9] Richtig die Darstellung Dellings, Zeit und Ewigkeit, 29: Einer ersten Periode (vor Christus), die eine Zeit der Nachsicht darstellt, ist eine zweite (von Christus her) gegenübergestellt, in der sich Gottes richtendes und rettendes Handeln vollzieht. Nach paulinischer Vorstellung ist mit dem Tod Jesu das Ende angebrochen (1Kor 10,11) und alles treibt dem großen Tag Gottes entgegen. Das Ganze geschieht in einer terminlich gebundenen Erwartung, die mit nicht allzu großen Zeiträumen rechnet (1Thess 4,13ff; Röm 13,11). An dieser Stelle ist auch keine Entwicklung innerhalb der paulinischen Eschatologie festzustellen, vielmehr hält sich die Naherwartung vom ältesten bis zum jüngsten Schreiben des Paulus durch. Angesichts von Röm 13,11 kann man nicht von einer wirklichen Verlagerung in der paulinischen Eschatologie sprechen, sondern nur von einer Akzentverschiebung. Nach Strobel, Untersuchungen, 175, ist die terminliche Naherwartung im Röm durch "die Reflexion über den Gerechtigkeits- und Glaubensbegriff" nur zurückgedrängt, aber nicht aufgegeben.

Aufgrund dieser Entscheidung für das Verständnis von ἀνοχή ergibt sich auch die syntaktische Beziehung zwanglos: ἐν τῇ ἀνοχῇ τοῦ θεοῦ meint jene Zeit, in der die Sünden geschehen konnten[10]. Es ist also nicht auf πάρεσις, sondern auf die προγεγονότα ἁμαρτήματα zu beziehen[11]. *Die in dieser Zeit göttlicher Zurückhaltung geschehenen Sünden hat Gott hingehen lassen. Sie wurden so aufgespeichert bis zum Tod Jesu. Die strukturelle Analogie zur Zeit vor dem Jom Kippur ist evident.* Nach rabbinischer Auffassung verunreinigen die während des Jahres begangenen Sünden das Heiligtum (vgl. Lev 16,16). Sie werden jedoch nicht durch Sündopfer gesühnt, sondern bleiben erhalten (bzw. die Buße bringt sie in die "Schwebe"[12], bringt somit Aufschub תולה), bevor dann am Jom Kippur Sühne möglich ist (vgl. mYom VIII,8)[13]. Es legt sich also von der Struktur der Aussage in Röm 3,25f* die u.a. von Michel betonte Beziehung zum Jom Kippur nahe[14]. Daß diese Beziehung, die zwischen der Zeit vor dem Gericht und der Zeit vor dem Jom Kippur gesehen wurde, nicht erst für die Mischna gilt, belegt Jub 5,17ff[15].

Wir verstehen also den bisher analysierten zweiten Teil der vorpaulinischen Formel so: Gott hat die Sünden früherer Generationen bislang hingehen lassen und sich zurückgehalten. Diese Sünden wurden noch nicht gesühnt und können daher auch nicht vergeben sein. Sie wurden lediglich vorläufig aufgeschoben und haben sich angesammelt[16]. Weil diese Sünden noch nicht endgültig beseitigt sind, wurde Jesus zum ἱλαστήριον eingesetzt. Wir übersetzen daher vorläufig: "Er wurde zum ἱλαστήριον eingesetzt wegen des Hingehenlassens der vormaligen, in der Zeit der Zurückhaltung Gottes begangenen Sünden."[17]

---

[10] Dies wird auch durch die Parallelität der Aussage zu ἐν τῷ νῦν καιρῷ nahegelegt; gegen Thyen, Studien, 164 A.6; Käsemann, Röm, 94; Wengst, Formeln, 89 A.12; Wilckens, Röm I, 197; Wonneberger, Syntax, 238; Zeller, Sühne, 70f.

[11] Richtig u.a. Bornkamm, Offenbarung, 12; Haubeck, Loskauf, 175f; Kümmel, Πάρεσις, 163; Michel, Röm, 146; Schlier, Art. ἀνέχω κτλ., 361,20f; Schlier, Röm, 113; Schrage, Röm 3,21-26, 83.

[12] Vgl. zu diesem Zusammenhang Lohse, Märtyrer, 25ff.35ff; Sjöberg, Gott, 137ff, bes. 142.

[13] Vgl. Zimmerli, Ez II, 1161.

[14] Michel, Röm, 154.

[15] Vgl. mAb V,2; Midr nach TgOnk zu Gen 6,3 (zit. bei Goppelt, 1Petr, 254). Nach Berger, Jub JSHRZ II.3, 352, stellt Jub 5,13-18 eine "paränetische 'Anwendung' der Sintflutberichte auf die Gegenwart" dar. Die Analogie zwischen Sintflut und kommendem Gericht wird hier nicht weiter verfolgt, nur so viel sei gesagt: Die Sintflut wurde in neutestamentlicher Zeit als Typos des Endgerichts verstanden. Die Zeit davor als Möglichkeit zur Umkehr, weil man davon ausging, daß Gott zuwartet (vgl. 1Petr 3,20).

[16] Daß die Vorstellung des Anhäufens von Schuld - und damit von Zorn - ein für Paulus geläufiger Topos ist, belegen 1Thess 2,16; Röm 2,5; 9,22.

[17] Diese Übersetzung ist im zweiten Teil, auch wenn der Begriff "Langmut" modifiziert werden muß, sachlich identisch mit der von Michel, Röm, 146: "... weil er die Sünden, die früher während der Zeit der Langmut Gottes begangen worden waren, bisher ungestraft vorübergehen ließ". Sachlich stimmt auch die Wiedergabe von Herman, Giustificazione,

e) ἱλαστήριον als Ort der Sühne, Epiphanie und Präsenz Gottes

Die erste Hälfte unserer vorpaulinischen Tradition ὃς προετέθη ἱλαστήριον ἐν τῷ αὐτοῦ αἵματι enthält drei Interpretationsprobleme, die sich unter Berücksichtigung der Lösungsvorschläge in der Literatur so zusammenfassen lassen[1]:

1. Ist προτίθεσθαι im Sinn von "öffentlich hinstellen" zu verstehen oder im heilsgeschichtlichen Sinn von "vorherbestimmen"?

2. Worin liegt der traditionsgeschichtliche Hintergrund der Einsetzung zum ἱλαστήριον, im Sühnetod der Märtyrer oder in der kultischen Sühnevorstellung? Ist ἱλαστήριον folglich mit "Sühnopfer" wiederzugeben oder mit "Sühneplatte" (כפרת) oder allgemein mit "Sühnemittel"?[2]

3. Was besagt die Wendung ἐν τῷ αὐτοῦ αἵματι? Stellt αἵμα nur eine Umschreibung für "Tod" dar oder klingt darin noch konkret das Opferblut an? Ist das ἐν instrumental aufzufassen und welcher Vorgang ist dann im einzelnen anvisiert?

Wir gehen so vor, daß wir zunächst eine Klärung für das Verständnis von ἱλαστήριον suchen (e), uns dann προτίθεσθαι zuwenden (f), danach ἐν τῷ αὐτοῦ αἵματι interpretieren (g), um schließlich zusammenzufassen (h).

Das vieldiskutierte Hauptproblem unseres Textes liegt in der Interpretation von ἱλαστήριον[3]. Die Argumente wurden in der Literatur ausgiebig ausgetauscht. Zusammenfassend ist zu sagen: Es lassen sich sowohl Gründe finden, ἱλαστήριον von der alttestamentlichen כפרת her zu verstehen (Lev 16) als auch vom sühnenden Märtyrertod (4Makk 17,21f). Diese

---

260f, damit überein, nicht jedoch dessen Gleichsetzung der Zeit der ἀνοχή mit der in Röm 1,18-3,20 beschriebenen Zeit (250f).
Die Wiedergabe der Peschitta lautet: "Wegen unserer Sünden, die wir vorher begingen, in der Frist, die uns Gott gab in seiner Langmut." (Zit. bei Kümmel, Πάρεσις, 156 A.4.) Der Vorwurf von Kümmel, ebd, die Peschitta würde διὰ τὴν πάρεσιν überhaupt nicht oder "am Ende durch 'in seiner Langmut'" wiedergeben, trifft jedoch nicht ganz zu. Die Peschitta übersetzt διά zu Recht mit "wegen", versteht ἀνοχή als Frist und bezieht diese Frist syntaktisch richtig auf die Sünden. Die Wiedergabe von πάρεσις durch Langmut ist freilich problematisch, außerdem werden die Sünden und nicht deren ungestraftes Hingehenlassen hier mit διά verbunden.

[1] Zur Auslegungsgeschichte s. Koch, Röm 3,21-31; Williams, Jesus' Death, 5ff; auch Wolter, Rechtfertigung, 11ff; Fryer, Hilasterion.

[2] Zur Literatur s.o. Abschnitt I, S. 4f A.16.

[3] Die folgenden Ausführungen knüpfen an das in den Abschnitten I.III.IV. Gesagte an und setzen dieses voraus.
Die gesamte Wortgruppe ἱλασ- kommt im Neuen Testament nur selten vor: Lk 18,13 in der Bitte des Zöllners: ὁ θεός, ἱλάσθητί μοι τῷ ἀμαρτωλῷ; Hebr 2,17 in der Beschreibung Jesu als des treuen Hohenpriesters, der kam, εἰς τὸ ἱλάσκεσθαι τὰς ἀμαρτίας τοῦ λαοῦ; 1Joh 2,2 in der Qualifikation Jesu als des Fürsprechers, der ἱλασμός ἐστιν περὶ τῶν ἀμαρτιῶν ἡμῶν ... καὶ περὶ ὅλου τοῦ κόσμου; 1Joh 4,10 im Zusammenhang der Beschreibung der Liebe Gottes, die darin besteht, daß Gott seinen Sohn sandte als ἱλασμὸς περὶ τῶν ἀμαρτιῶν ἡμῶν.

stehen jedoch nicht gleichgewichtig nebeneinander. Die größere Wahrscheinlichkeit hat[4] Lev 16[5].
Vom lexikographischen Befund aus können folgende Schlüsse gezogen werden:
1. Wir finden für ἱλαστήριον substantivischen wie adjektischen Gebrauch. In der Mehrzahl der Belege liegt das Substantiv vor. Dieses hat stets eine lokale Komponente[6].
2. Der (Nicht-)Gebrauch des Artikels läßt keinen Schluß zu. ἱλαστήριον als Übersetzung von כפרת begegnet in den Schriften Philos mit und ohne Artikel[7].
3. Abgesehen von der textkritisch nicht ganz sicheren Stelle 4Makk 17,22 gibt es im Sprachgebrauch der LXX nur noch Ex 25,17 (ἱλαστήριον ἐπίθεμα) als möglichen Beleg für das Adjektiv ἱλαστήριος[8].
4. Nachdem in Röm 3,25 substantivischer Gebrauch vorliegt, bleibt im Grunde nur eine Entscheidung zwischen "sühnender Weihegabe" oder - entsprechend dem LXX-Gebrauch - "Sühneort". Sowohl der Sinn "Sühnopfer"[9] wie auch der Sinn "Sühnemittel" ist für das Substantiv ἱλαστήριον nicht belegt. Das Verständnis als "Sühnemittel" ist außerdem unspezifisch und umgeht das eigentliche Interpretationsproblem[10].
5. Alle bisherigen Entscheidungen für das Verständnis von ἱλαστήριον wurden letztlich nicht aufgrund des lexikographischen Befundes, sondern aufgrund theologisch-inhaltlicher Argumente gefällt[11].
Wir verdeutlichen uns diesen zuletzt genannten Punkt noch einmal am Verständnis von 4Makk 17,21f. Der textkritische Befund läßt folgende Möglichkeiten zu: Setzt man adjektivischen Gebrauch voraus, dann ist der

---

[4] Trotz neuerdings Breytenbach, Versöhnung, 168.170.
[5] Vgl. Theobald, Gottesbild, 146.
[6] Dies legt auch die Endung -τήριον nahe, als Bezeichnung für "den Ort, an dem etwas geschieht" (BDR § 109,8, vgl. 113[1]). Jedoch stellt dies keinen eindeutigen Beweis dar, wie die Verwendung von σωτήριον Lk 2,30;3,6; Apg 28,28 zeigt (hier liegt LXX-Sprachgebrauch vor; BDR § 113[1]). Vgl. dazu Mollaun, ΊΛΑΣΤΗΡΙΟΝ, 45ff (s. noch unten A.9).
[7] Abgesehen von den alttestamentlichen Zitaten (Fug 101; Her 166) s. Cher 25 (mit); VitMos II,97 (mit); II,95 (ohne); Fug 100 (ohne); vgl. auch Haubeck, Loskauf, 173 A.42.
[8] Vgl. zuletzt Rehkopf, Septuaginta-Vokabular, s.v., und Klauck, 4Makk JSHRZ III.6, z.St.; beide verstehen adjektivisch.
[9] Hier kann höchstens P.Fay 337 (2. Jh. n.Chr.) genannt werden, doch auch dies ist nicht gesichert (s.o. Abschnitt III, S. 28). Zum Vorschlag von Jeremias, Art. Παῖς θεοῦ, 704 A.399, ἱλαστήριον in Röm 3,25 von אשם Jes 53,10 her zu verstehen, s. Stuhlmacher, Exegese, 328 samt A.56a (anders Jeremias, Abba, 221, wo er 4Makk 17,21f als Hintergrund annimmt, wobei Jeremias mit Lohse θῦμα ergänzen möchte).
[10] Vgl. Zellers Kritik an Morris (Sühne, 53f).
[11] Hier war stets von Bedeutung: a) die Stellung zur kultischen Sühne (die im Zusammenhang einer bestimmten Sicht der "alttestamentlich-jüdischen Religion" oft als negativ bezeichnet werden muß); b) die Stellung zur hellenistischen Sühnetodvorstellung. Die durch Gese, Koch, Janowski u.a. vollzogene Neuorientierung in der Beurteilung des Opferkultes wird hier nicht ohne Langzeitwirkungen bleiben. S. dazu jüngst J. Fischer, Glaube als Erkenntnis. Zum Wahrnehmungscharakter des christlichen Glaubens, BEvTh 105, München 1989, 76-90; Gestrich, Wiederkehr (1989), 320-349; Kittel, Name II (1990), 69-88.

Sinn "sühnend", "versöhnend", "begütigend" (also "sühnender, begütigender Tod"). Bei substantivischem Gebrauch ist an eine "sühnende Weihegabe" zu denken. Ein Verständnis vom übrigen LXX-Gebrauch her ist nicht möglich, da dort das Substantiv sonst immer den Sühne*ort* meint. Das Hauptproblem in 4Makk 17,21f ist die Subjekt-Objekt-Frage. Ganz gleich, ob man substantivischen oder adjektivischen[12] Gebrauch voraussetzt: in beiden Fällen wäre die Gottheit Objekt einer menschlichen Sühnehandlung. *Sollte also der sühnende Märtyrertod aus 4Makk 17,21f den traditionsgeschichtlichen Hintergrund für Röm 3,25f* abgeben, dann müßte zumindest gesagt werden, daß dies nur im Sinn einer negativen Anküpfung zuträfe*[13]. Röm 3,25a, wonach Gott es ist, der hier als Subjekt handelt - hierüber besteht in der Exegese Einigkeit - sperrt sich dagegen, die Vorstellung des sühnenden Märtyrertodes als positives Vorbild für den vorpaulinischen Traditionssatz anzusehen[14]. Gibt es also eine Anknüpfung - wenn überhaupt - nur im negativen Sinn, so fragt es sich, warum dann der Begriff ἱλαστήριον in der Formel gewählt wurde, denn mit der Nennung dieses Begriffes war der kultische Zusammenhang unweigerlich angesprochen, schon allein aufgrund der Fülle der Belegstellen, an denen ἱλαστήριον die Übersetzung von רפכ darstellt.

Es legt sich deshalb aus theologisch-inhaltlichen Gründen ein Verständnis vom Sühnetod der Märtyrer her nicht nahe. *Dagegen hält gerade die kultische Sühne das Subjekt-Sein Gottes fest, und zugleich ist der Sühnekult der Ort schlechthin, an dem ein "Sterben anstelle" den eigentlichen Skopos der Aussage darstellt*[15]. Wir werden deshalb aus sachlichen Gründen auf den kultischen Sühnezusammenhang verwiesen und können die Märtyrertheologie nicht als adäquaten Verstehenshintergrund ansehen, um das Handeln Gottes im Tod Jesu - und nur darum geht es in der Formel - auszudrücken.

Wir stehen damit prinzipiell bei der am ausführlichsten von Stuhlmacher begründeten Interpretation von ἱλαστήριον im Sinne der alttestamentlichen תרפכ. Doch sind auch hier Bedenken anzumelden.

Vier Hauptargumente gegen ein Verständnis von ἱλαστήριον in Röm 3,25 im Sinn der alttestamentlichen תרפכ wurden bisher vorgebracht[16]:

---

[12] S. dazu im einzelnen oben S. 39f.

[13] Dies wird von Lohse, Märtyrer, 152f, unzweideutig gesehen. In der unzureichenden Beachtung dieses Sachverhaltes liegt das Hauptproblem der Interpretation von Williams, Jesus' Death. Diese Subjekt-Objekt-Frage spielt übrigens auch im Gebrauch von (ἐξ)ἱλάσ-κεσθαι in der LXX eine entscheidende Rolle (vgl. dazu Breytenbach, Versöhnung, 84ff, und die Argumente gegen Wolter und Friedrich bei Breytenbach, ebd, 91).

[14] Dies hat Stuhlmacher zutreffend herausgearbeitet.

[15] Vgl. Koch, Sühne, 229: "Am Heiligtum wird möglich, was im Alltag undenkbar ist, nämlich die Übertragbarkeit der Schuld." Zur Problematik der stellvertretenden Sühne im Judentum s. auch Fohrer, Stellvertretung und Schuldopfer, 7-31.

[16] S. Lohse, Märtyrer, 152; Stuhlmacher, Exegese, 321; vgl. dazu auch Haubeck, Loskauf, 174f, der im wesentlichen Stuhlmacher wiedergibt, ebenso Wilckens, Röm I, 190ff; Schnelle, Christusgegenwart, 69-71.

1. Der Vergleich mit der כפרת sei den römischen Lesern unverständlich.
2. ἱλαστήριον werde in der LXX immer determiniert (vgl. Hebr 9,5).
3. Die Lade habe verborgen im Allerheiligsten gestanden, hier gehe es um die öffentliche Einsetzung.
4. Der Vergleich mit der כפרת sei in sich unstimmig, weil Christus zugleich כפרת und Blut darstelle.

Zu 1. 1Petr, 1Clem und Herm weisen die römische Gemeinde als judenchristlich geprägt aus. Lev 16 ist ein Text, der, wenn auch nicht im Detail, so doch von seiner Grundlinie her, bei Menschen, die mit Juden zusammenlebten, bekannt gewesen sein dürfte[17]. Im übrigen entfällt dieses Argument, wenn akzeptiert wird, daß Paulus hier eine judenchristliche Formel verwendet[18].

Zu 2. Das Fehlen des Artikels verwundert nicht. "Im neutestamentlichen Formelgut, im Definitionsstil und beim Prädikatsnomen [wird] der Artikel normalerweise nicht gesetzt (vgl. z.B. Röm 1,16f; 3,20; 4,25; 8,3f; 2Kor 5,21; Kol 1,15.20b usw.)"[19]. Außerdem steht ἱλαστήριον in Röm 3,25 als Prädicativum[20] und schließlich existieren auch Belege, in denen der Artikel fehlt (s.o.).

Zu 3. Dieser Einwand ist ernstzunehmen. Es könnte zwar ein antitypisches Element enthalten sein (vgl. Hebr 9; 10 und Mk 15,38f), jedoch ist προτίθεσθαι im Sinn von "öffentlich hinstellen" nicht gesichert. Aber der Einwand bezieht sich nur auf ein exklusives Verständnis von ἱλαστήριον als כפרת. Geht man von einem allgemeineren Sinn "Sühneort" aus, entfällt das Problem[21].

Zu 4. Dieser Einwand[22] entspringt moderner Logik und nicht kultisch-typologischem Denken. Zum einen ist mit dem Einsetzen Jesu zum Sühneort an keinen neuen Kultakt gedacht, so daß Jesus zugleich die כפרת wäre und das Blut, das an diese gesprengt werden soll[23]. Zum andern entkräftet Hebr 9,1ff mindestens teilweise den Einwand: Zwar sind hier zwei verschiedene Akte im Blick, "die 'Schlachtung' am Karfreitag und die an-

---

[17] Stuhlmacher, Exegese, 322. Schmithals, Römerbrief als historisches Problem, 63-91. K. Beyschlag, Clemens Romanus und der Frühkatholizismus. Untersuchungen zu IClem 1-7, BHTh 35, Tübingen 1966, 348f.351f, macht darauf aufmerksam, daß in der römischen Gemeinde von früh an judenchristliche Gemeindetradition lebendig war (vgl. Stuhlmacher, Gerechtigkeitsanschauung des Apostels, 108 A.18).

[18] Vgl. Eichholz, Paulus, 193.

[19] Stuhlmacher, Exegese, 322; Roloff, Art. ἱλαστήριον, 456.

[20] Stuhlmacher, ebd, 323; BDR § 252,2; 258,2.

[21] So auch Klauck, Symbolsprache, 353. Klauck hält jedoch an der Antithetik fest: "Nicht mehr verborgen im Tempelinnern, sondern offen vor aller Augen hat sich auf Golgota das endzeitliche Sühnegeschehen vollzogen."

[22] Schnelle, Christusgegenwart, 70; Janowski, Sühne, 351f; Wilckens, Röm I, 191f, u.a. halten ihn für den entscheidenden Einwand.

[23] Janowski, Sühne, 352.

schließende Darbringung des Blutes im Geist"[24], aber Christus wird eben sowohl als Opfertier wie auch als Hoherpriester gedacht.

Die gegen eine Interpretation von Lev 16 her vorgebrachten Argumente können also die These nicht wirklich erschüttern.

In der bisher in der Literatur diskutierten Alternative[25] Lev 16[26] oder 4Makk 17 wurde jedoch ungenügend beachtet, daß ἱλαστήριον *in der LXX nicht einfach die Übersetzung von* כפרת *darstellt, sondern eben auch in Ez 43,14(ter).17.20 und Am 9,1[27] Verwendung findet.* Ganz gleich, wie man sich textkritisch bei Am 9,1 entscheidet, ἱλαστήριον kann aufgrund dieser Stellen auch עזרה und כפתר bzw. eine "כפרת" im Beteler Heiligtum bezeichnen. Diesen Belegen gemeinsam ist die Tatsache, daß durch ἱλαστήριον ein "Sühneort" benannt wird, mithin der zentrale Ort in der jeweiligen Kultanlage, auf den hin die Handlungen zentriert sind bzw. von dem alles ausgeht[28]. Von daher erscheint es notwendig, sich in der Interpretation von ἱλαστήριον nicht auf die Engführung כפרת festzulegen, sondern im Sinn des zentralen Sühneortes zu verstehen, welcher den *Inbegriff des Heiligtums* darstellt[29]. *In diesem Verständnis sind alle mit der* כפרת *verbundenen Vorstellungen eingeschlossen, jedoch nicht allein auf diese fixiert.* Die Beziehung zur כפרת ist dabei in keiner Weise abzustreiten, zumal gezeigt werden konnte, daß die zweite Hälfte der Formel den Jom Kippur im Blick hat[30].

---

[24] Haubeck, Loskauf, 175, unter Hinweis auf G. Jeremias. Vgl. auch Joh 2,19-21, worauf Wilckens, Röm I, 192, im Anschluß an Eichholz hinweist.

[25] Gegen diese Alternative wendet sich Wolter, Rechtfertigung, 21f: Röm 3,25 gehe auf "einen allgemeinen Traditionshintergrund zurück, der gleichermaßen dem Versöhnungstag (d.h. besonders dem Wegschicken des Bockes) wie auch der Märtyrertheologie der Makkabäerbücher" zugrundeliege (ebd, 21).

[26] Eine Beziehung zum Asasel-Bock, wie sie von Wolter, Rechtfertigung, 21; Thyen, Studien, 167, gesehen wird, ist terminologisch nicht nachweisbar. Asasel-Bock und ἱλαστήριον haben nichts miteinander zu tun.

[27] Abgesehen von dem Beleg Gen 6,16 Sm.

[28] Wie oben dargestellt, verwendet die LXX in Ez 43 den Ausdruck für die Einfassung des Brandopferaltars und unterscheidet Ez 43,14 τὸ ἱλαστήριον τὸ μέγα von τὸ ἱλαστήριον τὸ μικρόν. Dieser Altar bildet nach Ez 40,47; 43,13-17 das Zentrum der gesamten Tempelanlage. Es ist der Ort, an dem Sühne vollzogen wird; nicht nur das geometrische, sondern das theologische Zentrum des Kultgeschehens. Auch die Heiligkeit der Tempelbezirke ist nach Ez keine abnehmende mehr, angefangen vom Allerheiligsten bis hin zum Tempelberg, sondern nach Ez 43,12 ist die wichtigste Bestimmung ausdrücklich die, daß der ganze Bezirk Gott geweiht ist und die Vorhöfe so heilig sind, wie das Innere des Tempelhauses (Zimmerli, Ez II, 1086f. Dort auch die Diskusion der Quellenlage zu Ez 43,12).

[29] Für die priesterliche Theologie ist dies zweifellos die כפרת im Allerheiligsten. Für rabbinische Belege s. Bill. III, 178f.

[30] Es kommt hinzu, daß Ez 43; 45 in enger Beziehung zu Lev 16 stehen; s.o. Abschnitt V, S. 62ff. Dieses Verständnis von ἱλαστήριον stimmt auch zusammen mit dem einzigen weiteren Beleg im Neuen Testament, Hebr 9,5, wo die Beschreibung des Jerusalemer Tempelheiligtums antitypisch dem durch Jesus eingeweihten himmlischen Heiligtum entgegengesetzt wird.

Wir verstehen also den Begriff so, daß darin zum Ausdruck kommt, Jesus wurde zum zentralen Ort des "Kult"geschehens gemacht, wobei "Kult" nur noch im uneigentlichen Sinn gebraucht werden kann. Nun ist mit dem Begriff ἱλαστήριον neben dem Aspekt der Sühne[31] auch der Aspekt der höchsten Gottesgegenwart[32] und jener der Erscheinung Gottes[33] (vgl. Lev 16,2; Ex 25,22; Num 7,89; JosAnt 3,212.222.312; NumR 14,19) verbunden. Wenn Jesus mit dem Ort identifiziert wird, der den Inbegriff des Heiligtums darstellt, bedeutet dies *zugleich eine Aussage über den Jerusalemer Tempel und (implizit) ein im weitesten Sinn "christologisches" Bekenntnis*. Die antithetische Spitze gegenüber dem gegenwärtigen Tempel ist dabei nicht zu unterdrücken. Dies stellt im Umfeld des Frühjudentums keine Besonderheit dar. Kritik am Tempel und an der Gültigkeit der Opfer sind seit prophetischer Zeit belegt[34]. Die Zuspitzung auf die Person Jesu als "Ort der Sühne, der Epiphanie und der Präsenz Gottes" ist jedoch eine Besonderheit. Welche theologische Konzeption steckt hinter dieser Position?

Typologische Gleichsetzungen Jesu finden sich auch sonst im Neuen Testament (vgl. "Eckstein", Mt 21,42 parr; Apg 4,11; "Schlußstein", Eph 2,20; "Passahlamm", 1Kor 5,7; Joh 1,29; "geschlachtetes Lamm", Apk 5,6.12; "Lamm", 1Petr 1,19). Sachliche Entsprechungen stellen die Ausdrucksweisen "Felsen" (1Kor 10,4) und "Tempel" (Joh 2,21[35]; Apk 21,22[36]) dar und die Identifikation Jesu mit der Quelle, aus der das Lebenswasser kommt (Joh 7,38[37]). Dabei geschieht die Aufnahme eines alttestamentlichen "Vorbildes" im Sinn einer Typologie stets von Jesus her.

Welche Vorstellungen waren noch mit dem ἱλαστήριον im Frühjudentum verbunden? Neben den schon erwähnten Aspekten (Sühne, Erscheinung, Präsenz Gottes) ist hier v.a. ein Sachverhalt wichtig: das Allerheiligste des zweiten Tempels war ein leerer Raum. Der Hohepriester nahm seine Sprengungen vor, "als ob" die Bundeslade mit der כפרת vorhanden sei[38]. Die Bundeslade galt zusammen mit anderen Kultgegenständen seit dem Exil als verschollen. Dabei bildeten sich verschiedene Anschauungen heraus, u.a. jene, daß Jeremia sie vor dem Zugriff der Feinde versteckt habe;

---

[31] Vgl. dazu Bill. III, 176f.

[32] Dazu Bill. III, 172ff.

[33] Bill. III, 175f. Hierauf legt Bockmuehl, Revelation, 134, besonderen Wert. Pluta, Bundestreue, 62ff, nennt die drei Aspekte Gegenwart, Offenbarung und Versöhnung, wenngleich er nicht zwischen Sühne und Versöhnung unterscheidet und auch (ebd, 65) fälschlicherweise davon redet, daß Gott "sich an der Kapporeth versöhnen" lasse.

[34] Vgl. Hertzberg, Kritik, 81-90; Fohrer, Kritik, 101-116; Belege sind u.a. Hos 6,6; Am 5,25; Jes 1,10-17; Jer 6,20; 7,21ff; Jes 43,22ff; aber auch nichtprophetische Texte: Ps 40; 50; 51; Prov 15,8; 21,3.27; 28,9; Koh 4,17; Sir 32,1ff; vgl. weiterhin unten im Abschnitt X.c, S. 231 A.16.

[35] Vgl. dazu unten 262ff.

[36] Vgl. dazu unten 271ff.

[37] Vgl. dazu unten 269f.

[38] Dazu Bill. III, 175ff.179-185.

und es bestand die Erwartung, daß sie in der Endzeit wieder aufgefunden und ihren endgültigen Platz im Tempel erhalten werde[39]. Das definitive Alter dieser Vorstellung sei dahingestellt. Aus 2Makk 2,4-8 geht hervor, daß sie keine erst rabbinische Bildung darstellt[40]. Dort heißt es vom Ort des Versteckes:

(7) ... Καὶ ἄγνωστος ὁ τόπος ἔσται ἕως συναγάγῃ ὁ θεὸς ἐπισυναγωγὴν τοῦ λαοῦ καὶ ἵλεως γένηται. (8) καὶ τότε ὁ κύριος ἀναδείξει ταῦτα, καὶ ὀφθήσεται ἡ δόξα τοῦ κυρίου καὶ ἡ νεφέλη, ὡς ἐπὶ Μωυσῇ ἐδηλοῦτο, ὡς καὶ ὁ Σαλωμων ἠξίωσεν ἵνα ὁ τόπος καθαγιασθῇ μεγάλως.

Dieser Ort wird unbekannt bleiben, bis Gott das Volk von neuem versammelt und gnädig wird. Dann wird der Herr diese Dinge sichtbar werden lassen, und die Herrlichkeit des Herrn wird erscheinen durch die Wolke, so wie sie zur Zeit des Mose sich zeigte und wie auch Salomo gebetet hat, damit die Stätte hoch geheiligt würde[41].

Eine andere Erwartung begegnet in Jer 3,16f:

"(16) ... dann wird man nicht mehr sagen: 'Wo ist die Bundeslade JHWHs?' Man wird nicht mehr an sie denken und sich ihrer nicht mehr erinnern, noch sie vermissen, auch wird man keine neue mehr anfertigen. (17) In jener Zeit wird man Jerusalem 'der Thron JHWHs' nennen, und alle Heidenvölker werden sich dahin begeben ..."[42]

Die Gleichsetzung Jesu mit dem ἱλαστήριον kann nur im Kontext beider Aussagen gesehen werden: durch Jesus hat die Sammlung Israels stattgefunden und ist die Zeit der Erbarmung angebrochen; in ihm ist der Ort der Sühne, der Epiphanie und der Präsenz Gottes endgültig sichtbar[43]. In ihm hat Gott gehandelt und ihn zum ἱλαστήριον gemacht (προτίθημι). Es ist zutreffend, wie Zeller fordert, daß die Voraussetzung zu dieser Interpretation darin besteht, daß man "nicht mehr an der *alten* kapporet hängen und

---

[39] Auf diese Vorstellung weist auch Zeller, Sühne, 54f hin, ohne sie jedoch für die Interpretation fruchtbar zu machen.
[40] Zur Verbreitung dieser Anschauung und für rabbinische Belege s. Bill. III, 179ff; 737.739; IV.2, 797; Goldstein, II Maccabees, 182ff, mit weiteren Belegen; Wolff, Jeremia im Frühjudentum und Urchristentum, 61ff. Auf die rabbinischen Vorstellungen zum Verbleib der Lade weist auch Dalman hin: Zion, die Burg Jerusalems, 53f: "Der Ort der Bundeslade"; Dalman nennt: tSot XIII,1; bYom 53b; ySheq 49c; bHor 12a; bKer 5b; bYom 52b; yYom 52a; ySot 22c. Vgl. auch NumR 15,10; ARN 41,9, wo vom Verbergen der Lade *vor* der chaldäischen Zerstörung die Rede ist. SyrBar 6,6ff sagt, die Lade sei von der Erde verschlungen worden, um dann am Ende der Tage wieder aufzutauchen. Weitere Traditionen bei Dalman, ebd, 54. Sie alle machen deutlich, welche Bedeutung man der Lade zumaß und welche Hoffnungen und Erwartungen sich mit ihr verbanden.
[41] Übersetzung in Anlehnung an Habicht, 2Makk JSHRZ I.3, 206, und Bill. IV.2, 797.
[42] Übersetzung nach Jerusalemer Bibel. Daß Jer 3,16f in neutestamentlicher Zeit Beachtung fand, geht aus 1Kor 2,9 und Apk 21,22 hervor (s. dazu Wolff, Jeremia im Frühjudentum und Urchristentum, 61ff).
[43] Diese Interpretation ist als Möglichkeit auch angedeutet bei Michel, Röm, 151.

ihr nachträumen" durfte[44]. Doch dürfte diese Voraussetzung mit der Botschaft Jesu erfüllt sein[45].

f) προτίθεσθαι als eschatologische Kundmachung

Damit stehen wir bei der Frage, wie προτίθεσθαι zu verstehen ist. Das Verbum προτίθεσθαι wird im Römerbrief noch 1,13 im Sinn von "sich vornehmen" und dann in Eph 1,9 im Sinn von "für sich bestimmen" gebraucht[46]. In Eph 1,9 ist προτίθεσθαι eindeutig aus dem Zusammenhang der göttlichen Vorsehung zu verstehen[47]. Prinzipiell wäre auch ein Verständnis im Sinn von "vorherbestimmen" für Paulus denkbar, nachdem das Substantiv πρόθεσις in Röm 8,28; 9,11 (vgl. Eph 1,9-11; 3,11) so gebraucht wird, und zumal Röm 3,21 auch der heilsgeschichtliche Gedanke angedeutet ist[48]. Dies hat jedoch keinen unmittelbaren Beweiswert für Röm 3,25, sofern wir davon ausgehen, daß es sich um Formelgut handelt[49].

Die in der von uns erschlossenen Formel vorliegende Verbform προετέθη stellt ein Passivum Divinum dar[50]. In der LXX wird προτίθεσθαι u.a. ver-

---

[44] Zeller, Sühne, 55.

[45] S. dazu unten Abschnitt X.b, S. 200ff. Goppelt, Art. τύπος, 257f, weist auf die Typologie in Apg 7,44 hin, die er von "Jesu Tempelwort her entwickelt" ansieht (ebd, 258,18). Es ist dabei für frühjüdisches Denken kein Gegensatz, daß die vom Urbild-Abbild-Schema geprägten Ladespekulationen mehr auf eine "bleibende göttliche Epiphaniestätte" zu gehen scheinen (Zeller, Sühne, 55) als auf einen endzeitlichen Sühneort, denn die Sühnefunktion der כפרת hängt entgegen der Meinung Zellers auch schon im zweiten Tempel nicht "am Dinglichen", bedenkt man die schon in P hochabstrahierte Ladetheologie (dazu Janowski, Sühne, 339ff.347ff; Stuhlmacher, Exegese, 325: "Schon das alttestamentlich-jüdische Ritual entzieht sich ... jeder direkten Vorstellungsmöglichkeit"). Die Herausbildung der Vorstellung vom שתייה אבן und "die peinlich genaue Rekonstruktion des Rituals durch die Rabbinen" weisen ebenfalls nicht in die Richtung des Dinglichen (gegen Zeller, Sühne, 55), sondern sind aus der Hoffnung auf endzeitliche Wiederherstellung des Urzustandes zu erklären. Die Vorstellung vom אבן שתייה wurde im übrigen auch im Christentum weitertradiert in der Übertragung auf Golgatha (vgl. dazu unten Abschnitt XII, S. 267 zu Joh 1,51).

[46] Eph 1,9 steht in unmittelbarer Nähe zur Sühneaussage von 1,7. Nach Lührmann, Rechtfertigung und Versöhnung, 441f.444 A.23, bestehen traditionsgeschichtliche Zusammenhänge zwischen Röm 3 und Eph 1. Dies ist möglich.

[47] Dazu Schnackenburg, Eph, 57.

[48] So Cranfield, Rom I, 208f, der jedoch keine vorpaulinische Formel annimmt. Heilsgeschichtlicher Sinn wird abgelehnt u.a. von Wilckens, Röm I, 192 A.537.

[49] Vom paulinischen Sprachgebrauch her müßte es heißen "sich etwas vornehmen", "bestimmen". Zeller, Sühne, 57, diskutiert die Möglichkeit "vorherbestimmen".

[50] Für die andere Möglichkeit, daß Jesus es für sich selbst so bestimmt habe, ἱλαστήριον zu sein - und nur dies könnte dann die Übersetzung von προετέθη sein - gibt es im gesamten Neuen Testament keinerlei Anhaltspunkte. Als Pass. Div. wurde προετέθη auch von Paulus in seiner red. Veränderung verstanden und ausdrücklich verstärkt. Die von Schoeps erwogene Möglichkeit, προτίθεσθαι im Sinn von ירא zu verstehen und eine Beziehung zu Gen 22,8 herzustellen, hat sich nicht durchgesetzt (vgl. Schoeps, Sacrifice of Isaac, 385-392; erwogen auch von Ellis, Paul's Use, 95 A.4. 130).

wendet, um das Auflegen der Schaubrote zu beschreiben (Ex 29,23;
40,4.23; Lev 24,8; 2Makk 1,8). Stuhlmacher möchte darin den eigentlichen
Hintergrund erkennen und im Sinn von "öffentlich aufstellen" übersetzen[51]. Diese Bedeutung "öffentlich aufstellen" ist auch in der Profangraecität belegt[52]. Dort hat es auch den Sinn "bekanntmachen", "anbieten", "aufrichten"[53], eine kultische Bedeutung im Sinn von "opfern" läßt sich nur für
das Aktiv nachweisen[54].
Es ist daher irreführend, davon zu sprechen, προτίθεσθαι im Med./Pass. sei
ein "kultischer term.techn."[55], denn damit wird zu Unrecht "Opfer" assoziiert[56]. Der Zusammenhang mit dem Auflegen der Schaubrote und damit
die Übersetzung mit "öffentlich hinstellen" ist jedoch denkbar. Die
Schaubrote sind die "Brote des Angesichts Gottes"[57] und als solche eine
Bürgschaft für die ewige Dauer des Opferdienstes.
Dennoch erweist sich "öffentlich hinstellen" in Anklang an die Schaubrote
als schwierig. Diese waren nicht *öffentlich* aufgestellt, sondern als Hochheiliges vor dem Angesicht Gottes und nicht dem der Tempelbesucher im
Heiligen aufgelegt[58]. In unserem Zusammenhang geht es jedoch darum,
daß Jesu Einsetzung zum ἱλαστήριον eine öffentliche, auf die Menschen
bezogene Angelegenheit ist. Daher ist von der vorgeschlagenen Parallelisierung mit den Schaubroten abzuraten.
Grammatikalisch gibt es nach Wonneberger[59] zwei Gruppen von Komposita mit προ-:
1. solche, bei denen das Verballexem eine lokale oder relationale Komponente hat. Dann trifft dies auch zu für das Kompositum mit προ-.
2. solche, bei denen die lokale Komponente fehlt, dann hat προ- temporalen Sinn.
Die klassischen und auch die LXX-Belege sprechen für eine nicht-temporale Bedeutung: "bestimmen (zu etwas)", "öffentlich einsetzen", "bekannt
machen"[60].
Aufgrund der oben aufgezeigten Zusammenhänge, die mit dem Stichwort
ἱλαστήριον im Frühjudentum angesprochen sind, scheint dieses Verständnis
auch das naheliegende. Dabei ist nicht an einen Gegensatz zwischen der
im Allerheiligsten befindlichen כפרת und dem jetzt in der Öffentlichkeit

---

[51] Stuhlmacher, Exegese, 328.
[52] Z.B. Herodot 31,48; Thukydides 7,34; vgl. Bauer, WB[6], s.v.
[53] Belege bei Schlier, Röm, 110.
[54] Bauer, WB[6], 1446, Ziff. 2, unter Bezug auf Dittenberger, Syll.[3], 708,15 mit A.5.
[55] So Wilckens, Röm I, 192.
[56] Richtig erkennt Haubeck, Loskauf, 173 A.47, daß "προτίθεσθαι kein terminus technicus
der Opferdarbringung in der LXX ist".
[57] K. Koch, Art. Schaubrot, BHH III, 1688.
[58] In Hebr 9, wo Jesu Tod auch im Zusammenhang des Jom-Kippur-Rituals dargelegt
wird, wird ebenso die πρόθεσις der Schaubrote erwähnt, jedoch keine Parallele zu Jesus
gezogen.
[59] Wonneberger, Syntax, 226f.
[60] Ebd. 227. Belege bei Pluta, Bundestreue, 29f.

stehenden neuen ἱλαστήριον zu denken[61]. Die Antitypik zur im Dunkeln befindlichen כפרת könnte nur aufgrund sonstiger Argumente als gesichert gelten. Es ist dagegen angemessen, von einer *"eschatologische[n] Kundmachung"* zu reden[62], die im Tod Jesu geschah. *Jesus ist als das eschatologische ἱλαστήριον, als der Ort der Sühne, der Epiphanie und Präsenz Gottes eingesetzt worden.*

g) ἐν τῷ αὐτοῦ αἵματι als Ausdruck der Heiligtumsweihe

Wie diese Einsetzung zum ἱλαστήριον geschah, wird durch ἐν τῷ αὐτοῦ αἵματι näher erläutert. Wir klären dabei zunächst den Sinn von αἷμα, um sodann eine Interpretation der ganzen Wendung zu versuchen.

Der Begriff αἷμα begegnet im Zusammenhang mit dem Tod Jesu im Römerbrief nur noch in 5,9, im übrigen paulinischen Schrifttum noch in 1Kor 10,16 und 11,25.27, ist also sehr selten belegt[63]. Dabei wird Röm 5,9 zurückgegriffen auf Röm 3,25f[64]. In 1Kor 10,16; 11,25.27 handelt es sich um Texte, die als traditionell geprägte Formulierungen in den Zusammenhang der Abendmahlsüberlieferung gehören, in der die Aussage vom Blut Jesu ihren festen Platz hat[65]. Wir haben es also an allen Stellen mit traditionsgesättigten Aussagen zu tun[66]. Das Blut hat dabei den Sinn "Lebenshingabe"[67].

Doch sollte für Röm 3,25 nicht zu schnell nur auf den symbolischen Aussagegehalt von αἷμα abgehoben werden. Röm 3,25 ist nicht einfach "der Tod Jesu als solcher" gemeint[68]. Blut ist die "prägnante Wendung für 'Blut-

---

[61] Stuhlmacher, Exegese, 321.323f.328; ders., Gerechtigkeitsanschauung vor Paulus, 82.

[62] Von Zeller, Sühne, 55, abgelehnt, von Michel, Röm, 151, als Möglichkeit erwogen.

[63] Weitere Belege für αἷμα im Corpus Paulinum: Röm 3,15 im Zitat; 1Kor 15,50 und Gal 1,16 in der Zusammenstellung "Fleisch und Blut" als Ausdruck des Menschseins; zu αἷμα s. Böcher, Art. αἷμα, 88-93 (Lit!).

[64] δικαιωθέντες (5,1) knüpft explizit an 3,24 an (vgl. Wolter, Rechtfertigung, 11ff.35f; s.o. S. 13). Wenn diese Beziehung von 5,1ff auf 3,21ff zutrifft, dann ist auch in 5,9 mit kultischen Konnotationen zu rechnen (gegen Breytenbach, mit Wolter). Dies wird bestätigt durch den in 5,2 aufgenommenen kultischen t.t. προσαγωγή, Zugang (Wolter, ebd, 107ff, dort Belege). Daher ist zu fragen, ob αἷμα nicht auch in 5,9 konkret den durch Jesu Blut eröffneten Zugang zum Heiligtum (Gott) meint und eben nicht nur allgemein Jesu Tod. Anders Wolter, Rechtfertigung, 20.125f, der stärker auf eine paulinische Uminterpretation des ursprünglich kultischen Gedankens abhebt.

[65] Bultmann, Theologie, 49.

[66] Wenn Paulus selbst formuliert, pflegt er vom σταυρός zu reden; vgl. Bultmann, Theologie, 49.

[67] Roloff, Art. ἱλαστήριον, 456; Stuhlmacher, Exegese, 325; Michel, Röm, 152; Wolter, Rechtfertigung, 20; Kessler, Bedeutung, 289; Lohse, Märtyrer, 174; Morris, Apostolic Preaching, 122; vgl. auch 4Makk 6,29; 17,21f. Wolter will aufgrund dieser Tatsache weder Röm 3,25f noch 4Makk 17,21f von "Sündopfer" her interpretieren, beide Texte seien dem Opfergedanken "lediglich in Hinsicht auf das tertium comparationis (Vergebung der Sünden) analog" (Rechtfertigung, 20).

[68] So Wolter, Rechtfertigung, 21.

vergießen' ..., die in sinnverändernder Weise (Metonymie) die Handlung durch das Objekt der Handlung ersetzt ... 'Blut' Christi [ist] gleichbedeutend ... mit seiner Person im Augenblick des Todes und gleichbedeutend mit dem Blutvergießen Christi, d.h. mit seinem Sterben"[69]. Mit dem Begriff "Blut" sind im übrigen im Frühjudentum sehr konkrete, auf den Kult bezogene Vorgänge angesprochen[70]. Das Blut war zentrales Medium des Kultus[71]. Der Kardinalbeleg für die Bedeutung des Blutes findet sich in Lev 17,11, wo die Exklusivität der kultischen Verwendung des Blutes ausgesprochen wird[72]. Deshalb "we must insist that for Paul the term 'blood' would inevitably have sacrificial connotations whatever symbolic meaning he may or may not have imported into it."[73]

Wir gehen daher davon aus, daß durch die Erwähnung des Blutes in Röm 3,25 zwar der Kreuzestod Jesu als Lebenshingabe angesprochen ist, jedoch nicht unter Absehung vom konkreten Vollzug des Blutritus am ἱλαστήριον[74].

Die Präposition ἐν c.dat. kann im Neuen Testament syntaktisch verschiedene Bedeutungen annehmen[75]: neben dem lokalen Sinn (lat.: in c.abl.) steht ἐν sehr häufig für hebräisches בְּ mit instrumentalem Sinn[76]. Daneben kann es auch die persönliche Tätigkeit (Mt 9,34), den Grund (Mt 6,7), die Art und Weise (Lk 18,8) bezeichnen oder den Gen. pretii (Apk 5,9) vertreten. Es kann auch für einfachen Dativ stehen (Gal 1,16), 'an' oder 'zu' bedeuten (1Kor 4,6; Lk 24,35), temporal gebraucht werden (Lk 1,59; 4,16) oder einen Semitismus bezeichnen (Lk 12,8).

---

[69] Seidensticker, Lebendiges Opfer, 154f; vgl. Heuschen, Rom 3.25, 76f.

[70] Davies, Paul, 232f, gegen Deissmann, Behm, die das Blut nur als anderen Ausdruck für die erlösende Bedeutung des Todes Jesu ansehen wollen.

[71] Nach Davies, Paul, 234f, ist die Wichtigkeit des Kultus z.Zt. des Paulus nicht hoch genug anzusetzen. Nach Neusner, Das pharisäische und talmudische Judentum, 108, gilt für die Pharisäer: "Struktur und Ordnung dieser Welt haben ihren Mittelpunkt im Kult, von wo sie zur Peripherie ausstrahlen, die vom heiligen Land und Volk gebildet wird."

[72] Zur Interpretation s. Janowski, Sühne, 242ff.

[73] Davies, Paul, 236. Das eigentliche Sühne*mittel* - wenn man so will - ist das Blut und nicht der Tod Jesu (vgl. zum Blut bYom 5a; 40b; 57a; bZev 6a; bMen 93b; auch Hebr 9,12ff.22). Es ist daher fraglich, ob die Unterscheidung, die Stuhlmacher (Exegese, 328) vollzieht, überhaupt möglich ist, daß nämlich zwar das Blut "durch die Schlachtung eines Opfertieres gewonnen" werde, jedoch nicht "an jeder Stelle, an der vom Blut die Rede" sei, auch "das Phänomen des Opfers betont zu sein" brauche (s. im Anschluß an Stuhlmacher auch Janowski, Sühne 353 A.472; Haubeck, Loskauf, 173 A.47). Auch die Unterscheidung von Roloff, Art. ἱλαστήριον, 456, wonach im Zentrum der Typologie nicht der Sühneritus, "sondern die Einsetzung eines neuen, den alten überbietenden *Ortes* der Sühne" stehe, läßt sich so nur schwer halten, da beides nicht zu trennen ist.

[74] Mit Stuhlmacher, Exegese, 330; Wilckens, Röm I, 192; gegen Wolter, Rechtfertigung, 21.

[75] Dazu BDR § 200.218ff.

[76] Dabei kann es sehr nahe an διά herankommen: Gal 3,19; Mk 6,2; Apg 2,23. BDR § 217,2 samt A.6. Die Hebräische Form בְּדָם ist belegt in 1Sam 19,5; 1Kön 2,9; Ez 14,19; Ps 68,24, בַּדָּם (mit Art.) in Gen 37,31; Ex 12,22; Lev 4,6; 5,9; 9,9; 17,11; 2Sam 20,12; Jes 59,3; Thr 4,14.

Der Ausdruck ἐν (τῷ) αἵματι begegnet im Neuen Testament an folgenden Stellen: Mt 23,30 ("mitschuldig am Blut der Propheten"); Lk 22,20 ("neuer Bund in meinem Blut", diff. Mt/Mk, vgl. 1Kor 11,25); Röm 5,9 ("gerechtfertigt kraft seines Blutes"); 1Kor 11,25 ("neuer Bund in meinem Blut"); Eph 2,13 ("nahe geworden kraft des Blutes Christi/durch das Blut Christi"); Hebr 9,22 ("fast alles wird gereinigt durch Blut"); 9,25 ("der Hohepriester tritt mit fremdem Blut ein", vgl. Lev 16,3 LXX); 10,19 ("Zugang ins Allerheiligste kraft des Blutes Jesu/durch das Blut Jesu"); 13,20 ("kraft des Blutes eines ewigen Bundes"); 1Joh 5,6 ("Jesus kam nicht im Wasser allein, sondern im Wasser und im Blut"); Apk 1,5 ("reingewaschen durch sein Blut"); 5,9 ("erkauft um den Preis des Blutes"); 7,14 ("Kleider weiß gewaschen im Blut"); 8,7 ("Hagel und Feuer mit Blut gemischt").

Es fällt auf, daß sich bis auf Mt 23,30 und Apk 8,7 alle übrigen Belege, in denen ἐν (τῷ) αἵματι begegnet, direkt oder indirekt auf den Tod Jesu und dessen Wirksamkeit beziehen. (Für Hebr 9,22.25 gilt dies auch, da es sich hier um eine Typologie handelt.) ἐν (τῷ) αἵματι sagt etwas aus über die *Wirkkraft* des Blutes Jesu. *Aufgrund seiner Lebenshingabe wurde Jesus zum* ἱλαστήριον *eingesetzt. Sein Blut ist das Medium, das die öffentliche Einsetzung des eschatologischen Ortes der Sühne, Epiphanie und Präsenz Gottes möglich machte. Wir übersetzen daher Röm 3,25 "kraft seines Blutes"*[77]. Wie kann dies angesichts des religionsgeschichtlichen Hintergrundes interpretiert werden?

Die folgenden Überlegungen zu ἐν τῷ αὐτοῦ αἵματι haben zwei Voraussetzungen:

1. Sie gehen von einer Grundeinsicht bezüglich des Verständnisses kultischer Sühne aus: "Atonement is to be understood in its Levitical sense as the cleansing of holy space by the high priest on behalf of a sinner, and not as obliterating the sins of the individual."[78] Was oben zum Versöhnungstag und zu Ez 43; 45 herausgearbeitet wurde, muß jetzt Konsequenzen haben in der Interpretation von Röm 3,25f. Die Sühne durch den Blutritus am Jom Kippur, wie auch der Blutritus in Ez 43,18ff; 45,18ff bedeuten nicht die Wegnahme der Sünden von den Menschen, sondern die Reinigung des Heiligtums von den durch die Sünder verursachten Verunreinigungen[79]. Die Bezeichnung "Vergebung" ist daher nur bedingt zu gebrauchen. Was Anderson/Culbertson zur Auslegung von 1Joh 2,2 sagen, gilt für Röm 3,25f: "Christianity has traditionally interpreted this verse to mean that

---

[77] Schlier, Röm, 102, übersetzt zwar auch "kraft seines Blutes" fügt aber ein: "Sühne ..., die kraft seines Blutes durch Glauben (ergriffen wird)" und erhält damit einen völlig anderen Bezug.

[78] Anderson/Culbertson, Inadequacy, 315.

[79] Vgl. Levine, Presence, 76 (zu Lev 16,16): "The point to be emphasized is that the offenses of the people, individual and collective, and of the leaders of the people, diminish the purity of the sanctuary." Morris, Day of Atonement, 15ff, nennt zwar den hierzu wichtigen Beleg mShevu I,6f, zieht daraus aber für Röm 3,25f keinerlei Konsequenzen.

Christ obliterates the sins of those who believe in him, but the Levitical definition of atonement makes this understanding impossible."[80] 2.

Die folgenden Überlegungen gehen von der Einsicht aus, daß die im Judentum verbreitete Erwartung eines eschatologischen Wohnens Gottes unter den Menschen verbunden ist mit der Notwendigkeit einer Reinigung des heiligen Ortes als Bedingung der Möglichkeit der Anwesenheit Gottes bei seinem Volk. Die Sünde der Menschen verunreinigt das Heiligtum[81]. Davon ist die Effizienz der Sühneriten betroffen. Daher muß vor dem eschatologischen Kommen Gottes hier die Reinigung ansetzen. Diese ist gleichbedeutend mit einer Neuweihe und als solche zu interpretieren[82].

Im Blick auf die Interpretation von Röm 3,25 können wir zwei Ergebnisse festhalten: 1. προτίθεσθαι ἱλαστήριον bezieht sich auf die Manifestation des eschatologischen Heiligtums. 2. ἐν τῷ αὐτοῦ αἵματι hat die Wirkkraft der Lebenshingabe Jesu im Blick, ohne den konkreten Bezug zum Blutritus zu verlieren.

Die Wirkkraft des Blutes am Jom Kippur (gleiches gilt für Ez) ist die Reinigung des Heiligtums. Das durch die Sünden der Priesterschaft und des Volkes verunreinigte Heiligtum muß, um Gottes Anwesenheit zu gewährleisten, einer jährlichen Reinigung unterzogen werden. Dabei werden durch den Blutritus all jene Sünden beseitigt, die das Heiligtum selbst betreffen. Das Blut des Stieres der Priester beseitigt die Sünden der Priesterschaft, das Blut des JHWH-Bockes die Sünden Israels, jedoch jeweils bezogen auf das Heiligtum. Die übrigen Sünden werden durch den Asasel-Bock in die Wüste getragen. "Vergebung" der Sünden ist die Quintessenz der gesamten Handlung am Versöhnungstag. Sie ist jedoch als Bezeichnung für das Ergebnis der beiden Blutriten nicht völlig adäquat.

Die Notwendigkeit eines "Sündenritus"[83] (חטאת) bezieht sich nun nicht nur auf die jährliche Reinigung des Heiligtums am Jom Kippur, sondern gilt in gleicher Weise für die Weihe des Heiligtums insgesamt. Ez 43,18ff macht deutlich, daß auch die Initiation des Heiligtums durch einen Blutritus zu geschehen hat, der dann jährlich wiederholt wird (Ez 45,18ff). Dies gilt auch für die Weihe des eschatologischen Heiligtums.

---

[80] Anderson/Culbertson, Inadequacy, 315, wenngleich die von Anderson/Culbertson gezogenen Konsequenzen für eine "New Theology of Atonement" (322ff) hier nicht nachvollzogen werden. Wenn sie schreiben (323) "There is no equivalent in Christianity to the Temple in Jerusalem, wherein God hovers over the *kaporet*, thereby making the Temple the source of holiness", so wird das in dieser Arbeit gerade anders gesehen. Es ist auch keine Lösung, die Eucharistiefeier mit den levitischen Opferriten zu parallelisieren und als "the place where Christians meet God" auszugeben (323f).
[81] Vgl. Levine, oben A.79.
[82] Vgl. in diesem Zusammenhang gegenwärtiger Unreinheit und künftiger Reinheit Jub 1,17.27ff; 4,26f (!); 23,21; PsSal 17,30f (!); 11QT 29,8-10 (!); äthHen 89,73 (!); 90,28f; 91,13; 93,7 (dazu Black, Henoch, z.St.); syrBar 4,3ff; 5,1; 6,7f; 8,2.18; 32,2; 59,4; 61,2.7; 68,5; 77,9f; Sib 4,27-30; 2Makk 2,7ff; TgJon Jes 53,5 (!); wir beziehen uns hierbei auf die Darstellung von Losie, Cleansing (1985), 98-139; vgl. Sanders, Jesus and Judaism, 77-90, bes. 85ff.
[83] Zu diesem Begriff Koch, Sühne, 230f.

h) Zusammenfassung der Interpretation der vorpaulinischen Formel

Wie oben dargestellt wurde, ist aufgrund des Begriffes ἱλαστήριον nicht nur der Versöhnungstag Lev 16 heranzuziehen, sondern auch Ez 43 (45) für die Interpretation mit in den Blick zu nehmen.

Die Beziehung zum "Sündenritus" ist durch ἐν τῷ αὐτοῦ αἵματι gegeben. Von hier aus ist gegenüber den bisherigen Interpretationen von Röm 3,25f der Aspekt der Heiligtumsweihe zu betonen.

Die zweite Hälfte der Formel konnte verstanden werden als Ausdruck dafür, daß Sünden voriger Generationen (noch) nicht gesühnt waren, sondern in einem vorläufigen, das Gericht aufschiebenden Schwebezustand einer endgültigen Abrechnung noch warteten. Diese Zeit war als Zeit göttlichen Zuwartens erkannt worden.

Die Verknüpfung beider Aussagen durch διά c.acc. bedeutet, daß die πάρεσις τῶν προγεγονότων ἁμαρτημάτων die Frage nach endgültiger Beseitigung laut werden läßt.

Wir verstehen somit die vorpaulinische Formel als Ausdruck dafür, daß Jesus in seinem Kreuzestod von Gott als eschatologisches Heiligtum eingesetzt wurde und daß die vorher, in der Zeit göttlichen Zuwartens, begangenen Sünden, die bisher nur aufgeschoben waren, dadurch beseitigt wurden. *Der Tod Jesu wird damit im Horizont der im Frühjudentum vorhandenen Erwartung eines neuen (endzeitlichen) Tempels, als eines Ortes der Sühne, der Epiphanie und der Präsenz Gottes verstanden.* Die Formel sagt: dies ist Jesus in Person, Gott selbst hat ihn dazu gemacht. Der eschatologische Jom Kippur hat am Karfreitag stattgefunden.

Diese Interpretation des Todes Jesu stellt eine theologische Position mit weitreichenden Konsequenzen dar. Sie knüpft einerseits an gängige Vorstellungen im Frühjudentum an, um diese dann aber aufgrund der Geschichte Jesu neu zu interpretieren und als in Jesus verwirklicht auszusagen. Dabei ist der Rahmen dessen, was innerjüdisch als Bandbreite theologischen Denkens möglich ist, noch nicht verlassen. Die Deutung bleibt vielmehr einem genuin frühjüdischen Rahmen verhaftet[84].

Drei Texte, deren Sachaussagen in den Verstehenshintergrund der vorpaulinischen Überlieferung gehören, sollen hierzu noch kurz bedacht werden. In allen dreien geht es um die eschatologische Neubegründung des Heiligtums als des Ortes der Präsenz Gottes: 11QT 29,8-10; Jub 1,29; 4,24-26.

---

[84] Zur verbreiteten, aber differenzierten Erwartung eines neuen/erneuerten Jerusalem und seines Heiligtums im Frühjudentum s. überblicksmäßig Chance, Jerusalem, 5-18 (dort auch weitere Lit.).

11QT 29,8-10[85]: "(8) Und ich will heiligen mein [Heili]gtum mit meiner Herrlichkeit, da ich wohnen lassen werde (9) über ihm meine Herrlichkeit bis zum Tag der Schöpfung, an dem ich (neu) schaffe mein Hei[ligtum (?),] (10) um es mir zu bereiten für all[ez]eit entsprechend dem Bund, den ich geschlossen habe mit Jakob in Bethel".

Hierin spricht sich die Erwartung aus, daß Gott im Eschaton ein neues Heiligtum "schaffen" wird. Dabei ist das Unzureichende des bestehenden Tempels eine in dieser Erwartung implizierte, unausgesprochene Voraussetzung. Würde der jetzige genügen, bräuchte keine (Neu-)Schaffung erhofft werden. 11QT ist das Dokument für eine nach dem Exil erwartete "Restitution" Israels gemäß den Väterverheißungen[86]. Dabei kommt das Ungenügen am Bisherigen deutlich zum Ausdruck. Nach der Exilserfahrung machte man sich daran, '"Defizite' aufzuarbeiten und literarisch zu entwerfen, wie alles zu sein habe, wenn das 'Volk Israel' in den Grenzen des den 'Vätern' verheißenden [sic!] 'Landes' endlich einmal dem Willen seines Gottes gemäß existieren könnte. 'Restitution' impliziert hier zugleich 'Vollendung' dessen, was Gott schon immer mit der Erwählung dieses seines 'Volkes' bezweckt hatte"[87]. Der bestehende Jerusalemer Tempel kann diese Erwartung nicht erfüllen. Deshalb wird in der Gegenwart die Gemeinde selbst zum 'Heiligtum'. Für die Zukunft wird eine völlige Erneuerung erhofft[88].

---

[85] Zu diesem Text, v.a. zu den textkritischen Fragen, s. schon oben Abschnitt VI.c, S. 75-78, bes. A.39. Übersetzung nach Janowski/Lichtenberger, Enderwartung, 56.

[86] Stegemann, Land, 155.

[87] Ebd.

[88] Die Frage, ob sich in unserem Text 11QT 29,8-10 eine "Zweiheiligtümerthese" (Callaway) finden läßt, wurde zuletzt wieder diskutiert bei Mell, Neue Schöpfung, 104.107ff, sie betrifft unseren Sachverhalt nur am Rand. Das Problem besteht darin, ob man davon ausgehen kann, daß in 11QT ein irdischer, "von Menschen zu erbauende[r] Tempel, den die Israeliten als Heiligtum Gottes bei der erneuten Landnahme errichten sollen", von einem "endzeitlich-eschatologischen Tempelneubau" zu unterscheiden ist (Mell, Neue Schöpfung, 104.108-110; vgl. Yadin, Temple Scroll I, 182-187.412; Maier, Tempelrolle, 89f.) oder ob diese "historisch-futurische Heiligtümerantithese" unbelegbar ist (so Callaway, Erwägungen, 99). Nach Mell (ebd, 106f) spitzt sich das Problem auf die Übersetzung von עד zu, ob man mit 'während' oder mit 'bis zum' wiedergibt. Aufgrund der Parallelität zu Jub 1,29 gibt Mell mit "bis zum" wieder (ebd, 107; im Anschluß an Yadin, Temple Scroll I, 184; so auch van der Woude, Qumranforschung, ThR 54, 1989, 247 gegen Wacholder). Der Vorschlag von Callaway (Erwägungen, 97), עד mit "Zeuge" zu übersetzen, ist wegen dieser Parallelität abzulehnen. Doch damit ist das Problem noch nicht gelöst, denn es geht nicht, wie Mell annimmt, um einen von Israel künftig zu erbauenden Tempel, sondern in 11QT wird der "ideale Tempel" entworfen, den Salomo hätte bauen sollen. Die in 11QT vorgestellte Situation ist die, daß Mose am Sinai in direkter Gottesrede die Anweisungen für den künftig einzurichtenden Kultus erhält (Maier, Tempelrolle, 13). Dabei ist von einer "erneuten Landnahme" (Mell, ebd, 104) nicht zu sprechen. Wir haben daher davon auszugehen, daß in 11QT 29,8-10 wohl unterschieden wird zwischen einem Tempel auf dem Zion und einem eschatologischen, durch Gott selbst erbauten Tempel (gegen Callaway), daß aber nicht von einem durch Israel künftig zu erbauenden (gegen Mell), sondern von dem idealen Tempel gesprochen wird (mit Lichtenberger, Atonement, 165f). Da dieser Tempel gegenwärtig nicht verwirklicht ist, stellt die Gemeinde selbst das Heiligtum dar.

In unserem Text spricht sich eine Haltung gegenüber dem bestehenden Tempel aus, die dessen "Unzulänglichkeit" deutlich zum Ausdruck bringt[89]. Die beiden anderen Texte, die hier angeführt werden sollen, sind Jub 1,29 und 4,24-26[90]. An Jub 1,1-4.27-29 wird der Anspruch deutlich, mit dem das Buch Jub auftritt: Es versteht sich als "von Gott kommende Offenbarung des Engels an Mose" auf dem Sinai[91]. V.29 spricht davon, daß am "Tag der neuen Schöpfung"[92] in Zion ein neues "Heiligtum des Herrn" geschaffen werden wird:

Jub 1,29[93]: "Und es nahm der Engel des Angesichtes, der einherzog vor den Herren Israels, die Tafeln der Einteilung der Jahre von der Schöpfung des Gesetzes an und des Zeugnisses seiner Wochen der Jubiläen je nach den einzelnen Jahren in allen ihren Zahlen und Jubiläen und vom Tag der neuen Schöpfung an, wann erneuert werden Himmel und Erde, bis zu dem Tag, an dem geschaffen werden wird das Heiligtum des Herrn in Jerusalem auf dem Berge Sion. Und alle Lichter werden erneuert werden zur Heilung und zum Frieden und zum Segen für alle Auserwählten Israels. Und es soll sein von diesem Tag an und bis zu allen Tagen der Erde."[94]

Die Erwartung geht dahin, daß eine gänzliche Erneuerung von Himmel und Erde stattfindet, in deren Zusammenhang auch das Heiligtum neu geschaffen wird. Mit dieser Erneuerung des Heiligtums gehen Heilung und Frieden einher. "Umfassender läßt sich die kosmische Neuschöpfung kaum noch aussagen."[95] Die Neuschaffung des Heiligtums ist identisch mit dem "Herabsteigen und Wohnen Gottes" unter den Menschen "für Ewigkeit der Ewigkeiten" (Jub 1,26). Mit dem Neubau des Heiligtums wird Gott "dem Auge eines jeden erscheinen" (V.28), und jeder wird den Gott Israels anerkennen.

---

[89] Als wichtiger Beleg aus der Qumran-Literatur ist noch zu nennen: 4QFlor 1,1-7, wo es nicht um die Gemeinde als eschatologisches Heiligtum geht, sondern um ein von Gott selbst zu erbauendes (dazu Klinzing, Umdeutung, 80ff.175ff; Juel, Messiah, 172ff). Weitere Belege aus Qumran, die von einem neuen eschatologischen Heiligtum sprechen, sind zusammengestellt von Milik/Baillet: 1Q 32; 2Q 24; 5Q 15; J.T. Milik, Le travail d'édition des fragments manuscrits de Qumrân, RB 1956, 55; DJD I, 134f; DJD III, 184; M. Baillet, Fragments araméens de Qumran 2. Description de la Jérusalem nouvelle, RB 1955, 222ff; DJD III, 84-89; dazu Klinzing, Umdeutung, 22f.

[90] Jub 1,29 und 4,26 gehören nach Davenport, Eschatology, 16.75 zu einer "sanctuary orientated redaction".

[91] Berger, Jub JSHRZ II.3, 279.312f; vgl. Mell, Neue Schöpfung, 152.

[92] Zur Berechtigung dieses Ausdrucks s. Berger, ebd, 320; Mell, ebd, 154f.

[93] Text nach Berger, Jub JSHRZ II.3, 320f.

[94] Mell, ebd, 154, tritt (im Anschluß an Rau, s.u. A.100) dafür ein, "vom" Tag der neuen Schöpfung in "bis" zum Tag der neuen Schöpfung zu konjizieren (vgl. die textkritische Diskussion bei Mell, ebd, 154 A.46 und bei Berger, ebd, 320 A.i). Die Konjektur scheint aufgrund des Vergleichs mit 11QT 29,10 etwas für sich zu haben (vgl. dazu auch äthApcEsr 69,20ff, zit. bei Berger, ebd, 321 A.o).

[95] Mell, ebd, 157. Zur breiten Wirkungsgeschichte von Jub 1,27-29 in der äthiopischen Literatur s. Berger, ebd, 321.

Jub 4,24-26[96]: "[24] Und seinetwegen führte er von allem Wasser die Sintflut über das ganze Land Edom. Denn dort war er gegeben zum Zeichen und damit er zeuge über alle Menschenkinder, damit er sage alles Tun der Generationen bis zum Tage des Gerichtes. [25] Und er brannte ein Räucheropfer ab des Abends im Heiligtum, das angenommen wurde vor dem Herrn auf dem Berge des Mittags. [26] Denn vier Orte auf der Erde gehören dem Herrn: Der Garten Eden und der Berg des Morgens und dieser Berg, auf dem du heute bist, der Berg Sinai, und der Berg Sion [, er][97] wird geheiligt werden in der neuen Schöpfung zur Heiligung der Erde. Durch ihn[98] wird die Erde von aller Sünde geheiligt werden in den Generationen der Welt".[99]

Henoch hat nach seiner Entrückung die Pflicht alles aufzuschreiben, damit es im Gericht zur Verfügung stehe (V.23; vgl. 10,17). "Henoch registriert die Übertretung der Ordnung, die er nach V.18 den Menschen mitgeteilt hat."[100] Seine Aufgabe lautet, "alles Tun der Generationen bis zum Tage des Gerichtes" zu "bezeugen"[101]. Die Parallelität zu den προγεγονότα ἁμαρτήματα in Röm 3,25 fällt ins Auge. Jub 4,24f und Röm 3,25 geht es jeweils um die bis zum Kommen des Gerichtstages begangenen Sünden. Hier wie dort wurde deren endgültige Abrechnung aufgeschoben.

Nachdem V.25 Henochs Opfer auf dem Sinai und V.26a die vier gottgeheiligten Orte auf der Erde erwähnt wurden, wird in V.26b auf den letztgenannten, Zion, besonders Bezug genommen. Er soll "geheiligt werden in der neuen Schöpfung zur Heiligung der Erde". Der Zusammenhang mit Jub 1,27ff ist unübersehbar. Es geht dort um die Erwartung, daß Gott am "Tag der neuen Schöpfung" das "Heiligtum des Herrn in Jerusalem auf dem Berge Sion" *schafft* (1,29)[102]. Dann werden Jerusalem und Zion heilig sein, und jeder wird dann Gott als Herrn anerkennen (1,28; vgl. PsSal 17,22.46).

Ausgehend von dieser Heiligung Zions wird auch eine Heiligung der Erde erfolgen. Die Heiligung Zions, die nach 1,28f mit der Errichtung des endzeitlichen Heiligtums zusammenzusehen ist, wird eine Reinigung der Erde "von aller Unreinheit und von aller Sünde" nach sich ziehen, die "in den Generationen der Welt" geschehen ist (4,26)[103]. D.h. die eschatologische Manifestation des Heiligtums ist verbunden mit einer Beseitigung der früheren, durch die Generationen hindurch geschehenen Sünden. Die Struk-

---

[96] Dazu Berger, Jub JSHRZ II.3, z.St.; Milik, Enoch, 11.102ff; Davenport, Eschatology, 81ff, bes. 85f.
[97] Zu dieser Einfügung s. Littmann, in: Kautzsch II, 47.
[98] Berger übersetzt hier "deswegen". Die Änderung im Anschluß an Davenport, Eschatology, 85 A.3, und Mell, Neue Schöpfung, 158.
[99] Text nach Berger, Jub JSHRZ II.3, 345f; vgl. Davenport, Eschatology, 92.
[100] Berger, Jub JSHRZ II.3, 345 A.23c; vgl. dazu E. Rau, Kosmologie, Eschatologie und die Lehrautorität Henochs. Traditions- und formgeschichtliche Untersuchungen zum äth. Henochbuch und zu verwandten Schriften, Diss. Hamburg 1974, 407; Milik, Enoch, 103.
[101] Zu Henoch als Gerichtszeuge vgl. hebrHen 4,3; grApcPaul 20; Texte bei Berger, Jub JSHRZ II.3, 345f A.24e.
[102] Text nach Berger, Jub JSHRZ II.3, 320f.
[103] Ebd, 346.

turparallele zu Röm 3,25f ist deutlich: Die bisher aufgeschobenen Sünden werden bei der Errichtung des endzeitlichen Heiligtums endgültig getilgt. Wir halten deshalb eine Interpretation der vorpaulinischen Tradition in Röm 3,25f* im Zusammenhang mit der frühjüdischen Erwartung bezüglich des eschatologischen Heiligtums, wie sie oben dargelegt wurde, auch aufgrund dieses Umfeldes für einleuchtend. Wenn man, wie darzustellen ist (Abschnitt X.b), davon ausgehen kann, daß eine tempelkritische Aktion Jesu, verbunden mit einem - in jedem Fall kritischen - Wort Jesu bezüglich des bestehenden Tempels den tatsächlichen Gegebenheiten entspricht, stellt es nur einen Schritt dar, den Tod Jesu mit dieser Ankündigung in Verbindung zu bringen.

IX
Die paulinische Rezeption der Tradition

a) Die paulinische Argumentation in Röm 3,21-26

V.21: Νυνὶ δὲ χωρὶς νόμου δικαιοσύνη θεοῦ πεφανέρωται μαρτυρουμένη ὑπὸ τοῦ νόμου καὶ τῶν προφητῶν. In diesem Vers steckt eine dreifache Antithese: 1. Was durch das Gesetz unerreichbar war, Gerechtigkeit zu erlangen, ist jetzt möglich. 2. Die Gerechtigkeit, die durch Gesetz und Propheten bezeugt wurde, ist im Christusereignis "erschienen". 3. Es ist die δικαιοσύνη θεοῦ im Gegenüber zur menschlichen Gerechtigkeit.

νυνὶ δέ ist sowohl logisch-adversativ wie auch zeitlich-eschatologisch zu verstehen[1]. μαρτυρουμένη bezieht sich auf δικαιοσύνη. Das bedeutet, daß diese Gerechtigkeit Gottes schon in der Schrift bezeugt wurde[2], daß also Gesetz und Propheten[3] von vornherein auf d i e s e Gerechtigkeit gerichtet waren und eine Gerechtigkeit aus Gesetzeswerken, wenn sie denn als Menschenwerk verstanden wurde und damit im Gegensatz zur Gerechtig-

---

[1] Zu νυνὶ δέ s. Dugandzig, Das 'Ja' Gottes, 158f (Lit!); Wolter, Rechtfertigung, 13f.23f. Die Betonung liegt auf der zeitlichen Komponente, nicht auf der logisch-adversativen (gegen Zahn, Röm, 173, mit Stählin, Art. νῦν, 1102 A.33. 1111 A.70; Bockmuehl, φανερόω, 96). Wolter legt den Akzent in V.21 auf χωρὶς νόμου (14), doch das ist nur *ein* Aspekt.
[2] S. dazu Wolter, Rechtfertigung, 25: V.21b ist ein "verkürzter Schriftbeweis"; vgl. Dugandzig, ebd, 160; van der Minde, Schrift, 141ff; Strathmann, Art. μάρτυς κτλ., 501. Koch, Schrift, 343, betont, daß in Röm 3,21 im Unterschied zu Röm 1,3f das "Moment der zeitlichen Differenzierung zwischen früherer Ankündigung und gegenwärtiger Erfüllung" fehle, doch damit ist nur eine Aspektverschiebung, die durch den Kontext hervorgerufen ist, bezeichnet. Nach Simonis, Der gefangene Paulus (s.o. S. 10 A.2), 45f, soll Röm 3,21b.22a ein red. Einschub sein. Die Methodik, mit der hier Einschübe und Glossen festgestellt werden, entbehrt nicht der Gewaltsamkeit. Doch diesen Vorwurf hat Simonis, ebd, 125f, schon vorausgeahnt.
[3] Hier als Zusammenfassung des Alten Testaments, vgl. 2Makk 15,9; 4Makk 18,10; Sir prol 8f; Mt 5,17; 7,12; 11,13; 22,40; Lk 16,16; Apg 13,15; 24,14; 28,23; <Joh 1,45; Lk 24,44>; Bill. I, 240; III, 164; Dugandzig, ebd, 156.160; Friedrich, in: Krämer u.a., Art. προφήτης κτλ., 829ff; Hofius, Gesetz des Mose, 279; Kertelge, Rechtfertigung, 77; Koch, Schrift, 342; Lührmann, Offenbarungsverständnis, 150; Luz, Geschichtsverständnis, 170ff; Michel, Röm, 148 A.6; Schlier, Röm, 105; Vielhauer, Paulus, 34 (= ThB 65, 197); Wolter, Rechtfertigung, 25 mit A.64. Anders Berger, Gesetzesauslegung, 209-227, bes. 224ff, von Wolter aber zu Recht abgelehnt. Daß das Zeugnis des Alten Testaments mit μαρτυρέω bezeichnet wird, ist bei Paulus sonst nicht üblich, jedoch Joh 5,39.46f; Apg 10,43.

keit aus Gott, nach Paulus nie zur Disposition stand[4]. (Vgl. die Anwendung der Abrahamsgeschichte Röm 4,1ff[5].)

μαρτυρέω (pass.) heißt: bezeugt werden, empfohlen werden, wohlbezeugt sein, ein gutes Zeugnis erhalten[6]. An den Stellen, an denen Gott bzw. der Geist oder die Schrift Subjekt sind, bedeutet es oft "nachdrücklich, unter Einsatz der vorhandenen Autorität bekunden"[7] (vgl. Hebr 7,8.17 [pass.]; Hebr 10,15; Apg 10,43 [akt.])[8]. Nach Michel[9] hat die Gerechtigkeit "ihre Vorgeschichte im Zeugnis des Gesetzes und der Propheten". Doch geht es nicht nur um die "Vorgeschichte"[10]. Der Unterschied zu Gesetz und Propheten besteht darin, daß diese sie bezeugen, die Gerechtigkeit Gottes aber erst durch Christus als richtende und zugleich heilschaffende Kraft enthüllt wird (vgl. Röm 1,17).

Das Stichwort διχαιοσύνη θεοῦ erscheint in Röm 3,21 nach 1,17 und 3,5 zum drittenmal innerhalb des Röm[11]. Dabei geht es in 1,17 darum, thetisch die Gerechtigkeit Gottes als Gerechtigkeit aufgrund des Glaubens

---

[4] Dies wird bestätigt durch Röm 4,15; 5,13; 7,7-10.13; 8,3. Auch Hays, Echoes, 52, betont, daß es um "God's saving righteousness" gehe; vgl. ders., Psalm 143, 107-115. Zur Front des Paulus s. auch K. Haacker, Paulus und das Judentum, Jud 33, 1977, 161-175, hier: 162ff.

[5] Für den Bezug von Röm 4 auf 3,21 s. Koch, Schrift, 343.

[6] Bauer, WB[6], 999f.

[7] Strathmann, Art. μαρτύς χτλ., 501. Nach Wilckens sind "Gesetz" und "Propheten" die nach Dtn 19,15 notwendigen zwei Zeugen bei Gericht, die hier in einem "eschatologische[n] Rechtsakt" ihr μαρτυρεῖν betreiben, welches dadurch forensische Bedeutung bekommt (Röm I, 186; abgelehnt von Koch, Schrift, 342 A.5). Forensische Bedeutung des μαρτυρεῖν sieht auch Käsemann, Röm, 87. Neben Röm 3,21 existieren weitere vier Belege in paulinischen Briefen: Röm 10,2; 1Kor 15,15; 2Kor 8,3; Gal 4,15. Eine unmittelbare Beziehung zur Bezeugung vor Gericht ist dabei nicht sichtbar. Zunächst bedeutet der Begriff nur ein "Bekunden oder Bestätigen irgendwelcher Tatsachen" (Strathmann, ebd, 500,34, im Original gesperrt). Einen stärker forensischen Aspekt enthält das nur bei Paulus belegte συμμαρτυρεῖν (Röm 2,15; 8,16; 9,1), wenngleich auch dabei nicht nur an den Horizont des eschatologischen Gerichtes gedacht werden darf (dazu Strathmann, ebd, 515f).

[8] Man kann fragen, ob Apg 10,43 eine Sachparallele darstellt, insofern auch hier von den Propheten behauptet wird, sie seien Zeugen der Vergebung, die durch Jesus kommen sollte (vgl. Roloff, Apg, 174; Schneider, Apg II, 79; s. auch Lk 24,27.44, dazu Schweizer, Lk, 251).

[9] Michel, Röm, 148.

[10] Zur Auseinandersetzung zwischen Wilckens und Klein s. zusammenfassend Wolter, Rechtfertigung, 28f.

[11] Wir gehen hier nicht auf die mit diesem Stichwort angesprochene Debatte ein, da dies zu einer völlig anderen Gewichtung der Arbeit führen würde. S. dazu Wilckens, Röm I, 202-233, und neben der dort genannten Literatur M.T. Brauch, Perspectives on 'God's Righteousness' in Recent German Discussion, in: Sanders, Paul, 523-542; Hill, Liberation, 31-44; Kertelge, Art. διχαιοσύνη, 784-796; Maier, Paul's Concept, 248-264; B.L. Martin, Christ and the Law in Paul, NT.S 62, Leiden 1989, 120ff; Piper, Righteousness, 2-32; E. Plutta-Messerschmidt, Gerechtigkeit Gottes bei Paulus. Eine Studie zu Luthers Auslegung von Röm 3,5, HUTh 14, Tübingen 1973, 80ff.142ff; Roberts, Righteousness, 12-33 (Lit!); Stuhlmacher, Gerechtigkeitsanschauung des Apostels, 87-116; Theobald, Gottesbild, 143ff; Toivanen, Wortfamilie, 68-80; N. Watson, Rez. von J.A. Ziesler, The Meaning of Righteousness in Paul, NTS 20, 1973/74, 217-228; Williams, Righteousness, 241-290; Wolter, Rechtfertigung, 26ff.

auszusagen und in 3,5 menschliche Ungerechtigkeit und Gottes Gerechtigkeit gegeneinander zu setzen. An beiden Stellen ist im folgenden Satz von der ὀργὴ θεοῦ die Rede. Es besteht daher die Frage, ob Gerechtigkeit Gottes hier im Sinn der richterlichen iustitia distributiva zu verstehen ist[12]. Stuhlmacher lehnt dies mit Bezug auf das apokalyptische Judentum, das hier den Hintergrund abgibt, ab[13]. Unsere Analyse von V.25f hat auch Auswirkungen auf das Verständnis der δικαιοσύνη θεοῦ bei Paulus. Es muß nun v.a. kein Unterschied mehr konstruiert werden zwischen dem Gebrauch in den Versen 21f.25.26 (s. dazu weiterhin unten b).

πεφανέρωται bezieht sich auf das einmalige, abgeschlossene Ereignis der Tat Gottes in Jesus Christus, dessen Bedeutung bis in die Gegenwart andauert. Es hat als Perf. pass. resultativen Sinn[14]. Anders als in Röm 1,17, wo auf die durch die Verkündigung des Evangeliums jetzt geschehende Offenbarung geblickt wird, geht es hier um die Offenbarung Gottes in Jesu Kreuzestod[15]. φανεροῦν ist eine "Neubildung der hellenistischen Zeit"[16]. Es bezeichnet das eschatologische Offenbarwerden von Gottes Gerechtigkeit. Die Verbindung von "offenbaren" und "Gerechtigkeit (Gottes)" begegnet auch sonst in eschatologischen Zusammenhängen[17]. Hinter der Formulierung steht ein im Neuen Testament öfter belegtes "Revelationsschema"[18]. Die mit dem Revelationsschema meist verbundene Zeitangabe ist in νῦν zu sehen, dessen temporaler Sinn damit bestätigt ist[19]. Durch das νῦν wird die Jetztzeit als eschatologische Zeit qualifiziert[20].

---

[12] Insbesondere für Röm 3,5 wird dies u.a. von Bultmann, Theologie, 288, und Lietzmann, Röm, z.St. so gesehen; vgl. zu dieser Frage Stuhlmacher, Gerechtigkeit Gottes, 78ff.84ff.

[13] Stuhlmacher, Gerechtigkeit Gottes, 80.86.

[14] BDR, § 340. Vgl. Wolter, Rechtfertigung, 24 A.59.

[15] Beides gehört unauflöslich zusammen: Gottes Tun und die Verkündigung desselben. H.J. Iwand, Wider den Mißbrauch des Pro Me als methodisches Prinzip in der Theologie, EvTh 14, 1954, 120-125 (= ThLZ 79, 454-458); vgl. auch Conzelmann, in: Conzelmann/Zimmerli, Art. χαίρω κτλ., 385f.

[16] Lührmann, Offenbarungsverständnis, 21; Bockmuehl, φανερόω, 88f; Müller, Art. φανερόω, 988. Es ist 49mal im Neuen Testament belegt (davon 13mal Paulus, 9mal Deuteropaulinen). Zur Kritik an Lührmanns Offenbarungsverständnis als "Auslegung des Christusgeschehens" vgl. Kertelge, Rechtfertigung, 76 A.65. Gegen die von Bultmann/Lührmann, Art. φανερόω κτλ., 1-11, und Müller, Art. φανερόω, 988-991, behauptete Synonymität von φανερόω und ἀποκαλύπτω wendet sich besonders Bockmuehl, φανερόω, passim.

[17] Theobald, Gottesbild, 158; vgl. zu dieser Verbindung Ps 97,2(LXX); Jes 56,1; äthHen 91,14; 4Esr 8,35; 1QH 14,16; CD 20,20; TgJes 45,8; 56,1; 59,17; 61,11.

[18] Zum "Revelationsschema" s. Lührmann, Offenbarungsverständnis, 124-133. Lührmann wendet sich jedoch (148) zu Unrecht dagegen, dieses Schema auch in Röm 1,17 und 3,21 finden zu wollen (dazu Kertelge, Rechtfertigung, 76 A.65; Luz, Geschichtsverständnis, 87f.169 A.126; Theobald, Gottesbild, 158f). Vgl. im Neuen Testament Röm 16,26; Eph 3,5; Kol 1,26; 2Tim 1,10; Tit 1,2f; 2,11; 1Petr 1,20. Gegen ein Revelationsschema in Röm 3,21 spricht sich auch Wolter, Rechtfertigung, 28, aus.

[19] S.o. A.1.

[20] Vgl. neben Röm 3,21.26 noch 5,9.11; 6,19.21f; 7,6; 8,1.18; 11,5.30f; 13,11 (Theobald, Gottesbild, 158). Wolter, Rechtfertigung, 23, wendet sich dagegen, das νυνὶ δέ "in bewußter Auseinandersetzung mit der jüdischen Eschatologie" zu verstehen (bestätigt von

Diese Offenbarung geschah χωρὶς νόμου. (χωρίς mit Gen. der Sache: außerhalb von, ohne von etwas Gebrauch zu machen, abgesehen von, ohne daß etwas zur Anwendung kommt, ohne daß etwas vorhanden ist, ohne Rücksicht auf, unabhängig von[21].) Damit ist nicht das Gesetz als solches desavouiert, aber es ist in seiner heilsgeschichtlichen Begrenzung gesehen[22]. Es bekommt von Christus her, von seinem τέλος[23], seine endgültige Funktion[24]. Anders als die Erkenntnis der Sünde, die nach Röm 3,20 διὰ νόμου geschieht, erfolgt die Offenbarung und die Erkenntnis der Gerechtigkeit Gottes χωρὶς νόμου. χωρὶς νόμου (Röm 7,8) ist die Sünde (ἁμαρτία) tot. χωρὶς νόμου (Röm 7,9) gibt es zwar Leben, das aber, wenn das Gesetz kommt, erstirbt. Das Gesetz hat demnach die Kraft zu töten, aber nicht die Kraft zu retten oder lebendig zu machen[25].

Wilckens sieht in χωρὶς νόμου die "Ausschaltung des Gesetzes" angesprochen, die wiederum die grundsätzliche Bedingung sei, "unter der allein Sünder, die durch das Gesetz mit eschatologisch-forensischer Gültigkeit als Sünder festgestellt werden, gerecht werden können"[26]. Wilckens spricht von der "Ausschaltung des Gesetzes", da "das Gesetz selbst nicht die Kraft hat (8,3), seine eigene Wirkung aufzuheben"[27]. Doch darum, die eigene Wirkung aufzuheben, ging es nicht, vielmehr um die Unmöglichkeit, durch das Gesetz die Gerechtigkeit zu erlangen. Es läßt sich daher auch nur unter Absehung von V.31 (obwohl von Wilckens genannt) formulieren: "Gottes Gerechtigkeit bricht darin gleichsam aus ihrer Bindung an das Gesetz aus."[28] Im Gegenteil! Sie bestätigt das Gesetz - läßt es jedoch von dem durch Christus gegebenen Grenze her sehen.

Theobald, Gottesbild, 158f A.93). Dies ist aus Röm 3,21 allein nicht zu entscheiden. Auf's Ganze des Römerbriefes gesehen, ist die Bezugnahme auf die jüdische Eschatologie - in Analogie und Differenz - jedoch unbestreitbar, vgl. 5,9.11; 8,24; 13,11.

[21] Bauer, WB[6], 1776.

[22] Hofius, Gesetz des Mose, 274f. Zu weit geht Schmithals, Röm, 119 (im Anschluß an Lietzmann, Röm, 48), der χωρὶς νόμου mit "unter Aufhebung des Gesetzes" wiedergibt.

[23] Nach Michel, Röm, 148, wird mit χωρὶς νόμου schon auf Röm 10,4 τέλος γὰρ νόμου Χριστός vorausgeblickt; so auch Hofius, Gesetz des Mose, 276f A.51.

[24] Vgl. Dugandzig, Das 'Ja' Gottes, 161.173-177; s. dazu Eichholz, Paulus, 244ff.

[25] Vgl. Röm 8,3f (dazu Hofius, Gesetz des Mose, 280 A.62). Gal 3,21 scheint Paulus noch einen Schritt weiter zu gehen: Das Gesetz war gar nicht zum Leben gegeben, denn sonst käme ja die Gerechtigkeit aus dem Gesetz. Hier wird nicht mit der Schwäche des Gesetzes argumentiert, die durch das Fleisch (der Sünde) kommt, sondern hier wird das Gesetz selbst nur in seiner negativen Funktion dargestellt. Anders Röm 7,9-13, wo die negativen Auswirkungen des Gesetzes aufgrund der Sünde erfolgen (dazu Lichtenberger, Römer 7, 143ff).

[26] Wilckens, Röm I, 185f. Auch Hofius, Gesetz des Mose, 277 A.51, spricht von "Ausschaltung des Gesetzes".

[27] Wilckens Röm I, 186.

[28] Ebd. Wilckens möchte die Differenz zu alttestamentlich-jüdischen Bußgebeten (Dan 9,16; 4Esr 8,31-36) aufzeigen, in denen Gott darum gebeten werde, unter Umgehung des Gesetzes die Barmherzigkeit dem Gericht zuvorkommen zu lassen und den Sünder so dem Gericht zu entziehen. Paulus hingegen wolle sagen, daß die Gottesgerechtigkeit ebendort wirksam werde, wo das Gesetz den Sünder verfluche. Das ist jedoch nicht das Problem in Röm 3,21. Der Gedanke der Umgehung des Gesetzes, wie er in den jüdischen Bußgebeten vorliegen soll, läßt sich in den von Wilckens angegebenen Belegen nicht nachweisen: Dan

V.22a: δικαιοσύνη δὲ θεοῦ διὰ πίστεως Ἰησοῦ Χριστοῦ εἰς πάντας τοὺς πιστεύοντας. Das Stichwort δικαιοσύνη wird wieder aufgenommen und näher bestimmt: es ist diejenige Gerechtigkeit, die durch den Glauben an Jesus Christus kommt und für alle Glaubenden gilt[29]. Das δέ weist auf die Besonderheit dieser δικαιοσύνη hin: sie wird im Glauben ergriffen.[30]. διὰ πίστεως steht dabei in Parallele zu χωρὶς νόμου in V.21[31]. πίστις Ἰησοῦ Χριστοῦ stellt einen Gen. obj. dar[32]. Andernfalls - wollte man als Gen. subj. verstehen - würde das bedeuten, in V.22a und 22b unterschiedliche Bedeutungen der Wurzel πιστ- annehmen zu müssen, was wenig wahrscheinlich ist. Außerdem geht der Gen. obj. aus V.26b unzweideutig hervor, wo mit πίστις Ἰησοῦ auf V.22 zurückgeblendet wird.

V.22b-23: οὐ γάρ ἐστιν διαστολή, πάντες γὰρ ἥμαρτον καὶ ὑστεροῦνται τῆς δόξης τοῦ θεοῦ. Die Offenbarung der δικαιοσύνη θεοῦ macht alle Unterschiede zweitrangig[33]. Damit wird angeknüpft an die von Röm 1,18ff an durchgeführte These, daß Heiden wie Juden unter dem Gericht Gottes stehen. Dabei können V.22b und 23 wie eine Zusammenfassung des in 1,18ff genannten Sündenregisters der Heiden bzw. des in 2,1-11.17-19 aufgestellten Sündenkataloges der Juden gelten.

Schon Röm 3,9-18 hatte Paulus beide zusammengeschlossen und gleicherweise der Anklage unterzogen. V.19f richtete sich nochmals an die Juden. Mit V.20 hatte Paulus den Zielpunkt in seiner Argumentation erreicht: durch Gesetzeswerke wird niemand gerechtfertigt. V.22 greift darauf zurück: alle haben gesündigt, beide, Juden und Heiden, sind unter der Sünde (Röm 3,9). Die einen gehen *ohne* Gesetz verloren, die anderen

---

9,16 geht es darum, daß Gott, dessen Gericht auf Jerusalem lastet, darum gebeten wird, um seiner Gerechtigkeit willen seinen Zorn zurückzunehmen. (Theodotion spricht nicht von der δικαιοσύνη, sondern von der ἐλεημοσύνη.) 4Esr 8,(26-30)31-36 geht es darum, daß Gott um derer willen, "die sich um deinen Dienst von Herzen gekümmert" haben, nicht "auf die Taten der Frevler blicken" soll, sondern Gnade walten lassen möge, denn Gott werde ja gerade w e i l offensichtlich niemand "der Weibgeborenen" sündlos sei, der Barmherzige genannt. "Denn gerade dadurch wird deine Gerechtigkeit und Güte, Herr, offenbar, daß du dich derer erbarmst, die keinen Schatz von guten Werken haben." (V.36. Übersetzung nach Gunkel, in: Kautzsch II, 381.)

[29] Wie schon in V.21 erscheint δικαιοσύνη θεοῦ ohne Artikel. δικαιοσύνη θεοῦ begegnet im Nominativ jeweils ohne Artikel, sonst stets mit (ohne Art.: Röm 1,17; 3,5.21.22; 2Kor 5,21; mit Art.: Röm 3,25.26; 10,3; vgl. Phil 3,9).

[30] Stuhlmacher, Gerechtigkeit Gottes, 87 A.2; Kertelge, Rechtfertigung, 75 A.55; BDR § 447,5; Wolter, Rechtfertigung, 29: "nämlich"; anders Jüngel, Paulus und Jesus, 17f.

[31] Kertelge, Rechtfertigung, 74.

[32] S. dazu Käsemann, Röm, 88; Kertelge, Rechtfertigung, 77f; Theobald, Gottesbild, 159; dagegen (mit Lit.) Williams, Righteousness, 272ff; Johnson, Rom 3:21-26, 77-90.

[33] Auffällig ist die gedankliche Parallele zu Kap. 10: Auch dort heißt es "mit dem Herzen glaubt man zur Gerechtigkeit" und im Anschluß daran folgt die Betonung, daß der Glaube jegliche διαστολή zunichte mache (Röm 10,12). Ebenso betont Röm 3,30 (metonymisch), daß "Beschneidung" und "Unbeschnittenheit" vor Gott gleicherweise durch Glauben gerechtfertigt werden.

werden *durch* das Gesetz verurteilt (Röm 2,12)[34]. Damit ist jedoch nicht gesagt, daß es zwischen Juden und Heiden seit Christus überhaupt keinen Unterschied mehr gäbe. Die heilsgeschichtliche Prärogative Israels bleibt nach Röm 9,1ff bestehen und dies hat auch Auswirkungen für die post Christum natum entstandene Kirche. Die Gleichheit besteht hinsichtlich der Erlösungsbedürftigkeit.

καὶ ὑστεροῦνται τῆς δόξης τοῦ θεοῦ: "Das καί hat konsekutiven Sinn."[35] Aufgrund der Sünde ermangeln alle der Herrlichkeit Gottes. Es geht dabei nicht um die "Vollendungsherrlichkeit", sondern um die δόξα des Geschöpfes[36].

Umstritten ist, ob δόξα τοῦ θεοῦ als Gen. obj., subj. oder auct. zu verstehen sei[37]. Es geht um die Herrlichkeit, die von Gott her den Menschen zugedacht ist, näherhin die Schöpfungsherrlichkeit. Aber dabei soll nun nicht einfach den Menschen mit der Gerechtigkeit durch die "Teilhabe an der Christusherrschaft die verlorene Ebenbildlichkeit zurückgegeben" werden[38]. Die neue Schöpfung, von der 2Kor 5,17 spricht, in die die Welt "eschatologisch ... verwandelt wird"[39], ist nicht die "Wiederherstellung paradiesischer Vollkommenheit"[40], sondern die Gleichgestaltung dem Bild des Sohnes (Röm 8,29), das Offenbarwerden der Kinder Gottes (Röm 8,19), die Durchsetzung der (vollen) Kindschaft und die Erlösung des Leibes (Röm 8,23), mit der die Umgestaltung und Erneuerung der Schöpfung einhergeht. Diese Umgestaltung hat jetzt schon begonnen. Nach Röm 8,30 ist der Inhalt der σωτηρία die Begabung mit δόξα[41].

Der Gedanke, daß Adam durch den Sündenfall die δόξα, die Gott ihm gegeben hatte, verloren hat, taucht in verschiedenen jüdischen Schriften auf.

---

[34] Vgl. als weitere paulinische Aussagen in dieser Richtung: Die Schrift hat alle unter die Sünde beschlossen, damit die Verheißung aus dem Glauben an Jesus Christus den Glaubenden gegeben werde (Gal 3,22); Gott hat alle unter den Ungehorsam geschlossen, damit er sich aller erbarme (Röm 11,32); weil alle gesündigt haben, ist der Tod zu allen durchgedrungen (Röm 5,12). Nach Klein, Röm 4, 158, sei damit die Geschichte Israels "entheiligt und paganisiert" worden. Dagegen zu Recht Gräßer, Christen und Juden, 284. Doch gegen Gräßer ist zu sagen, daß auch "post Christum natum ... coram Deo" der Unterschied zwischen Juden und Heiden nicht einfach aufgehoben ist (vgl. Röm 9,1-5).

[35] Schlier, Röm, 106; Käsemann, Röm, 88.

[36] So mit Recht Schlier, Röm, 106; Michel, Röm, 149; Wilckens, Röm I, 188; Käsemann, Röm, 88f; Jervell, Imago, 180f; vgl. zur Sache Schlier, Doxa, 45-56, bes. 49.

[37] Dazu Kertelge, Rechtfertigung, 79 A.77. Luther übersetzte im Sinn eines Gen. obj.: "Sie ermangeln des Ruhmes, den sie bei Gott haben sollten." Dabei ist nicht völlig klar, ob Luther Herrlichkeit mehr protologisch oder eschatologisch versteht.

[38] Gegen Käsemann, Röm, 89.

[39] So richtig Käsemann, Röm, 89.

[40] Nach 1Kor 15,46ff ist der erste Adam aus Erde, der zweite aus dem Himmel! Das spricht gegen eine "Wiederherstellung"; gegen Käsemann, Röm, 89; vgl. dazu Jervell, Imago, 282-284.

[41] Foerster, in: Foerster/Fohrer, Art. σῴζω κτλ., 993; Holtz, 1Thess, 106. Zur systematischen Diskussion um die δόξα s. jetzt Gestrich, Wiederkehr, 18ff.21ff.26ff.

Dabei ist bemerkenswert, daß die δόξα z.T. mit der δικαιοσύνη gleichgesetzt wird[42]:

VitAd 20f[43]: (Eva zur Schlange) Und zu derselben Stunde wurden mir die Augen aufgetan,
und ich erkannte, daß ich entblößt war von der Gerechtigkeit, mit der ich bekleidet gewesen. Da weinte ich und sprach: Warum hast du mir das angetan, daß ich entfremdet ward
von meiner Herrlichkeit, mit der ich bekleidet war? ... (Adam zu Eva) Du böses Weib, was
hast du uns da angerichtet? Entfremdet hast du mich der Herrlichkeit Gottes![44]

GenR 12,36: Adam verlor durch Sünde Herrlichkeit[45].

grBar 4,16[46]: So wisse denn nun, Baruch, daß gleichwie Adam durch dieses Gewächs (die
Weinrebe) die Verdammnis davongetragen hat und der Herrlichkeit Gottes entkleidet
wurde, so auch die jetzigen Menschen, wenn sie den Wein, der von ihm genommen wird,
übermäßig trinken, schlimmer als Adam die Übertretung verüben und sich weit weg von
der Herrlichkeit entfernen und sich selber dem ewigen Feuer überliefern[47].

Daß Paulus eine Beziehung zwischen der Sünde, dem Verlust der Herrlichkeit, der eschatologischen Erwartung und dem erneuten Teilhaben an
der Herrlichkeit sieht, geht aus Röm 8,17ff hervor[48].

V.24: δικαιούμενοι δωρεὰν τῇ αὐτοῦ χάριτι διὰ τῆς ἀπολυτρώσεως τῆς ἐν Χριστῷ
Ἰησοῦ. Syntaktisch liegen πάντες γὰρ ἥμαρτον und ὑστεροῦνται auf der gleichen Ebene. Es stellt sich die Frage, wovon das Pt. δικαιούμενοι abhängig
ist. Manche lassen durch Einfügung des Personalpronomens einen Neueinsatz erfolgen: "sie werden gerechtfertigt"[49]. Nach Wonneberger hat das
Pt. die Aufgabe, den vorher genannten "Mangel an goettlicher Herrlichkeit zu erläutern"[50]. Er möchte daher übersetzen: "Sie ermangeln des
Ruhmes vor Gott, da sie ja darauf angewiesen sind, umsonst gerechtfertigt

---

[42] Für rabbinische Texte s. Bill. IV,2, 887.940. Die Vorstellung geht dahin, in der zukünftigen Welt die verlorene Herrlichkeit wiederzuerlangen, sei es, daß der Verlust auf die
Sünde Adams oder die der Israeliten (Ex 32) zurückgeführt wird. Für Qumran s. 1QS 4,23;
1QH 17,15; CD 3,20. Zum Verhältnis von δόξα und δικαιοσύνη vgl. auch Jervell, Imago,
180-183; Kertelge, Rechtfertigung, 79f.
[43] Für Einleitungsfragen: Denis, Introduction, 3-14; Rost, Einleitung, 114-116.
[44] Text nach Fuchs, in: Kautzsch II, 522.
[45] Vgl. noch ApkSedr 6,7.
[46] Für Einleitungsfragen: Denis, Introduction, 79-84; Rost, Einleitung, 86-88.
[47] Vgl. syrBar 51,1ff. Übersetzung nach Schlier, Röm, 107; vgl. v.Ryssel, in: Kautzsch II,
451. GrBar 4,9-15, der Text in unmittelbarer Nähe, stellt aller Wahrscheinlichkeit nach eine
christliche Interpolation dar; Rost, Einleitung, 87; Denis, Introduction, 82.
[48] ὑστερέω ist bei Paulus mehrfach belegt: 1Kor 1,7; 8,8; 12,24; 2Kor 11,5.9; Phil 4,12. Aus
den Stellen geht hervor, daß ὑστερέω bei Paulus ganz konkret gedacht ist, im Sinn von
Mangel haben. Den Gegensatz dazu bildet περισσεύω vgl. 1Kor 8,8.
[49] Schlier, Röm, 102; Michel, Röm, 146.149; Kuss, Röm, 112.114f; ähnlich Käsemann,
Röm, 85.
[50] Wonneberger, Syntax, 250.

zu werden."[51] Argumente sind dabei der Fortgang des Textes in V.27ff und die Inversion des Attr. in τῇ αὐτοῦ χάριτι, durch welche "der Gegensatz zwischen Mangel bei uns und Gnade bei Gott pointiert" werde[52]. Mit inhaltlicher Begründung sieht auch Wilckens[53] "eine syntaktische Unterordnung der Rechtfertigungsaussage [V.24a] unter den Hauptsatz ..., der von der Sünde aller spricht" (V.23).

Hatte Wonneberger dafür plädiert, daß die Partizipialkonstruktion aus inhaltlichen Gründen sich weder adversativ noch kausal auf den ersten Teil des Prädikates beziehen kann - er versteht sie daher als eine Erläuterung - so sieht Wilckens gerade das Gegenteil als gegeben an: Paulus ziele im Kontext auf die "Tatoffenbarung der Gottesgerechtigkeit, die eben d o r t geschieht, w o die Sünde aller zu ihrem Ausschluß von Gottes Herrlichkeit geführt hat"[54]. Dem ist zuzustimmen[55].

δωρεάν, der adverbial gebrauchte Akk. von δωρεά (Gabe Gottes, Geschenk) meint, daß die Rechtfertigung unverdientermaßen erfolgt. Dabei steht bei allen Belegen von δωρεάν im Hintergrund, daß etwas grundlos und zweckfrei geschieht, und zwar sowohl im kausalen als auch im finalen Sinn (Mt 10,8; Joh 15,25; Röm 3,24; 2Kor 11,7; Gal 2,21; 2Thess 3,8; Apk 21,6; 22,17). Paulus will damit den gänzlich in Gott selbst gegründeten Ursprung der Rechtfertigung betonen, die nicht aufgrund bestimmter Fakten auf Seiten des Menschen hervorgerufen wird, auch nicht nur ein Mittel ist, die Menschen zu etwas zu veranlassen, sondern ihren Wert in sich selbst hat[56].

Dies wird durch τῇ αὐτοῦ χάριτι unterstützt. χάρις wird in der LXX häufig für die Wiedergabe von ‫חן‬ verwendet, selten für ‫חסד‬[57]. Jedoch "zur Erfassung des neutestamentlichen Sinns nützt die Herleitung vom alttestamentlichen ‫חן‬ nicht viel"[58]. Und auch ‫חסד‬ hilft nicht weiter, da es zu ἔλεος hin-

---

[51] Ebd.

[52] Ebd, 251.

[53] Wilckens, Röm I, 188.

[54] Ebd, 188f (Hervorhebung im Original).

[55] Die von Käsemann vorgebrachten Argumente, aufgrund derer er schon mit δικαιούμενοι die vorpaulinische Tradition beginnen lassen wollte, wurden oben Abschnitt II, S. 15ff schon angesprochen.

[56] Dies belegt gerade auch Gal 2,21.

[57] Zimmerli, in: Conzelmann/Zimmerli, Art. χαίρω κτλ., 366. ‫חן‬ ist ein substantivierter Infinitiv. Das Verbum, das im Grundstamm 56mal vorkommt, hat 41mal JHWH zum Subjekt (ebd, 368), und bezeichnet "das gütige, in hilfreicher Tat sich erweisende Sich-Hinkehren einer Person zu einer anderen" (ebd, 367). Anders das Substantiv: hier ist eine "ganz auffallende Ablösung der gnädigen Guttat vom Geber und die Verlagerung des dadurch geschaffenen Wertes in den Gabeempfänger festzustellen" (ebd, 370). Dabei meint ‫חן‬ dann die Angesehenheit, die Anmut, oft noch - mit ästhetischer Akzentuierung - Schönheit und Liebreiz (ebd, 370). Hier ist eine Bedeutungsverschiebung zu verzeichnen. Als Übersetzung von ‫חסד‬ begegnet χάρις in der LXX nur in Est 2,17, wo ‫וחסד‬ ‫חן‬ durch χάρις wiedergegeben wird und in der hebräischen Vorlage von Sir 40,17 (Zimmerli, ebd, 379 A.119).

[58] Conzelmann, in: Conzelmann/Zimmerli, Art. χαίρω κτλ., 381,29f.

führt[59]. Nach Conzelmann drückt χάρις bei Paulus "am klarsten sein Verständnis des Heilsgeschehens" aus[60]. Zwar verwende Paulus das Wort auch im Sinn von 'Dankesgabe', 'Dank', aber eben v.a. "zur Freilegung der Struktur des Heilsgeschehens" als 'Gnade'. Der sprachliche Ausgangspunkt hierfür sei die Bedeutung "Erfreuen durch Schenken", "geschenkter, nicht verdienter Gunsterweis"[61]. Dabei orientiert sich Paulus an der geschichtlichen Manifestation der χάρις im Kreuz Christi. Die χάρις Gottes ist identisch mit dem Geschehen am Kreuz[62].

Die Rechtfertigung, die in der Gnade Gottes ihren Realgrund hat, findet in der ἀπολύτρωσις τῆς ἐν Χριστῷ Ἰησοῦ ihren Materialgrund. Die göttliche Gnade ist "nicht einfach gnädige Gesinnung, sondern Tat bzw. Geschehen, und zwar eschatologische Tat und eschatologisches Geschehen"[63].

διὰ τῆς ἀπολυτρώσεως τῆς ἐν Χριστῷ Ἰησοῦ: Die ἀπολύτρωσις erfährt eine Näherbestimmung, es ist die in Jesus Christus vollzogene. Das ἐν zeigt dabei instrumentalen Sinn an[64]. Die Inversion von Christus Jesus ist nicht ungewöhnlich, sie erscheint bei Paulus allein im Römerbrief noch 8mal (2,16; 6,11.23; 8,1.2.39; 15,17; 16,3)[65].

ἀπολύτρωσις: Der Terminus taucht bei Paulus außer in Röm 3,24 noch in Röm 8,23 in eschatologischem Kontext auf und in 1Kor 1,30 parallel zu ἁγιασμός und δικαιοσύνη[66].

Daneben findet sich ἀπολύτρωσις noch Kol 1,14, wo der Begriff mit ἄφεσις τῶν ἁμαρτιῶν gleichgesetzt wird, und nahezu identisch in Eph 1,7: Hier ist ἀπολύτρωσις näher bestimmt durch διὰ τοῦ αἵματος αὐτοῦ und dann ἄφεσις τῶν παραπτωμάτων parallelisiert. Eschatologischer Kontext liegt vor in Eph 1,14 und 4,30.

Auch Lk und Hebr verwenden den Begriff: Lk 21,28 in eschatologischem Kontext (wenn der Menschensohn kommt mit den Himmelswolken, dann ist die ἀπολύτρωσις genaht; vgl. dazu äthHen 51,2: denn der Tag ihrer Erlösung ist nahe; CantR zu 2,13: herbeigekommen

---

[59] Ebd, 382,2f.

[60] Ebd, 383, im Anschluß an Bultmann, Theologie, 281-285.287-291. Zu χάρις bei Paulus s. D.J. Doughty, The Priority of ΧΑΡΙΣ, NTS 19, 1972/73, 163-180.

[61] Conzelmann, ebd, 384,18ff.

[62] χάρις steht im Gegensatz zu νόμος: Röm 6,14; Gal 2,21; 5,4. Sachlich liegt diese Entgegensetzung auch unserem Text zugrunde, vgl. auch Röm 4,15ff: νόμος und ὀργή stehen πίστις, χάρις und ἐπαγγελία gegenüber. Dabei interpretieren sich πίστις und χάρις gegenseitig: Abraham wird ἐκ πίστεως, κατὰ χάριν der ἐπαγγελία teilhaftig. Röm 5,12 steht die χάρις der ἁμαρτία gegenüber, wobei dann noch näher bestimmt wird, wodurch die χάρις ihre Kraft zum Besiegen der Sünde entfaltet: durch die δικαιοσύνη. Röm 5,15 parallelisiert Paulus χάρις τοῦ θεοῦ und δωρεὰ ἐν χάριτι τῇ τοῦ ... Χριστοῦ; vgl. 5,17.

[63] Bultmann, Theologie, 284.289f; vgl. Conzelmann, aaO, 384f; anders Käsemann, Röm, 90, der im Sinn einer "eschatologische[n] Macht" versteht.

[64] Käsemann, Röm, 90; dagegen Wennemer, ΑΠΟΛΥΤΡΩΣΙΣ, 286: ἐν Χριστῷ meine die Gebundenheit der Erlösung an Christi Person, in Gemeinschaft mit ihm. Zahn, Röm, 184, betont, daß es "durch" (διά c.gen.) und nicht "aufgrund" oder "wegen" (διά c.acc.) heißen muß.

[65] Daraus ein Argument für ein Zitat zu ziehen (so Käsemann, Röm, 90: "feierliche Formel"), ist nicht gerechtfertigt.

[66] S. dazu (jeweils mit Lit.) Kertelge, Art. ἀπολύτρωσις, 331-336; Haubeck, Loskauf, 167ff.

ist die Zeit Israels, erlöst zu werden[67]). Büchsel vermutet, daß hinter Lk 21,28 eine "herkömmliche jüdische Wendung" stecke[68]. Hebr 9,15: Christi Tod ist hier verstanden als ἀπολύτρωσις für die unter dem ersten Bund geschehenen Übertretungen; Hebr 11,35: hier im Sinn von 'Freilassung', die um einer besseren Auferstehung willen nicht angenommen wurde.

In der LXX taucht ἀπολύτρωσις nur Dan 4,34 (diff. MT) auf, und zwar im Sinn "Zeit der Befreiung".

Das Verb ἀπολυτροῦν findet sich zweimal in der LXX: Ex 21,8 im Zusammenhang mit den Sklavengesetzen (Loskauf - Übersetzung von פדה ni.) und Zef 3,1 in den Völkersprüchen (Übersetzung von גאל hi.).

Was läßt sich aus diesem Befund für ἀπολύτρωσις folgern? Es gibt keine einlinige Verwendung des Terminus im Neuen Testament. ἀπολύτρωσις kann sowohl auf Jesu Tod bezogen sein (Röm 3,24; evtl. 1Kor 1,30; Eph 1,7; Hebr 9,15; evtl. Kol 1,14) als auch die eschatologische Befreiung meinen (Röm 8,23; Lk 21,28; Eph 1,14; 4,30). Hebr 11,35 bedeutet es 'Freilassung'[69]. Ein durchgehender kultischer Horizont läßt sich nicht nachweisen[70]. Röm 3,24 liegt ein traditionelles Motiv vor[71]. Dabei wird die Rechtfertigung als eschatologische Erlösung verstanden. Es stellt sich die Frage nach dem Deutehorizont von ἀπολύτρωσις.

Exkurs: Zur Herkunft des Bildes vom Loskauf

Deissmann hatte die These aufgestellt[72], Paulus entlehne "das Bild von unserer Loskaufung durch Christus" der Sitte der antiken Sklavenbefreiung[73]. Die Ähnlichkeiten sind jedoch bei genauerer Prüfung nicht von dem Gewicht, wie Deissmann sie beurteilte[74]. Die sieben paulinischen Belege für ἀπολύτρωσις, die Deissmann angibt, schrumpfen auf drei, wenn man Eph und Kol abrechnet, von denen dann zwei (1Kor 1,30 und Röm 3,24) in einem traditionellen Kontext stehen. An der Stelle, an der Paulus wirklich vom Sklavenloskauf spricht (1Kor 7), verwendet er ἐλευθερόω[75]. Die Analysen Deissmanns wurden im Kern durch Bömers Untersuchungen erschüttert[76]. Eine ausführliche Auseinandersetzung mit Deissmann führte Haubeck[77], dessen Darstellung eine "Vertiefung", "ausführliche exegeti-

---

[67] Bill. II, 256.
[68] Büchsel, in: Proksch/Büchsel, Art. λύω κτλ., 354.
[69] Hegermann, Hebr, 239.
[70] Gegen Wilckens, Röm I, 240; s.u. A.91.
[71] Kertelge, Rechtfertigung, 53-55; Wilckens, Röm I, 189.
[72] Deissmann, Licht, 271-281.
[73] Deissmann, Licht, 271; vgl. Haubeck, Loskauf, 1.
[74] Deissmann, Licht, 275ff. Belege für Ablehnung bei Haubeck, Loskauf, 2f A.8 und 9; vgl. auch Vollenweider, Freiheit, 238 A.199.301f; durchschlagend auch schon die Argumente bei Zahn, Röm, 182f A.51.
[75] Dazu Vollenweider, Freiheit, 233ff; vgl. ebenso Röm 6,18.20.22; 8,2; Gal 4,21-5,1, dazu Wilckens, Röm I, 189.
[76] Bömer, Untersuchungen II, 133-141; vgl. Elert, Redemptio, 266ff; Pax, Loskauf, 250-259; Ridderbos, Paulus, 139-142; Jones, Freiheit, 29-33.
[77] Haubeck, Loskauf, 250ff.

sche Begründung" und "Weiterführung" der von Pax vertretenen Sicht sein will[78]. Argumente gegen Deissmann[79]:

1. Beim sakralen Sklavenloskauf bezahlt die Gottheit nur formal den Kaufpreis, in Wirklichkeit bringt ihn der Sklave selbst auf. Paulus: Gott zahlt durch Christus.

2. Der Losgekaufte gehört sich selbst. Paulus: Der durch Christus Losgekaufte ist Eigentum Gottes.

3. Der Freigelassene ist weder ein "Freigelassener Gottes" noch ein "Sklave Gottes". Paulus: Der Losgekaufte ist ein "Freigelassener Christi".

4. Beim antiken Sklavenloskauf bleibt der Sklave selbst nach dem Freikauf oft bis zum Tod seines (ehemaligen) Herrn dessen Sklave. Paulus: Der durch Christus Losgekaufte ist ganz frei.

5. Beim sakralen Sklavenloskauf steht meist der Verkäufer im Mittelpunkt. Dieser wird im Neuen Testament nicht erwähnt.

6. Es bestehen terminologische Unterschiede: πρίασϑαι gegenüber (ἐξ-)ἀγοράζω bei Paulus.

7. Die terminologische Entsprechung ist oberflächlicher Art und geht nicht ins Detail.

Somit ist das Institut der antiken Sklavenbefreiung nicht brauchbar als Hintergrund für die paulinischen Formulierungen[80].

Elert versuchte den Terminus von dem Rechtsinstitut der "redemptio ab hostibus" her zu klären. Doch auch diese Vorstellung eignet sich nicht, zumal die "redemptio ab hostibus" im 1. Jh. n.Chr. diese Bedeutung nicht mehr hatte. Die Tatsache, daß der Loskäufer eine "Art Pfandrecht" am Freigekauften erhält, bis dieser den Kaufpreis an den Redemptor zurückbezahlt hat[81], die den Rahmen der Vorstellung sprengt[82], kann nur bedingt als Argument gelten, denn nach Ex 21,30 kann einer auch im Alten Testament im Einzelfall sich selbst loskaufen[83].

Schon Pax fand die Wurzeln für die Vorstellung, die hinter ἀπολύτρωσις steht, im Alten Testament. Dies will Haubeck untermauern[84]. Er geht von einer Untersuchung der Begriffe für Loskauf im Alten Testament aus. Dabei sind in der Hauptsache die Wurzeln פדה und גאל zu berücksichtigen, dann aber auch קנה, כופר, עבד als Kennzeichen des Standes in Ägypten und נחלה bzw. סגלה als Kennzeichen des Verhältnisses Israel - JHWH. Sodann geht Haubeck den Äquivalenten der Begriffe in der LXX nach, untersucht das Motiv des Loskaufs im frühen Judentum, um von da aus dann ins Neue Testament zu gehen und den paulinischen und den übrigen neutestamentlichen Sprachgebrauch zu überprüfen. Dabei kommt er zum Ergebnis:

1. ἀπολύτρωσις kann nicht isoliert betrachtet werden, ohne die übrigen Repräsentanten des Wortfeldes zu untersuchen.

2. Loskauf bei Paulus ist nur auf dem Hintergrund der alttestamentlichen Aussagen richtig zu verstehen.

3. Eine wesentliche Rolle spielt der Hintergrund des Frühjudentums.

---

[78] Pax, Loskauf (1962); Haubeck, ebd, 55.164f.167ff.292f.

[79] Haubeck, Loskauf, 164f.

[80] Ebd, 166.

[81] Elert, Redemptio, 268.

[82] Haubeck, Loskauf, 293.

[83] Ebd, 32.

[84] Ebd, 295ff; so auch Wennemer, ΑΠΟΛΥΤΡΩΣΙΣ, 285: "Göttliche Tat der Erlösung oder Befreiung des Volkes aus der Knechtschaft" bzw. "Konstituierung als Eigentumsvolk Gottes".

4. Das Spezifikum des paulinischen Loskauf-Motivs liegt in der Befreiung "aus der Herrschergewalt der Sünde, des Gesetzes und des Todes"[85]. Damit ist ein Handeln Gottes durch Christus gemeint, das einen Herrschaftswechsel impliziert[86]. Die Losgekauften erhalten nicht nur die Freiheit, sondern eine neue Existenz als "Söhne Gottes"[87].
5. Bei Paulus hängen Loskauf-Motiv und Sühneverständnis zusammen (Ausnahmen: 1Kor 7,23; Gal 4,4). Die bei Paulus verwendeten Bilder aus Vorstellungsbereichen wie z.b. Loskauf, dienen der Erläuterung des grundlegenden Verständnisses des Todes Jesu als Sühnegeschehen[88].

Doch auch Haubeck muß schließlich einräumen, daß eine Herleitung ganz aus der alttestamentlich-jüdischen Tradition nicht möglich ist, da Paulus die dann zu erwartenden Begriffe nicht benutzt[89].

Es ist also davon auszugehen, daß sowohl die Exodus-Thematik wie auch die Freilassung aus Sklaverei für Paulus und seine Leser den Hintergrund des Verständnisses von ἀπολύτρωσις abgeben[90]. Mit dem 5. Punkt seines Ergebnisses hat Haubeck aber in Aufnahme einer These von Wilckens - zumindest für Röm 3,24ff - die Verhältnisse umgekehrt[91]. Wie er selbst zugeben muß, ist die Übereinstimmung beim Vergleich der Elemente des Sühne- und Loskaufmotivs nur partiell[92]. Für Röm 3,24ff ist jedenfalls umgekehrt zu formulieren: Das Sühnegeschehen, das in V.25f zur Sprache kommt, dient der Erläuterung der ἀπολύτρωσις. Das Loskaufmotiv bei Paulus kann also mit der kultischen Sühne verbunden sein und durch sie erläutert werden, muß es aber nicht.

Exkurs: Zur Frage der kultischen Bezüge von ἀπολύτρωσις, λύτρον κτλ.

Haubeck geht in Aufnahme der Ergebnisse Stuhlmachers zu Röm 3,25f davon aus, daß ἀπολύτρωσις bei Paulus einen kultischen Kontext habe, ja daß - so in Aufnahme der Sicht von Wilckens - die kultische Sühne-Vorstellung bei Paulus durchweg den Horizont der soteriologischen Aussagen darstelle[93]. Dies läßt sich, wie zu zeigen sein wird, in dieser Eindeutigkeit jedoch nicht nachweisen.

---

85 Haubeck, Loskauf, 319.
86 Ebd, 320.
87 Ebd, 321.
88 Ebd, 321ff.330, im Anschluß an Wilckens, Stuhlmacher, Hengel.
89 Ebd, 294 A.13; vgl. 149-155; s. auch Vollenweider, Freiheit, 238 A.199.
90 Zahn, Röm, 184f, votiert dafür, ἀπολύτρωσις im Zusammenhang mit dem Jobeljahr zu sehen. Dafür ist die terminologische Basis jedoch zu schmal. Die eigentliche Begründung für Zahn ist daher auch die Erwähnung des ἱλαστήριον in V.25. Nachdem wir jedoch V.25f* als Formel erkannt haben, ist der Schluß von ἱλαστήριον (V.25) auf ἀπολύτρωσις (V.24) methodisch nicht mehr möglich - so verlockend dies auch wäre.
91 Vgl. Wilckens, Röm I, 240, wonach die kultische Sühne-Vorstellung "*durchweg* der Horizont" sei, "unter dem der Tod Christi in seiner Heilsbedeutung im Urchristentum gedacht" werde. "Die mancherlei Bilder aus andersartigen Vorstellungsbereichen, wie vor allem Loskauf und Lösegeld", dienten nur "zur Erläuterung des Sühnegeschehens".
92 Haubeck, Loskauf, 328f.
93 Ebd, 178f.330.

Eine Verbindung von ἀπολύτρωσις zur kultischen Sühne besteht in 2Makk 12,45[94]. Jedoch geht es dabei um das Verbum ἀπολύω und nicht um ἀπολυτρόω: (45) ... ὅθεν τῶν τεθνηκότων τὸν ἐξιλασμὸν ἐποιήσατο τῆς ἁμαρτίας ἀπολυθῆναι[95]. Es ist nach der Beziehung von ἀπολύω und ἀπολυτρόω zu fragen. ἀπολυτρόω betont im Gegensatz zu ἀπολύω von der Endung her stärker das Faktische[96]. Nach Liddell-Scott-Jones[97] wird ἀπολύω durchaus im Sinn von ἀπολυτρόω verwendet, und zwar bei Homer durchgehend in der Ilias, jedoch nirgends im Neuen Testament. Büchsel fragt[98], inwieweit in ἀπολύτρωσις noch die Vorstellung eines λύτρον lebendig sei. Er verneint dies für alle neutestamentlichen Belege. Am ehesten hält er es noch in Röm 3,24f für möglich, jedoch bewege sich Paulus hier "im Umkreis kultischer Vorstellungen, nicht geschäftlicher wie λύτρον"[99]. Nirgends sei an den Stellen, die er für paulinisch hält, "vom Tode oder Blute Jesu die Rede"[100]. Dies ist nur teilweise richtig: s. Eph 1,7 (ἐν ᾧ [sc. Jesus] ἔχομεν τὴν ἀπολύτρωσιν διὰ τοῦ αἵματος αὐτοῦ, τὴν ἄφεσιν τῶν παραπτωμάτων)[101]; dies gilt auch nicht für Hebr 9,15 (ὅπως θανάτου [sc. Jesu] γενομένου εἰς ἀπολύτρωσιν τῶν ... παραβάσεων)[102].

---

[94] Wonneberger, Syntax, 220, im Anschluß an Stuhlmacher, Paulusinterpretation, 727ff.

[95] Nach Bauer, WB[6], 193, ist ἀπολύω in 2Makk 12,45 mit "befreit werden" zu übersetzen; ebenso Proksch, in: Proksch/Büchsel, Art. λύω κτλ., 329,31 samt A.3; dagegen Habicht, 2Makk JSHRZ I.3, 266: "Daher verrichtete er für die Toten das Sühnopfer, damit sie von der Sünde *erlöst* würden." (Hervorhebung W.K.) Die Belege von ἀπολύω im Neuen Testament verraten an keiner Stelle eine Beziehung zum kultischen Kontext (Proksch, ebd, 329 A.3).

[96] Vgl. Proksch/Büchsel, ebd, 329f.333.337.352.

[97] LSJ, s.v. ἀπολύω II, 208.

[98] Büchsel, in: Proksch/Büchsel, ebd, 357; so auch, im Anschluß an Büchsel, Dalton, Expiation, 8.

[99] Büchsel, in: Proksch/Büchsel, ebd, 357,34ff.

[100] Ebd, Z.33f.

[101] Eph 1,7 ist nach Büchsel paulinisch (ebd, 357, 30). Den traditionsgeschichtlichen Zusammenhang von Röm 3/ Eph 1/ Kol 1 betont Lührmann, Rechtfertigung und Versöhnung, 441ff.444. Lührmann verweist auch auf Goppelt, Versöhnung, 147-164, und votiert gegen dessen Differenzierung von ἱλάσκομαι und καταλλάσσω (444, A.23). Jedoch dürfte Goppelt im Recht sein (vgl. dazu zuletzt Breytenbach, Versöhnung, § 6). Bei Lührmann wird die These vertreten, es habe schon vor Paulus zwei unterschiedliche Möglichkeiten gegeben, die Versöhnung zu verstehen: als Bundeserneuerung (so in der Tradition hinter Röm 3) bzw. als kosmische Versöhnung. Lührmann bleibt jedoch die Belege schuldig, er fordert vielmehr, daß die religionsgeschichtliche Arbeit erst noch geleistet werden müsse (444). Nach Lührmann kenne Paulus selbst beide Möglichkeiten, wie aus Röm 3,24ff einerseits und aus 2Kor 5,19 und Röm 5,9-11 andererseits hervorgehe (445f). Paulus interpretiere die Tradition jedoch anders als der Eph, da Paulus sie der Rechtfertigungsaussage völlig unterordne, während Eph/Kol die Versöhnungstradition aufnähmen, um zu bestimmen, was sie unter Heil verstünden (448). Diese Argumentation ist jedoch nur dann stringent, wenn man ein unterschiedliches Verständnis von δικαιοσύνη θεοῦ bei Paulus und in der vorpaulinischen Formel (Röm 3) annimmt (vgl. 438). Ebenso, wenn die Entgegensetzung von "nur Vergebung der Sünden" und dagegen "Rechtfertigung aus Glauben" als Inhalt der Formel bzw. der paulinischen Aussage zutrifft. (Gegen Lührmann s. auch Breytenbach, Versöhnung, 187f.)

[102] Büchsel (ebd, 358) zieht die Vorstellung eines konkreten λύτρον im Gebrauch von ἀπολύτρωσις für Hebr 9,15 in Erwägung, um es dann gleich wieder zu verneinen. Nirgends sei dies in ἀπολύτρωσις wirklich nachweisbar.

Es geht im Folgenden um die Beziehung von ἀπολύτρωσις und λύτρον in der LXX zum kultischen bzw. juridischen Bereich.

In der LXX stellt λύτρον in der Mehrzahl der Belege ein Äquivalent für גאל bzw. פדה dar, an sechs Stellen jedoch auch für כופר[103]. גאל und פדה gehören nicht in den kultischen Kontext. כופר wird in seinem Verhältnis zu כפר pi. in der Regel so bestimmt, daß כפר pi. dem kultisch-sakralen Bereich angehört, während in כופר "ein Wort von bürgerlich-juristischer Natur" vorliegt[104]. Daher verzichtete auch Koch in seinen Arbeiten zum alttestamentlichen Sühnebegriff auf die Untersuchung von כופר[105].

Dies ist jedoch, wie Janowski zu Recht bemerkt, aus zweierlei Gründen ungerechtfertigt[106]: 1. Es existieren Texte, in denen כפר pi. verwendet wird, die jedoch deutlich auf die כופר-Problematik anspielen[107]. 2. Es existieren umgekehrt כופר-Belege, in denen entweder כפר pi. zu erwarten gewesen wäre (z.B. Hi 33,24; 36,18) bzw. כופר einen bestimmten Be-deutungsaspekt von כפר pi. angenommen hat (z.B. Prov. 6,35).

Ex 21,30: Aus der Verwendung von כופר im Zusammenhang von Ex 21,28-32 folgert Ja-nowski[108], daß כופר hier "nicht nur eine *Kompensation (»Wergeld«) für das Leben des Ge-töteten* [meint], sondern auch - und vor allem! - die *Lösung des eigenen Lebens aus Todes-verfallenheit*"[109]. Die כופר-Gabe ist פדין נפש, "Auslösung seines Lebens", sie wird ver-standen als *"Existenzstellvertretung, als Lebensäquivalent"*[110]. Aufgrund dieses Aspektes dürfte dann auch die über die rein rechtlichen Kategorien hinausgehende, traditionsge-schichtlich wirksam gewordene Sinngebung des Begriffes zu erklären sein[111].

Num 35,31f: Auch hier sprengt die Verwendung von כופר die bürgerlich-juristischen Ka-tegorien. Weder für den unvorsätzlichen Totschläger (V.32) noch für den Mörder (V.31) darf ein כופר angenommen werden. Das Land ist durch schuldhaftes Blutvergießen ent-weiht und verunreinigt. Diese, die heilvolle Ordnung der Schöpfung zerstörende Tat, kann nur durch die Tötung des Verursachers jener Verletzung gesühnt werden, um so die Ord-nung der Schöpfung wieder herzustellen[112].

Ex 30,11-16 (P^S): Hier geht es um die Erhebung einer "Kopfsteuer" (V.12). Dabei handelt es sich ursprünglich um eine nachexilisch erhobene Kultsteuer, die jedoch sekundär als "Lösegeld" verstanden wurde[113].

---

[103] Vgl. die Zusammenstellung der Belege bei Haubeck, Loskauf, 94.95.98f. Zur besseren Unterscheidung vom Verbum wird כופר im Folgenden stets plene geschrieben.

[104] Stamm, Erlösen, 62; Proksch, in: Proksch/Büchsel, Art. λύω κτλ., 330; Janowski, Sühne, 153.

[105] Vgl. z.B. Koch, Sühne, 219 A.5.

[106] Janowski, Sühne, 154.

[107] Z.B. 2Sam 21,3f, vgl. dazu Janowski, ebd, 111f.113. In 2Sam 21,1-14 sind vermutlich zwei verschiedene Vorstellungen miteinander kombiniert: "die aus dem Bereich des Rechts kommende Anschauung einer *Schadenersatzleistung durch Geben eines Gegenwertes*" (vgl. כופר Ex 21,30) und "die gleichsam 'sakrale' Konzeption einer *Wiedergutmachung von Blut-schuld durch die rituelle Tötung der (stellvertretend) Schuldigen*" (Janowski, ebd, 113; kursiv im Original). Daher darf der Bedeutungsgehalt von כפר pi. in V.3b nicht auf einen Aspekt festgelegt werden, sondern beinhaltet beides: "Womit kann ich (euch) Schadenersatz lei-sten ...?" bzw. "Womit kann ich (euch) (rituelle) Sühne schaffen?" (Janowski, ebd).

[108] Janowski, Sühne, 156f.

[109] Ebd, 156 (kursiv im Original).

[110] Ebd, 157 (kursiv im Original).

[111] Ebd, 158. Auf die Auseinandersetzung Janowskis mit Schenker wird hier nicht einge-gangen; s. dazu Janowski, Sühne, 157f A.268.

[112] Ebd, 160.

[113] Ebd, 161f.

Jes 43,3f: Die Aussage ist singulär im Alten Testament: Die Völker sollen das כופר ("Lösegeld") für die Auslösung Israels sein, wobei Gott selbst Subjekt ist. In der chiastischen Stellung der Aussagen von V.3b und 4b wird כופר mit תחת parallelisiert, woraus hervorgeht, daß die entscheidende Aussage im Stellvertretungsgedanken liegt[114].

Hi 33,24; 36,18: Auslösung wird vom stellvertretenden Handeln eines interzessorischen Mittlers erwartet, der eine כ-פר-Gabe findet (kein griech. Äquivalent in der LXX)[115].

Ps 49,8: Kein Lösegeld kann einen Menschen der Todessphäre entreißen (V.8). Das kann nur Gott selbst, aber nicht um Lösegeld, sondern indem er der Macht der Scheol entreißt[116].

Aus den genannten Belegen geht hervor, daß כופר v.a. den Aspekt der Lösung des Lebens aus Todesverfallenheit meint. Überall, wo es gegeben wird, gilt es als Lebensäquivalent, als Existenzstellvertretung[117].

Folgendermaßen wird כופר in der LXX übersetzt:

Ex 21,30; 30,12; Num 35,31; 35,32; Prov 6,35; 13,8	λύτρον
1Sam 12,3; Ps 49,8	ἐξίλασμα
Jes 43,3; Am 5,12	ἄλλαγμα
Prov 21,18	περικάθαρμα[118]
Hi 33,24	freie Wiedergabe
Hi 36,18	freie Wiedergabe

Besondere Aufmerksamkeit für die Interpretation von Röm 3,24ff verdienen folgende Stellen:

Prov 6,35: οὐκ ἀνταλλάξεται οὐδενὸς λύτρου τὴν ἔχθραν
οὐδὲ μὴ διαλυθῇ πολλῶν δώρων.
Hier steht λύτρον parallel zu δῶρον.

Ps 49(48 LXX),8f: (8) ἀδελφὸς οὐ λυτροῦται (פדה)· λυτρώσεται (פדה) ἄνθρωπος; οὐ δώσει τῷ θεῷ ἐξίλασμα (כפרו) αὐτοῦ
(9) καὶ τὴν τιμὴν τῆς λυτρώσεως (פדיון נפש) τῆς ψυχῆς αὐτοῦ.
Hier stehen כופר und נפש פדיון bzw. ἐξίλασμα und λύτρωσις im Parallelismus membr. und legen sich gegenseitig aus. Nur hier findet sich in der LXX λύτρωσις als Wiedergabe von נפש פדיון[119].

Es ergibt sich aufgrund des LXX-Befundes:
1. λύτρον, λυτροῦν, λύτρωσις, λυτρότης sind n i e die Übersetzung von כפר pi. Nur an den sechs כופר-Belegstellen taucht die Wurzel כפר als Vorlage für λυ- auf.
2. Gehört λύτρον als Übersetzung von כופר ursprünglich in einen bürgerlich-rechtlichen Zusammenhang, so ist es doch nicht einfach darauf festgelegt, sondern auch für andere Aspekte offen. Es bedeutet "Existenzstellvertretung", "Lebensäquivalent".

---

[114] Ebd, 170.
[115] Janowski, Sühne, 150.
[116] Ebd, 172.
[117] Ebd, 174 (jeweils kursiv im Original).
[118] περικάθαρμα wird von Symmachus, Aquila und Theodotion durch ἐξίλασμα ersetzt (vgl. Grimm, Weil ich dich liebe, 239 A.637).
[119] Daß V.9 vermutlich eine sekundäre Glosse darstellt (vgl. Janowski, Sühne, 172 A.343), spielt für unseren Zusammenhang keine Rolle.

3. Ob diese Bedeutung im Neuen Testament in ἀπολύτρωσις noch mitschwingt, läßt sich aufgrund von Röm 3,24 allein nicht entscheiden. Nimmt man jedoch Eph 1,7 und Hebr 9,15 hinzu, so legt sich dies nahe. Es würde dann zu umschreiben sein: Jesu Blut (= Lebenshingabe) ist das כופר, aufgrund dessen die Erlösung geschieht (Eph 1,7), bzw. der Tod Jesu (= Lebenshingabe) ist das כופר für die Sünden (Hebr 9,15). ἀπολύτρωσις wäre damit die durch das λύτρον (= כופר) geschehene Erlösung.

Welcher Horizont ist mit ἀπολύτρωσις angesprochen? Wohl nicht einfach der des Kultus, wie Haubeck dies behauptet. Hebr 9,12 spricht von der "ewigen Erlösung", die durch das Blut Jesu erworben wurde, V.15 von der "ewigen Erwählung". In diesem Zusammenhang - d.h. einem eschatologischen - muß ἀπολύτρωσις V.15 gelesen werden. In der jüdischen Exegese werden sowohl Jes 43,3 als auch Ps 49,8f auf das Endgericht bezogen[120]. Auch hier also ein eschatologischer Horizont! Dabei ist jedoch zu berücksichtigen, daß Jes 43,3 LXX gerade nicht λύτρον, sondern ἄλλαγμα steht[121]. Die ἀπολύτρωσις geschieht Röm 3,24 δωρεάν im Gegensatz zu Prov 6,35, wo kein δῶρον angenommen wird. Der Horizont ist von V.34 her ἡ ἡμέρα κρίσεως, also wiederum eschatologisch. Röm 8,23 findet sich ἀπολύτρωσις in eschatologischem Kontext in unmittelbarer Nähe zu ἀπαρχή. (Paulus verwendet ἀπαρχή auch 1Kor 15,20.23.) Ursprünglich meint der Begriff im Alten Testament die Erstlingsgabe im kultischen Sinn[122].

Damit gilt für ἀπολύτρωσις dreierlei:
1. Ein eschatologischer Horizont ist nicht zu bestreiten.
2. Es besteht eine Offenheit hin auf eine kultische Interpretation vgl. Hebr 9,12.15; Eph 1,7[123].
3. Die Möglichkeit, daß in ἀπολύτρωσις noch die Vorstellung eines wirklichen λύτρον mitschwingt, ist gegeben und muß von Fall zu Fall geklärt werden[124].

Röm 3,24 könnte daher den Aspekt implizieren: Die Erlösung, die (aufgrund der Gabe des Lebensäquivalents/aufgrund der Existenzstellvertretung) durch Christus Jesus geschehen ist[125].

Wir gehen davon aus, daß Paulus in V.24 ein Motiv einbringt, in dem die Rechtfertigung als eschatologische Erlösung gesehen wurde, das jedoch

---

[120] Stuhlmacher, Existenzstellvertretung (in: ders., Versöhnung), 39; Haubeck, Loskauf, 241, mit folgenden Belegen: SifrDevarim § 333 zu Dtn 32,43; ExR 11,2 zu Ex 8,19; vgl. äthHen 98,10: für Sünder gibt es im Endgericht kein Lösegeld; ebenso Mt 16,26.

[121] Dies fällt bei Stuhlmacher, Existenzstellvertretung, 39.40.41 mit A.44.51, wo er Grimm, Weil ich dich liebe, 243ff, zitiert, unter den Tisch. Damit wäre seine Exegese von Mk 10,45 noch einmal problematisiert und es wäre zu fragen, ob Jes 43,3f wirklich den "Hauptakzent" für das im "Schnittpunkt beider deuterojesajanischer Stellen" (Jes 43/53) stehende Wort Mk 10,45 liefert (so Stuhlmacher, ebd, 38; s. dazu unten Abschnitt X.a, S. 194f).

[122] G. Delling, Art. ἄρχω κτλ., ThWNT I, 476-488, hier: 483. Daß Paulus auch diese Bedeutung geläufig ist, geht aus Röm 11,16 und 1Kor 16,15 hervor. (In Apk 14,4 sind Loskaufmotiv und Erstlingsgabe miteinander gekoppelt, es wird jedoch nicht λύω, sondern ἀγοράζω gebraucht.)

[123] Gegen Büchsel, in: Proksch/Büchsel, Art. λύω κτλ., 354,4f.

[124] Gegen Conzelmann, 1Kor, 68 A.31, der mit Büchsel, aaO, 354ff, aus Röm 8,23; Eph 1,14 und 4,30 folgert, daß im Neuen Testament "gar nicht realistisch an ein Lösegeld gedacht" werde.

[125] Wie bürgerlich-rechtliche und kultische Aspekte miteinander verwoben sind, geht auch aus der Verwendung von λύτρον bei Philo, SpecLeg I, 77, hervor. Vgl. zum Sprachgebrauch Philos Haubeck, Loskauf, 102-105.

offen war, durch eine kultische Sühneaussage erläutert zu werden. Dies geschieht durch die Aufnahme der vorpaulinischen Formel in V.25f*.

b) Die paulinische Akzentuierung der vorpaulinischen Formel

In der vorpaulinischen Formel ging es um die in Jesu Tod geschehene Manifestation des eschatologischen Ortes der Sühne, Epiphanie und Präsenz Gottes. Der Tod Jesu wurde auf dem Hintergrund des Jom-Kippur-Rituals und der Einweihung des ezechielischen Tempels als endzeitliche Heiligtumsweihe verstanden. Der Zusammenhang kultischer Sühne ist dabei evident.

Die Formel wird nun von Paulus aufgenommen, zwar ohne sie zu *kritisieren*, aber nicht ohne sie in dreifacher Weise zu *modifizieren*:

1. Paulus betont den theologischen Aspekt: Er versteht die Einsetzung Jesu zum ἱλαστήριον ausdrücklich als Handeln Gottes, als eschatologischen Erweis der δικαιοσύνη θεοῦ, was eine Rechtfertigung Gottes beinhaltet.

2. Paulus betont den Glaubensaspekt: Jesus ist ein "ἱλαστήριον des Glaubens". Der Glaube ist der von Gott gewollte Weg der Erkenntnis und Aneignung.

3. Paulus betont den ekklesiologischen Aspekt: Mit der Einsetzung Jesu zum eschatologischen Heiligtum ist die Rechtfertigung der Sünder verbunden, da zum neuen Heiligtum die neue Gemeinde der Gerechtfertigten gehört.

Zu 1. Die Aussage der vorpaulinischen Formel hat im paulinischen Kontext dienende Funktion. Es geht Paulus in seiner Argumentation ab V.21 in erster Linie um die eschatologische Erscheinung der δικαιοσύνη θεοῦ. Dabei kommt ihm in der Formel ein doppeltes zustatten: nämlich die im Passivum Divinum formulierte Einsetzung Jesu, und die in ἀνοχή enthaltene zeitliche Komponente. Paulus verstärkt den theo-logischen Aspekt auf dreifache Weise:

a) Er formuliert anstatt des Passivum Divinum ὃς προετέθη explizit ὃν προέθετο ὁ θεός. Die dadurch entstandene Schwierigkeit αὐτοῦ αἵματι syntaktisch richtig zu beziehen, nimmt er in Kauf, ebenso die dadurch entstandene Wiederholung des jetzigen Subjekts des Satzes (Gott) in ἐν τῇ ἀνοχῇ τοῦ θεοῦ[126].

b) Er fügt zwei finale Bestimmungen ein, die das eigentliche Thema seiner Argumentation deutlich machen: εἰς ἔνδειξιν τῆς δικαιοσύνης αὐτοῦ und πρὸς τὴν ἔνδειξιν τῆς δικαιοσύνης αὐτοῦ. Auch in diesen beiden Fällen bezieht sich das Personalpronomen auf θεός, obwohl das ursprüngliche Subjekt des Satzes Jesus war. Sowohl die Wiederholung des jetzigen Subjektes

---

[126] Vgl. Zimmermann, Jesus Christus, 73.76; ders., Geschichte, 211.

(Gott) wie auch die unterschiedlich bezogenen Personalpronomina sind ein Hinweis auf paulinische Überarbeitung der Formel.

Dabei ist nicht von einem doppelten Erweis der Gerechtigkeit Gottes in verschiedenen heilsgeschichtlichen Epochen auszugehen[127], es geht vielmehr um zwei Aspekte der Offenbarung der δικαιοσύνη θεοῦ, nämlich "Gottes Gerecht-Sein" und "Gottes rechtfertigendes Tun"[128]. Es läßt sich daher formulieren: Die Rechtfertigungslehre ist eine Konsequenz der Christologie, in der der Kreuzestod Jesu als Sühne aufgefaßt wird[129]. Damit ist auch das vom Kontext her nur schwer begründbare unterschiedliche Verständnis von δικαιοσύνη θεοῦ[130], das am Ausgangspunkt von Bultmanns und Käsemanns Überlegungen stand, abgewiesen[131]. Es ist vielmehr Paulus selbst, der die überlieferte Formel in seinen Argumentationszusammenhang einbaut und sie auf die eschatologische Offenbarung der Gerechtigkeit Gottes zuspitzt.

c) Paulus schließt den Argumentationszusammenhang in V.26b durch eine weitere finale Infinitiv-Bestimmung ab, in der seine Aussageabsicht konzentriert zur Sprache kommt[132]: Es geht ihm um die Einheit von Gottes Sein und Gottes Schaffen, wie sie sich im Kreuzesgeschehen als Offenbarung der Gerechtigkeit Gottes manifestiert hat. Diese Gerechtigkeit umfaßt beides: Gott ist wesenhaft gerecht und ein Rechtfertiger der an Jesus Glaubenden. Wir verstehen damit Röm 3,26b als authentische paulinische Interpretation dessen, was für ihn Gerechtigkeit Gottes heißt[133].

---

[127] So Cambier, l'Évangile, 122-124; Zimmermann, Geschichte, 222; dagegen Zeller, Juden, 183ff, jedoch mit einer anderen Unterscheidung von Tradition und Redaktion als in dieser Arbeit vertreten; richtig Theobald, Gottesbild, 143ff.

[128] Theobald, Gottesbild, 145.150f; vgl. Campbell, Romans III, 27; Schmidt, Röm, 71; Cranfield, Rom I, 213; Piper, Righteousness, 14f.30f. Die Interpretation von Berger, Neues Material, 275, kann nicht überzeugen.

[129] Wilckens, Christologie und Anthropologie, 72.78f. Zum systematisch-theologischen Aspekt der Rechtfertigungslehre als Konsequenz der Christologie s. H.J. Iwand, Rechtfertigungslehre und Christusglaube. Eine Untersuchung zur Systematik der Rechtfertigungslehre Luthers in ihren Anfängen, ThB 14, München 1961, bes. 1-9.

[130] Wilckens, Röm I, 195; Zimmermann, Jesus Christus, 73; ders., Geschichte, 211; Theobald, Gottesbild, 145f.

[131] Damit ist auch Stuhlmachers Konzept problematisiert, wonach schon in den vorpaulinischen Gemeinden ein neues Verständnis der δικαιοσύνη θεοῦ vorhanden gewesen sei, an das Paulus hätte anknüpfen können (Stuhlmacher, Gerechtigkeitsanschauung vor Paulus, 77ff.80ff.84ff; s. dazu u. Abschnitt X.a, S. 198f).

[132] V.26b als Zielpunkt der paulinischen Argumentation erkennen u.a. auch Wilckens, Röm I, 198; Theobald, Gottesbild, 140f.150; Wolter, Rechtfertigung, 31.

[133] Damit soll nicht die ganze Diskussion um das Verständnis von δικαιοσύνη θεοῦ um eine weitere Variante vermehrt werden. M.E. ist jedoch in dieser, von Paulus selbst formulierten Bestimmung (V.26b) eine Linie zu finden, die den paulinischen Akzent von δικαιοσύνη θεοῦ *authentisch* zum Ausdruck bringt.

Dieses Verständnis von V.26b ist umstritten. Es setzt voraus, daß καί einen konsekutiven, nicht explikativen Sinn hat[134]. Dies soll kurz begründet werden: Durch die Präposition εἰς wird ein letztes Satzglied eingeleitet, eine Infinitivkonstruktion[135]. In einigen Hss ist das καί weggelassen (F, G, it; Ambst). Damit ist ein bestimmtes Verständnis anvisiert: Gott ist gerecht, *indem* er rechtfertigt. Nach BDR[136] vertritt das Partizip δικαιοῦντα im vorliegenden Fall ein Substantiv. Es wäre daher wörtlich zu übersetzen: "damit er (Gott) selbst gerecht sei und ein Rechtfertiger dessen ..."[137] Eine Unterordnung des δικαιοῦντα unter εἰς τὸ εἶναι αὐτὸν δίκαιον ist daher nicht anzuraten[138]. Mit dem in V.24 vorliegenden (harten) Anschluß eines Partizips an ein finites Verb wäre die Konstruktion nur zu vergleichen bei Wegfall des καί. Vergleichbar ist dagegen die Konstruktion in Jak 2,15[139]. Wie oben betont, wird durch diese Formulierung des Paulus der doppelte Bezug der Offenbarung der Gottesgerechtigkeit ersichtlich: die Einheit von Gottes Sein und Gottes Schaffen.

Auch Wilckens[140] will dem καί einen explikativen Sinn zumessen. Konsequenterweise versteht er dann τὸν ἐκ πίστεως Ἰησοῦ als eine Ellipse (entsprechend Röm 4,16 und Gal 3,7.9) und ergänzt sinngemäß δίκαιον. Doch ist dies nicht zwingend. Formulierungen, in denen Personen mit οἱ ἐκ κτλ. bezeichnet werden, tauchen bei Paulus mehrfach auf. Röm 4,16 unterscheidet Paulus ὁ ἐκ τοῦ νόμου und ὁ ἐκ πίστεως Ἀβραάμ. Beidemale wäre zu ergänzen ὄντα[141]. Röm 4,12 spricht Paulus von denen ἐκ περιτομῆς, Gal 3,7.9 von οἱ ἐκ πίστεως. Anders als in Röm 4,16, wo das zu ergänzende Substantiv im Zusamenhang der Stelle belegt ist, bezeichnen die Ausdrücke in Röm 4,12 und Gal 3,7.9 die Zugehörigkeit zu einer bestimmten Gruppe und sind am besten so aufzulösen: die aus der Beschneidung = die Beschnittenen; die aus dem Glauben = die Glaubenden, wobei Beschneidung und Glaube als überpersönliche Realitäten vorgestellt sind. Somit dürfte in Röm 3,26 zu übersetzen sein: "den an Jesus Glaubenden" oder verbal "den, der an Jesus glaubt".

Auch die in der vorpaulinischen Formel schon vorliegende zeitliche Bestimmung kann Paulus aufgreifen und weiterführen, indem er in V.26 die ἔνδειξις τῆς δικαιοσύνης ausdrücklich als eine, die ἐν τῷ νῦν καιρῷ geschieht, ausweist[142]. Damit wird einerseits auf die durch ἀνοχή angesprochene Zeit vor dem Kommen Christi antithetisch Bezug genommen, andererseits der Bogen zu V.21 zurückgeschlagen[143]. Damit stellt sich der von

---

[134] BDR § 442,2; vgl. Piper, Righteousness, 30; Theobald, Gottesbild, 145 A.46.151; gegen Käsemann, Röm, 93; Blackman, Rom 3,26b, 203f; Jüngel, Paulus und Jesus, 44.
[135] Nach BDR § 402³ handelt es sich um einen subst. Inf. mit Präp. im Akk.
[136] BDR § 413².
[137] Eine solche wörtliche Wiedergabe hat auch Wonneberger, Syntax, 266.
[138] Die von Käsemann, Röm, 94, genannte Stelle 1Joh 1,9 kann hier insofern nicht als Parallele herangezogen werden, als dort zwei in Modus und Numerus übereinstimmende finite Verben durch καί miteinander verbunden sind.
[139] Vgl. dazu BDR § 413².
[140] Wilckens, Röm I, 198, im Anschluß an Blackman, Schrage und Käsemann.
[141] Gegen Wilckens, ebd, A.571.
[142] Der Ausdruck ὁ νῦν καιρός ist eine paulinische Eigentümlichkeit, er findet sich neben Röm 3,26 nur noch Röm 8,18; 11,5; 2Kor 8,14. Dabei geht es jeweils um die qualifizierte Jetztzeit.
[143] Die Beziehung der zeitlichen Bestimmung von V.26 zu V.21 betonen auch Käsemann, Röm, 94; Theobald, Gottesbild, 150. Die antithetische Beziehung von ἐν τῷ νῦν καιρῷ zu ἐν τῇ ἀνοχῇ τοῦ θεοῦ bestreitet Wolter, Rechtfertigung, 31f, gegen jene, die ἐν τῇ ἀνοχῇ τοῦ θεοῦ temporal (Michel, Röm, 109; Kümmel, Πάρεσις, 267; Schmidt, Röm, 69; Stuhl-

V.21-26 gehende Argumentationszusammenhang als eine in sich geschlossene Konzeption dar. Paulus geht es um die in eschatologischer Stunde erschienene Gottesgerechtigkeit, die sich den an Christus Glaubenden sowohl als "Rechtfertigung Gottes" als auch als "Rechtfertigung des Sünders" zu erkennen gibt. Der Bezug auf die Geschichte Israels, wie er in der Formel vorlag, ist damit universalisiert hin auf alle Glaubenden[144]. Zu 2. Die Wendung διὰ [τῆς] πίστεως bereitet Schwierigkeiten. Dies hat sich schon in der handschriftlichen Überlieferung niedergeschlagen[145]. Dennoch darf sie Ursprünglichkeit beanspruchen und ist nicht als spätere Glosse auszuscheiden. Paulus nimmt darin Bezug auf V.22, wo davon die Rede war, daß durch den Glauben an Jesus die Gerechtigkeit zu allen kommt[146]. Sie muß dabei nicht als "gewaltsame paulinische Einfügung"[147] apostrophiert werden, die dem Duktus des Satzes quer liege, sondern drückt die vom Kontext her gegebene paulinische Akzentuierung aus, daß der Glaube die gottgewollte Art und Weise ist, an der Gerechtigkeit Gottes teilzubekommen[148]. Es muß auch nicht heißen, Paulus unterwerfe "die kultische Vorstellung kritisch der Herrschaft des Glaubensbegriffes"[149], sondern Paulus bringt durch die Einfügung der πίστις zum Ausdruck, daß das durch Jesus manifestierte eschatologische Heiligtum dem Glauben aller zugänglich ist und kein neuer Kult damit inauguriert wird[150]. Dabei korrespondieren V.22 (διὰ πίστεως, τοὺς πιστεύοντας), V.25 (διὰ τῆς πίστεως) und V.26 (ἐκ πίστεως) miteinander.

Zu 3. Der dritte Aspekt, den Paulus betont, ist der ekklesiologische. Mit der Einsetzung Jesu zum eschatologischen Heiligtum ist die Rechtferti-

---

macher, Gerechtigkeit Gottes, 89), mit jenen, die wie er selbst instrumental verstehen (Käsemann, Verständnis, 98; Thyen, Studien, 164 A.6; Wonneberger, Syntax, 130f).

[144] Theobald, Gottesbild, 150; schon Käsemann, Verständnis, 100; Schulz, Rechtfertigung, 180.

[145] Cod. A läßt die Wendung aus, einige bieten nur διὰ πίστεως. Zur Beurteilung des Befundes s. Metzger, Textual Commentary, 508. Zur syntaktisch schwierigen Stellung s. Pluta, Bundestreue, 36f.

[146] Kertelge, Rechtfertigung, 92 (Lit!).

[147] Wilckens, Röm I, 193.

[148] Zu dieser "pointierten Verbindung von Rechtfertigung und Glauben" als genuin paulinischer Interpretation s. Wilckens, Christologie und Anthropologie, 73f; Merklein, Der Sühnetod Jesu, 167.

[149] So kennzeichnet Wilckens, Röm I, 193f A.543, die Analysen von Büchsel (in: Herrmann/Büchsel, Art. ἵλεως κτλ., 321), Michel (Röm, 109), Lohse (Gerechtigkeit Gottes, 220f), Kertelge (Rechtfertigung, 82), Kuss (Röm I, 157), Conzelmann (Grundriß, 243), Käsemann (Verständnis, 100).

[150] Richtig Zimmermann, Jesus Christus, 78; ders., Geschichte, 221, der διὰ πίστεως als "paulinische Erläuterung" für "geradezu notwendig" (221) hält. Die Interpretation von Pluta, Bundestreue, 45ff.106ff, wonach πίστις im Sinn der göttlichen "Bundestreue" zu verstehen sei, setzt voraus, daß das Subjekt des Satzes schon immer "Gott" war, und sich daher διὰ πίστεως auf Gott beziehen müsse. Dagegen hat Wilckens, Röm I,194, zu Recht geltend gemacht, daß πίστις in V.25 dann einen anderen Sinn haben müßte als in V.22.26, was sehr unwahrscheinlich ist.

gung der Sünder verbunden, da zum neuen Heiligtum die neue Gemeinde der Gerechtfertigten gehört. Mit den letzten Aussagen zu 2. standen wir schon bei dieser dritten paulinischen Akzentsetzung. Paulus läßt der traditionellen Formel ihre Aussageabsicht, indem er sie zur Näherbestimmung der ἀπολύτρωσις und der Offenbarung der δικαιοσύνη heranzieht. Er geht jedoch insofern einen Schritt weiter, als er die mit der Manifestation des eschatologischen Heiligtums verbundene Schaffung der Gemeinde dieses Heiligtums, der an Jesus Glaubenden, hinzunimmt[151]. Paulus verwendet somit eine Sühneformel, die auf die Weihe eines endzeitlichen Heiligtums gerichtet war, in einem Kontext, in dem es um die Rechtfertigung der Sünder geht. Damit bekommt die auf eine Sache bezogene Aussage eine personale Zuspitzung. Diese wurde dann auch in der Wirkungsgeschichte eigentlich relevant. Paulus geht es nicht mehr um die Frage nach dem endzeitlichen Sühneort, ihm ist die Entgegensetzung Sühne durch Jesus oder durch den Tempelkult kein Problem mehr. Die hinter der vorpaulinischen Formel sichtbar werdende Auseinandersetzung um die Sühne durch kultische Opfer ist eine für Paulus überwundene. Ihm geht es um die Frage Jesus oder das Gesetz bzw. δικαιοσύνη διὰ πίστεως oder ἐξ ἔργων νόμου. Dabei hat die Aussage der Formel für ihn eine erläuternde Funktion.

Worin liegen die theologischen Gründe, die Paulus veranlaßten, diese Formel in seine Argumentation einzubringen?
1. Die Offenheit von ἀπολύτρωσις für eine Erläuterung durch die kultische Sühne ermöglichte die Verwendung auf inhaltlicher Ebene. Hier braucht nur kurz angedeutet zu werden, was oben zur Sprache kam: ἀπολύτρωσις selbst ist kein Begriff mit unabdingbar kultischen Konnotationen, jedoch ist er offen für kultische Interpretation[152]. Dies stellt eine inhaltliche Voraussetzung dar, weshalb Paulus die Sühneformel problemlos in seinen Kontext einbauen konnte. Auch der eschatologische Horizont von ἀπολύτρωσις mag hierbei eine Rolle gespielt haben.
2. Der Kontext, der eine abschließende Erscheinung Gottes in Christus zum Inhalt hat, legte die Verwendung nahe. An dieser Stelle kann die Auslegung der Formel noch besser im Kontext von V.21ff verankert werden. Es geht Paulus um das Erscheinen der δικαιοσύνη θεοῦ. Nur von daher bekommt das προτίθεσθαι ἱλαστήριον im Kontext seinen Sinn. Es ist der konkrete Vollzug der Erscheinung der Gerechtigkeit Gottes.
Wir befinden uns innerhalb eines argumentierenden Zusammenhangs[153]. Paulus arbeitet mit dem Nachweis einer abschließenden Gotteserscheinung und kann dies auch unschwer tun, da sich mit dem Begriff ἱλαστήριον

---

[151] Vgl. dazu oben zu ἀπολύτρωσις.
[152] Vgl. Kertelge, Art. ἀπολύτρωσις, 335.
[153] Berger, Formgeschichte, 328f, führt Röm 3,21-31 unter der Rubrik "Berichte über das Handeln Gottes" auf.

diese Vorstellung verbindet (vgl. Lev 16,2; Ex 25,22). Nun hat Stuhlmacher betont[154], daß im Blick auf das Vorkommen von Aussagen über Gottes צדקה im Alten Testament, besonders an den entscheidenden Stellen in den Psalmen (Ps 96-99; 50; 48; 65 u.ö.; vgl. Ri 5), die Aussagen über Gottes צדקה verbunden sind mit einer JHWH-Theophanie[155]. "Jahwes (ה)צדק erscheint dabei jeweils als mächtige Wesenheit, die Segen- und Gedeihenstiftend erfahren wird."[156] Die δικαιοσύνη θεοῦ erscheint für alle Glaubenden zur Rechtfertigung in dem, was Gott in Jesus tut. Dabei "erscheint" - ähnlich wie verschiedentlich im Alten Testament - eigentlich nicht Gott selbst, sondern seine Gerechtigkeit[157].

Es dürfte unbestritten sein, daß die eigentliche These, um die es Paulus in Röm 3,21ff geht, die Erscheinung der δικαιοσύνη θεοῦ - χωρὶς νόμου ist, damit Gott als δίκαιον καὶ δικαιοῦντα τὸν ἐκ πίστεως Ἰησοῦ erkannt wird. Von daher muß der die Erscheinung exemplifizierende V.25 verstanden werden[158].

3. Die Situation des Römerbriefes - den Paulus u.a. geschrieben hat, um sich einzuführen und sich der Unterstützung der römischen Gemeinde zu versichern (s.o. S. 10ff) - macht die Verwendung einer traditionellen Formel zu einem Signal, das die lehrmäßige Kontinuität in der der Schreiber steht, verdeutlicht.

c) Zusammenfassung der paulinischen Argumentation

Röm 3,21-26 hat das Erscheinen der Gerechtigkeit Gottes zum entscheidenden Inhalt. Dies geschieht auf dem Hintergrund der Bezeugung der Gottesgerechtigkeit durch Gesetz und Propheten. Zur Erläuterung zieht Paulus eine Sühneaussage heran, in der es um die Weihe des eschatologischen Heiligtums ging. In Anknüpfung daran bedeutet der Kreuzestod Jesu den eschatologischen Versöhnungstag für alle Sünden. Im Todesgeschick Jesu ist der Ort zu finden, an dem Gott sich endgültig zeigt, an dem vollkommene Sühne geschieht und an dem Gott präsent ist. Jesus ist von Gott dazu ausersehen und eingesetzt worden. Vom Vorstellungsrahmen her ließe sich der Text als ein "Hebr in nuce" bezeichnen. Die durch Jesus erworbene Sühne gilt universal. Eine sachliche Parallele hierzu stellt 1Joh 2,2 dar[159]. Diese Sühne gilt für Juden und Heiden, auch und speziell für solche Sünden, die bisher ungesühnt geblieben waren oder als unsühnbar

---

[154] Stuhlmacher, Gerechtigkeit Gottes, 113-115.
[155] Ebd, 113.
[156] Ebd.
[157] Vgl. dazu W.H. Schmidt, Alttestamentlicher Glaube in seiner Geschichte, Neukirchen 1982⁴, 172.
[158] Der gleiche Zusammenhang liegt auch in Hebr 9,26 vor: Christus ist (νυνὶ δέ) am Ende der Zeiten εἰς ἀθέτησιν [τῆς] ἁμαρτίας erschienen (πεφανέρωται).
[159] Vgl. Roloff, Art. ἱλαστήριον, 457; Strecker, 1Joh, 93f.

galten. Die Gerechtigkeit Gottes ist sichtbar geworden als Gottes Wesen, wie auch als Gottes Handeln. Im Kreuz Jesu ist das Gottsein Gottes in seinem tiefsten Grund zutage getreten: Gottes Heiligkeit und Gottes Liebe, sein Richten und sein Vergeben sind als Einheit, als δικαιοσύνη θεοῦ offenbar geworden. Der Sühnetod Jesu ist der Vollzug der "doppelten Tatsache"[160], daß Gott gerecht ist und den an Jesus Glaubenden geschenkweise rechtfertigt. Somit hat das Gesetz seine Funktion erfüllt: es bezeugt die Gottesgerechtigkeit, kann sie aber selbst nicht schenken. Das Gesetz ist damit an seinem Ziel und seinem Ende zugleich. Der heilsgeschichtliche Unterschied zwischen Juden und Heiden ist dadurch relativiert. Das Gesetz hat seine Funktion als Scheidegrenze nicht mehr. Seit dem Tod Jesu kommt alles auf den Glauben an (wie dies schon bei Abraham der Fall war). Daran knüpft Paulus in Röm 3,27-31[161] (und erneut in 4,1ff[162]) an.

d) Übersetzung von Röm 3,21-26

(21) Nun aber ist unabhängig vom Gesetz Gottes Gerechtigkeit offenbar geworden, die durch das Gesetz und die Propheten bezeugt wird; (22) Gerechtigkeit Gottes nämlich durch Glauben an Jesus für alle Glaubenden. Denn es besteht kein Unterschied: (23) Alle haben gesündigt und ermangeln der Herrlichkeit Gottes, (24) werden umsonst gerechtfertigt in seiner Gnade durch die Erlösung in Christus Jesus. (25) Ihn hat Gott eingesetzt als Sühneort - durch Glauben - kraft seines Blutes, zum Erweis seiner Gerechtigkeit, wegen des Aufschubs der vormals begangenen Sünden (26) zur Zeit der Zurückhaltung Gottes; zum Erweis seiner Gerechtigkeit zum jetzigen Zeitpunkt, auf daß er selbst gerecht sei und rechtfertige den, der an Jesus glaubt.

e) Anhang: Vorläufiger Umgang mit Sünden aufgrund des "Ungenügens" des Sinai-Gesetzes (Apg 13,38f; Röm 8,3)

Die in Röm 3,25f* zum Ausdruck kommende Unvollkommenheit der Sündenvergebung in der Zeit des Alten Bundes stellt keine singuläre Aussage im Neuen Testament dar. Weitere Belege, die unmittelbar in diesen Zusammenhang gehören, sind Hebr 9,13f.15; 10,1-18; Apg 13,38f; Röm 8,3[163].

---

160 Kuss, Röm I, 159; vgl. Schrenk, in: Quell/Schrenk, Art. δίκη κτλ., 190.206f.
161 S. dazu Thompson, Inclusion, 543-546.
162 S. dazu Luz, Geschichtsverständnis, 174f.
163 Die in Hebr 9,13f.15; 10,1-18 zum Ausdruck kommende Minderbewertung des alttestamentlichen Kultus wird uns noch beschäftigen. Der Kultus kann keine ἄφεσις oder ἀθέτησις τῆς ἁμαρτίας bringen, sondern nur äußerliche Reinigung und ist daher nur ein Schattenbild des Zukünftigen, das durch Jesus gekommen ist (s.u. Abschnitt XI, S. 235ff).

Apg 13,38f: Wenn man überhaupt von einem "Paulinismus der Apostelgeschichte" sprechen will[164], dann ist der paulinische Charakter dieser Stelle am ehesten einleuchtend[165]. Durch Jesus wird die Vergebung der Sünden (ἄφεσις ἁμαρτιῶν) verkündigt. Durch ihn wird jeder Glaubende gerechtfertigt (δικαιοῦται), *wovon* er im Gesetz des Mose nicht gerechtfertigt werden konnte (ἀπὸ πάντων ... δικαιωθῆναι). Die Formulierung mit ἀπό klingt zwar ungewöhnlich, ist jedoch auch bei Paulus belegt: Röm 6,7. Das Gesetz hat nicht die Kraft zu rechtfertigen (οὐκ ἠδυνήθητε), es ist zu schwach. Dies berührt sich eng mit Röm 8,3: τὸ γὰρ ἀδύνατον τοῦ νόμου ἐν ᾧ ἠσθένει διὰ τῆς σαρκός, wo ebenfalls von der Schwäche des Gesetzes die Rede ist, und mit Röm 3,20f, wonach das Gesetz nur die Aufgabe hat, die Sündenerkenntnis zu bewirken, nicht aber die Gerechtigkeit zu vermitteln (vgl. Röm 5,20). Jedoch muß sofort zugegeben werden, daß die Schwäche des Gesetzes bei Paulus anders begründet wird als in der Apg: Heißt es bei Paulus, daß das Gesetz durch das Fleisch geschwächt war, so liegt nach Apg 15,10f.13-21 das Ungenügen des Gesetzes darin, daß es zu schwer war[166]. So kann Apg 13,38f als traditionsgeschichtlich späte Formulierung eines urchristlichen Topos gelten, durch den die nicht vollkommene Sündenvergebung in der Zeit des alten Bundes zum Ausdruck gebracht wird.

Röm 8,3[167]: "In den Versen 3 und 4 des 8. Kapitels muß die 'Lösung' von Kapitel 7 erkannt werden."[168] Dies führt zu einer großen Dichte der Formulierungen, mithin "zu sprachlichen und inhaltlichen 'Abkürzungen'"[169], was die Interpretation vor Schwierigkeiten stellt. Vermutlich nimmt Paulus traditionelles Gut auf und baut es in seine Argumentation ein[170], was auch die sprachliche Härte der Konstruktion erklären würde. Die regierende Aussage lautet: ὁ θεός ... κατέκρινεν τὴν ἁμαρτίαν ἐν τῇ σαρκί. Dazwischen hat Paulus (im Part. Ao.) eingeschoben, wie Gott die Sünde richtete: τὸν ἑαυτοῦ υἱὸν πέμψας ἐν ὁμοιώματι σαρκὸς ἁμαρτίας καὶ περὶ ἁμρτίας[171]. καὶ περὶ ἁμαρτίας darf dabei nicht als entbehrlicher Zusatz aufgefaßt werden, sondern "die Fleischwerdung hat ihr Ziel im Sühnetod!"[172] Das Hauptproblem der Interpretation ist durch das Verständnis von καὶ περὶ ἁμαρτίας gestellt. Übersetzt man "und um der Sünde willen", wird die Sendungsaussage verdoppelt,

---

164 Vgl. noch Apg 15,11; 26,18. S. aus der breiten Diskussion P. Vielhauer, Zum 'Paulinismus' der Apostelgeschichte, EvTh 10, 1950, 1-15 (auch in: ders., Aufs.z.NT 1, ThB 31, München 1965, 9-27); Conzelmann, Apg, 77.81ff; Haenchen, Apg, 354.359.381ff.

165 W.H. Bates, A Note on Acts 13:39, StEv VI, Berlin 1973, 8-10; Bruce, Justification by Faith; Haenchen, Apg, 354; Hahn, Taufe und Rechtfertigung, 97 ("schwacher Nachklang geniun paulinischer Verkündigung"); Klinghardt, Gesetz, 97ff; F. Mußner, Petrus und Paulus - Pole der Einheit. Eine Hilfe für die Kirchen, QD 76, Freiburg u.a. 1976, 106f; Roloff, Apg, 208 ("abgeblaßte Reminiszens"); Schneider, Apg II, 139f; U. Wilckens, Die Missionsreden der Apostelgeschichte. Form- und traditionsgeschichtliche Untersuchungen, WMANT 5, Neukirchen 1974³, 52.

166 Schneider, Apg II, 140; Roloff, Apg, 208.

167 Vgl. dazu zuletzt Breytenbach, Versöhnung, 159ff, und die dort genannte Literatur. Weiterhin: Wright, Meaning, 453-459; Lichtenberger, Röm 7, 207-210 samt A.36-54. Zum Anschluß von Röm 8,1ff an 7,25a (7,25b ist vermutlich eine Glosse), vgl. Lichtenberger, Röm 7, 162ff.202ff.

168 Lichtenberger, Röm 7, 207.

169 Ebd.

170 Käsemann, Röm, 208-210; Wilckens, Röm II, 124-128; jeweils mit weiterer Lit.

171 Die Sendungsformel weist eine große Nähe zu Gal 4,4 auf; vgl. zur Diskussion Wilckens, Röm II, 124; Lichtenberger, Röm 7, 209.

172 Lichtenberger, Röm 7, 210; vgl. den ebd, A.52 genannten vergleichbaren Beleg Phil 2,7-8; dazu O. Hofius, Der Christushymnus Phil 2,6-11, WUNT 17, Tübingen 1976, 64.

was angesichts Joh 3,16; 1Joh 4,9; Gal 4,4f verwundert[173]. Die Mehrzahl der Ausleger sieht deshalb darin eine Beziehung zum alttestamentlichen "Sündopfer"[174], und versteht die Wendung als Präzisierung: "und zwar als Sündopfer"[175]. Dies wurde zuletzt wieder bestritten von Breytenbach[176]. Wie die Darstellung von Breytenbach jedoch zeigt, kann der Streit nicht darum gehen, ob περὶ ἁμαρτίας "zur Sühne für die Sünde" bedeutet oder nicht (- denn "daß mit der Wendung auf das Sühnegeschehen referiert wird, soll unbestritten bleiben"[177] -) sondern lediglich darum, ob der Zusammenhang des *kultischen* Sündopfers anklingt oder nicht. Rein sprachlich bedeutet περὶ ἁμαρτίας "um der Sünde willen". Jedoch hat περὶ ἁμαρτίας vom LXX-Sprachgebrauch her auch den technischen Sinn "als Sündopfer" (bzw. Sühnopfer)[178]. Die Belege wurden von Breytenbach erneut zusammengestellt und diskutiert[179]. Dabei sind für unseren Zusammenhang lediglich die Fälle c) und d) interessant, d.h. Fälle, in denen περὶ ἁμαρτίας (entspr. hebr. חטאת + לְ) der Wendung εἰς ὁλοκαύτωμα in einem kultischen Text parallel steht bzw. als Übersetzung für לחטאת (mit Art.) oder חטאת dient. Dabei muß Breytenbach zugeben, der Kontext ergebe stets, "daß mit diesen Wendungen auf den Opfervorgang referiert wird"[180]. *Der Streit kann also nur darum gehen, ob vom Hebräischen her die Möglichkeit besteht, daß durch חטאת sowohl "Sünde" als auch "Sündopfer" (Sühnopfer) bezeichnet wird. Dies ist zu bejahen*[181].

Der Versuch von Breytenbach, den Horizont des Sündopfers für die Interpretation von Röm 8,3 abzulehnen, muß somit als nicht gelungen bezeichnet werden. Breytenbach ahnt selbst die Problematik seiner These, die davon geleitet ist, alle kultischen Opfervorstellungen von der Theologie des Paulus fernzuhalten[182], wenn er zugibt, daß die Sündopferdeutung, wenngleich "aus kontextuellen Gründen eher unwahrscheinlich", so doch trotz seiner gegenteiligen Meinung "u.U. möglich" sei[183].

Mit dem Verständnis von περὶ ἁμαρτίας im Sinn von Sündopfer ist nun jedoch keineswegs gesagt, daß der Tod Jesu als ein "von Gott ausgehende[r] Opfervorgang, in dem Jesus das

---

[173] Stuhlmacher, Sühne, 299.

[174] Lichtenberger, Röm 7, A.52 mit ausführlichen Literaturangaben.

[175] Stuhlmacher, Sühne, 299.

[176] Breytenbach, Versöhnung, 159ff.

[177] Ebd, 161.

[178] "Sündopfer" blickt auf die Ursache des Rituals, die חטאת, "Sühnopfer" auf das Ergebnis, die Sühne der חטאת.

[179] S. Breytenbach, Versöhnung, 161-163.

[180] Breytenbach, Versöhnung, 162. Einzige Ausnahme, die jedoch von Breytenbach hier nicht verwertet wird, stellt Jes 53,10 dar, wo περὶ ἁμαρτίας Wiedergabe von אשם darstellt.

[181] Koch, Art. אטח, 865f; Knierim, Art. אטח, 541ff; Janowski, Sühne, 190ff.221ff.232ff. Es ist m.E. nicht möglich, aus der Frage von Koch, ob sich die Bedeutungen "Sünde" und "Sündopfer" als Übersetzung von חטאת nicht doch näherstehen, "als es dem europäischen Betrachter erscheint" (865), ein Argument gegen die Existenz eines Sündopfers abzuleiten, wie Breytenbach (Versöhnung, 161) dies macht. Der zitierte "arge Mißgriff" bezieht sich bei Koch denn auch nicht auf die Wiedergabe von חטאת durch Sünde bzw. Sündopfer, sondern auf die Bezeichnung Sünd"opfer" in Anlehnung an die sonstigen Opfer der Antike. Koch schlägt dagegen zu Recht die Bezeichnung "Sündritus" vor (866.857). Auch die von Breytenbach eingebrachte Unterscheidung, daß die חטאת "eher die Funktion des Reinigens als die des Sühnens" habe (161 A.96), ist in unserem Zusammenhang kein zugkräftiges Argument. Im übrigen zeigen die Formulierungen Breytenbachs, daß er an dieser Stelle für seine Argumentation keine Sicherheit gewinnen kann: "kaum" (162), "scheint" (163), "u.U." (163), "eher unwahrscheinlich" (163).

[182] So auch hinsichtlich Röm 3,25f und 2Kor 5,21; vgl. Breytenbach, ebd, 166ff.125ff.137ff.

[183] Breytenbach, Versöhnung, 163.

'Sündopfer' ist", zu verstehen sei[184]. *Vielmehr nimmt Paulus auf den sachlichen Gehalt der Sündopfervorstellung Bezug, daß nämlich das Tier stellvertretend für den Sünder den Tod erleidet und dieser durch das Todesgericht hindurch, an dem er rituell teilnimmt, wieder leben darf.* Die Sendung des Sohnes als Sühnopfer stellt den Realgrund dar, daß Gott die Sünde im Fleisch richtete[185].

Von hier aus ist nun eine Interpretation der gesamten Aussage möglich: Dem Unvermögen des Gesetzes, "von Sünde und Tod [zu] befreien und damit Leben [zu] geben"[186], hat Gott die Sendung des Sohnes entgegengesetzt. Dieser hat, indem er stellvertretend für die Sünder den Tod erlitt, "vom κατάκριμα des Gesetzes befreit (8,1) und aus der Macht der Sünde die 'die in Christo Jesu sind', seinem Geist unterstellt"[187]. Auch hier wird (entsprechend Röm 3,25) die Schwäche des Gesetzes erst von Sendung der des Sohnes her klar. *Von der in Christus erfolgten Sühne her, wird die Zeit davor als eine von der Unzulänglichkeit des Gesetzes geprägte Situation qualifiziert.* Die im Gesetz vorgesehene Weise, Sünde fortzuschaffen, hat sich als unzureichend erwiesen. Der kultische Sündenritus konnte dies nicht bewerkstelligen. Die Aussage entspricht damit in ihrer Struktur dem, was wir zu Röm 3,25f feststellen konnten. Aufgrund der kultischen Konnotationen beider Stellen (vgl. zu Röm 8,3 v.a. Lev 16,9!) darf damit gerechnet werden, daß beide in denselben Vorstellungszusammenhang gehören, wonach von der in Christus geschehenen Erfüllung her der alttestamentliche Kultus als vorläufig und nicht ausreichend verstanden wurde.

---

[184] Gegen Breytenbach, Versöhnung, 165; dagegen auch Stuhlmacher, Sühne, 299.
[185] Vgl. Lichtenberger, Röm 7, 209.
[186] Ebd, 208.
[187] Ebd, 210.

X
Überlegungen zur Entstehung der Überlieferung

Nach der Analyse der vorpaulinischen Formel und deren Interpretation im paulinischen Kontext soll es in diesem Abschnitt um die Vorgeschichte der Formel gehen, soweit sich hierüber etwas sagen läßt. Nachdem wir den Zusammenhang mit der Vorstellung vom sühnenden Märtyrertod abgewiesen und die Beziehung zur kultischen Sühne begründet haben, ist zu fragen, wie es zur Interpretation des Todes Jesu in kultischen Kategorien kommen konnte. Es ist dabei nicht die Absicht, eine neue These zum gesamten Komplex der Entstehung der soteriologischen Deutung des Todes Jesu vorzulegen; wir fragen vielmehr allein nach der traditionsgeschichtlichen Herkunft von Röm 3,25f*.

Stuhlmacher hat hierzu den ausführlichsten Vorschlag unterbreitet. Wir gehen daher in einem ersten Unterabschnitt (a) auf seine These ein[1]. Danach werden wir (b) einen eigenen Versuch der Ableitung zur Diskussion stellen, um schließlich (c) nach dem Sitz im Leben der Formel zu fragen.

a) Probleme der Herleitung durch P. Stuhlmacher

P. Stuhlmacher hat in mehreren Arbeiten zu unserer Frage ein imponierend geschlossenes Bild einer Traditionsgeschichte der Rede vom Sühnetod Jesu gezeichnet[2]. Zunächst (1975) war er noch dafür eingetreten, daß "die Rede vom Sühntod Jesu ... von der österlichen Versöhnungserfahrung aus[gehe] und ... im Blick auf die Schrift und im Rückblick auf Jesu Werk seinen Tod als ein die Versöhnung definitiv heraufführendes Werk Gottes" deute[3]. Mk 10,45 wurde dabei als überlieferungsgeschichtlich "leichter aus nachösterlicher als aus vorösterlicher Perspektive heraus zu begreifen"

---

[1] Die begrenzte Absicht dieses Unterabschnittes ist es, die von Stuhlmacher aufgezeigte lückenlose traditionsgeschichtliche Linie von Mk 10,45 über den Stephanuskreis hin zur paulinischen Rechtfertigungslehre zu hinterfragen.

[2] Hierbei sind folgende Arbeiten Stuhlmachers zu nennen: Jesus als Versöhner (1975), in: Versöhnung, 9-26; Exegese (1975), 315-333; Existenzstellvertretung (1980), in: Versöhnung, 27-42; Die neue Gerechtigkeit (1981), in: Versöhnung, 43-65; Gerechtigkeitsanschauung vor Paulus (1981), in: Versöhnung, 66-86; Gerechtigkeitsanschauung des Apostels (1981), in: Versöhnung, 87-116; daneben auch Stuhlmacher, Sühne (1983), bes. 308ff.

[3] Stuhlmacher, Jesus als Versöhner, 25.

angesehen[4]. Doch hat er dies inzwischen (1980) ausdrücklich modifiziert[5]. Neuerdings setzt er in der Frage nach der Entstehung der soteriologischen Deutung des Todes Jesu beim irdischen Jesus selbst ein und kommt dann zu einer ununterbrochenen Linie von Mk 10,45 über den Stephanuskreis und dessen Gerechtigkeitsanschauung bis hin zu Paulus[6]. In diesem Zusammenhang bekommt die Formel Röm 3,25f* als vorpaulinisches Traditionsstück (zusammen mit 2Kor 5,21) die Funktion, ein Glied in der lükkenlosen Kette der Gerechtigkeitsanschauung zwischen Jesus und Paulus zu sein[7].

Hatte Roloff für ein Zusammenwachsen der Vershälften 45a und 45b in der vormk Tradition plädiert[8], so geht Stuhlmacher von der ursprünglichen Einheit beider aus[9]. In seiner Analyse von Mk 10,45 bezieht sich Stuhlmacher auf die Arbeit von Grimm[10]. Durch ihn hält er es für nachgewiesen, daß außer der Menschensohnvorstellung aus Dan 7 nicht Jes

---

[4] Ebd, 24 A.33.

[5] Stuhlmacher, Existenzstellvertretung, 29 A.7.30.37f; ders., Die neue Gerechtigkeit, 57f.

[6] Stuhlmacher, Gerechtigkeitsanschauung vor Paulus, 72ff.77ff; ders., Gerechtigkeitsanschauung des Apostels, 100ff.

[7] S. v.a. Stuhlmacher, Gerechtigkeitsanschauung vor Paulus, 77ff.

[8] Aus der Analyse von Roloff, Anfänge, wird deutlich: 1. Mk 10,45b ist nicht aus V.45a und umgekehrt erwachsen (51f). 2. Die Anklänge an Jes 53 sind unübersehbar (52). 3. Aus dem Vergleich mit Lk 22,27 ergibt sich die ursprüngliche Zugehörigkeit des Motivs vom Dienen zur Abendmahlstradition (58). 4. Mk 10,45b ist schon in der vormk Tradition zu 10,45a hinzugekommen als Äquivalent für den Mahlbericht, der den Rahmen von V.45a ursprünglich darstellte (59). D.h. die soteriologische Deutung des Todes Jesu in Mk 10,45b ist ein von der Tendenz zur dogmatischen Konzentration hervorgerufenes, sich auf die Abendmahlsworte zurückbeziehendes gemeindliches Interpretament (60), die "formelhafte Abbreviatur von Brot- und Kelchwort des Mahlberichtes" (59).

[9] Zu Mk 10,45 vgl. an neueren Arbeiten Patsch, Abendmahl (1972), 170-180; K. Kertelge, Der dienende Menschensohn (Mk 10,45), in: R. Pesch u.a., Hrsg., Jesus und der Menschensohn (FS A. Vögtle), Freiburg u.a. 1975, 225-239; V. Howard, Das Ego Jesu in den synoptischen Evangelien, MThSt 14, Marburg 1975, 234-238; Grimm, Weil ich dich liebe (1976), 231ff; P. Fiedler, Jesus und die Sünder, BET 3, Frankfurt u.a. 1976, 277-279; Gnilka, Wie urteilte Jesus (1976), 13-50, bes.41ff (beachte die Modifikation in: ders., Mk II, 248f!); Vögtle, Todesankündigungen (1976), 51-113, bes. 52.111; Roloff, Arbeitsbuch (1977.1984⁵), 133.183f.189.218; Gubler, Deutungen (1977), 231-235; M. Adinolfi, Il Servo di JHWH nel logion del servizio e del riscatto (Mc 10,45), BeO 21, 1979, 43-61; Hengel, Sühnetod (1980), 21ff.146; Kümmel, Jesusforschung (1980), 415-419; Schürmann, Jesu Todesverständnis (1980), 141-160; S.H.T. Page, The Authenticity of the Ransom Logion, in: R.T. France, Hrsg., Gospel Perspectives: Studies of History and Tradition of the Four Gospels, Sheffield 1980, 137-161; Janowski, Auslösung (1982), 54ff; J.B. Bauer, "Für wie viele?" (vgl. Mk 10,45; Mk 14,24), BiLi 55, 1982, 31-33; B. Lindars, Salvation Proclaimed VII, Mark 10,45: A Ransom for Many, ET 93, 1982, 292-295; A.S. di Marco, Ipsissima verba Jesu: Mc 10,45. Risvolti linguistici ed ermeneutici, Laurentianum 25, 1984, 265-284; Pesch, Mk II (1984³), z.St.; H. Seebass, Gerechtigkeit Gottes. Zum Dialog mit Peter Stuhlmacher, JBTh 1, 1986, 115-134, hier: 120-124; Merklein, Der Sühnetod Jesu (1990), 159f; B. Kollmann, Ursprung und Gestalten der frühchristlichen Mahlfeier, GTA 43, Göttingen 1990, 176-180; G. Kittel, Name II (1990), 77ff.

[10] Grimm, Weil ich dich liebe, 231-277; Stuhlmacher, Jesus als Versöhner, 24 A.33; Existenzstellvertretung, 37 (Stuhlmacher zitiert aus unterschiedlichen Ausgaben der Grimm'schen Arbeit).

53, sondern Jes 43,3f als der den eigentlichen Akzent tragende biblische Hintergrund anzusehen sei[11]. Dies bedeute, daß hinter λύτρον das hebr. Äquivalent כופר und nicht אשם stehe[12]. כופר drücke die Stellvertretung aus, die für eine Person und deren verfallenes Leben geleistet werde[13]. Damit sage Mk 10,45 inhaltlich: "Der Menschensohn ... nimmt die Stelle der Menschen ein, die Jahwe als Lösegeld für Israels Leben (...) dahingeben will."[14] Die Aussage liege im Schnittpunkt dreier Textkomplexe: Dan 7,13-14; Jes 53,10-12 und eben v.a. Jes 43,3f[15]. Es sei Jesu "persönliches Werk", "den messianischen Menschensohn als leidenden Gerechten und Gottesknecht zu interpretieren"[16]. Obwohl er eine "sachliche Verwandtschaft" konzediert, lehnt Stuhlmacher die Abendmahlstradition als Sitz im Leben für Mk 10,45 ab[17]. Das Ergebnis seiner Analyse lautet: Mk 10,45 sei als authentisches Jesuswort anzusehen, in welchem eine "Gesamtdeutung der heilsmittlerischen Sendung Jesu" durch ihn selbst vorgenommen werde[18]. Dabei stehe die Aussage nicht isoliert, sondern sei Ausdruck seines "Gerechtigkeitshandelns"[19] und seiner "Bereitschaft zur Sühne"[20]. Jesus habe seinen Tod als "Sühnetod für Israel" verstanden[21]. Er habe damit "Gottes Gerechtigkeit als Heil für die Armen und die Gesetzlosen" durch das Gericht hindurch gelebt[22]. Er habe "durch seine Bereitschaft zur stellvertretenden Sühne der alttestamentlichen Erfahrungs- und Sprachgeschichte gerade in Hinsicht auf die Gerechtigkeit Gottes, die Gerechtigkeit der Menschen vor Gott und ihr Rechttun in der Welt eine neue Richtung gegeben"[23].

Diese "Praxis der Gerechtigkeit" bei Jesus sei nun von den Jüngern nach Jesu Tod aufgegriffen und weitergeführt worden. Jesu "implizites Rechtfertigungs- und Sühneverständnis"

---

[11] Stuhlmacher, Existenzstellvertretung, 33ff. Dabei lehnt er die Beziehung der Stelle zu Jes 53,10-12 nicht völlig ab, drängt aber ihr Gewicht gegenüber der Auslegung bei Jeremias, Theologie, 277f, zurück. Die Sicht Stuhlmachers wird exakt aufgenommen von Haubeck, Loskauf, 226ff. Das Problem, in Jes 43,3f den Hintergrund sehen zu wollen, besteht jedoch darin, daß die LXX nicht λύτρον sondern ἄλλαγμα liest. Grimm und im Anschluß an ihn Stuhlmacher, greifen daher auf den MT, d.h. auf hebr. כופר, zurück (Existenzstellvertretung, 37f).

[12] Stuhlmacher, Existenzstellvertretung, 32f; vgl. schon Wengst, Formeln, 75; Grimm, Weil ich dich liebe, 235; Patsch, Abendmahl, 330 A.218; gegen F. Hahn, Christologische Hoheitstitel. Ihre Geschichte im frühen Christentum, FRLANT 83, Göttingen 1963, 58; Kertelge, Art. λύτρον, 902, im Anschluß an Jeremias; vgl. auch Thyen, Studien, 157-160.

[13] Dazu ausführlicher oben Abschnitt IX.a, S. 179-183.

[14] Stuhlmacher, Existenzstellvertretung, 37.

[15] Ebd, 38. Ablehnend zu Jes 53 als Hintergrund zuletzt Kollmann, Ursprung (s.o. A9), 176ff, der im Anschluß an C.K. Barrett, The Background of Mark 10:45, in: A.J.B. Higgins, Hrsg., New Testament Essays. Studies in Memory of T.W. Manson, Manchester 1959, 1-18, hier: 5, betont, daß von 46 Belegen von אשם in der LXX kein einziger durch λύτρον wiedergegeben werde. Kollmann sieht Mk 10,45b sachlich in der Nähe von 4Makk 6,29; 17,21.

[16] Stuhlmacher, Existenzstellvertretung, 40.

[17] Ebd, 31.

[18] Ebd, 30.

[19] Stuhlmacher, Die neue Gerechtigkeit, 56.

[20] Ebd, 55.

[21] Ebd, 56 A.15, im Anschluß an Pesch, Jesu Todesverständnis, 107; vgl. Stuhlmacher, ebd, 59: "Hinter unserem Jesuswort steht ... die sühnetheologische Konzeption vom Lösegeld und vom Schuldopfer, d.h. der Gedanke, daß schuldverfallenes Leben vor Gott durch die stellvertretende Preisgabe anderen Lebens vom Tode der Vernichtung errettet werden kann."

[22] Stuhlmacher, Die neue Gerechtigkeit, 59.

[23] Ebd, 61 (im Original kursiv).

sei von der nachösterlichen Gemeinde als "ausdrückliches Glaubenserbe" übernommen worden[24]. Dafür sei die in Röm 4,25 angeführte "traditionelle Christusformel" ein Beleg[25]. Insbesondere die 'Hellenisten' hätten an Jesu Gerechtigkeitsverständnis angeknüpft[26]. Der zweite hier wichtige Aspekt der Theologie der 'Hellenisten' sei ihre Auffassung vom Ende des Tempelkultes durch Jesu Tod gewesen[27]. Stephanus und seine Anhänger hätten angesichts der Jesusüberlieferung, wie sie in Mk 13,1f par; 14,58 par; 11,15-17 par; 14,22-25 par greifbar sei, zu einem "universalen Taufverständnis" gefunden, wonach mit der Taufe "die Frucht des Sühnetodes Jesu" allen Menschen zugeeignet würde. Sie hätten damit "ein Verständnis von Rechtfertigung und Versöhnung praktiziert, das die Grenzen Israels im Blick auf den erhöhten Christus überschritt"[28]. Hier habe die Formel Röm 3,25f* ihren Platz, denn die "Einsetzung Jesu zur Sühne" sei "deshalb ein Erweis der heilschaffenden Gerechtigkeit Gottes, weil die Sünder durch diese Einsetzung Vergebung ihrer Sünden" erlangten[29]. Den Sitz im Leben der Formel sieht Stuhlmacher in der Taufkatechese[30].

Paulus habe diese Gerechtigkeitsanschauung ohne Schwierigkeiten aufnehmen und den "Formulierungsprozeß" durch seine Rechtfertigungslehre zum Höhepunkt führen können[31].

Fazit: "Für uns bedeutet dies, daß wir eine ungebrochene Traditionslinie von Jesu Gerechtigkeitspraxis zu der Bekenntnis- und Missionstradition in Jerusalem und Antiochien ziehen und diese Linie bis in die Missionsverkündigung des Paulus verlängern dürfen."[32]

So eindrucksvoll geschlossen die Darstellung Stuhlmachers ist, sie weist - neben der grundsätzlichen Frage einer soteriologischen Deutung des Todes Jesu durch ihn selbst - zwei Probleme auf, die sie fragwürdig erscheinen läßt:

1. Das Problem der Beziehung von λύτρον (Mk 10,45) zur kultischen Sühne, wie sie durch ἱλαστήριον angesprochen ist.

2. Das Problem einer Rekonstruktion der Gerechtigkeitsanschauung der hellenistischen Gemeinden und damit verbunden die Frage, ob es angemessen ist, die Botschaft Jesu, die Theologie der Hellenisten und des Paulus durch den Begriff "Gerechtigkeit(-sanschauung)" zu kennzeichnen.

Zu 1. Abgesehen davon, ob man Mk 10,45 als authentisches Jesuswort ansieht oder nicht, gibt es vom λύτρον-Wort keinen direkten Weg zum Inhalt der Formel Röm 3,25f*. Beide entspringen völlig anderen Zusammenhängen. Geht es in Röm 3,25f* um die mit dem Blutritus verbundene Heiligtumsweihe, so steht im λύτρον-Wort das personale Stellvertretungsmotiv im Zentrum. Wie oben dargestellt wurde, existieren zwar כוֹפֶר-Belege im Alten Testament, in denen man כּפֶּר pi. erwarten würde, doch auch von hier führt kein Weg zu Röm 3,25f*, da an diesen Belegstellen wiederum

---

[24] Stuhlmacher, Gerechtigkeitsanschauung vor Paulus, 73.
[25] Ebd, 73.
[26] Ebd, 77ff.
[27] Ebd, 80ff.
[28] Ebd, 77.
[29] Ebd, 83.
[30] Ebd, 84.
[31] Ebd, 86.
[32] Ebd, 86.

das Motiv der personalen Stellvertretung im Mittelpunkt steht, was in der Formel nicht der Fall ist.

Auch die Struktur der Aussagen in Röm 3,25f* und Mk 10,45 ist nicht gleich: es fehlt in Röm 3,25f* die für Mk 10,45 konstitutive ἀντὶ πολλῶν-Aussage. Dagegen wird Jesus zum ἱλαστήριον "wegen" der vormaligen Sünden eingesetzt, und zwar nicht um deren Vergebung willen, sondern wegen des Strafaufschubs.

Schließlich zeigt sich in Stuhlmachers Darlegung an entscheidenden Punkten eine Unschärfe in der Formulierung, die einen Vergleich erst ermöglicht: Jesus wurde nicht "zur Sühne" eingesetzt, weswegen er ein "Erweis der heilschaffenden Gerechtigkeit Gottes" sei[33], sondern er wurde zum ἱλαστρήριον eingesetzt, d.h. zum Ort, an dem Sühne geschieht. Diese Sühne ist kultisch zu verstehen, nicht im Sinn eines כ פ ו ר.

Der Blutritus, auf den Röm 3,25f* Bezug nimmt, hat keinerlei Äquivalent in Mk 10,45. Zudem bedeutet dieser Ritus, wie dargestellt, nicht einfach Sündenvergebung, sondern zielt ab auf die Reinigung bzw. Weihe des Heiligtums. Nachdem Stuhlmacher die Abendmahlstradition als Sitz im Leben abgelehnt hat, gibt es auch hierüber keine Brücke zum Blutmotiv.

Somit haben die in Röm 3,25f* entscheidenden Aussagen keine Parallelen in Mk 10,45, und eine traditionsgeschichtliche Ableitung muß daher unterbleiben.

Zu 2. Die Rekonstruktion einer Theologie des Stephanuskreises stellt zwar insgesamt vor Probleme, ist aber nicht von vornherein ausgeschlossen[34]. Jedoch erscheint das Stichwort "Gerechtigkeit-(sanschauung)" zur Kennzeichnung dieser Theologie gewagt, denn es sind lediglich zwei Stellen, die dies terminologisch rechtfertigen könnten: Röm 3,25f* und 2Kor 5,21.

Für Röm 3,25f* wurde oben der Nachweis geführt, daß die beiden Aussagen εἰς ἔνδειξιν τῆς δικαιοσύνης αὐτοῦ und πρὸς τὴν ἔνδειξιν τῆς δικαιοσύνης αὐτοῦ paulinische Zusätze darstellen. Damit bleibt nur 2Kor 5,21 als möglicher vorpaulinischer Beleg, in dem das Stichwort δικαιοσύνη vorliegt[35]. Nun ist die Frage, inwieweit vorpaulinische Tradition in 2Kor 5,21 vorliegt, nicht unumstritten[36]. Wir halten - ohne hier in die nähere Auseinan-

---

[33] Stuhlmacher, Gerechtigkeitsanschauung vor Paulus, 83.

[34] Vgl. dazu unten in diesem Abschnitt c, S. 232f.

[35] Röm 4,25 spricht zwar von einer δικαίωσις, nicht aber von δικαιοσύνη, worauf es in der Auseinandersetzung mit Stuhlmacher hier ankommt. Zur Frage, ob Röm 4,25 als vorpaulinischer Traditionssatz oder als paulinische Bildung anzusehen ist, vgl. Stuhlmacher, Gerechtigkeitsanschauung vor Paulus, 72ff; Hahn, Taufe und Rechtfertigung, 108; Wilckens, Röm I, 279f.

[36] S. dazu Käsemann, Erwägungen, 47-59; Stuhlmacher, Gerechtigkeit Gottes, 77f; Stuhlmacher, Exegese, 323; Stuhlmacher, Sühne, 291.298f; Wilckens, Röm I, 240; Breytenbach, Versöhnung, 137ff.181f.191f.195.202f.211; Hofius, Wort von der Versöhnung, 3-20; Hofius, Sühne und Versöhnung, 25-46, bes. 38ff; Bultmann, 2Kor, 166f; gegen übernommene Formeltradition jetzt auch Wolff, 2Kor, 118.129ff.136.

dersetzung einzutreten - die Auffassung von Hofius, wonach in 2Kor 5,21 zwar traditionelle Motive verarbeitet sind, der Vers jedoch eine eigene Bildung des Paulus darstellt, für insgesamt am besten begründet[37]. Daher kann auch 2Kor 5,21 die ihm von Stuhlmacher aufgebürdete Beweislast nicht tragen. Der für die Theologie des Stephanuskreises wichtige Text Apg 6,8-7,60 gibt zur Begründung einer spezifischen "Gerechtigkeitsanschauung" keine beweiskräftigen Argumente an die Hand.

Ähnlich liegen die Verhältnisse für die Botschaft Jesu. Richtig erkennt Stuhlmacher in den Belegen Mt 3,15; 5,6.20; 6,33 spätere Formulierungen durch Mt, der "Jesu Weg und Wort betont unter die Überschrift 'Gerechtigkeit'" stellte[38]. Er konstatiert, daß "programmatische Äußerungen Jesu über das lexikalische Stichwort Gerechtigkeit fehlen"[39]. Dennoch stellt Stuhlmacher die Botschaft Jesu unter die Überschrift "Die neue Gerechtigkeit". Er tut dies insofern zu Recht, als die Verkündigung der Gottesherrschaft durch Jesus tatsächlich "ohne den Gedanken an Gottes Gerechtigkeit, die diese Herrschaft prägt", nicht vorstellbar ist[40]. Es ist Stuhlmacher also sachlich zuzustimmen, daß "Jesu messianische Gerechtigkeitspraxis der begrifflich-theologischen Reflexion seiner Gemeinde Maß und Richtung gewiesen hat"[41]. Dennoch läßt sich keine traditionsgeschichtliche Abhängigkeit nachweisen. Denn selbst für das von Stuhlmacher als authentisch angesehene Jesuswort Mk 10,45 kann er nur sagen, daß die "von Jesus aufgenommene Konzeption von Sühne ... eminent viel mit Gottes Gerechtigkeit und seinem Gericht zu tun" habe - was niemand bestreiten kann[42]. Dies ist jedoch als traditionsgeschichtliches Argument nicht ausreichend.

Fazit: Daß sowohl in der Botschaft Jesu wie auch der Theologie des Stephanuskreises *sachlich* die Rechtfertigung des Sünders durch Gottes Gnade zum Ausdruck kommt, ist unbestreitbar. Daß hier von Jesus ausgehend über den Stephanuskreis hin zu Paulus eine *sachliche* Kontinuität vorauszusetzen ist, bedarf keines weiteren Argumentes[43]. *Jedoch ist mit dieser sachlichen Kontinuität noch keine traditionsgeschichtliche Abhängigkeit bestimmter Aussagen zu belegen.* Dies müßte terminologisch besser abgesichert sein. Wir sind daher der Ansicht, daß der Versuch P. Stuhlmachers, eine traditionsgeschichtliche Linie von Mk 10,45 über den Stephanuskreis hin zu Paulus zu ziehen, nicht gelungen ist.

---

[37] S. Hofius, (oben A.36); weiterhin ders., Erwägungen, 186-199.
[38] Stuhlmacher, Die neue Gerechtigkeit, 43.
[39] Ebd.
[40] Ebd, 47. Belege dazu ebd, 44ff, vgl. bes. Lk 18,9-14; Mt 11,2-5.
[41] Ebd, 43 (im Original kursiv).
[42] Ebd, 59.
[43] Die Ansicht von Schulz, Der historische Jesus, 3-25, bes. 18f.20 (z.T. im Anschluß an Conzelmann), wonach Jesus ein Verkündiger der Gesetzesgerechtigkeit gewesen sei, überzeugt nicht.

b) Tempelreinigung und Tempelwort - ein möglicher Ansatz beim irdischen Jesus?

Will man in der Frage, wie es zur Deutung des Todes Jesu im Rahmen des Tempelkultes kam, nicht von einer gänzlichen Diskontinuität zwischen Jesus und der Urgemeinde ausgehen, so stellt sich das Problem, wo beim irdischen Jesus ein Ansatz gefunden werden könnte, der für eine sühnetheologische Interpretation zum Anlaß werden konnte[1]. Eine auf die kultische Sühne bezogene Begrifflichkeit findet sich in der synoptischen Tradition nur in den Einsetzungsworten des Abendmahls[2]. Jedoch liefert die Untersuchung der Abendmahlsüberlieferung keine zwingenden Gründe, hier nicht auch schon nachösterliche Deutung des Geschickes Jesu am Werk zu sehen. Daß Jesus selber explizit von seinem Tod in sühnetheologischen Kategorien geredet habe, erscheint daher unwahrscheinlich[3].

---

[1] Dabei ist prinzipiell zu unterscheiden zwischen kultischer Sühne (Blutmotiv) und der nichtkultischen Lebenshingabe "für die vielen" (Mk 10,45), in der zwar Jes 53 aufgenommen ist, jedoch nicht die Begrifflichkeit, die durch אשם gegeben ist.

[2] Zu Mk 10,45 s.o. in diesem Abschnitt a, S. 195-197.

[3] Die Diskussion um das Abendmahl wird hier nicht aufgenommen. Insgesamt stimmen wir Vögtle, Grundfragen, 167, in seinem die Fülle der Details berücksichtigenden Resümee zu, daß alle Versuche, die bei Jesus ein explizites soteriologisches Verständnis seines Todes finden wollen, ob nun die Minimallösung Schürmanns oder die Maximallösung Peschs "mit Voraussetzungen und Argumentationen [operieren], die als zweifelhaft bis unhaltbar gelten müssen oder sich doch anstehenden Fragen entziehen". Zum Stand der Diskussion s. die Beiträge von Gnilka, Wie urteilte Jesus; Hahn, Stand der Erforschung; ders., Jesu Todesverständnis; B. Kollmann, Ursprung und Gestalten der frühchristlichen Mahlfeier, GTA 43, Göttingen 1990; Pesch, Jesu Todesverständnis; Schürmann, Gottes Reich; Vögtle, Todesankündigungen, und schließlich zusammenfassend ders., Grundfragen. Die Arbeit von V. Hampel, Menschensohn und historischer Jesus. Ein Rätselwort zum messianischen Selbstverständnis Jesu, Neukirchen 1990, in der Hampel eine auf den irdischen Jesus selbst zurückführbare explizite sühnetheologische Interpretation seines Todes vertritt, bekam ich erst nach Abschluß des Manuskriptes in die Hand.

Von dieser Frage zu unterscheiden ist die Diskussion um den Passarahmen des letzten Mahles Jesu. Bezieht man jedoch die von Strobel angestellten Überlegungen zum Ablauf der letzten Woche Jesu in Jerusalem und speziell zur Terminfrage des Todes Jesu mit ein, dann fällt auch hinsichtlich des Passamahlcharakters das Urteil negativ aus. Vielmehr stand dann Jesu letztes Mahl unter hoch-eschatologischen Erwartungen (vgl. Mk 14,25!), die sich nur schlecht mit dem vertragen, was Mk sonst zum Abendmahl überliefert und was von Pesch u.a. als historisch zutreffend beurteilt wird. Einen Versuch, trotz der Probleme der Passionschronologie den Passamahlcharakter des Abendmahles zu erweisen, hat E. Ruckstuhl, Zur Chronologie der Leidensgeschichte Jesu I und II, SNTU 10, 1985, 27-61 und SNTU 11, 1986, 97-129, unternommen. In I,31ff möchte Ruckstuhl die "Eintageschronologie" aufbrechen und von drei Tagen ausgehen, angefangen von der Verhaftung bis zum Tod Jesu. In den rechtlichen Fragen stimmt er Strobel zu. Nicht überzeugen können seine I,41ff und II,108ff dargestellten Erwägungen zum Abendmahl und die von ihm festgestellten Beziehungen der Chronologie zum essenischen Kalender. Die von Pesch, Mk II, 323-328 bes. 327, gegen Strobel vorgebrachten Gründe berücksichtigen nicht die umfassende Darlegung in Strobel, Frühchristlicher Osterkalender, sondern beziehen sich lediglich auf A. Strobel, Der Termin des Todes Jesu, ZNW 51, 1960, 69-101. Zur Chronologie s. zuletzt W. Hinz, Chronologie des Lebens Jesu, ZDMG 139, 1989, 301-309, dessen Sicht jedoch kaum zutref-

Wenn wir hier nicht überhaupt mit unserem historischen Wissen am Ende sind, dann müßte sich in der Verkündigung Jesu an anderer Stelle ein Ansatz finden lassen, an den die durch die Urgemeinde nach der Ostererfahrung zu Recht angestellte Deutung des Todes Jesu im Horizont kultischer Vorstellungen anknüpfen konnte. Es stellt sich die Frage, ob in der Stellung Jesu zum Tempel ein solcher Hinweis für spätere Ausgestaltung zu finden ist.

Im folgenden wird die These vertreten, daß in der Tempelreinigung verbunden mit dem Tempelwort ein möglicher Anknüpfungspunkt vorliegt[4].

---

fend sein dürfte. Erweist sich jedoch die joh Chronologie, wonach Jesus zu jener Zeit gestorben ist, in der im Jerusalemer Tempel die Passalämmer geschlachtet wurden, als richtig, dann ist hier vielleicht ein weiterer historischer Ansatzpunkt zu finden, das Kreuz Jesu im kultischen Rahmen zu interpretieren (vgl. 1Kor 5,7).

[4] Zur Anlage des Tempels s. Jeremias, Jerusalem, 91-95; zum Handel auf dem Tempelberg, ebd, 54f; Haenchen, Weg Jesu, 382f; anders Safrai, Wallfahrt, 185ff; Stegemann, Tempelreinigung, 507f.
Weitere Literatur zur Tempelreinigung: Arai, Tempelwort, 397-410; Barrett, House of Prayer, 13-20; G. Bissoli, Tempio e 'falsa testimonianza' in Marco, SBFLA 35, 1985, 27-36; Broer, Prozeß gegen Jesus, 84-110, hier: 90ff; Buchanan, Brigands, 169-177; Büchler, Die Priester und der Cultus, 77ff.81ff; I. Buse, The Cleansing of the Temple in the Synoptics and in John, ET 70, 1958/59, 22-24; R.E. Dowda, The Cleansing of the Temple in the Synoptic Gospels, Diss.masch. Duke University, 1972; Eppstein, Historicity, 42-58; Flusser, Jesu Prozeß und Tod, 130-163, hier: 141-149; Gärtner, Temple, 106ff; Gaston, No Stone; J. Gnilka, Die Erwartung des messianischen Hohenpriesters in den Schriften von Qumran und im Neuen Testament, RdQ 2, 1959/60, 395-426, hier: 414ff; Grimm, Weil ich dich liebe, 196ff; Hahn, Der urchristliche Gottesdienst, 27ff.38ff; R.H. Hiers, Purification of the Temple: Preparation for the Kingdom of God, JBL 90, 1971, 82-90; Jeremias, Jesus als Weltvollender, 35ff; Juel, Messiah and Temple, 127ff; Klausner, Rise of Christianity, 227-233; Lentzen-Deis, Passionsbericht, 191-232, hier: 223ff; Losie, Cleansing; Lührmann, Christologie und Zerstörung, 457-474; J. Maier, Jesus von Nazareth und sein Verhältnis zum Judentum. Aus der Sicht eines Judaisten, in: W.P. Eckert/H.H. Henrix, Jesu Jude-Sein als Zugang zum Judentum (Aachener Beiträge zu Pastoral- und Bildungsfragen 6), Aachen 1980[2], 69-113, hier: 98f; McKelvey, Temple, 58ff; S. Mendner, Die Tempelreinigung, ZNW 47, 1956, 93-112; Merklein, Jesu Botschaft, 133ff; Moule, Sanctuary and Sacrifice, 29-41; Müller, Möglichkeit und Vollzug, 41-83, bes. 78ff; J. Neusner, The Absoluteness of Christianity and the Uniqueness of Judaism, Interp 43, 1989, 18-31, hier: 22-26; J. Neusner, Money-Changers in the Temple: The Mishnahs Explanation, NTS 35, 1989, 287-290; Oberlinner, Todeserwartung, 123ff; B. Prete, Formazione e storicita del detto di Gesù sul tempio secondo Mc. 14,58, BeO 27, 1985, 3-16; Roloff, Kerygma, 89ff; C. Roth, The Cleansing of the Temple and Zechariah, NT 4, 1960, 174-181; Sanders, Jesus and Judaism, 61ff; Schenk, Passionsbericht, 151ff; H. Schwier, Tempel und Tempelzerstörung. Untersuchungen zu den theologischen und ideologischen Faktoren im ersten jüdisch-römischen Krieg (66-74 n.Chr.), NTOA 11, Freiburg (CH) Göttingen 1989, 55ff.358ff; S. Smith, The Literary Structure of Mark 11:1-12:40, NT 31, 1989, 104-124; E. Spiegel, War Jesus gewalttätig? Bemerkungen zur Tempelreinigung, ThGl 75, 1985, 239-247; Staimer, Wollte Gott, 126ff; Theißen, Tempelweissagung, 142-159; Trocmé, L'Expulsion, 1-22; Vögtle, Tempelworte, 362-383; Walter, Tempelzerstörung, 38-49; W.W. Watty, Jesus and the Temple - Cleansing or Cursing?, ET 93, 1981/82, 235-239; Weiser, Hellenisten, 146-168; Young, Temple Cult, 325-338.

aa) Die Tempelreinigung nach Mk

1. Zum redaktionellen Ort

Nach der dritten Leidensankündigung in 10,32-34, in der Mk in Kurzform das zum Ausdruck bringt, was jetzt bevorsteht, und nach dem programmatischen Wort in 10,45, in dem die heilsmittlerische Sendung Jesu noch vor Beginn der Leidensgeschichte auf den Begriff gebracht wird, befindet sich Jesus seit 11,1 in Jerusalem. Mk hat den Stoff so angeordnet, daß alles zielstrebig auf die "Stunde des Menschensohnes" (Mk 15,33ff) hinläuft[5]. Jesu messianischer Einzug führt ihn direkt in den Tempel. Es erfolgt jedoch, "da es schon spät war" (11,11), zunächst nur eine Sondierung der Lage. Eingeschoben hat Mk die Verfluchung des Feigenbaums, die den Erzählfaden unterbricht. V.15 schließt an V.11a wieder an. Nach der Tempelaktion verläßt Jesus erneut die Stadt, "da es Abend wurde". V.20ff wird über den "Erfolg" der Verfluchung des Feigenbaums berichtet, wobei noch Einzelworte über Glaube und Gebet angeschlossen sind. Die Vollmachtsfrage, die Jesus am folgenden Tag wiederum im Tempel gestellt wird, setzt unvermittelt ein: "in welcher Vollmacht tust du *dies*?" (V.28) und läßt schon aufgrund der Formulierung darauf schließen, daß sie ursprünglich unmittelbar an die Tempelreinigung angeschlossen war[6]. Das Gleichnis von den bösen Winzern und die darauf folgenden Gespräche mit Pharisäern, Herodianern und Sadduzäern sind sämtlich vom Gegensatz Jesus - Israel geprägt, bevor dann Mk 14,1 die obersten Repräsentanten des Volkes den Beschluß fassen, Jesus zu beseitigen[7]. Wie möchte Mk innerhalb dieses redaktionellen Zusammenhanges die Tempelreinigung verstanden wissen?[8] Ab 11,18 findet sich eine Häufung des Motivs, daß Jesus beseitigt werden soll: 12,12.13; 14.1.10.55. Mk bereitet damit zielstrebig die Verhandlung Jesu und die Verurteilung durch die

---

[5] Bis ins Zeitschema hinein ist alles durchkomponiert, am Tag der Kreuzigung Jesu sogar stundenweise. Ab Mk 12,17 wird jedoch das Tagesschema von einem weiteren Schema überlagert (Roloff, Kerygma, 92 A.132; vgl. Lambrecht, Redaktion, 33f.39).

[6] Das ταῦτα verlangt nach einem Bezugspunkt; Roloff, Kerygma, 91 samt A.131. Anders urteilt Pesch, Mk II, 190f, der schon die Verschachtelung der beiden Einheiten (12-14.20-21<22-23> und 15-19) für die ursprüngliche Form des Gesamttextes hält und nicht der mk Redaktion zurechnet. Jedoch sind seine Argumente, v.a. die von ihm genannten Orts- und Zeitangaben, besser red. erklärbar als anders.
Von einem Zusammenstoß Jesu mit dem Hohenpriester berichtet auch das Agraphon P.Oxy. V,840; s. dazu D.R. Schwartz, Viewing the Holy Utensils (POxy V,840), NTS 32, 1986, 153-159.

[7] Nach Gnilka, Mk II, 154, läßt Mk verschiedene Gegner Jesu Revue passieren.

[8] V.18 wird überwiegend als red. beurteilt. Das darin enthaltene Motiv, daß die Gegner Jesu versuchen, ihn zu beseitigen, findet sich auch sonst im Evangelium, erstmals in 3,6 im Anschluß an eine Sabbatheilung. In 8,31; 10,33f begegnet es wieder, jedoch als Ansage seines Weges im Mund Jesu. Aufgrund der Inkongruenz von V.18a und 18b und der sprachlichen Differenzen von 11,18a zu 12,12 und 14,1f rechnet Roloff, Kerygma, 92.93 samt A.136, damit, daß V.18a noch zur Tradition gehört. Aber selbst wenn auch V.18a als red. zu beurteilen wäre (so wiederum Staimer, Wollte Gott, 128), würde sich an der Gesamtinterpretation nichts ändern.

Repräsentanten Israels, das Synhedrium, vor. Die Tempelreinigung stellt dazu den Auslöser dar[9]. Die um sie herum gruppierten Texte beinhalten alle ein Urteil über Israel als Gottesvolk[10]:

1.) Schon der Einzug des königlichen Davidsohnes in Jerusalem wird nur vor den Mauern der Stadt wahrgenommen. Die Stadt selbst - so wird angedeutet - verweigert sich ihm. Zwar endet der Weg Jesu im Tempel, aber dieser ist bei Mk durchaus negativ qualifiziert: "Der Tempel ist der Ort, an dem sich das Gericht über das alte Gottesvolk zu erkennen geben wird (13,1f; 14,58; 15,38)."[11]

2.) Die Verfluchung des Feigenbaums, das einzige Wunder, das Jesus in Jerusalem tut, hat symbolische Bedeutung: "Für Markus ist klar, daß Israel aufgehört hat, seine Rolle als erwähltes Gottesvolk zu spielen."[12]

3.) Die Perikope mit der Vollmachtsfrage unterstreicht den Unglauben der Gegner Jesu.

4.) Das Gleichnis 12,1-12 macht abschließend deutlich, was sich jetzt vollzieht: Der Weinberg wird anderen gegeben. (12,12 stellt sachlich eine Wiederholung von 11,18 dar.)

In diesem Zusammenhang bedeutet die Tempelreinigung nach Mk das Gericht über den Tempel und die dazugehörende Gemeinde. An die Stelle des Tempels tritt jetzt das 'Bethaus für die Völker'. "Der Eingriff Jesu im Tempel war für Markus letztlich auf die Abschaffung des alten Kultes gerichtet."[13] Mk hat diese Zuspitzung u.a. durch die Einbettung der Tempelreinigung in den Kontext erreicht.

---

[9] Vgl. Roloff, Kerygma, 93; Staimer, Wollte Gott, 126; Lambrecht, Redaktion, 37.

[10] Gnilka, Mk II, 149.

[11] Ebd, 120.

[12] Gnilka, Mk II, 125. Pesch, Mk II, 195, spricht sich dagegen aus, die Verfluchung des Feigenbaums als Gericht über Israel, Jerusalem und den Tempel zu deuten, da der Feigenbaum "sonst nie selbständiges Symbol für Israel bzw. das Land" wäre. Doch geht es im Text gar nicht um den Feigen*baum*, sondern um die *Früchte*, und diese sind mehrfach als traditionelles Bild gebraucht (Jer 24; Jer 29,17; Hos 9,10-16; Jer 8,13). Das Argument, daß sowohl Jer 8,13 als auch Hos 9,10-16 (wie auch TgJon Hos 9,10-16) die Situation von Mk 11,12ff "nicht treffen", klingt gezwungen, zumal Pesch selber Texte nennt, in denen Verwüstung und Verdorren des Feigenbaums "überliefertes Symbol für Gottes Strafgericht" sind (ebd, 195; Pesch nennt: Jes 34,4; Hos 2,14; Joel 1,7-12; Am 4,9; Hab 3,17-19; Ps 105,33). Pesch räumt ein, daß das Verständnis der Verfluchung des Feigenbaums als Symbol für die Tempelzerstörung für Mk erwogen werden kann. Zur Verfluchung des Feigenbaums als Symbolhandlung vgl. G. Münderlein, Die Verfluchung des Feigenbaums (Mk XI.12-14), NTS 10, 1963/64, 89-104. Daß die symbolische Deutung "antijudaistische Tendenzen in das NT" eintrage und daher "exegetisch nicht verantwortbar" sei (Pesch, Mk II, 195), darf bei der Erhebung des historischen Sachverhaltes und der mk Aussageintention keine Rolle spielen. Daß in unserer Situation "nach Auschwitz" solche Texte eine besonders aufmerksame Auslegung verlangen und ganz entschieden hermeneutische Überlegungen und ggf. theologische Sachkritik provozieren, bedarf keiner Betonung. Das gilt auch für Mk 12,9.12.

[13] Gnilka, Mk II, 131; ähnlich Cullmann, Stephanuskreis, 46. Jedoch hält Cullmann auch V.17 für nicht-redaktionell.

2. Die vormk Tradition

In einem zweiten Arbeitsgang fragen wir nach der Aussageintention der vormk Tradition. Die Analyse von Bultmann ist noch immer grundlegend, bedarf jedoch der Modifikation. Nach Bultmann stellt die Tempelreinigung auf den ersten Blick ein biographisches Apophthegma dar[14]. V.15a.18f hält er für redaktionell. Doch sind V.15b-17 einheitlich? Zunächst ist zu konstatieren, daß V.15f keine aus V.17 herausgesponnene ideale Szene sein kann. Damit erweist sich V.17 als nachträgliche Deutung, die die Perikope in den Rang einer idealen Szene hebt. Bultmann erwägt, ob möglicherweise V.17 ein älteres Jesuswort verdrängt hat, da Joh 2,16 ein solches angeschlossen ist. Doch könnte eben auch Joh 2,16 nachträgliche Deutung sein[15]. Mk 11,27-33 könnten in der Quelle des Mk direkt an V.16 angeschlossen haben. Ob das Ganze jedoch eine ursprüngliche Einheit darstellt, ist nach Bultmann sehr fraglich, da die Tempelreinigung als Anlaß einer rabbinischen Debatte ungeeignet sei. Zumindest könnte dafür sprechen, daß bei Joh an die Tempelaustreibung eine umgestaltete Vollmachtsfrage anschließe[16].

In den Grundzügen der Analyse kommt Roloff zu ähnlichen Ergebnissen, wenngleich er die Form der Perikope anders beurteilt und sich auch im Detail von Bultmann unterscheidet. Der Kern der mk Perikope ist nach Roloff[17] in Mk 11,15f.18a + 28-33 zu finden. D.h. die Tempelreinigung und die Vollmachtsfrage gehören ursprünglich zusammen[18]. Dabei geht es um eine Gleichnishandlung, die Auslöser eines Streitgespräches wurde. Geht man nur von V.15f als ursprünglicher Einheit aus, dann ist die formgeschichtliche Einordnung äußerst schwierig[19]. Dagegen findet sich in 11,15f.18a.28-33 eine "völlig in sich abgerundete Streitgespräch-Szene"[20]. Die Aussage von V.18a ist singulär bei Mk, das läßt traditionelles Gut vermuten[21]. V.18b ist wie Mk 1,22a; 6,2b als redaktionell zu betrachten. Die

---

[14] Bultmann, Geschichte, 36.
[15] Ebd, vgl. Erg.heft, 29.
[16] Bultmann, Geschichte, 18 A.3. Gegen Bultmann (ebd, 18) ist zu fragen, ob die Kennzeichnung von V.27-33 als "rabbinische Debatte" dem Sachverhalt entspricht. Daß die Tempelreinigung im Gegenteil sehr gut als Anlaß eines Streitgespräches vorstellbar ist, hat Roloff gezeigt (s.u.). Inwiefern die Verknüpfung mit der Vollmachtsfrage eine Infragestellung der Historizität und des Inhalts der Tempelreinigung als Aktion gegen den Tempel sein soll - so Oberlinner, Todeserwartung, 126 A.55 - vermag ich nicht einzusehen.
[17] Roloff, Kerygma, 93.
[18] So auch Schnackenburg, Joh I, 360; Lambrecht, Redaktion, 37-44, bes. 39.40f. Anders Gnilka, Mk II, 127, der V.27ff als eine dem Evangelisten isoliert zugekommene Einheit ansieht. Nach Pesch, Mk II, 208f, schlossen in der vormk Passionsgeschichte die Verse 27ff direkt an V.21 an. Die enge Beziehung zwischen Verfluchung des Feigenbaums und Tempelreinigung bei Mk betont auch Trocmé, L'Expulsion, 7f, wobei er die Verfluchung des Feigenbaumes als Radikalisierung des Sinnes der Tempelreinigung versteht.
[19] Roloff, Kerygma, 91. Bultmann (s.o. A.15) rechnet daher auch damit, daß V.17 ein ursprünglich anderes Jesuswort verdrängt hat.
[20] Roloff, Kerygma, 93.
[21] Zu den sprachlichen Argumenten s.o. A.8; zustimmend Gnilka, Mk II, 127.

Überlieferungsintention des Traditionsstückes sieht Roloff in der "geschichtlichen Begründung des Weges Jesu zum Kreuz"[22]. Die Frage, ob V.17 red. zu beurteilen ist oder schon zur Vorlage des Mk gehörte, bedarf besonderer Nachfrage. Bultmann und Roloff plädieren für nachträgliche Deutung bzw. Redaktion[23]. Aufgrund der redaktionellen, "typisch markinischen Anreihungsformel" καὶ ἐδίδασκεν καὶ ἔλεγεν αὐτοῖς vermutet Gnilka im Anschluß an Roloff, daß auch das übrige Schriftargument in V.17 mk Redaktion zuzuschreiben ist[24]. Gnilka sieht richtig, daß die Ankündigung des Bethauses für die Völker die Situation sprengt, dies muß jedoch nicht erst von Mk so geschaffen sein.

Pesch hält gegen Bultmann und Roloff V.17 "angesichts der als Anrede gefaßten freien Zitation von Jer 7,11" für eine ursprünglich dazugehörende und nicht nachträglich angefügte Deutung[25]. Es fragt sich jedoch, ob er damit V.17 nicht nur als zur mk Vorlage gehörig einstuft.

Im jetzigen Zusammenhang bringt V.17 einen Akzent in die Aktion Jesu, der diese nicht auf Abschaffung des Kultes, sondern auf Reformierung ausgerichtet sein läßt[26]. Der Vers ist nach Roloff formal "streng im antithetischen Parallelismus membrorum" aufgebaut, wobei das erste Glied den Willen Gottes, das zweite das Tun der Menschen zu Gehör bringe[27]. Jedoch klappt dabei das πᾶσιν τοῖς ἔθνεσιν nach. Man wird deshalb nicht sagen können, daß der Parallelismus so streng sei und daß aufgrund des-

---

[22] Roloff, Kerygma, 98; vgl. 93.
[23] Bultmann, Geschichte, 36; Roloff, Kerygma, 93.
[24] Gnilka, Mk II, 127; Roloff, Kerygma, 91. Roloff führt außerdem an, daß Mt 21,12f und Lk 19,45f jeweils versucht wurde, das Logion aus Mk 11,17 "organischer mit dem vorhergegangenen Bericht ... zu verschmelzen" (91).
[25] Pesch, Mk II, 191.
[26] Cullmann, Stephanuskreis, 45, hält dies denn auch für den von Jesus inaugurierten Sinn. Die Tempelreinigung impliziere "keine prinzipielle Bekämpfung des Tempels durch Jesus". Es gehe Jesus um eine "zeichenhafte Handlung", die im Zusammenhang mit dem Tempelwort auf die "eschatologische Heilsgemeinde" abziele (47, im Anschluß an Jeremias). Eine über Jesus hinausgehende, radikalere Sicht sieht Cullmann bei Stephanus vorliegen (51). Auch Gärtner, Temple, 107ff, betrachtet das Deutewort V.17 als ursprünglich dazugehörig. Und zwar habe Jesus auf einen neuen, unmittelbar bevorstehenden Tempel hinweisen wollen, auf ein 'Bethaus'. Jesus habe, so Gärtner, 114, die Tempelvorstellung auf sich selbst als Messias und die dazugehörige Gemeinde übertragen, ähnlich wie das in Qumran geschah. Doch dagegen vgl. Klinzing, Umdeutung, 209f, der zu Recht betont, daß das Wort 'Bethaus' "bestenfalls auf eine Abneigung der christlichen Gemeinde gegen die Opfer hin[weist]" (210).
Nach Klausner, Rise of Christianity, 229f, kann keine Rede davon sein, daß Jesus den Tempel wirklich "reinigen" wollte. Ihm zufolge war Jesus erbittert und verärgert über den blühenden Handel im Tempelbereich. Er vergleicht - wenngleich bei weitem unzureichend, aber vielleicht doch nicht ganz zu Unrecht - mit heutigen Praktiken des Devotionalienverkaufs um die "Church of the Holy Sepulchre" und andere religiöse Zentren.
[27] Roloff, Kergyma, 98.

sen der sachliche Schwerpunkt eindeutig auf der zweiten Vershälfte, also dem Zitat aus Jer 7,11 liege[28].

Darüber hinaus verdient Hahns Überlegung Zustimmung, wonach sich in dem Zitat aus Jes 56,7 "die Haltung der frühen Jerusalemer Gemeinde wider[spiegelt], die gemäß jüdischer Tradition den Tempel aufsuchte, ihn aber nicht als Stätte des Opferkults, sondern als Ort des Gebets respektierte", weshalb das Zitat aus Jes 56,7 zu einer Mk schon vorliegenden Textfassung gehört[29]. Dabei kann durchaus das zweite alttestamentliche Zitat eine red. Anfügung des Mk sein, denn es beinhaltet ein Stichwort, das bei der Gefangennahme Jesu 14,48 wieder von Bedeutung ist: Jesus bezichtigt seine Häscher, ihn wie einen λῃστής fangen zu wollen.

Wir gehen also davon aus, daß der Kern der Tempelaktion, die ins Leben des irdischen Jesus zurückführt, in Mk 11,15-16.(+18a.28-33) vorliegt.

3. Der Sinn der Tempelaktion Jesu

Jeremias sieht darin eine "bewußte messianische Kundgebung" im Zusammenhang mit der Einzugsgeschichte vorliegen[30]. Dies ist jedoch problematisch: Der Einzug ist am Ölberg orientiert, nicht am Tempel. Ein traditionsgeschichtlicher Zusammenhang zwischen Einzugsgeschichte und Tempelreinigung läßt sich gerade nicht nachweisen[31].

Hengel spricht von einer "prophetischen Demonstration" bzw. einer "Provokation"[32] und vermutet, daß Jesus im Rahmen seiner Drohpredigt das eschatologische Ende des Tempels angesagt hat[33].

Roloff versteht den Text als ein "prophetisches Zeichen, das Buße und Umkehr Israels in der Endzeit bewirken wollte"[34]. Es sei weder als "Versuch einer Kultusreform" noch als "direkte Proklamation eines den bisherigen Tempelkult aufhebenden endzeitlichen Universalismus" zu verstehen[35]. Ein Argument für Roloff ist die Tatsache, daß sich die Aktion nicht

[28] Roloff, Kerygma, 98f.
[29] Hahn, Verständnis des Opfers, 70; vgl. ders., Der urchristliche Gottesdienst, 38ff. Die gleiche Ansicht äußert M. Hengel, Die Ursprünge der christlichen Mission, NTS 18, 1971/72, 15-38, hier: 29 A.48a.
[30] Jeremias, Jesus als Weltvollender, 42; anders in ders., Theologie I, 145, wo er von einer "prophetische[n] Zeichenhandlung" spricht.
[31] Vgl. Roloff, Kerygma, 95.
[32] Hengel, War Jesus Revolutionär?, 15. Ihm schließt sich Pesch, Mk II, 200 an. Ebenso von "prophetischer Demonstration" spricht Goppelt, Theologie I, 147.
[33] Hengel, War Jesus Revolutionär?, 34 A.54. Ihm schließt sich Staimer, Wollte Gott, 128, an.
[34] Roloff, Kerygma, 95.
[35] Ebd. In diese Richtung geht auch die Interpretation von Sanders, Jesus and Judaism, 61-76, wobei Sanders besonders daran gelegen ist, zu zeigen, daß Jesu Aktion nicht auf eine Reinigung aus ist, sondern im Zusammenhang der frühjüdischen Erwartung eines neuen Tempels steht (ebd, 77-90). Gegen Sanders jüngst C.A. Evans, Jesus' Action in the Temple and Evidence of Corruption in the First-Century Temple, in: D. Lull, Hrsg., SBL Annual Meeting 1989, Seminar Papers, Atlanta 1989, 522-539; ders., Jesus' Action in the Temple: Cleansing or Portent of Destruction?, CBQ 51, 1989, 237-270. Evans möchte erweisen, daß

im eigentlichen ναός abspielt, sondern im Heidenvorhof und daß V.17 nicht zum ursprünglichen Bestand gehört[36]. Nach Roloff trete Jesus nicht für einen "opferlosen Kult" ein, sondern betone die "Heiligkeit des Tempels"[37]. Er behafte Israel bei seiner "eigenen Erkenntnis von der Heiligkeit des Tempels als des Ortes der Gegenwart Gottes"[38]. Sieht man die Geschichte auf dem Hintergrund von Sach 14,21[39], kommt noch ein anderer Aspekt hinzu: Dort wird verheißen, daß es 'an jenem Tag' keine Krämer (כנעני, χαναναῖοι[40]) mehr geben werde[41]. Sach 14,20

[35] Jesus die Korruption anprangern wollte und sieht seine Aktion im Rahmen anderer Gruppen im Judentum vor 70 n.Chr., denen es um Erneuerung ging. In Richtung "Tempelprotest", "Umkehrruf", "leidenschaftliche[r] Aufruf zur Sinnesänderung" geht auch J. Gnilka, Jesus von Nazaret, Freiburg u.a. 1990, 276-280.

[36] Auf die Verhältnisse im einzelnen geht Eppstein, Historicity, passim, ein. Er möchte die Historizität erweisen und denkt an einen konkreten Anlaß aus der Zeit um 30 n.Chr. als Auslöser.

[37] Roloff, Kerygma, 96.

[38] Ebd.

[39] Dies wird auch von Roloff, Kerygma, 96, erwogen, jedoch nicht wirklich fruchtbar gemacht für die Interpretation. Zur Aufnahme von Sach 14,21 in Mk 11,15 s. Jeremias, Theologie I, 145; Patsch, Abendmahl, 44; vgl. auch Roth, Cleansing, 174-181, hier: 174f. Jedoch ist Roths Interpretation, daß V.17 gegen nationalistische Anhänger Jesu gerichtet sei (180), als Intention Jesu abzulehnen (s. die Analyse oben). Gleiches gilt für die Interpretation der λησταί V.17 auf zelotische Freiheitskämpfer (Pesch, Mk II, 199). Nach Pesch, Mk II, 200, kann "ernsthaft erwogen werden", ob Sach 14,21 den Hintergrund bildet; so auch McKelvey, Temple, 77f; Grimm, Weil ich dich liebe, 196ff; dagegen Gnilka, Jesus von Nazaret, 277 A.20. Nach J. Schreiner, Tempeltheologie im Streit der Propheten, BZ NF 31, 1987, 1-14 hier: 12, wird durch Sach 14,20f ausgedrückt, daß die Heiligkeit des Tempels angesichts des Ansturms der Wallfahrer (V. 16) ausgeweitet wird. Zu Sach 14,20f s. auch I. Willi-Plein, Prophetie am Ende. Untersuchungen zu Sacharja 9-14, BBB 42, Köln 1974, 61ff.

[40] Zur Übersetzung von כנעני (LXX χαναναῖος) mit "Händler" s. Rudolph, KAT XIII,4, 231f.239; Willi-Plein, ebd, 20ff. Auch im TgJon wird mit "Kaufleute" übersetzt (s. Safrai, Wallfahrt, 187f A.199). Vgl. dazu auch Sach 11,7.11; Hi 40,30; Prov 31,24, wo der Begriff כנעני ebenfalls Händler bedeutet (s. Rudolph, ebd, 201f). Die LXX gibt כנעני im Alten Testament nicht einheitlich wieder: χαναναῖος, χαναῖος, χαναναναῖος, χαναρείτης usw., jedoch stets als Eigenname (s. Hatch-Redpath, Concordance, II, 157). Joh läßt durch die Bezeichnung "οἶκος ἐμπορίου" den von Sach 14,21 gebildeten Hintergrund noch besser erkennen als die Synoptiker (vgl. Hahn, Mission, 30 A.58). M. Saebø, Sacharja 9-14. Untersuchungen von Text und Form, WMANT 34, 1969, übersetzt in V.21 mit "Kanaaniter" und versteht inhaltlich so, daß die Heiligkeit so total sein werde, "daß nichts Profanes, auch kein 'Kanaaniter', geduldet wird, 'an jenem Tage'" (307). Für Sach 11,7.11, wo der gleiche Begriff auftaucht, rechnet Saebø mit der LXX als der Urform der Tradition (76). Eine Deutung von σκεῦος als "Geldbeutel" ist laut Pesch, Mk II,198, durchaus möglich. Damit könnte erneut auf den Kultbetrieb, speziell die Wechsler angespielt sein. Es fragt sich jedoch, ob die tBer VII,19 und mBer IX,5 vorliegenden Bestimmungen, wonach es verboten ist, einen Geldbeutel in den Tempelbezirk zu bringen, schon für die Zeit Jesu galten oder erst für später.

[41] Zum Kauf von Opfern (Wein, Tiere etc.) war nur die tyrische oder althebräische Währung zugelassen. Bei den Wechslern sind diejenigen gemeint, die das z.Zt. Jesu im Umlauf befindliche römische Geld einwechselten, s. Bill. I, 760ff; Schnackenburg, Joh I, 361 A.4; Pesch, Mk II, 198. Die Bezeichnung κολλυβιστής läßt jedoch auch an jene denken, die die Tempelsteuer, den Halbschekel (κόλλυβος), einsammeln (vgl. Ex 30,11-16), der zur Aufrechterhaltung der täglichen Opfer, die Sühne wirken, notwendig ist (mSheq I,3; tSheq I,6);

heißt es, 'an jenem Tag' werde die Heiligkeit des Tempels auf die ganze Stadt übergreifen. Die Aktion Jesu ist daher im Sinn einer prophetischen Zeichenhandlung, die eschatologisch motiviert ist, zu verstehen[42]. Dabei dürfte Hahn in die richtige Richtung weisen, wenn er die Tempelreinigung eigentlich als Tempel-"austreibung" verstanden haben möchte: "Wo Opfertiere verjagt und das Wechseln des für die Opfergaben benötigten Geldes unmöglich gemacht werden, kann kein ordnungsgemäßer Kult mehr stattfinden."[43] Hahn geht jedoch insofern zu weit, als sich aus Sach 14 kein

---

s. dazu Gnilka, Mk II, 128; und jüngst Neusner, Money-Changers, 287-290, und ders., Absoluteness (s.o. A.4). Dann wäre eine Beziehung zu Mt 17,24-27 gegeben (vgl. unten A.48). Neusner schließt sich in der eschatologischen Ausrichtung der Tempelreinigung grundsätzlich Sanders, Jesus and Judaism, 61-76, an. Zu Recht betont Neusner, Absoluteness, 26, die Tempelaktion Jesu repräsentiere "an act of the rejection of the most important rite of the Israelite cult, the daily whole-offering and, therefore, a statement, that there is a means of atonement other than the daily whole-offering, which now is null". Nicht überzeugen kann jedoch sein Versuch, den Ersatz für das tägliche Ganzopfer in der Eucharistie sehen zu wollen (Absoluteness, 26).

[42] Zu den Verhältnissen im Jerusalem z.Zt. Jesu, s. Jeremias, Jerusalem, 54f; Bill. I, 850ff. Anders Hengel, War Jesus Revolutionär?, 33 A.52a, unter Verweis auf I. Abrahams, Studies in Pharisaism and the Gospels I, Cambridge 1917 (Nachdruck 1967[3]), 82-89, und J. Klausner, Jesus von Nazareth, Jerusalem 1952[3], 432ff; ebenso Stegemann, Tempelreinigung, 509f.

[43] Hahn, Methodologische Überlegungen, 45 A.93, und ders., Verständnis des Opfers, 65, mit fast identischen Formulierungen. Anders Pesch, Mk II, 198, und an ihn anschließend F. Mußner, Der Anspruch Jesu, in: Die Kraft der Wurzel. Jesus-Judentum-Kirche, Freiburg u.a. 1987, 104-124, hier: 120. Die Argumentation von Theißen, Tempelweissagung, 151, beruht auf soziologischen Überlegungen und geht auf die theologische Sachfrage letztlich nicht genügend ein. Trotz der Tatsache, daß es umstritten sei, ob Jesus Vorbehalte gegen den Tempel hatte, schließt sich auch W. Radl, Kult und Evangelium bei Paulus, BZ NF 31, 1987, 58-75, hier: 70, der Interpretation von Hahn an und versteht Jesu Tun als eine gegen den Tempel gerichtete Zeichenhandlung. Die Lösung von Young, Temple Cult, 325-338, kann nicht befriedigen. Young reduziert Jesus auf einen Reformer, der gegen die Vermarktung des Kultus protestierte. Sie geht in ihrer Argumentation vom 2. Jh. zu Jesus zurück und will zeigen, wie zunächst die Kritik Jesu am Gesetz zum Konflikt, in späterer Zeit dann aber die Ablehnung der Christen durch die Juden zu einer antijüdischen Position der Kirche führte, die ursprünglich so nicht angelegt war. Young setzt dabei einen Aspekt absolut, der zwar auch, aber nicht in erster Linie ins Gewicht fällt. Oberlinner, Todeserwartung, 123ff, reduziert die Tempelreinigung inhaltlich auf "die Demonstration eines von Jesus geltend gemachten Sendungs- und Vollmachtsanspruches" (127). Die Tempelreinigung im Sinn einer Tempelaufhebung versteht auch Watty, Jesus and the Temple (s.o. A.4). Vorsichtig urteilt R.N. Longenecker, The Christology of Early Jewish Christianity, SBT II,17, London 1970, 119, ebenso M. Karrer, Der Gesalbte. Die Grundlagen des Christustitels, Habil. masch. Erlangen 1988, 397. Nach Gärtner, Temple, 106ff, habe Jesus in Analogie zu Aussagen in Qumran die Tempelvorstellung auf sich selbst und seine Jünger übertragen. Dies hat jedoch keinen Anhalt am Text. McKelvey, Temple, 61, versteht die Tempelreinigung Jesu ursprünglich als "an acted parable, of the coming of the kingdom of God". Gaston, No Stone, denkt ganz genauso an "an acted parable, a symbolic action", die in Zusammenhang mit Sach 14,21 verstanden werden könne, jedoch nicht im Sinn einer Tempelreform (81-89 hier: 86.85 samt A.3). Klinzing, Umdeutung, 209f, hält es gegen Gärtner für nicht wahrscheinlich, daß Jesus selbst oder die Urgemeinde die in Qumran und auch sonst im Neuen Testament belegte Vorstellung von der Gemeinde als Tempel aufgenommen und angewendet haben.

Aufhören des Kultes schlechthin, sondern nur des bisher üblichen Kultes begründen läßt. Vielmehr werden alle, die übrig sind aus den Völkern, kommen, um in Jerusalem ein Laubhüttenfest ungeheuren Ausmaßes zu feiern[44]. Diesem Fest wird die Aufhebung der Unterscheidung zwischen rein und unrein vorausgehen[45]. Daß die Aufhebung der Unterscheidung von kultisch rein - unrein in der Botschaft Jesu eine wichtige Rolle gespielt hat, geht aus Mk 7,14ff eindeutig hervor[46]. Jesu Tempelaktion bedeutet jedoch gegenüber Sach 14,21 eine Radikalisierung. Heißt es dort schlicht: "es wird keine 'Kanaaniter' mehr geben", so vertreibt Jesus Händler und Wechsler aktiv aus dem Tempel. Jesus handelt also auf dem Hintergrund von Sach 14,21. Eine Steigerung besteht jedoch darin, daß Jesus durch sein Einschreiten zeichenhaft jeglichen Kult verunmöglicht. Insofern bedeutet sein Auftreten nicht nur die Ansage der in Sach 14,20f verheißenen Endzeit mit dem großen Laubhüttenfest, sondern die Ansage des Endes des Opferkultes überhaupt[47].

4. Zusammenfassung

Für die Geschichte der in Mk 11 verarbeiteten Tradition ergibt sich damit, daß eine von Jesus auf das Ende des Opferkultes hinweisende Zeichenhandlung durch die Urgemeinde "entschärft" wurde, indem sie durch Anfügung des Zitates aus Jes 56,7 im Sinn einer "Reinigung" des Heiligtums

---

[44] Der für das Tempelritual des Laubhüttenfestes wichtigste Teil ist die Wasserspende, mSuk IV,9, s. Bornhäuser, Sukka, 128; s. hierzu auch unten Abschnitt XII, zu Joh 7,37-39, S. 269f.

[45] Rudolph, KAT XIII.4, 240, geht davon aus, daß "auch in der Endzeit der Opferkult in Jerusalem weitergehen wird". Man wird hinzufügen müssen: in modifizierter Form! Aus Sach 14,21 die Prophezeiung "kultische[r] Reinheit Jerusalems von Fremdvölkern" herauszulesen, wie Safrai, Wallfahrt, 110 A.74, dies tut, geht nur bei Nichtbeachtung der Verse 16ff.20, in denen von einer Wallfahrt des Restes der Völker gesprochen wird, bei der sogar die Schellen der Kriegsrosse "heilig für JHWH" sein werden. Vgl. jedoch Safrai, ebd, 187f samt A.199.200, wo anderes zu lesen ist.
Auf die Vorstellung des Laubhüttenfestes in der messianischen Zeit als Wiederkehr der "Idealzeit" in der Wüste und die im Frühjudentum damit verbundenen Erwartungen weist Bornhäuser hin: Exkurs Σκηνή usw., (Sukka, 126-128.) Zur Frage nach der Zukunft des Opferkultes s.u. Abschnitt XII.b, S. 274 samt A.86.

[46] Zur Stellung Jesu zum Gesetz vgl. überblicksmäßig Goppelt, Theologie I, 138-156; zu Mk 7,15 ebd, 143f, wo Goppelt auch die Beziehung zu Sach 14,21 betont. Zu Mk 7,15 vgl. auch U. Schnelle, Jesus, ein Jude aus Galiläa, BZ NF 32, 1988, 107ff. Die Entsprechung zwischen Jesu Stellung zum Gesetz und zum Tempel wird von Roloff, Kerygma, 107, dahingehend beschrieben, daß sich Jesu Stellung zum Gesetz und die Absicht der Tempelreinigung ergänzen müssen. Dies betont auch Hahn, Verständnis des Opfers, 66, im Anschluß an Schürmann, Wie hat Jesus seinen Tod bestanden und verstanden?, 26ff, und Jeremias, Theologie I, 269f.

[47] Dies würde dann auch in Übereinstimmung mit Mk 13,1f stehen und müßte nicht dazu führen, von einem "scheinbaren Widerspruch" zwischen der Forderung der Heilighaltung des Tempels Mk 11,15f und der Vorhersage der Zerstörung Mk 13,1f zu reden (vgl. Roloff, Kerygma, 97; s. dazu unten S. 218ff).

begriffen wurde[48]. Diese Entschärfung wurde wiederum von Mk durch die Anfügung des Zitates aus Jer 7,11 größtenteils rückgängig gemacht. Dadurch und durch die Einordnung in seinen red. Kontext hat Mk die Zeichenhandlung auf das Ende der Erwählung Israels hin ausgeweitet. Wir verstehen also die Tempelreinigung Jesu als Zeichenhandlung, die auf das Ende des Sühnopferkultes hinweist[49]. In diese Richtung weist nun auch das Tempelwort[50].

bb) Das Tempelwort außerhalb des Joh

1. Die Varianten der Überlieferung[51]

Das Tempelwort ist in mehreren Varianten in verschiedenen Zusammenhängen überliefert: Mk 14,58 par Mt 26,61 (im Mund der Falschzeugen vor dem Hohen Rat), Mk 15,29 par Mt 27,40 (im Mund der Spötter, die am Kreuz vorübergehen), Apg 6,14 (als Vorwurf gegen Stephanus). Lk hat das Tempelwort in seinem Evangelium ausgelassen[52]. Vergleicht man diese Varianten der Überlieferung miteinander, so ergibt sich folgendes Bild:

Mk 14,58:
ἐγὼ καταλύσω τὸν ναὸν τοῦτον τὸν χειροποίητον
καὶ διὰ τριῶν ἡμερῶν ἄλλον ἀχειροποίητον οἰκοδομήσω.

Mk 15,29 (par Mt 27,40):
ὁ καταλύων τὸν ναὸν
καὶ οἰκοδομῶν ἐν τρισὶν ἡμέραις.

Mt 26,61:
δύναμαι καταλῦσαι τὸν ναὸν τοῦ θεοῦ
καὶ διὰ τριῶν ἡμερῶν οἰκοδομῆσαι.

---

[48] Eine "gemässigte Tendenz" (Vollenweider, Freiheit, 177) spricht auch aus der Tempelsteuerperikope Mt 17,24-27 (Mt-Sondergut!). Diese Tendenz stimmt mit der mt Formulierung des Tempelwortes im Potentialis überein. Dennoch wird auch Mt 17,24-27 "nicht weniger als der Tempelkult überhaupt in Frage gestellt", da durch die Steuer die Sühnopfer bezahlt werden (Vollenweider, Freiheit, 171-177, hier: 175).
[49] So auch Goppelt, Theologie I, 148; Vollenweider, Freiheit, 176.
[50] Anders urteilt Haenchen, Weg Jesu, 433f, und im Anschluß an ihn Oberlinner, Todeserwartung, 124; s.E. stellt das Tempelwort die Tempelreinigung sachlich infrage. Roloff, Kerygma, 97, spricht dagegen richtig von einem - wenn überhaupt - nur "scheinbar widersprüchlichen Sinne", in dem beide Worte nebeneinander stehen; vgl. Trautmann, Zeichenhafte Handlungen, 122-127; Sanders, Jesus and Judaism, 61-90; Vollenweider, Freiheit, 176.
[51] Zu den jeweiligen red. Akzenten, die die Evangelisten setzen, s. Borse, Art. ναός, 1126; Dowda, Cleansing (s.o. A.4), 173ff; zum joh Akzent Stegemann, Tempelreinigung, passim.
[52] Hierzu und zum "Tempelwort" in Apg 6,14 s. Arai, Tempelwort, 397-410. Zu Apg 6,14 vgl. auch Dschulnigg, Stephanus, 203f. Zur Bedeutung des Tempels im lk Geschichtswerk s. M. Bachmann, Jerusalem und der Tempel. Die geographisch-theologischen Elemente in der lukanischen Sicht des jüdischen Kultzentrums, BWANT 109, Stuttgart 1980.

Joh 2,19:
λύσατε τὸν ναὸν τοῦτον
καὶ ἐν τρισὶν ἡμέραις ἐγερῶ αὐτόν.

Apg 6,14:
Ἰησοῦς ὁ Ναζωραῖος οὗτος καταλύσει τὸν τόπον τοῦτον
καὶ ἀλλάξει τὰ ἔθη ἃ παρέδωκεν ἡμῖν Μωϋσῆς.

Formal läßt sich (bis auf Apg 6,14) ein zweigliedriger, im antithetischen Parallelismus membrorum formulierter Ausspruch feststellen[53]. Dabei halten sich die Begriffe (κατα)λύειν und ναός im ersten, οἰκοδομεῖν und die Zeitangabe im zweiten Glied durch[54]. Mk hebt in 14,58 auf den Gegensatz "handgemacht - nicht handgemacht" ab. χειροποίητος stellt in der LXX eine feste Bezeichnung für Götzen dar, in der Zeit des Neuen Testaments taucht der Begriff in der Götzenpolemik des hellenistischen Judentums auf[55]. Im jetzigen Zusammenhang ist eine Deutung auf die christliche Gemeinde das Wahrscheinlichste[56]. Der Ausspruch in Mk 15,29 (in Mt 27,40 ist nur im zweiten Glied die Wortstellung verändert) hat nur den Gegensatz des Niederreißens und Aufbauens in drei Tagen zum Inhalt. In der Formulierung der Zeitangabe besteht Übereinstimmung mit Joh 2,19 ἐν τρισὶν ἡμέραις[57]. Ebenso in Über-

---

[53] Apg 6,14 kann als "freie lukanische Gestaltung" angesehen werden, deren Vorlage jedoch nicht mehr rekonstruierbar ist; Roloff, Kerygma, 104 A.182. Zu Apg 6,13f s. auch Weiser, Hellenisten, 159ff; Arai, Tempelwort.

[54] Das joh ἐγείρειν könnte, da es *den* urchristlichen Terminus schlechthin zur Bezeichnung der Auferstehung darstellt, als red. Änderung des Joh - und damit als Ausgangspunkt für V.21 - erklärt werden (Roloff, Kerygma, 105 A.182, im Anschluß an Dodd). Es könnte sich aber auch genau umgekehrt verhalten, zumal der bautechnische Sinn zwar als Nebenform, aber eben doch mehrfach belegt ist (Bauer, WB[6], 432).

[55] Klinzing, Umdeutung, 203. Vgl. Sib 3,606; Philo, VitMos I,303; II,165.168. Auf den Tempel hin gewendet: Sib 14,62; PsPhilAnt 22,5; Philo, VitMos II,88. Der Terminus ist auch im Neuen Testament bekannt: Apg 7,48 in einer grundsätzlichen Kritik am Jerusalemer Tempel; Apg 17,24f in einer Polemik in Verbindung mit dem Gedanken an die Bedürfnislosigkeit der Götter; vgl. auch 4QFlor, dazu D. Flusser, Two Notes on the Midrash on 2 Sam VII, IEJ 9, 1959, 99-109; Text ebd, 95ff, ed. Yigael Yadin. Strobel, Stunde, 65, rechnet hierbei mit einer "hellenistisch-urchristliche[n], vielleicht sogar markinische[n] Stilisierung". Auch für Hengel, Zwischen Jesus und Paulus, 192 A.138, ist dieses Motiv ein "verbreiteter Topos gemäßigter griechischer wie jüdischer Kultkritik" und sekundär hinzugewachsen. Anders Cullmann, Stephanuskreis, 48, der den Gegensatz als zur trad. Formel gehörig ansieht. Michel, Art. ναός, 890, sieht in χειροποίητος - ἀχειροποίητος eine Beziehung zur apokalyptischen Tempelvorstellung vorliegen. Der Begriff ist jedoch nur im hellenistischen Judentum geläufig; Klinzing, Umdeutung, 203. Nach Klinzing, ebd, A.10, scheiden auch 4Esr 13,36 und 4QFlor 1 als Parallelen zu Mk 14,58 aus (gegen Flusser). Vgl. detailliert zu χειροποίητος Klinzing, Umdeutung, 203f, und die dort und bei Hengel, ebd, 192, genannte Literatur.

[56] Klinzing, Umdeutung, 202f.204, wobei Klinzing, ebd, 203 A.1, die Schwierigkeit nennt, daß "alter und neuer Tempel eine Zeitlang nebeneinander und nicht nacheinander existiert hätten".

[57] S. dazu unten S. 223ff.

einstimmung mit Joh 2,19 (und auch Mt 26,61) und im Unterschied zu Mk 14,58 geht es im Vordersatz und im Nachsatz jeweils um den gleichen Tempel. Mk wie Mt wollen damit sagen, daß die Spötter Jesu Ausspruch als Ausdruck von Anmaßung verstanden haben. Die Tatsache, daß gerade dieses Wort hier auftaucht und zum Ausgangspunkt einer Verhöhnung Jesu wird, macht deutlich, welche Bedeutung ihm zukommt[58]. In Mt 26,61 dagegen liegt die Betonung auf dem ναὸς τοῦ θεοῦ und auf der wundersamen Kraft Jesu, diesen niederzureißen und wieder aufzubauen[59]. Damit wird die gegen den Tempel gerichtete polemische Spitze des mk Tempelwortes abgemildert und zu einer Aussage über die Machtfülle Jesu umfunktioniert[60]. Dies dürfte in der positiveren Stellung des Mt zum Tempel begründet sein[61]. Im Unterschied zu Mk hat Mt das Tempelwort auch nicht als Falschzeugnis charakterisiert, sondern hat die futurische Ansage des Mk zur Möglichkeit gemacht, die Jesus als dem Herrn des Tempels (vgl. Mt 12,6 Sondergut![62]) offensteht. Die Identität des alten und des neuen Tempels ist dabei vorausgesetzt; ob Mt jedoch mit der endzeitlichen Erneuerung des Tempelkultes rechnet, ist umstritten[63].

2. Der Zusammenhang des Tempelwortes bei Mk[64]

Die Situation in Mk 14,55ff ist insgesamt hochdramatisch. Mehrfach wird Jesu Schweigen betont. Mk hat eine einheitliche Szene vor dem Hohen Rat komponiert. Das Zeugenverhör wird mit V.59 ergebnislos abgebrochen. Der Hohepriester tritt in die Mitte und ergreift nun selbst das Wort. Auf die anschließende Messiasfrage antwortet Jesus ἐγώ εἰμι mit dem bedeutungsschweren Zusatz der Ankündigung des Kommens des Menschen-

---

[58] Gnilka, Mk II, 312, schreibt das Wort entsprechend 14,58* einer apokalyptischen Redaktionsschicht zu. Damit ist eine gesamte Darstellung des Mk und die Überlieferung der Passionsgeschichte betreffende Frage angesprochen. Geht man davon aus, daß das Tempelwort - in welcher Form auch immer - im Prozeß Jesu eine Rolle spielte, wird man auch bei 15,29b vorsichtig sein, dies einer apokalyptischen Redaktion zuzuschreiben, s.u. zu Mk 14,58.

[59] Klinzing, Umdeutung, 204; Staimer, Wollte Gott, 130; Kümmel, Verheißung, 93.

[60] Das δύναμαι als "Abschwächung" versteht auch Roloff, Kerygma, 104 A.182.

[61] Klinzing, Umdeutung, 204; Klinzing vermutet, daß die Identifikation des neuen Tempels mit der Gemeinde in judenchristlichen Gemeinden nicht geläufig und auch nicht annehmbar war. Zur Stellung des Mt zum Tempel siehe Mt 5,23f; 8,4; 23,16-22; dazu Hummel, Auseinandersetzung, 79ff.103-108.

[62] Dazu Hummel, Auseinandersetzung, 106; Cullmann, Stephanuskreis, 50f, sieht sowohl in Mt 12,6 als auch in der Aussage über den Eckstein (Ps 118) in Mk 12,10 Bezüge zum Tempelwort vorliegen. Man wird Cullmann Recht geben, daß - selbst wenn es sich dabei um Gemeindebildungen handelt - diese auf dem Weg vom Tempelwort Jesu hin zur joh Deutung desselben liegen (51).

[63] Vgl. dazu Hummel, Auseinandersetzung, 106-108. Zur joh Fassung des Tempelwortes s. unten.

[64] Zur literarischen Analyse von Mk 14,55-59.60-65 s. Strobel, Stunde, 62ff; Gnilka, Mk II, 275ff; ders., Verhandlungen; Dormeyer, Passion, 157ff; Linnemann, Studien, 109ff; Schenk, Passionsbericht, 229ff.

sohnes mit den Wolken des Himmels (nach Dan 7,13). Daraufhin zerreißt der Hohepriester sein Gewand und erklärt Jesus für des Todes schuldig[65]. Damit ist erreicht, was in Mk 3,6 erstmals, in 14,1 als Auftakt der eigentlichen Passionsgeschichte und in 14,55 als Ziel der Verhandlung anvisiert worden war.

3. Tradition oder Redaktion?

Die Frage, ob in Mk 14,58 ein dem Evangelisten in der Tradition vorgegebener - in seinem Kern evtl. auf Jesus zurückführbarer - Vers oder eine red. Bildung vorliegt, ist in der Forschung umstritten.

Holzschnittartig lassen sich mit Gnilka[66] für die Verhörszene Mk 14,55-65 drei unterschiedliche Forschungsrichtungen benennen:

1.) Die einen halten die Perikope für eine sekundäre Bildung, die entweder einem vormk Erzähler oder Mk selbst zuzuschreiben sei. Dabei nehmen einige an, sie sei aus Mk 15,1 herausgesponnen, was jedoch nicht überzeugt[67]. Andere halten Mk 14,55ff für eine zu 15,2-4 geschaffene Parallelbildung, was jedoch auch mit dem Hinweis auf den gleichen Erzähler erklärt werden kann.

2.) Eine zweite Gruppe sieht die Verhandlung vor dem Synhedrium aus zwei selbständigen Geschichten zusammengesetzt an und nimmt eine literarkritische Scheidung vor. Diese kommt jedoch nicht ohne ungesicherte Zusatzannahmen und unbeweisbare Hypothesen aus[68].

---

[65] Bei Mt antwortet Jesus σὺ εἶπας ebenfalls mit dem Zusatz aus Dan 7, bei Lk fängt Jesus an zu diskutieren. Zum Zerreißen des Gewandes des Hohenpriesters vgl. die Baraitha bMQ 26a und weiteres Material bei Bill. I, 1007f. Zur Sache siehe Strobel, Stunde, 66-76, hier: 71f; ebenso F. Mußner, Glaubensüberzeugung gegen Glaubensüberzeugung. Bemerkungen zum Prozeß Jesu, in: Die Kraft der Wurzel, Freiburg u.a. 1987, 125-136, der ganz auf Strobel fußt. Zustimmend äußert sich auch P. Stuhlmacher, Warum mußte Jesus sterben? ThBeitr 16, 1985, 273-275, hier: 275 und ders., Die neue Gerechtigkeit, in: Versöhnung, 43-65, hier: 62 A.23; 63 A.24. Zur Sache s. auch - mit einer von Strobel abweichenden Interpretation der "Messiasfrage" - O. Betz, Probleme des Prozesses Jesu, in: ANRW II.25,1, 1982, 565-647; J. Marcus, Mark 14:61: "Are you the Messiah-Son-Of-God?", NT 31, 1989, 125-141. Gegen Strobels Darstellung s. Müller, Möglichkeit und Vollzug, 41-83, bes. 43.70 A.51.80, dessen beachtliche Argumentation jedoch noch nicht alle Fragen löst.

[66] Gnilka, Mk II, 275.

[67] Es überzeugt so wenig wie die Annahme früherer Formkritik, am Anfang des Überlieferungsprozesses würde die "reine Form" stehen; s. dazu nur K. Haacker, Neutestamentliche Wissenschaft. Eine Einführung in Fragestellungen und Methoden, Wuppertal 1985[2], 57ff.

[68] Die von Linnemann, Studien, 127ff, vorgelegte literarkritische Scheidung in zwei selbständige Einheiten kommt nicht ohne Umstellungen und fragwürdige Annahmen aus (V.55 taucht z.B. zweimal auf!). Zudem läßt Linnemann jegliche formgeschichtliche Überlegung für die erschlossenen Einheiten vermissen. Die von Schenk, Passionsbericht (Zusammenfassung 272ff), versuchte Unterscheidung einer "Praesens-historicum-Schicht" und einer "apokalyptisch bestimmten Geschichte" läßt sich nur durchführen, wenn man Schenks Mutmaßungen und Rekonstruktionsversuchen für ursprüngliche Praesens-historicum-Formen zu folgen bereit ist. Das bei Linnemann und Schenk vorausgesetzte "additive komplizierte Kompositionsverfahren ist für die Arbeitsweise des Evangelisten unwahrscheinlich"; so

3.) Eine dritte Forschungsrichtung geht davon aus, daß eine Vorlage traditionsgeschichtlich aufgefüllt wurde. Dabei ist die Beurteilung, wie umfangreich der Anteil der mk Redaktion hierbei ist, sehr unterschiedlich[69]. Dennoch dürfte hier grundsätzlich die bestmögliche Lösung vorgeschlagen sein.

Ebenso unterschiedlich wird die Frage nach dem Ursprung der in V.58 vorliegenden Tradition beantwortet:

Dormeyer[70] sieht in V.58a eine stilistisch bruchlose Fortsetzung von V.57 und rechnet diesen Versteil daher Rmk[71] zu, dem vorher schon V.57 zugewiesen worden war. In V.58b sieht er die "älteste, schriftlich fixierte Formulierung des Tempelwortes" vorliegen[72]. Als red. Zusätze beurteilt er διὰ τριῶν ἡμερῶν, da der traditionelle Hinweis auf die Auferstehung nach drei Tagen μετὰ τρεῖς ἡμέραις laute, und außerdem den Gegensatz χειροποίητος - ἀχειροποίητος. Dormeyer erschließt als in der Tradition vorgebenes Wort: ἐγὼ καταλύσω τὸν ναὸν τοῦτον καὶ ἄλλον οἰκοδομήσω[73]. Da dieses Wort "im Stil eines prophetischen Vollmachtswortes Jesu apokalyptische Erwartungen" wiedergebe, sei es wohl Gemeindebildung. Durch Rmk sei dieses isolierte Wort aufgegriffen und durch die red. Zusätze "entapokalyptisiert" worden[74].

Doch ist gerade nach Ausscheiden der red. Zusätze völlig unverständlich, was der Beweggrund und die Aussageabsicht gewesen sein könnten, die zum Entstehen eines solchen Wortes in der nachösterlichen Gemeinde geführt haben sollten. Die von Klinzing angesprochene Schwierigkeit, daß entgegen dem Wortlaut von Mk 14,58 eine Zeitlang alter und neuer Tempel nicht nacheinander, sondern nebeneinander existierten, hätte eine andere Formulierung erfordert[75].

Abgesehen von ihrer literarkritischen Scheidung hält Linnemann Mk 14,58 für eine red. Bildung des Mk. Doch ihre Gründe können trotz der Breite der Ausführung nicht überzeugen[76]. Die von Linnemann angeblich

---

Gnilka, Mk II, 275. Zur Kritik an Linnemanns Verfahren vgl. auch Dormeyer, Passion, 20ff.

[69] Pesch, Mk II, 146, rechnet mit keinem Eingriff des Mk in seine Vorlage, Mk "reproduziert seine Tradition"; anders Dormeyer, Passion, 157ff; Gnilka, Mk II, 275ff; Strobel, Stunde, 62ff. Wichtig für die Beurteilung der historischen Zuverlässigkeit der verarbeiteten Tradition ist eine Beobachtung von Strobel, ebd, 66, wonach in der ursprünglichen Traditionsschicht das Verhör im hohepriesterlichen Palast (V.55-59) von der Verhandlung im Versammlungsraum des Synedriums (V.60-65) noch getrennt war.

[70] Dormeyer, Passion, 159ff.

[71] "Rmk" = Endredaktor der mk Passionsgeschichte in der Terminologie Dormeyers.

[72] Dormeyer, aaO, 159; sowohl Joh 2,19 und Apg 6,14 als auch Mk 13,2 stellen nach Dormeyer Varianten von Mk 14,58b dar. Zu dieser für Mk 13,2 problematischen These s. unten.

[73] Dormeyer, Passion, 160.

[74] Ebd, 160f.

[75] Klinzing, Umdeutung, 203 A.1.

[76] Linnemann, Studien, 109-131, bes. 116-127. Die ebd, 120f, unter 2b-d gemachten Ausführungen gehen von der unzureichenden Alternative aus, daß Mk 14,58 entweder so von

widerlegten Argumente bestehen weiterhin: Daß sich nämlich das Tempelwort als extrem sperrig erweist[77], daß der Versuch, es zu entschärfen, durch die unterschiedlichen Überlieferungen belegt ist und daß es in Spannung steht zur Einstellung der Urgemeinde zum Tempel. Dies alles spricht gegen mk Redaktion[78].

Gnilka hält aufgrund einer "gewissen Konkurrenz zur Szene in 61f" die Verse 57-59 für nachträglich in den Zusammenhang eingebracht[79]. Für das Tempellogion betont Gnilka die Beziehung zu Apg 6,14 und sieht die Möglichkeit, daß in Apg 6,14 eine "ältere Kurzform" des Logions aufbewahrt wurde. Hieraus könnte dann gleichzeitig eine Andeutung für den Entstehungsort gewonnen werden, nämlich die Kreise des "Jerusalemer hellenistischen Judenchristentums, das wegen des Tempels mit dem orthodoxen Judentum in Konflikt geraten war (vgl. Apg 7,48-50)"[80]. Nachdem dieses Judenchristentum auch apokalyptisch beeinflußt gewesen sei (vgl. Apg 7,56), möchte Gnilka die Verse 57-59 der vormk Redaktion zuschreiben, die zugleich für eine apokalyptische Überarbeitung der Passionstraditionen verantwortlich sei. Den Gegensatz χειροποίητος - ἀχειροποίητος rechnet Gnilka ebenfalls dieser Redaktionsschicht zu.

Zu Gnilkas Versuch ist zu sagen, daß sich die Zweigliedrigkeit von Mk 14,58, in der die Tempelzerstörung und Jesu Handeln verbunden sind und bei der - gemäß den Formgesetzen eines antithetischen Parallelismus membrorum - der Akzent auf dem zweiten Glied liegt, nicht aus Apg 6,14

Jesus stammen könne oder aber nicht und werden daher dem traditionsgeschichtlichen Problem in keiner Weise gerecht. Zu Linnemanns Interpretation vgl. Dormeyer, Passion, 160.161f.171, der noch weitere Schwächen aufzeigt.

[77] Strobel, Stunde, 13, unterstreicht richtig, daß sich das Tempelwort in die mk Komposition "nur bedingt einfügt" und schon von daher als "nicht von Mk gebildet, sondern aus einer bestimmten Tradition übernommen" gelten muß.

[78] Theißen, Tempelweissagung, 141f, nennt drei Kriterien, die auf die Echtheit des Tempelwortes hinweisen: 1. Die Kombination von Tempelzerstörung und Erneuerung sei aus der jüdischen Tradition nicht ableitbar. 2. Der positive Teil, die Errichtung des neuen Tempels sei aus dem Urchristentum nicht ableitbar, da sie nicht in Erfüllung gegangen sei. 3. Die Tempelweissagung füge sich in den Rahmen des Wirkens Jesu. - Man soll jedoch das Unähnlichkeitskriterium nicht überschätzen. Prinzipiell steht der Annahme, daß Jesus sich in seiner Verkündigung bestimmter Vorstellungen und Sprachformen seiner Umwelt bedient habe, nichts im Wege. Dies hat grundsätzlich auch für die Entgegensetzung χειροποίητος - ἀχειροποίητος zu gelten, jedoch bestehen hier inhaltliche Spannungen zum übrigen Verkündigungsrahmen Jesu. Weiser führt fünf Gründe an, die für Echtheit sprechen: 1. Die verschiedenen Fassungen lassen Entschärfungen und Umdeutungen erkennen. 2. Es paßt in den Rahmen der Tempelaktion. 3. Tempelwort und Tempelaktion passen in den Rahmen des Konfliktes Jesu mit den Sadduzäern. 4. Die Vorkommnisse um Josua ben Ananja (JosBell 6,300-306) stellen "analoge Vorgänge" dar. 5. Das Bestehen des "mächtigen Tempels" bis 70 n.Chr. hätte die Bildung des Wortes vor 70 verhindert. Mk 14,58 und Joh 2,19 verweisen aber in die Zeit vor 70 (Weiser, Hellenisten, 160; ebd, A.35.36 noch weitere Literatur).

[79] Gnilka, Mk II, 276.

[80] Ebd.

herleiten läßt[81]. Vielmehr ist Apg 6,14 auch aufgrund dessen, daß Lk das Tempelwort in seiner Passionsgeschichte ausgelassen hat, als lk Gestaltung anzusehen[82]. Zur vermuteten apokalyptischen Redaktion, der auch der Gegensatz "handgemacht - nicht handgemacht" angehören soll, ist zu sagen, daß dieser Gegensatz in der apokalyptischen Tempelvorstellung keine direkte Entsprechung und daher keine Beweiskraft hat[83].

Daß das Tempelwort sich gemäß dem Wortlaut bei Mk nicht erfüllt hat, daß es das in den meisten Varianten überlieferte Jesuswort überhaupt ist, daß es in seiner Sperrigkeit Anlaß zu unterschiedlicher Verarbeitung gab, daß es in der Passionsgeschichte an zwei Stellen eingebracht wird und daß es in Spannung steht zur Praxis der Urgemeinde, die den Tempel ursprünglich nicht mied, sondern weiterhin als Gebetsstätte besuchte - dies alles macht es wahrscheinlich, daß das Tempelwort in seinem Kern auf Jesus selbst zurückgeht[84].

4. Zusammenfassung

Über den Ort, an dem das Tempelwort ursprünglich gesprochen wurde, läßt sich mit letzter Sicherheit nichts ausmachen. Daß es im Prozeß Jesu eine Rolle gespielt hat, ist wahrscheinlich[85].

---

[81] Hier gilt sachgemäß das Gleiche, was Roloff, Kerygma, 104 A.182, für die Herleitung von Mk 14,58 aus Mk 13,2 ausführte.

[82] Roloff, Kerygma, 104 A.182.

[83] Vgl. Klinzing, Umdeutung, 203f, der zu Recht diesen Gegensatz als sekundär zur eschatologischen Aussage hinzugekommen beurteilt. Zur Entgegensetzung von χειροποίητος und ἀχειροποίητος s. schon oben S. 211 A.55. Bedenkenswert ist der Hinweis von Gnilka auf die Kreise des Jerusalemer hellenistischen Judenchristentums. Hier könnten in der Tat - zwar nicht die Urheber, aber immerhin - die Übermittler der Tradition zu suchen sein. Es ist jedoch zu überlegen, ob die Auseinandersetzung der Hellenisten mit dem orthodoxen Judentum oder nicht vielmehr der Konflikt zwischen Hellenisten und Hebräern in diesem Zusammenhang eine Rolle spielt. Auch nach L. Schenke, Der gekreuzigte Christus. Versuch einer literarischen und traditionsgeschichtlichen Bestimmung der vormarkinischen Passionsgeschichte, SBS 69, Stuttgart 1974, 33-37.35, geht die Entstehung und Tradierung des Tempelwortes auf Kreise hellenistischer Judenchristen in Jerusalem zurück. Selbst wenn man Schenke im Blick auf die Entstehung nicht zustimmt, so bleibt der Hinweis auf den Tradentenkreis interessant. Doch s. dazu unten S. 229ff.

[84] Vgl. Kümmel, Verheißung, 93: In der Nichtverwirklichung der Voraussage sieht er u.a. den Grund für die Umprägung; vgl. Klinzing, Umdeutung, 204 A.13. Nicht zuzustimmen ist Kümmel jedoch in seiner These, daß ein Wort von Jesus überliefert wurde, "in dem er die Zerstörung des Tempels und einen Wiederaufbau nach kurzer Frist voraussagte" und zwar im Sinn einer Voraussage des messianischen Tempels (93f). Die Belege aus Qumran, die Cullmann, Stephanuskreis, 48f, dazu bewegen, auch im Tempelwort Jesu den Gedanken an eine eschatologische Jüngergemeinde angesprochen zu sehen, tragen die Beweislast nicht.

[85] Zur tempelkritischen Einstellung Jesu, die dann im Prozeß Relevanz gewinnt, vgl. Strobel, Stunde, 13.62ff. Die Verarbeitung in Mk 14,58 und der Kontext implizieren, daß Jesu tempelkritische Einstellung tatsächlich Gegenstand des Verhörs und der Vorverhandlungen im Prozeß Jesu war (Strobel, Stunde, 64f). Zur Frage des Ablaufs der Verhöre s. Strobel, ebd, 61ff. Strobel rechnet für 14,57-59 und 14,60-65 mit zwei unterschiedlichen Traditionen, die auch vom Verhandlungsverlauf her zu unterscheiden sind. Die Entscheidung, inwiefern Mk 14,57-59 vom Evangelisten in eine vormk Verhörszene eingefügt wurde oder

Wie der ursprüngliche Ort[86], so ist auch der ursprüngliche Wortlaut des Tempellogions nicht mehr sicher zu rekonstruieren[87]. Gleichwohl ist davon auszugehen, daß "mit dem Wort über das Niederreißen und den Aufbau des Tempels in drei Tagen ... eine Herrenwort-Tradition aufgegriffen und eigentümlich eingebracht" ist[88]. Das Ziel der mk Darstellung ist es, darzutun, daß eine "eschatologische tempelkritische Äußerung Jesu" im Verhör der Zeugen "nicht als anklagewürdig verifiziert werden konnte"[89]. Aber selbst wenn dieses Wort aufgrund der Unstimmigkeiten der Zeugenaussagen nach Mk letztlich nicht zu Jesu Verurteilung führen konnte, so darf das Wort nicht als ein Jesus "unterschobenes"[90] verstanden werden, sondern muß thematisch im Zusammenhang mit Mk 15,29 (und 13,2 s.u.) gesehen werden. An seiner Herkunft aus alter Herrenworttradition besteht kein Zweifel[91].

---

schon dazu gehörte (s. dazu auch Vögtle, Tempelworte, 364ff, und die dort angeführte Literatur), sagt jedoch nichts über die sachliche Richtigkeit der Darstellung des Mk aus, wonach Jesu Stellung zum Tempel ein Verhandlungsgegenstand des Prozesses war (anders Vögtle, Tempelworte, 363). Nach Hahn, Verständnis des Opfers, 65 samt A.62, bedeutet Jesu Tempelaktion den entscheidenden Anlaß für die jüdischen Behörden, gegen ihn einzuschreiten. Dies werde vom Evangelisten zuverlässig überliefert, wenngleich das Tempelwort im Prozeß als nicht ausreichender Anklagegrund angesehen werde. Müller, Möglichkeit und Vollzug, 66-83, sieht in der Tempelaktion Jesu den einzig möglichen Grund jüdischer Beteiligung am Prozeß gegen Jesus.

[86] Die Frage, ob das Tempelwort entsprechend der Überlieferung bei Joh in den Zusammenhang der Tempelreinigung gehört, wird unten noch einmal aufzunehmen sein, s. S. 224ff.

[87] S. zu dieser Frage unten S. 228 A.157.

[88] Strobel, Stunde, 63 (im Original kursiv); vgl. dazu Roloff, Kerygma 104; Hahn, Mission, 29.

[89] Strobel, Stunde, 65; so auch Oberlinner, Todeserwartung, 123; anders Karrer, Der Gesalbte (s.o. A.43), 398, er erwägt, ob das Tempelwort erst später nach Mk 14,58 gerutscht ist; ebenso Lührmann, Christologie und Zerstörung, 463f.465f. Nach E. Lohse, Der Prozeß Jesu Christi, in: Die Einheit des Neuen Testaments. Exegetische Studien zur Theologie des Neuen Testaments, Göttingen 1973[2], 88-103, gehört das Tempelwort am ehesten zur Tempelreinigung. Aufgrund der Tatsache, daß es an verschiedenen Stellen überliefert wurde und innerhalb des Prozesses Jesu nur locker im Zusammenhang steht, kann es nach Lohse nicht Gegenstand der Anklage und Verhandlung gewesen sein. Schon bei Mk liege darauf kein Gewicht mehr: Die Debatte werde in 14,59 damit abgebrochen, daß die Zeugen nicht übereinstimmten (99). Auch Vögtle, Tempelworte, 363, geht davon aus, daß Mk 14,58 "kein historisches Element der Synedriumsverhandlung war".

[90] So Pesch, Mk II, 433, der es im Anschluß an Howard als "ein Stück jüdischer Polemik" betrachtet; anders Weiser, Hellenisten, 160, der auf die "analogen Vorgänge" bei Josua ben Ananja hinweist (JosBell 6,300-306), die "mindestens die historische Möglichkeit erweisen, daß es bei Jesus ähnlich gewesen sein könnte und die Tempelkritik ein Hauptgrund für den Zugriff der sadduzäischen Gegner war"; vgl. auch Müller, Möglichkeit und Vollzug, 79ff, der betont, daß "in der jüdischen Überlieferung seit Jer 26,1-19 die Prophetie gegen den *Tempel* als todeswürdige Gotteslästerung" gilt (80 A.64. Hervorhebung im Original).

[91] Strobel, Stunde, 64.

Die ursprüngliche Fassung des Tempelwortes kann jedoch insofern erschlossen werden, "als durchweg das Ende des irdischen Heiligtums angesichts des eschatologischen Handelns Gottes angekündigt wird"[92].

cc) Die Ankündigung der Tempelzerstörung Mk 13,1f und ihre Beziehung
zum Tempelwort Mk 14,58

Eine weitere explizite Äußerung zum Tempel findet sich in Mk 13,2.
Wenn es sich erweisen läßt, daß Mk 13,2 in irgendeiner Weise auf Jesus
selbst zurückgeht, dann kann dieses Wort unsere zu Mk 11,15ff und 14,58
erarbeitete Sicht stützen. Drei Fragenkreise sind mit der Interpretation
von Mk 13,2 verbunden: 1. die Stellung von Mk 13,2 im Kontext von Kap.
13; 2. die Frage der (Un-)Abhängigkeit von Mk 13,2 und 14,58; 3. der ursprüngliche Sinn von Mk 13,2.

1. Mk 13,2 im Kontext von Kap. 13

Bei der Interpretation von Mk 13 gehen wir grundsätzlich von der Analyse
aus, die Pesch in Aufnahme eigener Ergebnisse - die jedoch im Anschluß
an Hahn eine bedeutende Modifizierung erfahren haben - vorgelegt hat[93].
Seine Hauptthese lautet dabei, daß Mk eine aus der Zeit des jüdischen
Krieges stammende christliche Apokalypse benutzt hat, deren Umfang
außer der Einleitung V.3-4* die Vv.5.7-8.9.11-13.14-20*.21-22.24-27.28-31*
umfaßte, wobei in V.19fin und V.29fin vielleicht mit mk Eingriffen zu
rechnen sei[94]. Der These von der Verwendung eines jüdischen Flugblattes
ist demnach endgültig der Abschied zu geben[95].

Mk 13,1f gehört somit wie V.33-37 zum Rahmen, den Mk geschaffen hat.
Dies schließt jedoch nicht aus, daß Mk hier Tradition verwendet[96]. Form-

---

[92] Hahn, Verständnis des Opfers, 65; s. weiterhin unten S. 226ff.
[93] Pesch, Mk II, 264-318; Zusammenfassung ebd, 264-267; vgl. Hahn, Parusie, 240-266.
Eine zusammenfassende Einführung in die Probleme der Interpretation von Mk 13 bietet
Hahn, ebd, 240ff. Dessen traditions- und redaktionsgeschichtliche Analyse (ebd, 242-257)
hat Pesch veranlaßt, die These fallenzulassen, in Mk 13 sei ein jüdisches Traditionsstück
verarbeitet. Zu Mk 13,2 im Rahmen von Kap. 13 vgl. neben Pesch, Mk II, und Hahn, Parusie, bes. Hahn, Mission (1963), 29f.57-65; Walter, Tempelzerstörung (1966); Lambrecht,
Redaktion (1967), 68-91; Pesch, Naherwartungen (1968); Gaston, No Stone (1970), 8ff; Dupont, Il n'en sera pas (1971), 301-320; Schweizer, Mk (1973), 149ff.153; Dupont, La ruine
du temple (1977); Gnilka, Mk II (1979), 179-212; R. Pesch, Markus 13 in: J. Lambrecht,
Hrsg., L'Apocalypse johannique et l'Apocalyptique dans le NT, Bib ETL 53, Gembloux
Leuven 1980, 355-368; G.R. Beasley-Murray, Second Thoughts on the Composition of
Mark 13, NTS 29, 1983, 414-420; Hengel, Entstehungszeit (1984); E. Brandenburger, Markus 13 und die Apokalyptik, FRLANT 134, Göttingen 1984; Schlosser, La parole de Jésus
(1990), 398-414, bes. 405-409; G. Theißen, Lokalkolorit und Zeitgeschichte in den Evangelien. Ein Beitrag zur Geschichte der synoptischen Tradition, NTOA 8, Freiburg (CH) Göttingen 1990, 133ff.270ff.
[94] Pesch, Mk II, 266; vgl. dazu Hahn, Parusie, 258.260; Gnilka, Mk II, 211f. Zur Analyse
von Gaston, No Stone, 8ff, vgl. Hahn, Parusie, 266 A.91; Pesch, Mk II, 265.
[95] Vgl. Hahn, Parusie, 259f A.75.
[96] Ebd, 242 samt A.11.

geschichtlich liegt in Mk 13,1-2 ein Apophthegma vor, das inhaltlich vom Gegensatz der gegenwärtigen Pracht und der zukünftigen Zerstörung geprägt ist[97]. Mk fand dies in seiner Vorlage der Passionsgeschichte schon so vor[98] und hat in diesen Rahmen die Endzeitrede eingebaut.

2. Die Frage der (Un-)Abhängigkeit von Mk 13,2 und 14,58
Die Beziehung von Mk 13,2 und 14,58 scheint unbestreitbar[99]. Die Frage ist, ob sich ein Wort aus dem anderen ableiten läßt oder ob von jeweils eigenständiger Überlieferung auszugehen ist.

Mk 13,2 kommt als Vorlage für 14,58 nicht in Frage, da erstens die verschärfte, zweigliedrige Form von Mk 14,58, in der die Tempelzerstörung mit Jesu Handeln verbunden ist, aus 13,2 nicht erklärt werden kann[100], und zweitens Mk 13,2 so eng mit dem Kontext verbunden ist, daß es nicht beliebig in einen anderen Zusammenhang konvertierbar ist[101].

Andererseits kann aber umgekehrt auch Mk 13,2 nicht aus 14,58 erklärt werden, denn erstens stehen sprachliche Argumente dagegen (die für 13,2 charakteristische Wendung λίθος ἐπὶ λίθον und das Verbum ἀφίημι finden sich in keinem anderen der Tempelworte[102], gemeinsam ist 13,2 und 14,58 neben der inhaltlichen Ähnlichkeit sprachlich nur ein Wort: καταλύειν, wobei die Formulierung in 13,2 passivisch ist, 14,58 dagegen aktivisch[103]), und zweitens ist "die Bildung eines - noch dazu fragwürdigen - vaticinium ex eventu aus dem schwierigen Wort 14,58" ebensowenig anzunehmen[104].

---

[97] Pesch, Mk II, 269, gegen Pesch, Naherwartungen, 87.93ff; vgl. Gnilka, Mk II, 180. Hahn, Parusie, 252 A.48, betrachtet nur V.1b-2 als das ursprüngliche Apophthegma und V.1a als red. Einleitung. Die von Pesch, Mk II, 269, beigebrachten sprachlichen Gründe (v.a. die Konstruktion mit dem Gen. abs., die sich gehäuft in vormk Material findet,) lassen V.1a jedoch als der vormk Tradition zugehörig erscheinen.

[98] Pesch, Mk II, 268; anders noch Pesch, Naherwartungen, 83-96, wo Pesch die beiden Verse als mk red. Bildung ansieht. Gnilka, Mk II, 184 hält V.2 für nicht auf Jesus rückführbar, zu deutlich sei der Zustand nach 70 geschildert. Er hält 13,1-4 für eine mk Überleitung.

[99] Darauf weist schon das Verbum καταλύειν hin. Anders Pesch, Mk II, 271, im Anschluß an Dupont, Il n'en sera pas, 310-319. Anders als noch Naherwartungen, 84, erblickt Pesch in καταλυθῇ keinen Anklang mehr an 14,58, sondern sieht 13,2c als red. Bemerkung des Mk an. Im Anschluß an Dupont liegt nach Pesch die wirkliche Parallele zu 13,2 nicht in 14,58, sondern im traditionsgeschichtlich von 13,2 unabhängigen Wort Lk 19,44b, einem Wort, das möglicherweise auf Jesus selbst zurückgeführt werden könne; dagegen Gnilka, Mk II, 181 samt A.5; dagegen auch Hengel, Entstehungszeit, 22 A.88.

[100] Roloff, Kerygma, 104 A.182.

[101] Gnilka, Verhandlungen, 18.

[102] Pesch, Mk II, 271.

[103] Gaston, No Stone, 66f.

[104] Roloff, Kerygma, 104 A.182; anders Gnilka, Verhandlungen, 18. Gnilkas Argumentation zum Tempelwort geht außerdem von der Annahme aus, das Tempelwort sei eine isoliert umlaufende Bildung eines apokalyptisierenden Redaktors, ferner davon, daß Mk 13,1-4 als red. Überleitung des Mk zu betrachten sei; Gnilka, Mk II, 184. Dormeyer, Passion, 159, rechnet im Anschluß an Linnemann, Studien, 118f; Pesch, Naherwartungen, 90f, für

Somit ist von einer überlieferungsgeschichtlichen Unabhängigkeit der beiden Äußerungen zum Tempel auszugehen. Mk hat sowohl in 14,58 wie
auch in 13,2 traditionelles Gut aufgenommen.
Ist Mk 13,2 zwar als vormk Stoff, aber dennoch als vaticinium ex eventu
anzusprechen? Die Frage, ob Mk 13 in seiner Endgestalt auf die bereits
geschehene Tempelzerstörung zurückblickt oder nicht, ist nach wie vor
umstritten[105]. Pesch geht davon aus, daß die Gesamtredaktion des Mk
nach 70 erfolgte[106]. Hengel hat erneut mit beachtlichen Gründen für eine
Datierung vor 70 votiert[107]. Damit ist zwar nicht die gesamte Analyse von
Pesch in Frage gestellt, jedoch seine Beurteilung von 13,2.
Doch auch abgesehen von der Datierung des Mk insgesamt läßt sich zeigen, daß Mk 13,2 kein vaticinium ex eventu darstellt:
1.) Wie Hengel anhand vieler Belege zeigen konnte, hat die Drohung der
Zerstörung des Tempels eine lange Vorgeschichte[108]. Die Aussage von der
völligen Zerstörung des Heiligtums setzt also nicht die Ereignisse von 70
voraus.
2.) Auch die Formulierung selbst in Mk 13,2 läßt nicht den zwingenden
Schluß zu[109], das Wort sei ex eventu formuliert[110] - auch und gerade nicht

---

Mk 13,2 mit einem in Abhängigkeit von 14,58 geschaffenen Vers, in dem "als vaticinium ex
eventu die Erfüllung der Prophezeiung 14,58" wiedergegeben werde (159 A.575).

[105] Aus der Antwort in V.7f geht lediglich hervor, daß Mk die Kriegswirren kennt, mehr
jedoch nicht. Viele Exegeten setzen voraus, daß aufgrund von Mk 13 die Tempelzerstörung
schon erfolgt sei, jedoch mit völlig unterschiedlichen Begründungen: Nach Walter, Tempelzerstörung, 42ff, dem sich Hahn, Parusie, 254 A.56, anschließt, soll gerade der von Pesch,
Naherwartungen, 121.139ff.143, angeführte V.14 mit der Tempelzerstörung nicht in Beziehung gesetzt werden können, dagegen aber V.7f.

[106] Pesch, Mk I, 12-15. Er zeigt sich jedoch im Nachtrag zur 4. Aufl. (Mk I, 474) auch gegenüber einer Datierung um das Jahr 70 aufgeschlossen.

[107] Hengel, Entstehungszeit, 25ff, kann im einzelnen nachweisen, daß die Angaben in Mk
13 mit dem tatsächlichen Verlauf des jüdischen Krieges nicht übereinstimmen und vielfach
ungenau und vage sind. Eine Unsicherheit hinsichtlich Hengels Argumentation besteht
freilich darin, daß das Markusevangelium, wie auch Hengel zugibt (44), "mit einem deutli-
chen geographischen Abstand von Palästina für Heidenchristen geschrieben [wurde], die
von der wirklichen Lage dort keine Ahnung haben". Dies könnte auch auf den Autor zu-
rückfallen. Es kann also (mit Hengel, Entstehungszeit, 21ff) weder aus 13,2 (gegen Pesch,
Mk II, 272; mit Walter, Tempelzerstörung, 41f), noch aus 13,7f (gegen Walter, Tempel-
störung, 44; Hahn, Parusie, 254; mit Pesch, Mk II, 278f), noch auch aus 13,14 (gegen Pesch,
Mk II, 291f; mit Walter, Tempelzerstörung; Hahn, Parusie, 255) eindeutig die schon erfolgte Tempelzerstörung nachgewiesen werden.

[108] Hengel, Enstehungszeit, 22-25. Es verdient Beachtung, daß die von Hengel aufgeführ-
ten Belege zwar sachlich von einer gänzlichen Zerstörung des Tempels ausgehen, jedoch
der Begriff καταλύειν nicht gebraucht wird, sondern stattdessen "κατασκάπτω". Dies gilt
im übrigen auch für JosBell 7,1,1 (s.u. A.112).

[109] Ein Vergleich mit den sprachlichen Nuancierungen der Parallelen bei Mt und Lk ergibt
folgendes Bild: Das auf ein gegenwärtiges Bestehen des Tempels hinweisende βλέπεις bei
Mk haben die Seitenreferenten nicht übernommen. Mt: οὐ βλέπετε ταῦτα πάντα, Lk:
ταῦτα ἃ θεωρεῖτε, ἐλεύσονται ἡμέραι ... Heißt es in Mk 13,2 οὐ μὴ ἀφεθῇ ... ὃς οὐ μὴ
καταλυθῇ, so hat Mt die Verbform von καταλύειν in καταλυθήσεται geändert, Lk hat
dies sowohl bei καταλύειν als auch bei ἀφίημι getan, woraus der größere Abstand zu den

der Schluß V.2c[111]. Dieser Schluß von V.2 ὅς οὐ μὴ καταλυθῇ könnte nach Pesch am ehesten ein mk Zusatz sein. Mk 13,2c stelle einerseits die Verbindung zu 14,58 her, und man bekomme andererseits den Eindruck, der Evangelist habe in Kenntnis von JosBell 7,1,1 geschrieben[112]. Das läßt sich so jedoch nicht aufrecht halten, v.a. bei genauerer Betrachtung des Begriffes καταλύειν: Das Bedeutungsspektrum des Begriffes ist breit gefächert. Jedoch stehen sämtliche neutestamentlichen Belege, in denen καταλύειν im bautechnischen Sinn verwendet wird[113], mit Mk 13,2 bzw. Mk 14,58 in Beziehung, spielen also auf das gleiche Ereignis an. Dabei ist der Gedanke nicht von der Hand zu weisen, daß damit mehr als die physische Vernichtung des Tempels gemeint ist. Die beiden einzigen Belege in der LXX, in denen καταλύειν im bautechnischen Sinn begegnet, betreffen jeweils die Zerstörung des Tempels durch Nebuchadnezar: 2Kön 25,10 (Cod. A); Esr 5,12. Somit wird durch den Begriff ein ganz präziser Zusammenhang aufgerufen. In den gleichen Zusammenhang weist die Aussage λίθος ἐπὶ λίθον, die beim Tempelbau in Hag 2,15 begegnet.

Ereignissen sichtbar wird. Dieser wird auch durch die unterschiedlichen Einführungen des Jesuswortes bei Mt und Lk deutlich.
[110] Anders z.B. Gnilka, Mk II, 184f; Vögtle, Tempelworte, 364. Bultmann fällt kein eindeutiges Urteil. Einerseits erwägt er (Geschichte, 135, ähnlich 127), ob das Tempelwort auf Jesus selbst zurückgehen kann, und zwar in der Fassung Mk 13,2. Andererseits rechnet er mit der Möglichkeit, daß das Wort aus jüdisch-apokalyptischer Tradition stammt und Jesus in den Mund gelegt wurde (Geschichte, 132). Wiederum hält er es für möglich, daß das Wort in den Zusammenhang mit Mt 23,34-36.37-39 parr. gehört (ebd, 127). Eine Beziehung zwischen Mk 13,2 und Mt 23,38 wird auch von Kümmel, Verheißung, 73f.93, gesehen. Zur Diskussion der Stelle s. Oberlinner, Todeserwartung, 98-101. Man wird mit Vögtle, Todesankündigungen, 60; Steck, Israel, 51-58; Oberlinner, Todeserwartung, 101; Patsch, Abendmahl, 204f; Schulz, Q, 340.349, davon auszugehen haben, daß es sich bei der Anwendung der Aussage vom Prophetengeschick auf Jesus um eine nachösterliche Übertragung handelt. Schweizer hält zwar den ursprünglichen Wortlaut der Ankündigung Jesu für nicht wieder herstellbar, geht jedoch von einer grundsätzlichen Autorschaft Jesu aus. Nach Schweizer liegt V.2 in anderer Überlieferungsform in 14,58 und 15,29 vor. Das Wort bereitete der Gemeinde offenbar einige Verlegenheit (Schweizer, Mk, 150). Der im Unterschied zu Mk 13,2 in Wirklichkeit geschehene Tempelbrand, den Schweizer, Mk, 153, als Zeichen für die Echtheit der Weissagung wertet, ist jedoch nur bedingt brauchbar - vgl. das Zitat JosBell 7,1,1, unten A.112. Dies ist auch gegen Cullmann, Stephanuskreis, 49 samt A.23; gegen Kümmel, Verheißung, und die dort angegebenen Autoren zu sagen; zur Sache, vgl. Nikolaus Walter (nicht "W. Nikolaus", so bei Theißen/Vielhauer, Reg.heft zu Bultmann, Geschichte, 46), Tempelzerstörung, 41f. Die von Hahn, Parusie, 255.258 A.82, und Hengel, Entstehungszeit, 29, erneuerte Deutung von V.14a auf den Antichristen (so auch Walter, Tempelzerstörung, 43, anders Pesch, Mk II, 291) kann in unserem Zusammenhang offenbleiben.
[111] Gegen Pesch, Mk II, 271.
[112] Pesch, Mk II, 271. Die Jos-Stelle lautet: "Der Caesar befahl nunmehr (nach der Zerstörung durch Feuer) sowohl die ganze Stadt, als auch den Tempel von Grund auf zu zerstören." Übersetzung im Anschluß an Pesch, ebd; vgl. Michel-Bauernfeind, Josephus, II,2, 78. Die Zerstörung wird durch κατασκάπτω ausgedrückt (s.o. A.108).
[113] Bauer, WB[6] s.v. καταλύω.

Es zeigt sich, daß weder die Formulierung οὐ μὴ ἀφεθῇ ὧδε λίθος ἐπὶ λίθον
noch das Stichwort καταλύειν es unbedingt nahelegen, an das Schleifen
der Stadt und des Tempels durch die Römer zu denken[114].

3. Der ursprüngliche Sinn von Mk 13,2

Wir haben somit von einem Wort auszugehen, dessen "grundsätzliche
Autorschaft Jesu"[115] nicht zu bestreiten ist. Jesus rechnet darin "weder mit
dem Fortbestand, noch mit der Erneuerung des Tempels" - also mit dessen
Ende[116]. Im Unterschied zu 14,58, wo es um eine Zerstörung des Tempel-
hauses geht, liegt hier der Nachdruck auf der Zerstörung des ganzen Tempel*areals*[117], bis hinein in den Zusammenhalt der Steine. Dies stellt jedoch
keinen wirklichen Widerspruch dar. Mk 13,2; 14,58 und 15,29 machen es
wahrscheinlich, daß Jesus "in der Tradition prophetischer Tempelopposition eine Weissagung gegen den Tempel gesprochen hat"[118], die Besonderheit der Sicht Jesu besteht jedoch darin, daß er die mit seinem Kommen angebrochene Gottesherrschaft und das damit ermöglichte neue Gottesverhältnis angesagt hat, was ihn von allen anderen Oppositionellen unterscheidet[119]. Mk 13,2 steht damit in keinem Widerspruch zu 14,58, sondern stimmt in der Grundtendenz völlig überein[120].

---

[114] Auch nach Walter, Tempelzerstörung, 41, läßt die Formulierung von V.2 unter Bezug
auf JosBell 7,1,1 "noch nicht eindeutig erkennen, ob sie sozusagen angesichts des schon zer-
störten Tempels geschrieben ist oder ob dieses Ereignis noch aussteht". Gegen Pesch, Mk
II, 271, (der sich Dupont, Il n'en sera pas, 301-320, anschließt,) dürfte Hengel, Entstehungszeit, 22 A.88, richtig sehen, daß Lk 19,44 von Mk 13,2 abhängig ist und ein "wirkliches
vaticinium ex eventu darstellt, das den historischen Umständen besser entspricht, als das
bloß auf den Tempel bezogene Mk 13,2".
[115] Schweizer, Mk, 150; Roloff, Kerygma, 98.
[116] Roloff, Kerygma, 98. Daß die Tempelkritik Jesu im Rahmen des damaligen Judentums
prinzipiell nichts Außergewöhnliches darstellt, belegt u.a. die Arbeit von Schwartz, Priestertum, Tempel, Opferkult; s. weiterhin unten in diesem Abschnitt c, S. 231f.
[117] Pesch, Mk II, 271. Ob man dabei an die Eroberer als vorgestelltes handelndes Subjekt
denken soll (so Pesch, ebd), muß offenbleiben.
[118] Pesch, Mk II, 272. Nach Theißen, Tempelweissagung, 151, auf den sich Pesch hier bezieht, ist die Tempelopposition Jesu ohne "programmatischen Charakter", sondern aus dem
Spannungsfeld Land-Stadt zu erklären. Dies wird aber dem Befund kaum gerecht.
[119] Nach Roloff, Kerygma, 97, ist Jesus in seiner Stellung zum Tempel von der Voraussetzung bestimmt, daß in seinem Handeln ein neues Gottesverhältnis ermöglicht wird, welches "nunmehr an die Stelle des im Tempel begründeten treten sollte"; ähnlich Staimer,
Wollte Gott, 132. Roloff fragt, ob nicht vielleicht auch in der Urform von Mt 18,20 an eine
unmittelbare Gottesgegenwart gedacht sei (Kerygma, 98).
[120] Weiser, Hellenisten, 160. Die von verschiedenen Autoren gesehene Spannung zwischen
Mk 14,58 und 13,1f, wonach einmal mit dem Abbruch, das andere Mal mit einem Neubau
gerechnet werde, hat zu unterschiedlichen Hypothesen Anlaß gegeben, s. die Darstellung
bei Vögtle, Tempelworte, 363. Ausgehend von der Annahme, daß einerseits in Mk 13,2 ein
Vaticinium vorliegt, das auf die Zerstörung des Tempels durch die Römer zurückblickt,
und andererseits in 14,(57.)58(.59) ein von Mk in seine Vorlage eingeschobener Vers vorliegt, kommt Vögtle für das *mk* Verständnis der Tempelworte zu folgender Sicht: Mk 13,2
werde vom Evangelisten verstanden als Wort vom "physischen Ende" des Tempels (378).
Anders 14,58, hier bestehe gerade die Verfälschung "in der Jesus unterstellten Behauptung,

dd) Die joh Überlieferung der Tempelaktion Jesu[121]
Wenn man im Tempelwort Jesu nicht mit Schmithals[122] eine markinische
Bildung annehmen will bzw. mit Dormeyer[123] einen urchristlichen Droh-
spruch oder mit Braun[124] eine nachösterliche, christologische Umgestaltung von Mk 13,2; wenn man nicht mit Theißen[125] nur an eine Tempelopposition aufgrund eines Stadt-Land-Spannungsfeldes denken will oder
mit Michel[126] ein "Rätselwort" vorliegen sieht[127], dann stellt sich die Frage
nach dem positiven Sinn, den das Tempelwort im Gesamtrahmen der
Verkündigung Jesu gehabt haben könnte. Zu allgemein für die historische
Fragestellung ist die Auskunft Oberlinners, es gehe "nicht vordergründig
nur um den Bestand und den theologischen Rang des Tempels und des
Tempelkultes", sondern v.a. "um die Berechtigung des von Jesus *auch hier*
geltend gemachten Vollmachtsanspruchs", d.h. letztlich um das "Gottesbild
Jesu"[128]. Die Frage stellt sich, inwiefern Jesus mit seiner Person einen
eschatologisch-apokalyptischen Sendungsanspruch vertrat und zu seiner
Zeit das Eschaton erwartete.
Wie oben festgestellt wurde, stimmen Tempelwort und Tempelaktion in
ihrer ursprünglichen Tendenz völlig überein. Das Tempelwort paßt inhaltlich als Deutewort voll zur Tempelaktion Jesu. Diejenigen Autoren
dürften daher richtig liegen, die die Tempelreinigung und das Tempelwort
auch aufgrund der in Joh 2,16-22 vorliegenden Überlieferung als ursprünglich zusammengehörig ansehen.

---

er werde den Tempel buchstäblich verstanden niederreißen und denselben -...- in drei Tagen wiederaufbauen" (367). Im Zusammenhang mit Mk 15,38, dem Zerreißen des Tempelvorhangs, will Mk die Tempelprophetie 14,58 als Ausdruck der durch den Tod Jesu aufge-
hobenen alttestamentlichen Kultordnung und zugleich als Ausdruck der "durch Jesu Sterben ermöglichte[n], schon eingeleitete[n] Gründung des endgültigen, Juden wie Heiden
umfassenden Bundesvolkes" verstanden wissen (373). Vögtle hält es für "zumindest sehr
wahrscheinlich", daß das Zerreißen des Tempelvorhangs - nach dem Verständnis des Mk -
die mit dem Tod Jesu eingeleitete Erfüllung der Tempelprophetie, nämlich "die Ablösung
der T.[empel]gemeinde durch die Heilsgemeinde Jesu Christ (sic!) anzeigen soll" (375).
Dies wird auch von Hahn, Parusie, 263, und Hengel, Entstehungszeit, 21, so beurteilt. Für
das mk Verständnis dürfte die Darstellung Vögtles zutreffend sein. Damit ist jedoch noch
nichts gesagt über den ursprünglichen Sinn des Tempelwortes 14,58, so es denn nicht von
Mk stammen, sondern zumindest in seinem Kern (und nicht in der jetzigen Formulierung)
auf Jesus zurückgehen sollte - wovon wir ausgehen.
[121] Zur joh Auffassung des Tempellogions und der Tempelaustreibung s. zuletzt Stegemann, Tempelreinigung, außerdem unten Abschnitt XII, S. 262ff.
[122] Schmithals, Mk II, 666-669.
[123] Dormeyer, Passion, 159-163.212.
[124] Braun, Radikalismus II, 63 A.5.
[125] Theißen, Tempelweissagung, 151.
[126] Michel, Art. ναός, 888.
[127] Aber auch die Lösung von Gaston, No Stone, 67-70, befriedigt nicht, demzufolge Mk
14,58a ein in der jüdischen Polemik aufgekommenes Tempelwort sei, dagegen V. 58b von
Jesus stamme.
[128] Oberlinner, Todeserwartung, 128.

1. Die joh Darstellung der Szene

Joh hat die Szene sehr viel stärker theologisch durchgeformt[129]. In seinem Evangelium begegnet die Tempelaustreibung zu Beginn der Wirksamkeit Jesu (Joh 2,13-22). Sie hat programmatischen Charakter[130]. Joh hat sie vermutlich bewußt an den Anfang gestellt[131].

Die joh Überlieferung ist jedoch nicht abhängig von der Mk-Fassung, sondern aufgrund der Differenzen in Darstellung und Wortschatz als eigenständig zu bezeichnen[132].

Der Austreibung folgt ein Streitgespräch mit einem doppeldeutigen Hinweis auf die Zerstörung des Tempels. Dieses Streitgespräch steht der bei den Synoptikern überlieferten Vollmachtsfrage sehr nahe[133]. Jedoch wird

---

[129] Dennoch kann nicht von vornherein davon ausgegangen werden, daß die Analyse der joh Überlieferung für die historische Fragestellung nichts austrage. Die Auskunft von Bekker, Joh I, 124, wonach die Szene zur Unvorstellbarkeit gesteigert und daher jegliche historische Fragestellung unsinnig sei, ist zu einfach. Vgl. Roloff, Kerygma, der von dem "zweistöckige[n]" (109) oder "doppelstöckige[n]" (105) Aufbau in der joh Darstellungsweise spricht (s. auch Schnackenburg, Joh I, 360; Trautmann, Zeichenhafte Handlungen, 104; Stegemann, Tempelreinigung, 505).

[130] Dies allein ist jedoch kein Argument dafür, daß die Umstellung redaktionell begründet ist. So Bultmann, Joh, 86 A.2, der die Festreisen für "redakt. Motivierungen" ansieht und die "symbolische Bedeutung" betont, um deretwillen die Perikope hier ihren Platz habe.

[131] Becker, Joh I, 122, gibt zu bedenken, daß auch die Stellung von Mk 14,58 auf red. Arbeit zurückgehen könnte. Geht man davon aus, daß Jesu Auftreten etwa ins Jahr 26/27 fällt, dann stimmt die Zeitangabe Joh 2,20 auffällig damit zusammen; s. z.B. Schlatter, Joh, 80; Schnackenburg, Joh I, 366; Schneider, Joh, 87; ferner R.J. Campbell, Evidence for the Historicity of the Fourth Gospel in John 2:13-22, StEv VII, 1982, 101-120. Es ist jedoch damit zu rechnen, daß die theologische Intention die historische Frage überholt. Roloff, Kerygma, 105, betont die Zusammenstellung der Perikope mit dem Weinwunder von Kana, woraus eine "leitmotivische Charakteristik des Wirkens Jesu" sichtbar werde: in Kana ein "Zeichen", das Glauben weckt, am Tempel die Verweigerung des "Zeichens" und der Unglauben der Ἰουδαῖοι. Insbesondere läßt es die grundsätzliche Frage nach dem äußeren Anlaß für den Prozeß Jesu geraten erscheinen, die Tempelaktion näher an das Todespassa heranzurücken als dies bei Joh der Fall ist.

[132] Roloff, Kerygma, 103 samt A.179; anders Barrett, Joh, 217f, der davon ausgeht, daß Joh die mk Überlieferung der Tempelreinigung kannte und modifizierte, sowohl hinsichtlich des redaktionellen Ortes als auch der inhaltlichen Ausrichtung; ähnlich Stegemann, Tempelreinigung, 507 A.18f. Der Versuch von Mendner, Tempelreinigung, passim, die joh Darstellung als "literarische Umbildung der synoptischen Tradition" zu erweisen (102), muß als mißglückt bezeichnet werden. Insgesamt scheint Mendner dem Zeugnis des Joh nicht auf die Spur gekommen zu sein, wie sonst könnte er schreiben, "der erste Teil der Szene [sei] 'wirklich nur ein schlechter Abklatsch der Synoptiker' (Schwartz) und der Schluß mit dem beherrschenden Selbstzeugnis eine freizügige, leicht durchschaubare Umbildung der geläufigen Überlieferung" (103). Nach Becker, Joh I, 122, ist eine direkte Abhängigkeit von den Synoptikern auch deshalb auszuschließen, weil Mk 11,17 parr. (= Jes 56,7) gänzlich fehle, die Deutung somit total differiere. Es gilt jedoch grundsätzlich, die Frage, ob Joh die Synoptiker kennt, von der Frage nach literarischer oder traditionsgeschichtlicher Abhängigkeit zu unterscheiden.

[133] Eine Zusammengehörigkeit von Vollmachtsfrage und Tempelreinigung sieht auch Becker, Joh I, 121, gegeben. Joh repräsentiere daher in dieser Hinsicht ein altes Stadium (122).

die Vollmachtsfrage nur bei Mk direkt auf die Tempelaustreibung bezogen[134].

2. Tradition und Redaktion des Tempelwortes bei Joh

Im Rahmen dieses Streitgespräches begegnet die joh Fassung des Tempelwortes. Die bei Mk vorliegende Antithetik von niederreißen und aufbauen ist auch hier zu finden, jedoch hat sich der Akzent verlagert[135]: Der Aufbau soll sich binnen dreier Tage vollziehen[136]. Wie bei Mt ist der wieder aufgebaute Tempel derselbe wie der abgerissene. Zum anderen fällt die Verschiebung innerhalb der handelnden Subjekte auf: Ist es bei Mk Jesus selbst, der abreißt und aufbaut, so heißt es nach Joh "reißt ihr den Tempel ab"[137]. Gegen alle Versuche, deshalb in der joh Gestalt des Tempellogions die ursprünglichere Form zu sehen[138], ist jedoch zu sagen, daß die Ersetzung des ἐγώ καταλύσω (Mk 14,58) durch λύσατε (Joh 2,19) dafür kein Argument darstellt. Im Gegenteil: der Umstand, daß Joh die Tempelreinigung in den Horizont von Kreuz und Auferstehung rückt[139], hat diese Änderung wohl hervorgerufen, sind es doch οἱ Ἰουδαῖοι, die den Tempel

---

[134] Die von Trocmé, L'Expulsion, 9, für Joh festgestellte apologetische Akzentuierung, die sich darin ausdrücke, daß Joh Jesus vom Mißverständnis eines politischen Agitators reinhalten wolle, trifft sicher einen Aspekt, sollte aber - trotz Joh 6,15; 18,33-37 - nicht überbewertet werden.

[135] Zum Vergleich der Formulierung s. die Zusammenstellung oben S. 210f.

[136] Die Aussage "in drei Tagen" wird von Bultmann, Geschichte, 127, als Grund angegeben, hinter Mk 14,58 und den Varianten Mt 26,61; Mk 15,29; Joh 2,19 einen mythologischen Ursprung zu vermuten, was völlig abwegig ist. Die Zeitangabe meint die kurze Zeitspanne, vgl. Jeremias, Theologie I, 271; Schlosser, La parole de Jésus, 400.

[137] Nach Bultmann entspricht das Tempelwort bei Joh besser der Szene als bei den Synoptikern. Dies lasse jedoch zunächst nur "auf das Geschick des Erzählers, nicht auf die größere geschichtliche Treue des Berichts" schließen. Über die ursprüngliche Form des Wortes und ob es auf Jesus zurückgehe, lasse sich "kaum mehr" etwas sagen, allenfalls, daß es ein altes Wort sei, "das schon den alten Tradenten schwer verständlich war und verschiedener Deutung unterlag" (Bultmann, Joh, 88f A.7). Becker, Joh I, 125, sieht im Tempelwort ein ehemaliges Einzelwort, dessen joh Form gegenüber den synoptischen Parallelen wohl das älteste Stadium repräsentiere. Inhaltlich habe sich darin die Erwartung eines neuen Tempels ausgesprochen, vergleichbar mit Erwartung in Ez 40-44; Hag 2,7-9; Tob 13,15f; äthHen 90,28f, was auf "alte palästinische Tradition" hinweise (125).

[138] Nach Cullmann, Stephanuskreis, 49, besteht das "falsche" Zeugnis in Mk 14,58 in dem ἐγώ, das man Jesus unterschieben möchte, Joh habe dagegen die richtige Form bewahrt. McKelvey, Temple, erklärt Joh 2,19 für das "verbum Domini", "of which the false witnesses produced a garbled version at Jesus' trial" (79). Als joh Aussageabsicht von V.21 sieht er in Kombination mit Joh 4,23 folgendes: "Even though you (Jews) by your unbelief destroy this temple, that is, the tabernacle of the Word (cf. 1.14), (and thereby destroy the temple of Jerusalem), in three days I will raise it up again, but (we may fill out the thought of the text) your temple will never be restored, for the new temple of my body will become the rallying point of the true worshippers of God." (78f) Es wird nicht ganz klar, inwiefern Joh nach McKelvey hiermit die Absicht Jesu getroffen hat.

[139] Vgl. Roloff, Kerygma, 107.

des Leibes Jesu zerstören werden[140]. Nicht erst in V.21, sondern schon in
V.19 hat Joh den Horizont von Kreuz und Auferstehung im Blick. Dies
legt auch die Verwendung von ἐγείρειν nahe, *des* urchristlichen Terminus
schlechthin zur Bezeichnung der Auferstehung Jesu[141]. So richtig es ist,
daß die "Ich-Form" in Mk 14,58 im Sinn des Mk als "böswillige jüdische
Verdrehung" zu erklären ist[142], so wird ebenso die "Ihr-Form" in Joh 2,19
durch joh Redaktion bedingt sein und es kann in dieser Hinsicht *nicht* davon ausgegangen werden, daß Joh die ursprüngliche Form besser wiedergibt[143].
Den ersten Teil des Verses "brecht dieses Haus ab!" bezeichnet Bultmann
als einen "ironischen Imperativ" prophetischen Stils und vergleicht mit Am
4,4 und Jes 8,9f[144]. Das geforderte Zeichen sei dann das Gericht und das
nach drei Tagen anbrechende Heil. Alter und Echtheit des Wortes würden
dadurch bestätigt, daß es "im Zusammenhang der apokalypt. Weissagungen des Judentums verständlich" werde[145]. Allein die Terminangabe 'in
drei Tagen' bereite Schwierigkeiten - sofern man sie ursprünglich auf die
Auferstehung bezogen lassen sein wolle. Dann müßte das Wort als vaticinium ex eventu beurteilt werden. Doch das sei aufgrund der Formulierung
ἐν τρισὶ(ν) ἡμέραις (diff. Mk 8,31; 9,31; 10,34; Mt 27,63; 1Kor 15,4 usw.)
"sehr unwahrscheinlich"[146]. Der ursprüngliche Sinn des Wortes wäre somit
nach Bultmann im Zusammenhang der Weissagungen der endzeitlichen
Zerstörung und Wiederherstellung Jerusalems und des Tempels zu suchen[147].

3. Zusammenfassung

Sieht man die joh Überlieferung des Tempelwortes im Zusammenhang
der Ergebnisse, die sich aus den Synoptikern ergaben, so läßt sie sich als
eine überlieferungsgeschichtlich spätere Stufe erkennen. Die bei Joh vorliegende Zusammenordnung von Tempelreinigung und Tempelwort wird
jedoch aufgrund des Vergleichs mit Mk keine nur durch den Evangelisten

---

[140] Zur Darstellung "der Juden" im vierten Evangelium sei vorläufig verwiesen auf E. Gräßer, Antijüdische Polemik im Johannesevangelium, NTS 11, 1964/65, 74-90 (auch in: ders.,
Der Alte Bund im Neuen. Exegetische Studien zur Israelfrage im Neuen Testament,
WUNT 35, Tübingen 1985, 135-153), mit weiterer Literatur.
[141] S.o. A.54.
[142] Roloff, Kerygma, 104.
[143] Viel eher ist damit zu rechnen, daß ein Passivum (vgl. Mk 13,2) den ursprünglichen
Wortlaut darstellte. Zur Ersetzung des Pass. durch die 1.Pers. Akt. im Zuge der Überlieferung vgl. nur Lk 12,9 mit Mt 10,33.
[144] Bultmann, Joh, 88.
[145] Ebd, 88f A.7.
[146] Ebd, 88 A.7.
[147] Als Belegstellen nennt Bultmann: Zerstörung: Mi 3,12; Jer 26(33),6.18; yYom 43c;
JosBell 6,300ff; Neubau: Ez 40-48; Hag 2,7-9; Sach 2,5-9; Tob 13,15f; 14,5; äthHen 90,28f;
Sch^eMEsr 14; Sir 36,18f; JosAnt 18,85-87. Zur Sache vgl. auch u. zu Apk 21,22, Abschnitt
XII, S. 271-276.

geschaffene red. Verbindung sein, sondern hat als ursprünglich zu gelten[148]. Was Jesus selbst damit gemeint haben könnte, läßt sich nur beantworten im Zusammenhang der Frage der Basileia-Erwartung des irdischen Jesus[149]. Es ist jedoch aufgrund des Gesamtzeugnisses der untersuchten Texte wahrscheinlich, daß Jesu Wort nicht nur die Zerstörung des Tempels, sondern positiv eine Ankündigung der eschatologischen Ablösung "durch eine neue Stätte der Heilsgegenwart Gottes" enthielt[150]. Jesus hat dabei weder an einen Tempelneubau noch an eine neue Gemeinde gedacht, sondern "an das eschatologische Kommen Gottes"[151]. Damit ist nicht gesagt, Jesus bringe zum Ausdruck, "daß in der messianischen Heilszeit nicht ein Ort, sondern eine Person der Tempel Gottes sein" werde[152] bzw. er selbst wolle durch seine Person den Tempel ablösen[153], jedoch heißt es, daß Jesus den Tempelkult mit dem Anbrechen der βασιλεία τοῦ θεοῦ an sein Ende gekommen sah. Durch die Ankunft der βασιλεία τοῦ

---

[148] Die Zusammengehörigkeit von Tempelreinigung und Tempelwort wird von verschiedenen Autoren gesehen: U.a. Trautmann, Zeichenhafte Handlungen, 122-128; Goppelt, Theologie I, 148; Hahn, Verständnis des Opfers, 65; Sanders, Jesus and Judaism, 75f; Michel hält das Tempelwort für ein "Rätselwort ältester Überlieferung" (Art. ναός, 888) und sieht auch den Zusammenhang mit der Tempelreinigung. Daß sich Jesus als "Erbauer und Vollender des messianischen Tempels" wußte, wie Michel das ausführt, ist aber zu bezweifeln, da es keine Hinweise gibt, daß Jesus die Hoffnung auf einen "messianischen" Tempelneubau aufgenommen hat (ebd, 888). Hier dürfte Sanders, Jesus and Judaism, 75f.77ff, richtig sehen, der die Tempelaktion Jesu in den Zusammenhang einer von Gott erwarteten eschatologischen Erneuerung des Tempels im zeitgenössischen Judentum stellt. Gegen eine traditionsgeschichtlich vorgegebene Verbindung von Messias und Tempel(neu)bau s. auch Lührmann, Christologie und Zerstörung, 465 samt A.52-54; anders D. Flusser, No Temple in the City, in: ders., Judaism and the Origins of Christianity, Jerusalem 1988, 454-465, hier: 456 A.6, der Sach 6,12 und Sib 5,420f anführen möchte.
[149] Dies muß einer eigenen Untersuchung vorbehalten sein und kann hier nicht entfaltet werden. Zum eschatologisch-apokalyptischen Erwartungshorizont vgl. A. Strobel, Kerygma und Apokalyptik. Ein religionsgeschichtlicher und theologischer Beitrag zur Christusfrage, Göttingen 1967.
[150] Roloff, Kerygma, 107; Schnackenburg, Joh I, 366f; der Genitiv in V.21 hat epexegetischen Sinn. Nach Becker, Joh I, 124, bedeutet der Inhalt der von Joh verwendeten Tradition keine prinzipielle Infragestellung des Tempels, sondern "Kultkritik als Verbesserung der Kultpraxis". Erst der Evangelist sage dann in 4,20-24 das Gegenteil. Jedoch habe der Evangelist auch in 2,13ff keine Absicht, für die Aufhebung des Kultes zu plädieren, sondern die Szene sei in Kontrast zu 2,1ff zu begreifen. Die Absicht, den Kontrast zu 2,1ff zu betonen, sei unbestritten, gleichwohl ist unter Bezug auf Joh 4,23 und 1,51 die Aufhebung des Tempelkultes durch Jesu Kreuz und Auferstehung evident. Das im EvTh 71 tradierte Jesuswort "Ich werde [dieses] Haus zerstören, und niemand wird es [wieder] aufbauen" stellt eine traditionsgeschichtlich späte Stufe dar und gibt zur Rekonstruktion des ursprünglichen Wortlauts keine Anhaltspunkte (Text bei K. Aland, ed., Synopsis Quattuor Evangeliorum, Stuttgart 1985[13], 526).
[151] Goppelt, Theologie I, 148.
[152] So Schneider, Joh, 88.
[153] So Goppelt, Theologie I, 148, in Aufnahme von Mt 12,6.

ϑεοῦ kommt es zur Ablösung des Jerusalemer Tempels und damit verbunden zu einer völlig neuen, unmittelbaren Art der Gottesgegenwart[154]. Hier hätte nun eine Rekonstruktion des Tempelwortes zu erfolgen. Diese ist jedoch nicht möglich, weil die Voraussetzung dafür die Darstellung dessen sein müßte, was Jesus künftig erwartet hat[155]. Folgendes scheint jedoch erwägenswert: 1.) Die Formulierung der Tempelzerstörung geschah vermutlich weder in der 1.Pers.Sg. (Mk), noch in der 2.Pers.Pl. (Joh), sondern im Passiv (analog Mk 13,2 καϑαλυϑῇ). 2.) Der zweite Teil dürfte kaum von einem "Wieder"-Aufbau, sondern vom Aufbau eines anderen oder neuen Tempels gesprochen haben[156]. 3.) Wenn eine Zeitangabe enthalten war, dann am ehesten das joh "binnen dreier Tage", das die kurze Zeitspanne anzeigen soll[157].

Diese angesagte Tempelzerstörung ließ jedoch noch 40 Jahre auf sich warten. Dennoch werden die Jünger nach Tod und Auferstehung Jesu, aufgrund des durch Jesus gestifteten neuen Gottesverhältnisses, Tempel, Kult, Opfer im Lauf eines längeren Interpretationsprozesses für eschatologisch "aufgehoben" erkennen[158].

Wenn Jesus mit einer eschatologischen Neuwerdung der Stätte der göttlichen Heilsgegenwart, mit dem sichtbaren Anbrechen des Reiches Gottes rechnete und dies so nicht geschah, sondern auf sich warten ließ, dann könnte Jesu Erwartung für den Tempel (einschließlich der Tatsache, daß dessen Zerstörung nicht sogleich stattfand[159]) nach Kreuz und Auferstehung zum Auslöser geworden sein, seinen Tod mit der Errichtung eines neuen Heiligtums zu verbinden, wie dies in Röm 3,25f; Hebr 9,23f[160]; Joh

---

[154] Vgl. dazu Roloff, Kerygma, 97. Von hier aus ist dann die Beziehung zu Mk 13,2 zu knüpfen.

[155] Dennoch einen expliziten Versuch der Rekonstruktion bietet Hahn, Mission, 29 A.3. Er rekonstruiert als Urform: "Dieser Tempel wird zerstört werden und nach drei Tagen wieder aufgebaut werden."

[156] Gegen die Rekonstruktion von Hahn, Mission, 29 A.3.

[157] Mit aller Vorsicht sei folgender Vorschlag gewagt:
Dieser Tempel wird zerstört werden
und (binnen dreier Tage) ein anderer/neuer errichtet werden.
Damit würde sich die Vermutung, die u.a. Goppelt geäußert hat, bedingt bestätigen, wonach Joh in der Wiedergabe des Tempelwortes "der ursprünglichen Gestalt am nächsten" kommen dürfte (Goppelt, Theologie I, 148).

[158] S. dazu den Überblick bei Roloff, Arbeitsbuch, 181ff.

[159] Kümmel, Verheißung, 93. Nach Hengel, Sühnetod, passim, war es für die Urgemeinde von Anfang an darauf angekommen, die Aufhebung des Tempels als Sühnestätte aufgrund der in Jesus geschehenen endgültigen, ein für allemal geltenden Sühne auszusagen (zustimmend H. Seebass, Gerechtigkeit Gottes, JBTh 1, 1986, 115-134, hier: 123). Die Frage ist nur, wo die Anfänge dieser Deutung liegen.

[160] S. dazu im Detail unten Abschnitt XI.b, S. 238-245.

2,19.21[161]; Apk 21,22[162] geschieht. Hier könnte dann ein Ansatz liegen, den Tod Jesu im Rahmen kultischer Kategorien zu deuten[163].

c) Zur Frage nach dem Sitz im Leben von Röm 3,25f*

Die bislang vorliegenden Versuche, einen 'Sitz im Leben' für Röm 3,25f* zu bestimmen, bewegen sich nahezu alle innerhalb der Alternative "Tauftradition" oder "Abendmahlstradition"[1]. Andere Wege gehen im Gefolge der Überlegungen, die Zimmermann zum Umfang der Formel angestellt hat, van der Minde[2], Langkammer[3] und Theobald[4]. Der Bezug zur Tauf- und Abendmahlstradition wird abgelehnt von Schmithals[5]. Er möchte darin eine "Lehrformel für den (Tauf-)Unterricht der hellenistisch-judenchristlichen Gemeinde" sehen, ohne deren gottesdienstliche Verwendung ausschließen zu wollen[6].

Die meisten Ausleger sehen Röm 3,25f* im größeren Zusammenhang der soteriologischen Deutung des Todes Jesu, wie sie uns auch in der übrigen

---

[161] S. dazu im Detail unten Abschnitt XII.b.aa, S. 262ff.

[162] S. dazu im Detail unten Abschnitt XII.b.bb, S. 271ff.

[163] Hengel, Sühnetod, 19: "Die gemeinsame Wurzel [der neutestamentlichen Sühneaussagen] ist wohl dort zu suchen, wo man grundsätzlich mit der sühnenden Heilswirkung der Opfer im Jerusalemer Tempelkult gebrochen hatte und diesen Bruch - der nicht ohne harten Widerstand abging - theologisch zu verarbeiten hatte." Vgl. dazu Lambrecht, Gesetzesverständnis, 88-127, hier: 91; Merklein, Stellvertretender Sühnetod, 68-75, der - abgesehen von der Beziehung der Tempelweissagung zur Sühnevorstellung in Röm 3,25f - jedoch schon für Jesus selbst mit soteriologischen Aussagen hinsichtlich seines Todes rechnet. Eine Beziehung zwischen der Tempelaustreibung und der vorpaulinischen Formel in Röm 3 sieht auch Kleinknecht, Der leidende Gerechtfertigte, 187f. Er betont v.a. den Kontext des Zitates aus Jes 56 in Mk 11,17 - wobei jedoch in Jes 56,7 von keinem Aufhören des Tempelkultes geredet wird. Ansonsten übernimmt Kleinknecht jedoch insgesamt die durch Stuhlmacher, Wilckens, Gese, Janowski repräsentierte Auffassung.

[1] Vgl. dazu oben Abschnitt I, S. 3 A.15. Auch der Vorschlag von Roloff, Anfänge, 49 A.2, der in V.25b.26a einen "topos der ältesten Heidenmissionspredigt" sieht und auf Röm 1,20; Apg 14,16; 17,30f verweist, gehört in diesen Rahmen, wenngleich er die Formel der "heidenchristlichen Abendmahlskatechese" zuordnet.

[2] Van der Minde, Schrift, 61, spricht von einem Bekenntnis, dessen Sitz im Leben im Gottesdienst zu suchen sei. Die Nähe zur Abendmahlsliturgie sei nicht ausgeschlossen, aber nicht eindeutig erweisbar.

[3] Langkammer, Sühneformel des Glaubens (poln.), 34, nennt Röm 3,25f* eine "Sühneformel des Glaubens", die aus judenchristlichem Milieu stamme.

[4] Theobald, Gottesbild, 156, spricht von einem "Glaubenssatz, der judenchristliche Theologie wiedergibt" und ordnet diesen dem Stephanuskreis zu.

[5] Schmithals, Röm, 123.

[6] Schmithals, Röm, 123. Friedrich, Verkündigung, 66, gibt keine Bestimmung für den Sitz im Leben, weist sie wie üblich judenchristlichen Kreisen zu und sieht diese von der Qumran-Theologie beeinflußt.

Formeltradition im Neuen Testament begegnet[7]. Bei näherer Überprüfung dieser Sicht ergeben sich jedoch Schwierigkeiten.

Zunächst ist festzustellen, daß der Bundesgedanke, der vielfach gesehen wird, nicht ohne weiteres impliziert ist[8]. Ebenso ist die Nähe zur Abendmahlstradition keineswegs so "handgreiflich", wie manche dies finden[9]. Auch die "Tauftradition" scheidet aus, da das typische einst-jetzt in unserer Formel gerade nicht vorliegt und es in der Formel nicht um die Vergebung früherer Sünden der Gläubigen geht[10].

Vergleicht man Röm 3,25f* mit der übrigen neutestamentlichen Formeltradition, in der die soteriologische Bedeutung des Todes Jesu zur Sprache kommt, so ist festzustellen, daß eine traditionsgeschichtliche Beziehung weder zur Sterbeformel noch zum Dahingabemotiv wirklich nachzuweisen ist[11]. Goppelt nimmt die Unterscheidung von Wengst auf und behandelt unseren Text unter dem Stichwort "Entfaltung der *hyper*-Formel"[12]. Dies ist jedoch sprachlich wie inhaltlich unwahrscheinlich:

1. In der Sterbeformel ist Christus Subjekt. Er starb ὑπὲρ ἡμῶν (bzw. πολλῶν). Unsere Formel enthält weder ein ὑπέρ, noch ist Christus Subjekt. Außerdem fehlt das "für uns/viele" bzw. "für unsere Sünden". Die Interpretation hin auf "Vergebung *unserer* Sünden" oder "Rechtfertigung" hat mit der ursprünglichen Formel nichts zu tun, sondern stellt die theologische Leistung des Paulus dar.

2. Das ὅς + Passiv könnte eine Beziehung zum Dahingabemotiv nahelegen. Außerdem ist unsere Formel analog Röm 4,25 mit διά c.acc. konstruiert. Jedoch fehlt das entscheidende Stichwort παραδιδόναι.

3. Eine allgemeine formgeschichtliche Überlegung widerrät ebenfalls, Röm 3,25f* als "Entfaltung der *hyper*-Formel" (Goppelt) begreifen zu

---

[7] Paradigmatisch sei genannt: Wengst, Formeln, 55-91. Er unterscheidet die "Sterbensformel" (78ff), die "Dahingabeformel" (55ff) und "andere Sühneformeln" (87-91), zu denen er neben Röm 3,25f auch 1Joh 2,2; 4,10 und die späten, "formelhafte[n] Wendungen mit αἷμα" außerhalb der Abendmahlsworte rechnet; vgl. ders., Art. Glaubensbekenntnis(se) IV. NT, TRE 13, 392ff. Stuhlmacher, Hengel und in ihrem Gefolge Kleinknecht, Haubeck, Janowski u.a. betonen die Beziehung zu Mk 10,45 (s.o. in diesem Abschnitt a). Roloff, Arbeitsbuch, 192, meint, daß Paulus in dem kultischen Bild, das in unserem Text vorliege, "gleichsam das soteriologische Deutungsschema mit dem heilsgeschichtlich-kausalen zusammengeführt" habe (im Original z.T. kursiv). Froitzheim, Christologie und Eschatologie, 37 A.54, sieht die nächste Parallele in Röm 8,32 vorliegen.

[8] Weder das Blutmotiv legt dies nahe, noch ist in der Formel von der Bundestreue die Rede; u.a. gegen Käsemann, Verständnis, 99; Schulz, Rechtfertigung, 179; Kertelge, Art. δικαιοσύνη, 791; mit Wengst, Formeln, 89f; Roloff, Anfänge, 49 A.2.

[9] Mit Wengst, Formeln, 90; gegen Käsemann, Verständnis, 99f.

[10] Gegen Strecker, Befreiung und Rechtfertigung, 502; Hahn, Taufe und Rechtfertigung, 112; Stuhlmacher, Gerechtigkeitsanschauung vor Paulus, 84; Schnelle, Christusgegenwart, 67-71; Meyer, Pre-Pauline Formula, 206; auch schon A. Schweitzer, Die Mystik des Apostels Paulus, 1930[1] (= Tübingen 1981. Mit einer Einführung von W.G. Kümmel), 215.

[11] S. zusammenfassend Goppelt, Theologie II, 420f; Froitzheim, Christologie und Eschatologie, 30-38; Pokorný, Entstehung, 56ff.

[12] Goppelt, Theologie II, 421; vgl. Wengst, Art. Glaubensbekenntnis(se), 395.

wollen: Wie Roloff ausgeführt hat, darf kein "romantisches Wachstums-
und Entfaltungsschema" in die Exegese eingetragen werden, wonach 1Kor
15,3b-5 das palästinische Urkerygma darstelle, aus dem alles herausent-
wickelt wurde. Schon 1Kor 15,3b sei nicht Keim eines Entwicklungs-, sondern "Ergebnis eines Abstraktions- und Reflexionsprozesses"[13]. Diese Einsicht ist auch für die Beurteilung von Röm 3,25f* fruchtbar zu machen.
Vergleicht man unseren Text mit 1Kor 15,3b einerseits und Röm 4,25 andererseits, so fällt die viel umständlichere Formulierung auf. Es legt sich
daher nahe, eine traditionsgeschichtliche Abhängigkeit - wenn überhaupt -
dann in umgekehrtem Sinn anzunehmen. Wir halten somit fest:
1. Röm 3,25f* stellt keine Entfaltung der ὑπέρ-Formel dar, sondern weist
eine andere Struktur auf.
2. Röm 3,25f* kann, obwohl διά, ὅς und die Passiv-Konstruktion dies
nahelegen könnten, nicht in Abhängigkeit vom Dahingabemotiv gesehen
werden.
3. Die Aussage, Jesu Tod (Lebenshingabe) sei "für uns/viele", "für unsere
Sünden", "wegen unserer Sünden/Rechtfertigung" geschehen, hat in der
ursprünglichen Formel keinen Platz, in ihr ging es vielmehr um eine Antwort auf die Frage nach der Effizienz kultischer Sühne für Sünden.
4. Aus dem Vergleich mit den Stellen 1Joh 2,2; 4,10, die sachlich in den
gleichen Zusammenhang gehören[14], lassen sich keine Schlüsse ziehen.
Wir haben daher davon auszugehen, daß unsere Formel Röm 3,25f eine
eigenständige Tradition repräsentiert und traditionsgeschichtliche Abhängigkeit von der übrigen Formeltradition des Neuen Testaments nicht nachzuweisen ist.*
Wo könnte, bei unserer Kenntnis der Geschichte des Urchristentums, eine
solche Aussage ihre Relevanz besessen haben? Hier drängt sich unweigerlich die Auseinandersetzung um die Bedeutung des Tempels für die
Urgemeinde auf. Daß es eine solche Auseinandersetzung gegeben hat,
belegt die Apg. Aber auch Texte der Evangelien (Mk 11,15-18 parr.; Mt
12,6f; zu Joh s.u. Abschnitt XII.b, S. 262ff.) und der Briefe (1Kor 5,7;
Hebr) geben unzweideutige Hinweise[15]. Daß diese Fragen nichts grundsätzlich Neues in der innerjüdischen Diskussion darstellten, ist bekannt[16].

---

[13] Roloff, Anfänge, 46; vgl. ders., Arbeitsbuch, 189.
[14] Wengst, Formeln, 87ff; Roloff, Art. ἱλαστήριον, 457; Strecker, Johannesbriefe, 93f;
Theobald, Gottesbild, 156.
[15] Aus Mt 5,23f geht nach G. Strecker, Das Land Israels in frühchristlicher Zeit, in: ders.,
Hrsg., Das Land Israel in biblischer Zeit. Jerusalem Symposion 1981, GTA 25, Göttingen
1983, 188-200, hier: 195, hervor, daß die Urgemeinde am Opferkult teilgenommen hat.
[16] Dies gilt nicht nur für Qumran. Zur Frage einer innerjüdischen Tempelkritik s. Baldensperger, Selbstbewußtsein, 72ff; Bihler, Stephanusgeschichte, 134ff; Fohrer, Kritik, 101-116;
R.G. Hamerton-Kelly, The Temple and the Origins of Jewish Apocalyptic, VT 20, 1970, 1-
15; Neusner, Early Rabbinic Judaism, 34-49; P.D. Hanson, Rebellion in Heaven, Azazel,
and the Euhemeristic Heroes in 1 Enoch 6-11, JBL 94, 1977, 195-233, hier: 226; und v.a.
Schwartz, Priestertum, Tempel, Opferkult (hebr.; die deutsche Zusammenfassung enthält
leider keine Belegstellen).

Durch Tod und Auferstehung Jesu wurde jedoch die Frage nach der Effizienz des Tempelkultes und nach der Teilnahme der Christen an ihm ein
Problem ersten Ranges.

Bei aller Unsicherheit, die in dieser Fragestellung noch liegt, dürften die
'Hellenisten'[17] diejenigen gewesen sein, die als Protagonisten der in Röm
3,25f* zum Ausdruck kommenden Anschauung anzusehen sind[18].
Läßt sich der Sitz im Leben genauer bestimmen? Aufgrund der Struktur
der Aussage ist mit Schmithals[19] an eine "Lehrformulierung" für den Kate-
chumenen-Unterricht zu denken, die sich in der Auseinandersetzung um
den Tempelkult herausgebildet hat. Lehrer der hellenistisch-judenchristlichen Gemeinde bringen darin die Bedeutung Jesu als ἱλαστήριον zum Ausdruck, als des eschatologischen Ortes der Sühne, Epiphanie und Präsenz
Gottes.

Wir stellen daher zusammenfassend folgende Überlegungen für Röm
3,25f* zur Diskussion:

Es handelt sich um eine formelhafte Überlieferung, die im Zusammenhang der Auseinandersetzung um die bleibende Gültigkeit bzw. Ungültig-
keit des Tempelkultes für Christen entstanden ist. Als Kontrahenten haben 'Hebräer' und 'Hellenisten' zu gelten. Als Ort der Entstehung ist v.a.

---

[17] Eine gute Zusammenfassung der Probleme unter dem Aspekt der Gesetzes- und Tempelkritik bietet Weiser, Hellenisten, 146-168.
[18] Das mit den 'Hellenisten' gestellte Problem kann hier nicht aufgearbeitet werden. Vgl.
neben Weiser (A.17) U. Wilckens, Jesusüberlieferung und Christuskerygma - Zwei Wege
urchristlicher Überlieferungsgeschichte, ThViat 10, 1965/6, 310-339, bes. 332ff; M. Hengel,
Die Ursprünge der christlichen Mission, NTS 18, 1971/2, 15-38; A. Strobel, Armenpfleger
'um des Friedens willen' (Zum Verständnis von Act 6,1-6), ZNW 63, 1972, 271-276; Young,
Temple Cult (1972/3), 325-338; Schulz, Der historische Jesus (1975), 14f; O. Cullmann,
Der johanneische Kreis. Sein Platz im Spätjudentum, in der Jüngerschaft Jesu und im Ur-
christentum. Zum Ursprung des Johannesevangeliums, Tübingen 1975, 45ff; Cullmann,
Stephanuskreis (1975), 44-56; Hengel, Zwischen Jesus und Paulus (1975), 151-206 (Lit.);
Gräßer, Acta-Forschung (1977), 17-25; Roloff, Arbeitsbuch (1977[1]), 50ff.67; G. Stanton,
Stephen in Lucan Perspective, Studia Biblica 1978: III, 345-360; R. Pesch, mit E. Gerhart
und F. Schilling, 'Hellenisten' und 'Hebräer'. Zu Apg 9,29 und 6,1, BZ NF 23, 1979, 87-92;
Schneider, Apg I (1980), 417ff (Lit!); Roloff, Apg (1981), 107-119; Müller, Rezeption
(1981); Weiser, Apg I (1981), 162ff; U. Wilckens, Zur Entwicklung des paulinischen Gesetzesverständnisses, NTS 28, 1981/82, 154-190; B. Domagalski, Waren die "Sieben" (Apg 6,1-
7) Diakone?, BZ NF 26, 1982, 21-33; N. Walter, Apostelgeschichte 6,1 und die Anfänge der
Urgemeinde in Jerusalem, NTS 29, 1983, 370-393; G. Lüdemann, Paulus, der Heidenapo-
stel II, FRLANT 130, Göttingen 1983, 13-57; Neudorfer, Stephanuskreis (1983); J.D.G.
Dunn, Mark 2.1-3.6: A Bridge between Jesus and Paul on the Question of Law? NTS 30,
1984, 395-415; Lambrecht, Gesetzesverständnis (1986), 88-127, hier: 91ff; Merklein, Stellvertretender Sühnetod (1986), 68-75; H. Räisänen, Paul and the Law, WUNT 29, Tübingen
1987[2], 251ff; E. Larsson, Die Hellenisten und die Urgemeinde, NTS 33, 1987, 205-225;
Dschulnigg, Stephanus (1988); Vollenweider, Freiheit (1989), 176.177-184; M. Hengel, Der
vorchristliche Paulus, ThBeitr 21, 1990, 174-195, hier: 194f. Kritisch hinsichtlich einer besonderen Theologie der Hellenisten äußert sich nach wie vor Strecker, Land Israel, 196; er
will nur sprachliche und keine theologischen Differenzen gelten lassen, vgl. ders., Befreiung
und Rechtfertigung, 481; ebenso Schnelle, Christusgegenwart, 99f.222.
[19] Schmithals, Röm, 123.

an Jerusalem oder Antiochien zu denken. Von einer Problematisierung des Gesetzes als solchem ist in der Formel noch nichts zu spüren. Wir kämen damit auf alle Fälle in die Zeit vor der Auseinandersetzung um die gesetzesfreie Heidenmission[20]. Inhalt: Durch Jesu Tod wurde das neue, eschatologische Heiligtum eingeweiht. Hierdurch gibt es (erstmalig) die Möglichkeit umfassender Vergebung. Damit ist der heilsgeschichtliche Zusammenhang mit den Traditionen Israels gewahrt. Die inhaltliche Struktur der Formel könnte man als "eschatologische Überbietung" bezeichnen.

Röm 3,25f* stellt keine Variation der Sühneaussage von Mk 10,45 dar. Ebenso besteht keine direkte traditionsgeschichtliche Abhängigkeit von den sonstigen neutestamentlichen Formeln, in denen Jesu Tod soteriologisch gedeutet wird. In Röm 3,25f* wird die jetzt erfolgte "Aufhebung" des irdischen Heiligtums angesagt, weil dieses keine wirkliche Vergebung bringen konnte[21]. Dieser Satz gilt streng von Jesus her!

Damit wird die Zeit vor Christus als Zeit des Hingehenlassens der Sünde vor dem Kommen der endgültigen Neuordnung (Hebr 9,10), insofern auch vor dem Kommen des Gerichtes und der δικαιοσύνη gekennzeichnet. Gott hat sich Zeiten und Abläufe gesetzt. Jetzt ist die Zeit erfüllt.

Skizzenhaft läßt sich folgende Entwicklung der Aussage vorstellen: Jesus kündigt das Kommen des Reiches Gottes an, welches ein Ende des Tempelkultes impliziert[22].

In der Urgemeinde kommt es zu einer Auseinandersetzung über den Tempelkult, die dadurch ausgelöst ist, daß die Hebräer eine Entschärfung der eschatologisch motivierten Kultkritik Jesu vornehmen und ein Verständnis der Tempelaktion Jesus als Reinigung und Läuterung betonen. Der Tempel wird verstanden als Haus des Gebetes auch für die Christen[23].

---

[20] Eine genauere zeitliche Fixierung ist (derzeit) unmöglich. Vgl. Weiser, Hellenisten, 163: "Als sicher erscheint es mir, daß in Röm 3,25 eine an das Sühneritual des Tempelkults anknüpfende Deutung des Todes Jesu vorliegt, daß sie eine Distanz gegenüber dem Opferkult des Tempels zur Folge hatte und daß diese Deutung ebenso wie die Sterbe-Formel 1Kor 15,3 aus dem hellenistischen Judenchristentum stammt. Ob sie aber aus dem ältesten hellenistischen Judenchristentum, nämlich von den 'Hellenisten' Jerusalems, herrührt, ist m.E. mit Hilfe der bisher zur Verfügung stehenden Kriterien nicht zu entscheiden." (An Weiser wäre die Frage zu richten, ob die Distanz zum Opferkult eine Folge oder eine Voraussetzung darstellt.) Zur weiteren Entwicklung der Stellung des Judenchristentums zum Tempel im 2. Jh. s. die Hinweise bei M. Hengel, Jakobus der Herrenbruder - der erste "Papst"?, in: E.E. Ellis u.a., Hrsg., Glaube und Geschichte (FS W.G. Kümmel), Tübingen 1985, 71-104, hier: 78f A.29. Hengel vermutet, daß "die spätere *radikale* Kultfeindschaft ... aufgrund der Hinrichtung des Jakobus und anderer Judenchristen durch die führenden Männer des Priesteradels und durch die als Strafe verstandene Zerstörung des Tempels gefördert" wurde (Hervorhebung im Original).

[21] Vgl. Weiser, Hellenisten, 168: Röm 3,25 enthält "- mindestens mittelbar - eine *'Tempelkritik'*" (kursiv im Original).

[22] S. hierzu den vorhergehenden Abschnitt.

[23] Vgl. hierzu Hahn, Verständnis des Opfers, 69f, und Abschnitt X.b, S. 200ff zum Tempelwort.

Die Hellenisten nehmen die Kultkritik Jesu stärker auf und gehen von der eschatologischen "Aufhebung" des Opferkultes durch Jesu Tod aus. Hierüber kommt es zur Auseinandersetzung. Für Paulus stellt die Kultkritik nur ein Problem am Rande dar. Ihm geht es um die grundsätzliche Frage 'Jesus und das Gesetz' im Rahmen seiner gesetzesfreien Heidenmission.

Röm 3,25f* ist somit soziologisch als ein Dokument der Identitätsfindung einer neuen Gemeinschaft zu bezeichnen, in der die Diskussion um den Tempelkult schon zu bekenntnishaften Formulierungen geführt hat.

XI
Die Bedeutung des Todes Jesu für das irdische und himmlische Heiligtum im Hebr[1]

Im folgenden Kapitel soll der Frage nachgegangen werden, ob sich die in Röm 3,25f* festgestellte Jom-Kippur-Typologie mit der spezifischen Aussage der Bedeutung des Todes Jesu als Weihe eines neuen Heiligtums auch im Hebr nachweisen läßt.

Der Hebr zeigt uns Jesus als Hohenpriester, barmherzig und ohne Sünde nach der Ordnung Melchisedeks. Durch sein Priestertum gibt es jene Vollendung, die das levitische Priestertum nicht gebracht hat, Hebr 7,11ff (vgl. Hebr 2,1-18; 3,1-6; 4,14-16; 5,1-10; 6,19f; 7,1-28)[2]. Dabei spielt die Versöhnungstagtypologie eine ganz besondere Rolle[3]. Der Tod Jesu ist nach der Darstellung des Hebr der eschatologische Versöhnungstag[4], durch den die Opfer des alten Bundes als unzureichend erwiesen wurden

---

[1] Zu den Texten aus dem Hebr vgl. neben den Kommentaren aus der neueren Literatur v.a. Schierse, Verheißung (1955); Gräßer, Glaube (1965); Nomoto, Herkunft (1968); Schröger, Hebräerbrief (1968); Theißen, Untersuchungen (1969); Hofius, Vorhang (1972); Thurén, Lobopfer (1973); Nissilä, Hebräerbrief (1979); Laub, Bekenntnis und Auslegung (1980); Loader, Sohn (1981), v.a. 161ff; Treyer, Le Jour des Expiations (1982), 265f; Rissi, Hebräerbrief (1987). Den von Käsemann, Gottesvolk, geäußerten Gedanken, daß das Grundmotiv im Hebr im "Wandernde[n] Gottesvolk" zu erblicken sei, versucht E. Gräßer, Das wandernde Gottesvolk. Zum Basismotiv des Hebräerbriefes, ZNW 77, 1986, 160-179, zu erneuern, jedoch ohne den von Käsemann behaupteten gnostischen Erlösermythos wieder aufzugreifen; vgl. dazu auch R. McLachlan Wilson, Art. Gnosis/Gnostizismus II, TRE 13, 547.

[2] Zur Gliederung des Hebr und damit zum redaktionellen Ort der Kap. 9 und 10 innerhalb des zentralen christologischen Mittelteils vgl. die Kommentare und Gräßer, Glaube, 160-167; Luz, Bund, 328; W. Nauck, Zum Aufbau des Hebräerbriefes, in: Judentum - Urchristentum - Kirche (FS Joachim Jeremias), BZNW 26, Berlin 1964[2], 199-206; Thurén, Lobopfer, 25-41; Vanhoye, Structure, 11-32; ders., Botschaft, 120.133; ders., Discussions sur la structure littéraire de l'Épître aux Hébreux, Bib 55, 1974, 349-380; ders., Structure and Message of the Epistle to the Hebrews, Subsidia Biblica 12, Rom 1989. Zu Ps 110 als Hintergrund von Hebr 7,1-10,18 s. Strobel, Hebr, 145ff; Michel, Hebr, 255 ff; Braun, Hebr, 305.

[3] Nach Riggenbach, Hebr, 61, spielt schon Hebr 2,17 erstmals auf den Versöhnungstag an; vgl. zustimmend Nomoto, Herkunft, 11. Dabei ist wichtig, was Hahn, Verständnis des Opfers, 78, im Anschluß an Dibelius, Schierse, Luck und Hofius formuliert: "Der Opfertod Jesu wird ... nicht eigentlich vom Alten Testament her gedeutet, sondern der alttestamentliche Opferkult wird umgekehrt vom himmlischen und wahren Kult her verstanden und unter diesem Gesichtspunkt mit dem eschatologischen Heilsgeschehen in Beziehung gesetzt."

[4] Strobel, Hebr, 187: "Das Opfer seiner [Jesu] Lebenshingabe am Kreuz umgreift in Wahrheit den großen Versöhnungstag der Menschheitsgeschichte."

und nun als überboten[5] und abgelöst gelten[6]. Dennoch wird eine bleibende Beziehung zum Alten Testament nicht geleugnet. Mit dem Bezug auf Jer 31,31-34 wird signalisiert, daß der vorzüglichere Priesterdienst Jesu schon im alten Bund angekündigt wurde (Hebr 8,6-13; vgl. 10,16f). Kriterium für die Auswahl der im folgenden besprochenen Texte ist die Beziehung zum Sühnopferritus am Versöhnungstag.

a) Der Dienst des Hohenpriesters Hebr 7,26-28 (vgl. 5,3)

Die Verse stellen einen feierlichen Abschluß von 7,1-28 in hymnischer Form dar[7]. In Kap. 7 geht es um "das ewige Amt des Hohenpriestertums Jesu nach der Ordnung Melchisedeks"[8], durch welches das levitische Priestertum und das mosaische Gesetz abgelöst werden[9]. Daß Jesus Hoherpriester nach der Ordnung Melchisedeks ist, klang schon erstmals in 4,14f und 5,1-10 an. Kap. 7 liefert nun die inhaltliche Darstellung. Die Bezie-

---

[5] Dies läßt sich auch von der Wortstatistik her zeigen: κρείττων ist ein Lieblingswort des Verfassers. Es begegnet 13mal im Hebr, jeweils an entscheidender Stelle; vgl. Fitzer, Hebräerbrief, 305. Die Opfer des alten Bundes bringen keine "vollkommene Weihe" (τελειοῦν, τελείωσις), das vermag erst das Opfer Christi; s. M. Dibelius, Der himmlische Kultus nach dem Hebräerbrief, in: ders., Botschaft und Geschichte II, hrsg. von H. Kraft und G. Bornkamm, Tübingen 1956, 160-176, hier: 166.

[6] E. Gräßer, Mose und Jesus. Zur Auslegung von Hebr 3,1-6, ZNW 75, 1984, 2-23, hat für Hebr 3,1-6 erstmals von Schierse, Verheißung, gesehene Struktur bestätigt: Entsprechung, Andersartigkeit, Überbietung (14). Dies ist nicht nur auf Hebr 3,1-6 beschränkt, sondern ein durchgängiges Strukturphänomen des Hebr; vgl. E. Gräßer, Der Hebräerbrief 1938-1963, ThR NF 30, 138-236, hier: 165 (im Anschluß an Vanhoye).

[7] Erstmals von Windisch, Hebr, 67, wurde in Hebr 7,26-28 ein kleiner Hymnus festgestellt; vgl. Michel, Hebr, 278, in modifiziertem Anschluß an Windisch; Nomoto, Herkunft, 12: "formelhafte hymnische Überlieferung [liegt] zugrunde"; Strobel, Hebr, 159: "Hymnisierender Stil"; s. auch Nissilä, Hebräerbrief, 115f, und die dort genannte Literatur.

[8] Strobel, Hebr, 145. Zu Melchisedek und den Beziehungen zur neutestamentlichen Christologie vgl. neben den Kommentaren M. Delcor, Melchizedek from Genesis to the Qumran Texts and the Epistle to the Hebrews, JSJ 2, 1971, 115-135; J.A. Fitzmyer, "Now this Melchizedek ... (Hebr 7,1), CBQ 25, 1963, 305-321; ders., Further Light on Melchizedek from Qumran Cave 11, JBL 86, 1967, 25-41; Hengel, Messianischer Lehrer, 182ff; F.L. Horton, The Melchizedek Tradition, MSSNTS 30, Cambridge 1976; Loader, Sohn, 212-220; H. Rusche, Die Gestalt des Melchisedek, MThZ 6, 1955, 230-252; Schröger, Schriftausleger, 130-159.293-310; Theißen, Untersuchungen, 13ff. 130ff; T. Willi, Melchisedek. Der alte und der neue Bund im Hebräerbrief im Lichte der rabbinischen Tradition über Melchisedek, Jud 42, 1986, 158-170; A.S. van der Woude, Melchisedek als himmlische Erlösergestalt in den neugefundenen eschatologischen Midraschim aus Qumran Höhle XI, OTS 14, 1965, 354-373. Zum Text von 11QMelch s. M. de Jonge und A.S. van der Woude, 11Q Melchizedek and the New Testament, NTS 12, 1965/66, 301-326.

[9] Nach F. Hahn, Christologische Hoheitstitel. Ihre Geschichte im frühen Christentum, FRLANT 83, Göttingen 1963, 231ff, und - im Anschluß an ihn - Loader, Sohn, 142-160, liegt die eigentliche Wurzel der Hohepriestervorstellung des Hebr in der himmlischen intercessio. Zur Hohepriestervorstellung im Hebr s. weiter Nomoto, Herkunft, passim; Schröger, Schriftausleger, 120ff.

hung der Verse 26-28 zum Versöhnungstag ist umstritten[10]. Das Interpretationsproblem wird durch die Formulierung καϑ' ἡμέραν bezeichnet[11]. Einerseits weisen die Wendungen κεχωρισμένος ἀπὸ τῶν ἁμαρτωλῶν[12] und ἀμίαντος[13] auf das Amtieren des Hohenpriesters am Jom Kippur hin, andererseits geht καϑ' ἡμέραν in eine andere Richtung. Daß dem Verfasser eine Ungenauigkeit unterlaufen sein sollte, ist unwahrscheinlich[14]. Aus Hebr 9,7.25; 10,1.3 geht hervor, daß er sich genau auskennt[15]. Der Wortlaut von 7,27 (vgl. 5,3) paßt auch "eigentlich nur auf den großen Versöhnungstag"[16]. Wenn man im Anschluß an Zahn[17] das καϑ' ἡμέραν im allgemeinen Sinn von "immer wieder" versteht, löst sich das Problem[18]. Die Reihenfolge der in V.27 angegebenen Opfer stimmt jedenfalls mit der von Lev 16,6.11.15.19 überein. Der Hohepriester entsühnt zunächst für sich und sein Haus, sodann für das Volk. Die gleiche Sachaussage finden wir Hebr 5,3[19]. Dabei werden jeweils jährlich die Verunreinigungen des Heiligtums (Allerheiligstes, Zelt, Altar) beseitigt. Jesus dagegen hat durch sein Selbstopfer ein für allemal die Sünde getilgt. Hier tritt zum erstenmal im Hebr deutlich hervor, daß Jesus Hoherpriester und Opfer zugleich ist[20].

---

[10] Strobel, Hebr, 160, entscheidet sich nicht; Michel, Hebr, 283, rechnet mit einer Verbindung des täglich darzubringenden priesterlichen Speiseopfers bzw. des Tamidopfers mit dem Doppelopfer am Großen Versöhnungstag. Er beurteilt die Ausdrucksweise von Hebr 7,27 als "seltsam ungenau".

[11] Für die verschiedenen Deutungsmöglichkeiten s. Michel, Hebr, 281-282.

[12] Dadurch könnte auf die räumliche Trennung des Hohenpriesters vor dem Ritual des Versöhnungstages angespielt sein; vgl. mYom I,1; Bill. III, 696; Nissilä, Hebr, 134.

[13] Nach Delitzsch, Hebr, 310-320; Nissilä, Hebräerbrief, 134, ist hiermit die kultische Reinheit gemeint, in der der Hohepriester am Versöhnungstag amtiert.

[14] So wieder erwogen von Hegermann, Hebr, 160.

[15] Die Differenzen zwischen seiner Vorstellung des Tempels und denen in Ex 25-30 sind nicht aufgrund mangelnder Kenntnis entstanden; s. dazu unten A.22; dazu Strobel, Hebr, 169f.

[16] Michel, Hebr, 282.

[17] T. Zahn, Einleitung in das Neue Testament II, Leipzig 1899, 156; vgl. Rissi, Hebräerbrief, 73.

[18] Vgl. Hebr 3,13; 1Kor 15,31; 2Kor 11,28. Man muß dann jedoch in Kauf nehmen, daß Hebr 10,11 ein anderer Sinn vorliegt, nämlich "täglich". Dagegen votiert nachdrücklich Braun, Hebr, 225, der davon ausgeht, daß der Hebr absichtlich das "täglich" des Tamidopfers bringe, "damit der Abstand gegen das ἐφάπαξ Jesu besonders in die Augen fällt". An das Tamidopfer denkt auch Attridge, Hebr, 213. Einen anderen bedenkenswerten Vorschlag bietet Edersheim, Temple, 304: Er möchte "Tag" (ἡμέρα) im Sinn von "Versöhnungstag" verstanden wissen, analog zu יומא im Aramäischen als t.t. für יום הכפרים.

[19] Der Hebr hält somit an der oben dargestellten Unterscheidung innerhalb der Sühneriten fest (s.o. Abschnitte V.VI.VII).

[20] Strobel, Hebr, 161.

b) Die Reinigung der himmlischen Dinge Hebr 9,23(-24)

Nachdem in Kap. 7 die Überlegenheit des priesterlichen Amtes Christi über die levitischen Priester dargestellt wurde, da Jesus in der die levitischen Priester überragenden Ordnung Melchisedeks steht, ging es in Kap. 8 um die Größe des Dienstes Jesu zur Rechten Gottes und den Vollzug des angekündigten neuen Bundes durch Jesu Mittlerschaft. Kap. 9 beschreibt nun diesen höheren Dienst Jesu in antitypischer[21] Entsprechung zur Stiftshütte und zum Bundesschluß am Sinai[22]. Hebr 9,5 begegnet der Begriff ἱλαστήριον als Ausdruck für die כפרת im Allerheiligsten des Tempels. Im Hebr wird Jesus jedoch nicht damit identifiziert, sondern mit dem Hohenpriester (9,11) bzw. dem Opfertier (9,14.25.28; vgl. 13,12)[23].

---

[21] Vgl. Hebr 9,24: ἀντίτυπος (das Wort fehlt interessanterweise bei Philo, s. Index Philoneus; Luz, Bund, 330). Zur Typologie im Hebr s. grundsätzlich L. Goppelt, Art. τύπος κτλ., ThWNT VIII, 246-260; ders., Typos, 193-215; Luz, Bund 331. Zur Argumentationsweise des Hebr s. die Zusammenfassung bei Loader, Sohn, 172f.

[22] Insofern kann Hebr 9 durchaus als Ausführung der in Kap. 8 dargelegten Grundgedanken gesehen werden; Michel, Hebr, 297; Nissilä, Hebräerbrief, 172. Zwischen der in Hebr 9 zugrunde liegenden Vorstellung der Tempelhauses und der Beschreibung in Ex 25-30 liegen Spannungen vor, was uns aber hier nicht im Detail beschäftigen muß. Speziell geht es um den Ort des θυμιατήριον (Räucheraltar, die LXX bietet jedoch Ex 27,1; 30,1.27; Lev 4,7.18 u.ö. nicht θυμιατήριον, sondern θυσιαστήριον bzw. θυσιαστήριον τοῦ θυμιάματος) und des δεύτερον καταπέτασμα. Der Begriff θυσιαστήριον ist in der LXX jedoch nicht auf den Räucheraltar festgelegt, er kann auch den Brandopferaltar meinen (z.B. Ez 45,19 LXX); vgl. neben Hatch-Redpath, s.v.; Behm, Art. θυσιαστήριον, 182f, v.a. Klauck, Berichtigung, 274. Für den im Hebr sachlich richtig geschilderten Standort des Räucheraltars hat O. Moe, Das irdische und das himmlische Heiligtum. Zur Auslegung von Hebr 9,4f, ThZ 9, 1953, 23-29, versucht, Argumente beizubringen. Seine Ausführungen sind jedoch an der Stelle unzutreffend, wo es heißt, es gebe nach dem Hebr im "himmlischen Tempel ... bloß *einen* Raum, das Allerheiligste, worin der goldene Räucheraltar und die Lade des Bundes mit den Cheruben der Herrlichkeit ungeschieden nebeneinander stehen" (ebd, 28f). Im übrigen hat schon Riggenbach, Hebr, 242ff bes. A.75, die gängigen Argumente zusammengestellt. Sein Verständnis als Räucherpfanne (244) ist jedoch fraglich, zumal er selbst (245) zugeben muß, daß damit die Nicht-Erwähnung des Räucheraltars als Schwierigkeit übrig bleibt; so auch Braun, Hebr, 251. Sprachlich kann θυμιατήριον freilich als "Räucherpfanne" bzw. "Räucherfaß" verstanden werden, z.B. JosAnt 4,2,2.4; 8,3,8, dazu Michel, Hebr, 300; Strobel, Hebr, 169. Nissilä, Hebräerbrief, 173f, der mit Bill. III, 737, ein "Versehen" des Verfassers annimmt, kann kaum überzeugen. Letztlich bleibt es, will man nicht tatsächlich von einem Versehen ausgehen, entweder bei der von Strobel, Hebr, 169f, vorgeschlagenen Lösung, wonach der Räucheraltar "funktional gesehen" zur Einrichtung des Allerheiligsten gerechnet werden müsse oder bei der von Michel, Hebr, 301, erwogenen Sicht, daß der Hebr "in einer besonderen kultischen Tradition" stehe. Auch hinsichtlich des Inhaltes der Bundeslade besteht in der Tradition keine einhellige Auffassung; vgl. Ex 16,32f; Num 17,19.22 und 1Kön 8,9 mit bYom 50b; weitere Belege bei Michel, Hebr, 302. Die Frage nach dem Vorhang findet ihre Klärung bei Hofius, Vorhang, 49ff.

[23] Anders Loader, Sohn, 194. Zwar findet sich in der Tat im Hebr keine explizite Aussage, Jesus sei das Opfertier, jedoch die Parallelisierung des Blutes und die Formulierung, daß Jesus "sich selbst makellos Gott dargebracht hat" (Hebr 9,14), lassen keinen anderen Schluß zu. Zur Frage der Parallelisierung mit dem θυσιαστήριον (13,10) s.u. 248ff.

Es ist auffällig, wie die Begrifflichkeit des Hebr sich genau in den jüdischen Vorstellungsrahmen einfügt: nach Hebr 9,7 geht der Hohepriester ins Allerheiligste[24], um Sühne zu schaffen für sich und für die ἀγνοήματα des Volkes[25]. Dies entspricht der Darstellung des Versöhnungstages in der jüdischen Tradition. Er reinigt mit diesem Ritus das Heiligtum (vgl. Lev 16,16.20; Ez 45,20)[26]. Auch im Hebr geht es dabei nicht pauschal um Sündenvergebung, sondern um die Wegnahme ganz bestimmter Sünden, der ἀγνοήματα. Die gleiche Unterscheidung im Sündenbegriff liegt Hebr 5,3; 7,27 und 10,26 zugrunde.

Dabei werden die ἀγνοήματα Hebr 9,14 als die "Sünden des Gewissens" interpretiert[27]. Jesus bringt jetzt die Vollendung, die die alte Kultordnung nicht bringen konnte (vgl. Hebr 7,19.25.28; 9,11.13.14.23; 10,1.14.22).

Einen besonderen Akzent bringt Hebr 9,18ff dadurch ein, daß hier Jom-Kippur- und Bundesvorstellung miteinander verbunden werden. Der Text greift zurück auf Ex 24,3-8[28]. Nachdem Mose dem Volk die "Worte und Satzungen JHWHs" verlesen hat, findet ein Blutritus statt. Dabei wird in der vorliegenden redaktionellen Endgestalt die eine Hälfte des Blutes der Opfertiere an den Altar gesprengt (זרק), die andere Hälfte auf das Volk[29]. Der Ritus bedeutet in Ex 24 die Herstellung der Verbindung zwi-

---

[24] Die Frage, wie "das größere und vollkommenere Zelt" (V.11) zu verstehen ist, hat Hofius, Vorhang, 65ff, m.E. schlüssig geklärt, nämlich als "das ganze himmlische Heiligtum", und nicht wie Andriessen, Zelt, 85.89.92, der "Himmel der Engel", aber auch nicht der Leib Christi, bzw. "the Eucharistic Body of Christ", wie J. Swetnam, "The Greater and More Perfect Tent". A Contribution to the Discussion of Hebrews 9,11, Bib 47, 1966, 91-106, hier: 104, vorschlagen.

[25] Nach Michel, Hebr, 305f, erinnert der Ausdruck ἀγνόημα, der sich auch Tob 3,3; Sir 23,2; 51,19; 1Makk 13,39 findet, "an die Besonderheit der spätjüdischen Sündenlehre". Es geht dabei um die "unerkannte Sünde", (Strobel, Hebr, 171f), nicht darum, daß ἀγνόημα keine "in ihrer Schwere bestimmbare Sünde, sondern eine durch die Buße sühnbare Sünde" wäre (Michel, Hebr, 306). Auch gilt es gegenüber Michel, ebd, zu betonen, daß am Versöhnungstag zwar "alle Sünden" gesühnt werden, jedoch durch den Sündenbock.

[26] S.o. S. 80ff, Abschnitt VII "Die Sünden und ihre Sühne in der jüdischen Tradition".

[27] Zu Hebr 9,7 vgl. Philo, SpecLeg I, 187.203; dazu Strobel, Hebr, 172.

[28] Bedeutsam sind jedoch die Unterschiede zu Ex 24; vgl. dazu Schröger, Schriftausleger, 168ff. Der Hebr ist an Ex 24 hier nur wegen des Blutritus interessiert, den er im Sinn von Reinigung versteht. Wasser, rote Wolle und Ysop begegnen jedoch nicht Ex 24, sondern im Zusammenhang mit Reinigungszeremonien (Lev 14,1-9.49-53; Num 19,6ff). Nach Hebr werden Bundesbuch, Volk, Zelt und kultische Geräte mit Blut besprengt (vgl. dagegen Ex 40,9ff; Lev 8,10ff), in Ex 24 nur Altar und Volk. Bei den in Lev 8,14-30 berichteten Weiheriten werden Altar und Priester mit Blut bzw. (V. 30) mit Blut und Öl besprengt. "Aus einer Kombination von Lev 8 und Ex 40 wird dann im Hebr und bei Josephus eine kultische Reinigung des Zeltes durch Blut (Hebr 9,21) bzw. durch Öl und Blut (Josephus, Ant. III,206)." Michel, Hebr, 319.

[29] In der redaktionellen Endgestalt macht der Text Ex 24,3-8 einen literarisch zusammengesetzten Eindruck. Der Blutritus in V.8 ist einzigartig im Alten Testament. Das Sach 9,11 genannte "Bundesblut" meint die Beschneidung (E. Kutsch, Das sog. 'Bundesblut' in Ex XXIV.8 und Sach IX.11, VT 23, 1973, 25-30, hier: 30; anders Rudolph, KAT XIII.4, z.St.). V.7 wirkt wie ein Fremdkörper. Vom ספר הברית spricht auch 2Kön 23,21 bei der Bundesschlußzeremonie des Josia. Wie Perlitt, Bundestheologie, passim, dargestellt hat, sind

schen Gott und Volk. Die Blutsprengung beim Bundesschluß wird nun im
Hebr verstanden als Einweihung des Bundes (V.18) und als kultische Reinigung (V.23)[30]. Durch das Blut wird die Gemeinde gereinigt und als

Bundestheologie und Kulttheologie voneinander zu unterscheiden. Die Bundestheologie
ist, zumindest in ihrer ausgeprägten Form, dtn/dtr Ursprungs (vgl. dazu auch Deissler,
Opfer, 29 A.24). Zu V.7 s. H. Haag, Das 'Buch des Bundes' (Ex 24,7), in: ders., Buch des
Bundes. Aufsätze zur Bibel und zu ihrer Welt, 1980, 226-233. In der gesamten Sinaiperi-
kope kommt das Wort "Bund" nur in Ex 24 vor. Der Akzent liegt eindeutig auf der Theo-
phanie! In Ex 24 dürfte in V.4.5.6 ein alter Ritualtext (Opfer) enthalten sein. Die eine
Hälfte des Blutes wird an den Altar gesprengt, die andere in Schalen aufgefangen. Sie
könnte auf die Ältesten gesprengt worden sein. Den Zusammenhang unterbricht jedoch
der V.7, der auf V.3 zurückgreift. V.8 stellt dann eine Weiterinterpretation dar.
Eine andere Aufteilung findet sich bei Deissler und Kutsch. Deissler, Opfer, 29, unterscheidet Schicht A: 24,1-2+9-11 und Schicht B: 24,3-8, wobei er V.7 für einen deuteronomischen
Einschub hält, ebenso wie den letzten Teil von V.8 ("die JHWH aufgrund all dieser Worte
mit euch geschlossen hat"). Die Formel "Blut der b^erit" ist jedoch nach Deissler, ebd, 30,
"keineswegs ein vom Deuteronomium her abzudeckender noch ein vom Textzusammen-
hang an dieser Stelle hervorgetriebener Ausdruck". Der Sinn ist, daß durch das Blutsprengen der Zusammenhang mit Gott hergestellt wird (vgl. Deissler, ebd, 31). Nach E. Kutsch,
Verheißung und Gesetz, Berlin 1973, 80-88, hier: 83; ders., Art. Bund, TRE 7, 397-410,
hier: 400, wurden in Ex 24,3-8 zwei unterschiedliche Ritualtheologien zusammengebracht.
Dies dürfte so kaum zutreffen. Eher ist damit zu rechnen, daß eine alte Opferszene dtn/dtr
weitergeführt und durch V.8 nochmals weiterinterpretiert wurde. Das Blut hat hier verbin-
dende Funktion. Die Szene ließ diese Interpretationsmöglichkeit offen. Gegen die von Perlitt, Bundestheologie, 181-187, ausgeführte Interpretation des Mahles in 24,3-8 als "Freu-
denmahl" wendet sich Deissler, Opfer, 29f A.25, und betont dagegen den kultischen Charakter. Zum "Bundesopfer", das keinen sühnenden Charakter haben soll, vgl. prinzipiell -
aber nicht unumstritten - R. Schmid, Das Bundesopfer in Israel. Wesen, Ursprung und Bedeutung des Alttestamentlichen Schelamim, StANT 9, München 1964, passim, hier: 33.
Ebenfalls gegen Perlitt s. E.W. Nicholson, The Covenant Ritual in Ex XXIV,3-8, VT 32,
1982, 74-86, der Ex 24,3-8 als Weihe des Gottesvolkes verstehen will; s. weiterhin F. Vattioni, Il sangue dell'alleanza (Es 24,8), in: ders., Hrsg., Sangue e Antropologia Biblica II (Centro Studi Sanguis Christi 1), Rom 1981, 497-514, und K. Myhre, "Paktens blod" i Ex 24,8.
En undersokelse av blodbestenkningens betydning i Ex 24, TsTK 55, 1984, 197-210, die sich
gegen die Abtrennung von V.8 wendet und nur das Bundesmahl V.9-11 der Redaktion zuschreiben will.
[30] Schwierigkeiten bereitet die Interpretation von V.22; vgl. Michel, Hebr, 320ff. Er versteht καθαρίζειν hier "nicht mehr [als] Ausdruck der Weihe oder Heiligung, sondern der
Sühne" (320). Er sieht die positive Aussage πάντα καθαρίζεται durch die negative χωρὶς
αἱματεκχυσίας κτλ. erläutert und verstärkt (320). V.22 stellt für ihn eine über V.19-21
hinausgehende Zusammenfassung dar. In χωρὶς αἱματεκχυσίας κτλ. sieht er eine Kultre-
gel vorliegen (319.321; so auch Braun, Hebr, 257.279; vgl. bYom 5a; bMen 93b; bZev 6a.
Philo, SpecLeg III,150). Diese sei jedoch schon im Alten Testament selbst nicht durchgän-
gig gültig gewesen, vgl. z.B. Hos 6,6. Doch überzieht Michel hierbei die Logik. Nicht nur,
daß prophetische Kultkritik hier gar nicht angeführt werden muß, da schon in der kultischen Gesetzgebung selbst unblutige Opfer vorgesehen sind (vgl. Lev 5,11ff; 15,5ff; 16,26ff
u.a.), vielmehr hat die Formulierung im größeren Zusammenhang den Sinn, zu beweisen,
daß das Opfer Jesu der "göttlich sanktionierte[n] Grundordnung" entspricht; Strobel, Hebr,
184. Das Blutvergießen bei der Darbringung der Opfer ist die Voraussetzung für die darauf
folgende Vergebung durch Gott. Auch im Alten Testament findet sich in der Regel die
Doppelung כפר pi. + סלח ni.; dazu J. Hausmann, Art. סלח, ThWAT V, 859-867; J.J.
Stamm, Art. סלח, THAT II, 150-160. Zu αἱματεκχυσία s. auch N.H. Young,
Αἱματεκχυσία: A Comment, ET 90, 1979, 180; Thornton, Meaning, 63-65. Er legt Wert auf

Kultgemeinde geweiht. Weil Mose aber auch den Altar (nach Hebr sogar das Zelt und die liturgischen Geräte) mit Blut besprengt hat, kann der Ritus auch als Weihe des Heiligtums gelten[31]. Auf diese Weise entsteht eine Verbindung von Heiligtumsweihe und Weihe der Gemeinde dieses Heiligtums[32].

Von entscheidender Bedeutung ist nun aber, wie Hebr 9,23 die Frage beantwortet, was die durch Jesus beschaffte Sühne bedeutet[33]. Rein sprachlich wird der Blutritus hier verstanden als Reinigungsritus[34]. Vergebung und Reinigung durch Blut sind Hebr 9,21ff ganz eng aufeinander bezogen: ohne Blutvergießen gibt es keine Vergebung[35]. Das Tun des Hohenpriesters am Jom Kippur hat die Reinigung der Abbilder dessen, was im Himmel ist, zur Folge. Was aber bedeutet das Sühnehandeln Jesu als des eschatologischen Hohenpriesters dagegen für das Urbild, das himmlische Heiligtum?[36] Diese Handlung wird V.24 als ἀντίτυπος zum Tun des Hohenpriesters am Jom Kippur dargestellt. Inhaltlich bereitet V.23 jedoch Schwierigkeiten. Hebr 9,23f lautet:

---

den kultischen Kontext des Begriffes ("application of sacrificial blood to the altar to effect atonement", 65). Ebenso unter anderer Fragestellung Stott, Conception, 65: "It is only ... of the blood shed he (Jesus) could enter." Auch Braun, Hebr, 280, betont, daß die "kultische Manipulation mit dem Blut" angesprochen ist, trotz "Jesu unblutiger Todesart". (Gegen dieses nach wie vor gängige Fehlurteil eines "unblutigen Todes" Jesu, s. M. Hengel, Mors turpissima crucis. Die Kreuzigung in der antiken Welt und die 'Torheit' des 'Wortes vom Kreuz', in: J. Friedrich u.a., Hrsg., Rechtfertigung [FS E. Käsemann], Göttingen Tübingen 1976, 125-184, hier: 142 A.59.144f; Müller, Möglichkeit und Vollzug, 71.)

[31] Hebr 12,24 spricht vom "Blut der Besprengung" (vgl. 1Petr 1,2), welches nicht wie das Blut Abels nach Rache ruft, sondern Reinigung von Sünden schafft; vgl. Rissi, Hebräerbrief, 81. Man sollte jedoch auch hier von "Reinigung" und nicht wie Rissi von "Vergebung" reden.

[32] Hebr 10,21 und 3,5f sprechen vom "Haus Gottes", über das Jesus eingesetzt ist - damit dürften Tempel und Gemeinde gemeint sein; Strobel, Hebr, 197; anders Glombitza, Erwägungen, 136f.

[33] Cody, Sanctuary, 193, unterscheidet drei priesterliche Funktionen Jesu im himmlischen Heiligtum: 1. die Reinigung, 2. das ewige Eintreten vor dem Angesicht Gottes, 3. das Mittlersein für die, die durch ihn zu Gott kommen. Dies wird zu Unrecht bestritten von Nissilä, der nur eine doppelte Funktion gelten lassen will: die des Liturgen im himmlischen Heiligtum und die des Bundesmittlers; Nissilä, Hebräerbrief, 206 A.25. Leider versäumt es Treyer, Le Jour des Expiations, 265f, seine aus Lev 16 gewonnene Erkenntnis in der Behandlung des Hebr fruchtbar zu machen.

[34] Die Parallelität von Hebr 9,23 und Lev 16,16.33 LXX (diff. MT) betont Hofius, Vorhang, 60.

[35] Zu αἱματεχχυσία s.o. A.30.

[36] Auf die Frage, wie sich in der Vorstellung des Hebr irdisches Abbild und himmlisches Urbild verhalten, geht detailliert Hofius, Vorhang, 50ff, ein, zu Hebr 9,24 speziell 69-71. Zur Verwurzelung der Entsprechung von ἐπίγεια und ἐπουράνια in apokalyptisch-esoterischem Denken vgl. auch den Exkurs bei J.A. Bühner, Der Gesandte und sein Weg im vierten Evangelium, WUNT 2.2, Tübingen 1977, 399ff. Zum Gebrauch von τὰ ἄγια als Bezeichnung des Allerheiligsten s. Hofius, Vorhang, 50ff.57.71, und schon ders., Katapausis, 175, A.309; in gleicher Weise Delitzsch, Hebr, 323; Laub, Bekenntnis und Auslegung, 172ff.203ff; anders z.B. Glombitza, Erwägungen, 134.

(23) Nun ist es notwendig, daß die Abbilder der himmlischen Dinge durch solcherlei [Opfer] gereinigt werden, die himmlischen Dinge selbst aber durch größere Opfer als diese. (24) Denn nicht in ein mit Händen gemachtes Allerheiligstes[37] ist Christus eingegangen, welches nur ein Gegenbild des wahrhaftigen [Allerheiligsten[38]] wäre, sondern in den Himmel selbst, um dort vor dem Angesicht Gottes für uns zu erscheinen.

Michel konstatiert am Ende seiner Auslegung, daß diese für V.23 Fragen offen lasse[39]:

1. "Warum ist die Mehrzahl bei τὰ ἐπουράνια und κρείττοσιν θυσίαις gewählt? Hat nicht gerade der Neue Bund es mit der Einheit und nicht mit der Mehrheit zu tun?"

2. "Warum muß auch das himmlische Heiligtum, das doch aus Gottes Hand stammt, gereinigt werden?"

Zu 1. Der Plural bei τὰ ἐπουράνια rührt aus der im Hebr vorliegenden Parallelisierung der himmlischen und der irdischen Verhältnisse: "Über der Erde und den zur vergänglichen Schöpfung gehörenden 'Himmmeln' (1,10ff; 11,12; 12,26) liegen die οὐρανοί, die Himmelswelt (4,14; 7,26; 8,1; 9,23; 12,23.25). Im obersten Himmel (9,24) befinden sich das himmlische Jerusalem (11,10; 12,22; 13,14) mit dem präexistenten, wahren Heiligtum (8,2; 9,11), das ebenso wie das irdische Abbild aus zwei Räumen besteht: aus dem Heiligen und dem von diesem unterschiedenen Allerheiligsten (8,2; 9,8.12.<24>; 10,19) mit dem Thron Gottes (4,16; 8,1; 12,2). Damit deckt sich die Vorstellung des Hebräerbriefs mit jenem in der altjüdischen Apokalyptik und im rabbinischen Judentum vielfach zu belegenden Theologumenon, daß das irdische Heiligtum ein genaues Abbild des himmlischen Heiligtums darstellt."[40] Der Plural bei θυσίαι ist zu verstehen als Plural der Kategorie[41], der Bezug nimmt auf τούτοις in V.23a[42].

Zu 2. Diese Frage stellt vor größere Probleme.

Der Zusammenhang: Nach Riggenbach[43] greift V.23 zurück auf V.21f, nicht auf V.18-20[44]. Michel sieht in V.23-28 die Folgerungen gezogen aus

---

37 In 9,24 ist mit τὰ ἅγια das himmlische Sanctissimum gemeint; Hofius, Vorhang, 71.
38 Zu dieser Ergänzung vgl. Hofius, Vorhang, 51 A.14.
39 Michel, Hebr, 323.
40 Hofius, Vorhang, 71f; Ego, Himmel, 7.68. Zum Hintergrund der Vorstellung vom himmlischen Heiligtum s. H. Bietenhard, Die himmlische Welt im Urchristentum und Spätjudentum, WUNT 2, Tübingen 1951, 123ff; Cody, Sanctuary, 9ff; Ego, Himmel, passim; Hofius, Vorhang, 1-48; Schierse, Verheißung, 13ff; Wenschkewitz, Spiritualisierung, 132. Zur priesterschriftlichen Konzeption des salomonischen Tempels als "Abbild" vgl. Cross, Priestly Tabernacle, in: Biran, Hrsg., Temples, 169-180, hier: 171; Cross jr., Priestly Tabernacle, in: Sandmel, Hrsg., Old Testament Issues, 39-67.
41 Riggenbach, Hebr, 282; Spicq, Hebr II, 266; Michel, Hebr, 323; Braun, Hebr, 281.
42 Riggenbach, Hebr, 282. Michel, Hebr, 323, versteht τούτοις als Zusammenfassung der in V.19 genannten Reinigungsmittel.
43 Riggenbach, Hebr, 282.
44 Zur Beziehung zu V.18-20 s. aber unten!

den vorher dargelegten Bildern und Vergleichen, in denen auf die Einzig-
artigkeit des Opfers Christi hingewiesen wurde[45]. *Die Form:* Der Nachdruck liegt auf V.23b[46]. V.24 macht in Parallele zu 8,5
deutlich, daß sich die Stiftshütte zum wahren Heiligtum so verhält wie
ὑποδείγματα zu ἐπουράνια. Formal liegt in V.23 ein Schluß a minore ad
maius vor. Der Gebrauch des Pronomens τούτοις signalisiert das Gerin-
gere[47]. Dabei ist der Schluß ein doppelter: Die irdische Kultstätte wird mit
Blut gereinigt. Hieraus folgt, daß dies (a) für die himmlische auch gilt, (b)
daß dies mit Größerem als Tieropfern zu geschehen hat.
Der Inhalt: Als Verbum ist in V.23b καθαρίζειν zu ergänzen[48]. Windisch
rechnet mit einer Verunreinigung selbst des himmlischen Heiligtums
durch Sünden des Volkes[49]. Doch der Gedanke, daß das himmlische Heiligtum einer Reinigung bedürfe, ist zumindest schwierig[50]. Bleek denkt,
daß auf die Reinigung des Himmels durch den Satanssturz (Apk 12,7-9;
Lk 10,18; Joh 12,31) angespielt sei[51]. Dies wird auch von Michel favori-
siert[52]. Doch wird damit ein vollkommen fremder Gedanke in den Zusammenhang eingetragen[53]. Riggenbach meint, daß von der Reinigung des
himmlischen Heiligtums nur insofern geredet werden kann, "als dieses den
Sündern zugänglich gemacht werden soll und also durch ihre Unreinheit
notwendig befleckt werden müßte, wenn nicht durch ein vorhergehendes
Opfer die Sünde gesühnt und ihrer befleckenden Wirkung beraubt würde.
Es handelt sich also in diesem Fall nicht um die Beseitigung einer bereits
vorhandenen, sondern um die Abwehr einer drohenden Verunreinigung."[54] Damit jedoch ist der Satz inhaltlich in sein Gegenteil verkehrt.
Auf die Lösung hat schon Lünemann in seinem Kommentar hingewiesen[55]: V.23 greift nicht nur auf V.21 zurück, sondern nimmt den in V.18
geäußerten Gedanken wieder auf: Der Blutritus bedeutet nicht nur Reinigung, sondern auch Weihe. V.23 greift damit inhaltlich auf das ἐγκαινίζεσθαι von V.18 zurück und versteht Jesu Eingehen ins himmlische Al-

---

[45] Michel, Hebr, 323.
[46] Riggenbach, Hebr, 282, vgl. μέν - δέ.
[47] Ebd.
[48] Riggenbach, ebd; Braun, Hebr, 280; Attridge, Hebr, 260f.
[49] Windisch, Hebr, 85. Braun, Hebr, 281, pflichtet Windisch bei, nennt jedoch noch die negativen himmlischen Mächte, die die Reinheit gefährden könnten.
[50] Riggenbach, Hebr, 283; Strobel, Hebr, 185.
[51] Bleek, Hebr, 380.
[52] Michel, Hebr, 323f.
[53] Riggenbach, Hebr, 283.
[54] Ebd.
[55] Lünemann, Hebr (1867³), 304; (1878⁴), 302f; vgl. Spicq, Hebr II, 267, der auf die auch in
1Makk 4,36-59 vorliegende Verbindung von καθαρίζειν und ἐγκαινίζειν hinweist: "L'idée
d'impurité antérieure est un non-sens pour le sanctuaire céleste. Il est seulement *inauguré
et consacré* par un sacrifice supérieur à tout autre, celiu du Christ." (Hervorhebung W.K.)
Auch von Bleek, Hebr, 380, erwogen, dann aber abgelehnt; ebenso Attridge, Hebr, 261.

lerheiligste mit seinem Blut als Einweihung desselben[56]. Diese konnte nicht mit Tierblut geschehen, sondern es bedurfte des eigenen Blutes Jesu. Sie konnte nicht jährlich geschehen, sondern geschah ein für allemal. Sie ist nicht die Weihe eines mit Händen gemachten Tempels, sondern die eines himmlischen[57].

Jesus "reinigt"[58] also das himmlische Heiligtum, indem er (Hebr 9,24) mit seinem eigenen Blut im himmlischen Allerheiligsten erscheint[59], um sich selbst darzubringen und das himmlische Heiligtum eschatologisch einzuweihen[60] und die unerkannte Sünde durch sein Opfer zu tilgen[61].

---

[56] Zu ἐγκαινίζεσθαι s.u. zu Hebr 10,20.

[57] Die gleiche Unterscheidung χειροποίητος - ἀχειροποίητος findet sich im Tempelwort der Evangelien und in der Rede des Paulus Apg 17.

[58] Der Begriff καθαρίζειν Hebr 9,23 entspricht Lev 16,19 טהר pi., das die LXX ebenfalls mit καθαρίζειν wiedergibt, wie auch in der zusammenfassenden Formulierung Lev 16,20 LXX (diff. MT). Dabei ist für טהר pi. ebenfalls die Doppelbedeutung "reinigen" und "für rein erklären" (= weihen) zu belegen, wobei sich u.a. in Lev 16,19; Ez 43,24; Neh 13,9; 2Chr 29,15f.18; 34,3.5.8 die zweite Bedeutung feststellen läßt; Ges.-B., WB, 272; KBS[3] II,354.

[59] Die Terminologie hinsichtlich des "Erscheinens" Jesu in Hebr 9,24-28 ist aufschlußreich: V.24: ἐμφανισθῆναι τῷ προσώπῳ τοῦ θεοῦ. Das Verbum hat "einen weiten sachlichen Spielraum" (Michel, Hebr, 324); vgl. Mt 27,53; Joh 14,21; Apg 23,15.22; 24,1; Hebr 11,14 u.ö. Es meint hier den Gang des Hohenpriesters ins Allerheiligste und dessen Eintreten vor Gott (Michel, ebd; andere Deutungen bei Nissilä, Hebräerbrief, 205). Zur Übersetzung mit "Eintreten" s. Hofius, Vorhang, 71 A.130.
V.26: ἐπὶ συντελείᾳ τῶν αἰώνων ... πεφανέρωται. Hier liegt Offenbarungsterminologie vor. Es ist an die "öffentliche Manifestation" zu denken (Michel, Hebr, 326); vgl. 1Joh 3,5.8; 1Petr 1,20 jeweils mit Angabe des Grundes oder Zweckes. Die sachliche Beziehung zu Röm 3,21 ist unverkennbar! Abzulehnen ist J. Swetnam, Sacrifice and Revelation in the Epistle to the Hebrews: Observations and Surmises on Hebrews 9,26, CBQ 30, 1968, 227-234, hier: 234, der 9,26 so versteht, daß Christus in einem kultischen Opfer erschienen sei. Der heilsgeschichtliche Aspekt ist hierbei zu wenig beachtet.
V.28: δεύτερον ... ὀφθήσεται. Apokalyptische Terminologie, bezogen auf Jesu Erscheinen zum Gericht (Michel, Hebr, 327).

[60] Die Bedeutung des Sühnopfers als Weihehandlung wird auch deutlich aus Jub 6,2: Noah bringt nach dem Ausstieg aus der Arche ein Sühnopfer dar, um für die Sünde der Erde zu sühnen; vgl. auch 1QGenApokr 10,13 "ich sühnte für alles Land", zit. bei Berger, Jub JSHRZ III.6, 355 A.2b; zum Opfer des Noah s. auch oben Abschnitt VI, S. 71f A.1.

[61] Loader, Sohn, 169f, zielt darauf ab, τὰ ἐπουράνια mit den zum Himmel gehörigen Menschen gleichzusetzen, was jedoch abwegig ist. Er berücksichtigt nicht, daß die Entsühnung/ Reinigung des Heiligtums die Voraussetzung zur Vergebung für die Menschen ist. Zu den verschiedenen Deutungsversuchen vgl. Michel, Hebr, 323ff. Nissilä will in der Formulierung διὰ τῆς θυσίας αὐτοῦ (V.26) eine Anspielung an das "Bild des Sündenbocks" (gemeint ist der Asasel-Bock) sehen: "Wie der Bock alle Missetaten des Volkes in die Wüste trägt (Lev 16,22), so auch Christus gekommen, um als Hoherpriester die Sünden des Volkes wegzutragen (εἰς ἀθέτησιν τῆς ἁμαρτίας)" (Hebräerbrief, 209). Jedoch ist dazu zu bemerken, daß 1. der Asasel-Bock keine θυσία darstellt, 2. ἀθέτησις keinesfalls im Sinn von Wegtragen verstanden werden kann; vgl. Bauer, WB[6], s.v. Hebr 9,28, wo vom "Wegtragen der Sünde" geredet wird, stellt ebenfalls keinen Bezug zu Lev 16,22 dar, sondern zu Jes 53,12 LXX: καὶ αὐτὸς ἁμαρτίας πολλῶν ἀνήνεγκεν; vgl. Braun, Hebr, 286. Lev 16,22 LXX lautet dagegen: καὶ λήμψεται ὁ χίμαρος ἐφ' ἑαυτῷ τὰς ἀδικίας. Gegen Braun, Hebr, 286, ist jedoch zu sagen, daß אשם Jes 53,10 nicht "Sühnopfer", sondern "Schuldopfer" bedeutet, wenngleich die LXX mit περὶ ἁμαρτίας übersetzt.

Es bestehen somit zwischen Hebr 9,23 und Röm 3,25f* auffällige Parallelen, aber auch Unterschiede: Hebr 9 wird durch den Tod Jesu das himmlische Heiligtum geweiht. Röm 3 wird durch den Tod Jesu dieser selbst zum endzeitlichen Sühneort. In beiden Fällen ist die Jom-Kippur-Liturgie der Hintergrund der Aussagen. Beide repräsentieren jedoch unterschiedliche traditionsgeschichtliche Entwicklungsstufen. Beide verstehen den Tod Jesu im Zusammenhang der Errichtung eines neuen "Sühne"-ortes, unter gleichzeitiger Vollendung, Beendigung und Aufhebung aller vergangenen und künftigen Sühnehandlungen. Das Eintreten Jesu vor Gott im himmlischen Allerheiligsten (Hebr) kann nicht mehr als fortgesetzte Sühne verstanden werden, und nach Röm ist hinfort kein Opfer mehr möglich und nötig.

c) Die "Einweihung" des neuen Zugangs Hebr 10,(1-18).19-22[62]

Hebr 10 beginnt mit einer sehr schroffen Aussage: Das Gesetz stellt nur ein Schattenbild der künftigen Güter dar, daher kann es nicht zur Vollendung führen. Die im Gesetz angeordneten Tieropfer konnten daher niemals Sünden wegnehmen (αἱρέω), sondern nur äußerlich reinigen (10,4.11). Das Sündenbewußtsein kann durch Tieropfer nicht beseitigt werden. Die auch im Alten Testament zu findende Opferkritik klingt an (Ps 40,7-9; vgl. Hos 6,6), ist jedoch noch grundsätzlicher gehalten[63]. Wie in Hebr 8,8ff wird auch in 10,16f mit Jer 31,31ff argumentiert. Die dort angekündigte Erneuerung, die mit der Sündenvergebung (ἄφεσις) einhergeht, ist jetzt eingetroffen[64]. Nach 10,19f besteht die Wirkung des Todes Jesu in der Eröffnung (besser: "Einweihung"[65]) eines neuen, lebendigen Zugangs zum Allerheiligsten durch den Vorhang, d.i. durch sein Fleisch[66] hindurch.

---

[62] Zur umstrittenen Zäsur zwischen Hebr 10,18 und 19 vgl. R. Feldmeier, Die Krisis des Gottessohnes, WUNT 2.21, Tübingen 1987, 54 samt A.32-34; Glombitza, Erwägungen, 133; Vanhoye, Structure, 173ff.

[63] "Die Ausübung des alten Kultus ist offensichtlich für den Verfasser des Hebr. grundsätzlich unnütz, und das nicht erst dadurch, daß der alte Bund vom Volk nicht gehalten worden ist" (Luz, Bund, 329).

[64] ἄφεσις, im Hebr nur in 9,22 und 10,18, meint die Wegnahme der Sünde. Während jedoch bei Jer das alte Gesetz den Menschen ins Herz geschrieben wird, sodaß keiner mehr Belehrung braucht zur Erkenntnis des Willens Gottes, steht im Hebr das Gesetz selbst unter dem Verdikt, veraltet und nutzlos zu sein. Der alte Bund gehört nach dem Hebr in die Welt des Irdischen und ist vom neuen Bund, der in die Welt des Himmlischen gehört, qualitativ geschieden (Luz, Bund, 330). Dies ist nicht nur die Erfahrung des Jom Kippur, sondern die tägliche Erfahrung (καθ᾽ ἡμέραν) der Priester am Tempel, Hebr 10,11.

[65] Strobel, Hebr, 197.

[66] "Fleisch" steht hier für die Lebenshingabe Jesu und zwar im Sinn der Ermöglichung des Eintritts, nicht im Sinn eines letzten Hindernisses vor dem Zugang; gegen Braun, Hebr, 307f; Käsemann, Gottesvolk, 146f, u.a. mit Strobel, Hebr, 197; Luck, Hebräerbrief, 209f. Gegen Luck, ebd, 211, muß jedoch betont werden: über die Gleichung 'Jesu Leib = Vor-

Der hier gebrauchte Begriff ἐγκαινίζω begegnet im Neuen Testament nur in Hebr 9,18 und 10,20. In beiden Fällen geht es um eine durch einen Blutritus geschehende "Einweihung". In der LXX werden ἐγκαινίζω, ἐγκαίνισις, ἐγκαινισμός, ἐγκαινία im Sinn von "einweihen", "Einweihung", "Fest der Weihe" (speziell: "Fest der Tempelweihe") gebraucht[67].

In Hebr 10 liegt beides sehr nahe beieinander: der neue Zugang[68] zum Allerheiligsten und die Reinigung der Gläubigen vom bösen Gewissen (dem Sündenbewußtsein) durch die Besprengung (vgl. Hebr 9,19ff). Durch ῥαντίζω (V.22) dürfte derselbe Vorgang wie in 9,19.21 angesprochen sein[69], das λούειν ὕδατι καθαρῷ hat wohl die Taufe im Blick[70]. Anknüpfend an schon in Kap. 9 Angeklungenes, wird der Akzent in 10,1-18 darauf gelegt, daß Jesus nicht nur der Hohepriester ist, der den Zugang ins Allerheiligste erwirkt, sondern selbst auch das Opfertier ist, dessen Hingabe wirksam die Sünden beseitigt. Hieß es schon in 7,27 ἑαυτὸν ἀνενέγκας, in 9,25 προσφέρῃ ἑαυτόν[71] und in 9,27 διὰ τῆς θυσίας αὐτοῦ, so wird in 9,28 erstmals passivisch formuliert ὁ Χριστὸς ἅπαξ προσενεχθείς[72]. Wird jedoch in Kap. 9 insgesamt stärker auf das Handeln des Hohenpriesters geblickt, so in Kap. 10 auf das Opfertier. Hebr 10,10 greift auf 9,28 wieder zurück und spricht von der προσφορὰ τοῦ σώματος Ἰησοῦ Χριστοῦ. Durch dieses eine Opfer Christi

---

hang' wird nicht das irdische Leiden Jesu so mit dem himmlischen Heiligtum verbunden, daß die Formulierung erlaubt wäre, Jesu "Leiden und Sterben, sein geschichtlicher Weg" sei "zugleich auch das Heiligtum". Lucks Darstellung geht aus vom "mythischen Schema Präexistenz-Erniedrigung-Erhöhung" (213; vgl. 198), setzt Erhöhung und Inthronisation mit dem Eingang ins Heiligtum gleich (206f) und muß von daher freilich "die Uneinheitlichkeit des Gedankens vom himmlischen Heiligtum" im Hebr (204) konstatieren. Zur Problematik der Beziehung Fleisch - Vorhang s. ausführlicher u. A.76.

[67] J. Behm, Art. καινός κτλ., ThWNT III, 450-456, hier: 455,30ff; vgl. 1Makk 4,52ff (dazu Schmitz, Opferanschauungen, 82f). Für Hebr 9,18 schlägt Behm vor: "Etwas Neues feierlich in Wirksamkeit treten lassen, einweihen" (ebd, 456,5f). Zu Hebr 9,18; 10,20 vgl. auch Michaelis, Art. ὁδός κτλ., 77f.

[68] Zur Frage, ob an "Zutritt" oder stärker räumlich an "Zugang" zu denken ist, s. Michaelis, Art. ὁδός κτλ., 77,18ff.

[69] Glombitza, Erwägungen, 139, in Anlehnung an Hunzinger, Art. ῥαντίζω κτλ., 983; anders Strobel, Hebr, 198, der an die Weihe der Aaroniden Lev 8,6.30 bzw. das Bad des Hohenpriesters Lev 16,4 denkt. Sowohl Lev 8,30 (προσέραννεν) als auch Lev 16,14 (ῥανεῖ) sind vom Wort her als Hintergrund möglich.

[70] Glombitza, Erwägungen, 140 (mit weiterer Lit.); Michel, Hebr, 346f; Strobel, Hebr, 198.

[71] Wobei προσφέρειν einen kultischen t.t. für die Darbringung als Opfer darstellt.

[72] Der Versuch von Fitzer, Hebräerbrief, bes. 312ff, jegliche Opfertodchristologie aus der neutestamentlichen Theologie herauszuhalten, wird dem Befund nicht gerecht. Die von Fitzer angesprochenen Fragen der Lehre vom "munus sacerdotale Christi" sind davon zu unterscheiden. Im übrigen ist Fitzers Bild vom alttestamentlichen Sühnekult zu korrigieren (s. z.B. ebd, 311: "ex opere operato", 314: "Sühneleistung").

wurde jene Vollendung der Sündenvergebung gebracht, die Jer 31[73] für die Endzeit verheißen ist. Daher bedarf es künftig keiner Opfer mehr[74]. Hebr 10,19ff[75] zieht dann die Summe und wendet das aus dem Alten Testament Erarbeitete auf die Gemeindesituation an. Dabei wird deutlich, wie die Typologie eine ekklesiologische Spitze hat und auf der Ebene des typologischen Vergleiches die Bilder sich durchdringen können: einerseits hat Jesu Blut Zugang ins Heiligtum verschafft, indem ein neugebahnter, lebendiger Weg durch den Vorhang eingeweiht wurde[76], andererseits ist

[73] Die zentrale Bedeutung von Jer 31,31ff für den Hebr ist offenkundig; vgl. auch Luz, Bund, 328.

[74] Falls Hebr 13,13 von der Trennung der christlichen Gemeinde von der Gemeinde am Tempel redet, würde dies mit der Feststellung in 10,18 schon präludiert (s.u. in diesem Abschnitt d, S. 254ff).

[75] Richtig versteht Fitzer, Hebräerbrief, 309, die Verse 19-21 als "Rekapitulation" des in 4,14-10,18 entfalteten Sachverhaltes und nicht einfach als Parallele zu 4,14; gegen Nauck, Aufbau (s.o. A.2), 203f.

[76] Schwierigkeiten bereitet die Formulierung "durch den Vorhang, d.i. sein Fleisch". K. Holsten möchte τοῦτ᾽ ἐστιν τῆς σαρκὸς αὐτοῦ als spätere Hinzufügung streichen (s. App. im NT-Graece). Michel, Hebr, 345, identifiziert das Fleisch Jesu mit dem Vorhang und nennt diese Gleichung "auffallend". Das Fleisch Jesu sei hier geradezu das letzte Hindernis auf dem Weg zu Gott. Doch von Hindernis kann keine Rede sein (vgl. Attridge, Hebr, 286). Hofius (Inkarnation, 136ff; vgl. ders., Vorhang, 76-84; hier 81; zustimmend J. Jeremias, Hebr 10,20 τοῦτ᾽ ἐστιν τῆς σαρκὸς αὐτοῦ, ZNW 62, 1971, 131) versteht den Ausdruck als Brachylogie, wobei er den Ausfall einer Präposition διά in 20b und gleichzeitig inkonzinnen Gebrauch derselben annimmt. Vergleichbare Stellen wären nach Hofius, Vorhang, 81 A.188: Hebr 9,11f; Röm 2,28f; 4,25; 11,28; 1Kor 15,47; 1Petr 3,20. Mit der Möglichkeit inkonzinnen Gebrauchs der Präposition rechnet auch Attridge, Hebr, 287. Zu Hebr 10,20 vgl. auch Loader, Sohn, 176-178 (Lit.); N.H. Young, ΤΟΥΤ΄ ΕΣΤΙΝ ΤΗΣ ΣΑΡΚΟΣ ΑΥΤΟΥ (Heb. X.20): Apposition, Dependent or Explicative?, NTS 20, 1974, 100-104, hier: 104, der τῆς σαρκὸς αὐτοῦ als "appositional explicative" zu καταπέτασμα verstehen will. Was soll sachlich ausgesagt werden? Hofius, Vorhang, 82, denkt bei der Aussage τοῦτ᾽ ἐστιν (διὰ) τῆς σαρκὸς αὐτοῦ unter Hinweis auf die altkirchliche Liturgie speziell an die Inkarnation: "Durch die Menschwerdung des präexistenten Gottessohnes wurde der Weg in das wahre Sanctissimum aufgetan." Hierzu muß jedoch zumindest mit Jeremias, ebd, 131, ergänzt werden, daß die Inkarnation auf den Opfertod zielt und nicht davon geschieden werden kann, und daher der Opfertod zumindest mit im Blick ist; s. v.a. Hebr 5,7ff wo die Tage des Fleisches mit dem Leidensweg unauflöslich verkoppelt sind. "Wie mit der Todverfallenheit, so ist σάρξ im Hebr immer auch mit dem Sühnopfertod verbunden" (Gräßer, Hebr, 297). Zur christologischen Konzeption von Hebr 5 s. neben der bei Gräßer, Hebr, 265f, genannten Literatur noch Feldmeier, Krisis (s.o. A.62), 50-63. "Fleisch" bezieht sich im Hebr auf Jesu gesamtes irdisches Dasein, wobei der Tod Jesu die Eröffnung des Weges zu Gott ins Allerheiligste für die Brüder bedeutet (Rissi, Hebräerbrief, 43; Attridge, Hebr, 287). Zum Gebrauch von σάρξ und σῶμα im Hebr vgl. Rissi, ebd, 42f.75f. Die Interpretation von Luck, Hebräerbrief, 210f A.4, leidet darunter, daß sie m.E. den Hebr zu sehr von Joh her versteht. In Hebr 10,20 werden nun aber nicht einfach "Vorhang" und "Fleisch" parallelisiert (gegen Laub, Bekenntnis und Auslegung, 180f, und die dort genannten Autoren), sondern der Zugang zu Gott "durch den Vorhang" wird mit dem neuen Zugang zu Gott "durch das Fleisch Jesu" in Beziehung gesetzt. Es geht also um den "durch" Jesu Fleisch ermöglichten freien Zutritt zum "Gnadenstuhl". Dabei drängt sich eine Beziehung zwischen der Aussage Hebr 10,20 und dem Zerreißen des Tempelvorhangs (Mk 15,38) auf: Dort stellt das Zerreißen den nunmehr freien Zugang zur Präsenz Gottes dar. In der Darstellung des Mk ist das Bekenntnis des Centurio (15,39, das auf Mk 1,11 Bezug nimmt,)

Jesus gleichzeitig Hoherpriester über das himmlische Heiligtum, das "Haus Gottes"[77].

d) "Außerhalb des Lagers" Hebr 13,10-13[78]

Nachdem von 10,23 an die Jom-Kippur-Typologie explizit keine Rolle mehr spielte, kommt der Hebr in 13,10-13 noch einmal kurz darauf zurück. Hierdurch wird nochmals deutlich, welches Gewicht dieser "Tag" im Grundsätzlichen der Theologie des Autors hat. Im Kontext V.7-17 geht es um die Bewährung der durch Christus gestifteten neuen Gemeinschaft[79]. In diesem ethisch ausgerichteten Zusammenhang wird in V.10 der Opferaltar erwähnt und in V.11 noch einmal Bezug genommen auf den Blutritus im Allerheiligsten und das Verbrennen der übrigen Tierleiber, um dann in V.13ff Konsequenzen zu ziehen[80].

---

durch die Umstände des Sterbens Jesu ausgelöst. Der Tempelvorhang bildet nach damaliger Vorstellung das Himmelsgewölbe ab, ist also Repräsentant des Firmaments und ist zugleich die Verhüllung Gottes (JosBell 5,213f; Ex 40,21; Num 4,5; NumR 12,13 [49a/b]; ExR 33,4; MidrAggada zu Ex 26,7; dazu Ego, Himmel, 116, unter Hinweis auf Hofius, Vorhang, 4-18, bes. 24f). Durch Jesu Sterben wird einerseits der Zugang zu Gott frei, andererseits verändert sich der Ort der Präsenz Gottes: Gott ist nicht mehr im Tempel, sondern im Gekreuzigten zu finden. Gnilka, Mk II, 324: Die Entfernung des Tempelvorhangs bedeutet die "Eröffnung des Zugangs ... für die Nichtpriester und Heiden ... Eröffnung des Zugangs bzw. Offenbarung Gottes geschehen im Tod Jesu. Beide Interpretationen sind zusammenzunehmen und bilden keinen Gegensatz ... Wir [haben] hier ein besonderes Anliegen des Evangelisten vor uns." S. für diesen Zusammenhang im Detail R. Feldmeier, Der Gekreuzigte im "Gnadenstuhl". Exegetische Überlegungen zu Mk 15,37-39 und deren Bedeutung für die Vorstellung der göttlichen Gegenwart und Herrschaft, erscheint in: M. Philonenko, Hrsg., Le Thrône de Dieu (WUNT), Tübingen 1991. Vgl. auch E. Lohse, Die Geschichte des Leidens und Sterbens Jesu Christi, Gütersloh 1967[2], 38, mit ausdrücklichem Bezug auf Hebr 10,19f; dagegen Attridge, Hebr, 287.

[77] Daß bei οἶκος τοῦ θεοῦ (10,21) auch die Gemeinde im Blick ist, die zum Heiligtum gehört, legt sich auch vom alttestamentlichen Heiligtum her nahe, welches "nie nur als Bau gedacht [wurde], sondern immer primär als Tempel- und Kultgenossenschaft, deren Exponent der Hohepriester" war (Strobel, Hebr, 197).

[78] Zu Hebr 13,10ff s. Loader, Sohn, 179-182 (Lit.); Schierse, Verheißung, 184ff; F. Schröger, Der Gottesdienst der Hebräerbriefgemeinde, MThZ 19, 1968, 161-181 (Lit.); Thurén, Lobopfer, 74-104; weitere Literatur s. folgende Anmerkungen.

[79] Der Text Hebr 13,7-17 wird in der Regel als Einheit betrachtet; Braun, Hebr, 457ff; Michel, Hebr, 485ff; Strobel, Hebr, 247ff. Holtzmann, Abendmahl, 251, betont die Geschlossenheit der Einheit, in der es um das "Festwerden" gegenüber Irrlehrern gehe. Dabei werde das Festwerden durch βρώματα abgelehnt und demgegenüber die χάρις betont, wobei die Gnade Gottes als die "Glaubensanschauung" zu verstehen sei (252). Auf Holtzmanns Interpretation kommen wir noch zurück.

[80] Hebr 13,7-17 erinnert an die Verbindung von Sakrament und Ethik in 1Kor 8-10 (dazu H. v. Soden, Sakrament und Ethik bei Paulus, in: Urchristentum und Geschichte, Ges. Aufs. I, Hrsg. von H. v. Campenhausen, Tübingen 1951, 239-275); Braun, Hebr, 467: "Christologie dient der Paränese"; vgl. Käsemann, Gottesvolk, 116; Gräßer, Glaube, 124.

Jesu Sterben geschah "außerhalb des Tores", so wie am Jom Kippur die beiden Opfertiere "außerhalb des Lagers" verbrannt werden[81]. Das Sterben Jesu wird V.12 als "Heiligung des Volkes durch sein eigenes Blut" gedeutet[82].
Schwierig und umstritten ist noch immer die Auslegung von V.10: Was ist mit ϑυσιαστήριον gemeint? Wer sind die dem Zelt Dienenden? Wovon haben diese kein Recht zu essen?
Auf den ersten Blick scheint "unser Opferaltar" dem "Zelt" (des alten Bundes) entgegenzustehen[83]. Hieraus wird dann häufig gefolgert, daß es um den Abendmahlstisch gehe, von dem zu essen die dem alten Bund angehörenden Priester kein Recht hätten; oder der Altar wird mit dem Kreuz Jesu in Beziehung gesetzt, an dem Christen durch das Abendmahl Anteil bekommen[84].
Michel ordnet Altar und Zelt so einander zu: "Der 'Altar' ist mehr als das 'Zelt', denn er hat die Verheißung des Ewigen, des Bleibenden."[85] Ohne sich letztlich zu entscheiden, scheint Michel einer Interpretation zuzuneigen, die das christliche Abendmahl jüdischen Opfermählern entgegensetzt[86]. Jedoch betont Michel die Schwierigkeiten, die einerseits darin bestehen, daß vom Alten Testament her eine genaue Unterscheidung von Sühnopfer und Opfermahl erforderlich ist[87] und zum anderen darin, daß die Einführung eines Altars für die neutestamentliche Gemeinde "der Grundanschauung unseres Briefes überhaupt" zunächst widerspricht. Er rechnet deshalb damit, daß 13,10 "aus einer anderen hellenistisch-urchristlichen Überlieferung gespeist ist oder aber durch die besondere Paränese gerade hier geprägt wird"[88].

---

[81] Es geht um den Sündopferbock und den Sündopferwidder, deren Blut zur Sühne des Heiligtums dargebracht wird, nicht um den Asasel-Bock, denn dieser ist kein "Sündopfer". "Außerhalb des Lagers" meint nach bYom 61b "im Aschestall", wo Fell, Fleisch und Mist des Sündopfertieres verbrannt werden. Dieser befindet sich nach bYom 68a außerhalb der drei Lager (priesterl. Lager = Tempelhof; levit. Lager = Tempelberg; israel. Lager = Jerusalem), d.h. außerhalb Jerusalems. Nach R. Eliezer muß dies wie bei der Asche der Roten Kuh östlich von Jerusalem liegen, nach den Rabbanan nördlich.
[82] Vgl. hierzu Hebr 9,19, wonach das Volk des ersten Bundes ebenfalls durch Blut geheiligt wurde.
[83] Michel, Hebr, 500 A.4. Nissilä, Hebräerbrief, 269 spricht geradezu davon, daß aufgrund von Hebr 13,10 der Altar als ein wesentlicher Bestandteil des Heiligtums des neuen Bundes zu bezeichnen sei.
[84] Schierse, Verheißung, 184ff, v.a. 190f, nennt vier Möglichkeiten der Interpretation des Altars: 1. der Abendmahlstisch, 2. das Kreuz, 3. der Ort, an dem Jesus sich im himmlischen Heiligtum opfert, 4. Christus selbst.
[85] Michel, Hebr, 499f, im Original gesperrt.
[86] Vgl. Michel, Hebr, 499.503; so auch Klauck, Thysiasterion, 362, der auch eine "'gnostische' Assoziation" im Text für möglich hält. Eine Aufstellung zum Verständnis von βρῶμα (V.9) bei Theißen, Untersuchungen, 76 A.2.
[87] Michel, Hebr, 500f A.4.
[88] Michel, Hebr, 502.

Fragt man, wo im Hebr außer 13,10 das Abendmahl noch betont oder we-
nigstens erwähnt wird, dann läßt sich nicht viel nennen. In der Literatur
werden folgende Stellen angeführt: 2,14; 6,4-5; 9,1-14; 10,19-20[89]. Für alle
hat Williamson[90] den Nachweis erneuert, daß keine Anklänge an das
Abendmahl vorliegen. Am ehesten könnte dies noch für 6,4-5 der Fall
sein, aber auch hier ist das nicht zwingend[91]. Würde das Abendmahl im
Hebr tatsächlich die Rolle spielen, die Swetnam[92], Aalen[93], Moe[94] und vor
allem Andriessen[95] ihm zumessen, dann wäre in 9,23, wo es um das Bundesmahl geht, ein Hinweis zu erwarten, aber gerade der liegt nicht vor.
Ebenso werden in 6,1-3, wo vom Fundament des Glaubens die Rede ist,
zwar Umkehr, Glaube, Taufe, Handauflegung, Auferstehung und Gericht
genannt, nicht aber das Abendmahl.
Deshalb hat Braun im Anschluß an Schröger u.a. die schon von Holtzmann (1909) vertretene antieucharistische Deutung erneuert[96]. Jedoch
hält auch sie einer Überprüfung kaum stand.

Braun sieht die Parallele, die V.10 aufstellt, zwischen dem Nicht-Essen der alttestamentlichen Priester am Versöhnungstag und dem Nicht-Essen der Christen vorliegen. Nicht etwa
werde der christliche Altar den jüdischen Priestern verboten - das erstrebten diese gar
nicht[97] - sondern den Christen. V.10 und 11 gehörten zusammen und würden nur aus dem
Zusammenhang verständlich: "Die Christen sollen von den dem Zelte des Versöhnungstages Dienenden lernen: wie dort die Priester von dem Sündopfer nicht essen dürfen, so
dürfen auch die Christen von dem christlichen Altar nicht essen; sind doch auch sie, die
Christen, Dienende. Altar und Zelt gehören zu der gleichen, übertragen gebrauchten Ordnung."[98] "Nach Hebr 9,12.14.24-26 tritt das Opfer Christi an die Stelle der Opfer des Versöhnungstages", damit werde - entsprechend dem Versöhnungstag - auch die Beurteilung
des Abendmahles als Opfermahl verboten[99]. Nicht die alttestamentlichen Priester sollen
von der christlichen Eucharistie ausgeschlossen werden, sondern den Christen werde ver-

---

[89] Theißen, Untersuchungen, 61, geht davon aus, daß der Hebr in 10,26-29 "Topoi der
Abendmahlsmahnung frei wieder[gibt]", was jedoch nicht bewiesen wird. Außerdem rechnet er für die in 12,22-24 wiedergegebene Tradition mit dem Abendmahl als Sitz im Leben
(66f). Weitere Anklänge an das Abendmahl hat Spicq I, 316-318, zusammengestellt; vgl.
Theißen, Untersuchungen, 68 A.1.
[90] Williamson, Eucharist, 301ff.
[91] Hahn, Verständnis des Opfers, 88f, rechnet mit einem Abendmahlsanklang, betont jedoch den himmlischen Charakter der Speise. Vgl. Michel, Hebr, 241f, der einen "verhüllten
Hinweis" auf das Abendmahl nicht ausschließen will, aber nicht für erwiesen hält.
[92] In mehreren Aufsätzen hat sich J. Swetnam dafür ausgesprochen, zuletzt in: Christology
and the Eucharist in the Epistle to the Hebrews, Bib 70, 1989, 74-95.
[93] S. Aalen, Das Abendmahl als Opfermahl im Neuen Testament, NT 6, 1963, 128-152.
[94] O. Moe, Das Abendmahl im Hebräerbrief, StTh 4, 1951, 102-108.
[95] Zusammenfassend P. Andriessen, L'Eucharistie dans l'Épître aux Hébreux, NRT 94,
1972, 269-277.
[96] Braun, Hebr, 462ff; Holtzmann, Abendmahl, 251-260.
[97] Vgl. Riggenbach, Hebr, 440, der fragt, warum nur den Priestern der christliche Altar
verboten werden sollte.
[98] Braun, Hebr, 463.
[99] Holtzmann, Abendmahl, 255; Braun, Hebr, 463.

boten, die βρώματα vom θυσιαστήριον zu essen[100]. Damit bekommt der Text in der Auslegung Brauns eine antieucharistische Spitze, die in V.15 darin ihr Ziel findet, daß "statt der verbotenen Opfer-βρώματα 13,9f nun das den Christen angemessene Opfer (...), der Preis des Namens Gottes", herausgestellt werde[101].

Geht man in der Exegese des Abschnittes von den klaren Aussagen aus, um dann die unklaren einzuordnen, dann steht zumindest so viel fest, daß Jesus nach V.11f entsprechend den Sühnopfern am Jom Kippur starb. So, wie die Leiber dieser Tiere, nachdem das Blut im Allerheiligsten dargebracht wurde, außerhalb des Tempelbezirkes verbrannt werden, so hat auch Jesus außerhalb[102] gelitten. Das steht in Übereinstimmung mit Hebr 9,12ff und dem Verständnis des Todes Jesu als Sühnopfer. Nun ist der Vergleichspunkt jedoch nicht, wie Braun formuliert[103], die Tatsache, daß bei den Sühnopfern am Versöhnungstag kein Kultmahl stattfindet, d.h. das "Nicht-Essen" am Jom-Kippur und im christlichen Gottesdienst, sondern verglichen wird, daß das Verbrennen bzw. Leiden jeweils "außerhalb" geschah[104]. D.h. V.11, der eine Begründung (γάρ) der Aussage in V.10 sein soll, besagt in-

---

[100] Braun, Hebr, 464. So auch u.a. Holtzmann, Abendmahl, 254f; Schröger, Gottesdienst, 173. Die Sakramentsreserve des Hebr geht nach Braun auch aus 5,1.6; 6,4; 9,9f; 10,5.20 hervor. Nach Schröger, Gottesdienst, 181, gab es in der Gemeinde, an die der Hebr gerichtet ist, keine Eucharistiefeier. Auch Theißen, Untersuchungen, 76, sieht in Hebr 13,7-17 eine kritische Aussage im Sinn einer Warnung vorliegen, da der wahre Opferkult nach dem Hebr nicht in der Gemeinde, sondern im Himmel stattfinde (77f). Der Hebr wende sich gegen ein Verständnis des Altars, als werde dort noch geopfert: "Der Altar gehört nicht zu dieser Welt, sondern zur zukünftigen Stadt" (78). Die Interpretation von Theißen, die von der These ausgeht (s. Untersuchungen, 7.71 A.11), daß in Hebr 9,10 durch βρῶμα καὶ πόμα das Abendmahl bezeichnet sei, läßt sich jedoch insgesamt so nicht durchführen. Theißen sieht einen innerchristlichen Gegensatz vorliegen, um den es im Hebr gehe, wobei den "christlichen Sakramenten das Opfer Christi entgegengehalten" werde (71). Theißen geht also gerade von einer antikultischen Absicht des Hebr aus und erklärt die kultischen Anspielungen als zum Hintergrund gehörig: "Der Hb muß auf den Hintergrund einer Frömmigkeit verstanden werden, für die der Kult im Mittelpunkt steht... Das Abendmahl gilt [dort - W.K.] in Analogie zum alttestamentlichen Kult als Opfer" (85). Diese Art von Frömmigkeit findet Theißen auch in den Ignatianen (85). Der Hebr stelle "die bekannten Abendmahlsmahnungen" dagegen und komme zu einer Abwertung der Sakramente (86). Doch fügt sich diese Interpretation nicht in den Gesamtzusammenhang des Hebr ein, sie bereitet schon für Hebr 9,10 innerhalb des Kontextes 9,1-28 unüberwindliche Schwierigkeiten.

[101] Braun, Hebr, 469, vgl. Holtzmann, Abendmahl, 257.

[102] Hebr 13,12 heißt es von Jesus sogar historisierend "er litt außerhalb des Tores"; Strobel, Hebr, 250. Zur Frage nach Bezügen zum irdischen Jesus im Hebr vgl. E. Gräßer, Der historische Jesus im Hebräerbrief, ZNW 56, 1965, 63-91, zu Hebr 13,10ff: 82-87.

[103] Braun, Hebr, 463; s.o. A.98.

[104] Der von Michel, Hebr, 500f A.4, dem Verfasser des Hebr angesichts 13,10 gemachte Vorwurf, er würde die für das Alte Testament gültige Unterscheidung von Sühnopfern und Opfermahlen nicht beachten, ließe auch dann nur bedingt aufrechterhalten, wenn es in 13,10 wirklich um ein Opfermahl ginge. Denn abgesehen davon kennen auch die alttestamentlichen Opfergesetze ausdrücklich Sühnopfer, die mit einem Mahl verbunden sind: Lev 6,18ff. Nur jene Sühnopfer sind vom Verzehr ausgenommen, bei denen das Blut ins Innere des Offenbarungszeltes gebracht wurde. Dies trifft auf die Opfer des Versöhnungstages allerdings zu. Ein anderes Problem liegt in 9,20 vor, wo Jesu Tod im Sinne eines Bundesopfers verstanden wird. Jedoch wird dann in 10,29 gerade das Sühnopferblut als Bundesblut verstanden (s.u. A.132). Auch trifft Michels Feststellung nicht zu, wonach die Opfer am Versöhnungstag nichts mit dem Altar zu tun hätten (Michel, Hebr, 500.501). Nach Lev 16,18

haltlich nicht erneut, daß die Hingabe Jesu als Sühnopfer zu verstehen sei und mit einem Opfermahl nichts zu tun habe, sondern stellt das Sterben Jesu außerhalb des Lagers heraus[105]. Es geht also in V.10 nicht um jenen Gegensatz zum Abendmahl als Opfermahl, das den Christen verboten wird[106].

Wer ist in V.10 angesprochen? Die erste Vershälfte scheint klar: "Wir haben einen Opferaltar" - das bezieht sich auf die Christen. (Worin dieser Opferaltar besteht, bleibe vorerst noch dahingestellt.) Von diesem Opferaltar haben "die Zeltdiener" kein Recht zu essen. Die Betonung liegt auf dem "Essen" in antithetischer Anknüpfung an V.9b, wo es um die Abwehr eines Festwerdens im Glauben durch Speisen ging. Diejenigen, die sich διδαχαῖς ποικίλαις καὶ ξέναις verführen lassen, meinen offenbar, durch bestimmte βρώματα eine Befestigung im Glauben zu erreichen. Dem wird die Befestigung durch Gnade entgegengesetzt. Die Begründung liegt in der "Nutzlosigkeit" der Speisen (13,9b). Die beiden Stichworte βρῶμα und ὠφελέω begegnen auch sonst im Hebr. Nach Hebr 9,10 gehört das βρῶμα zu den irdischen Satzungen, die auferlegt sind bis zur Zeit der Neuordnung. Hier ist βρῶμα ausdrücklich Kennzeichen des Alten Bundes[107].

Das Adjektiv ἀνωφελές begegnet Hebr 7,18 als Aussage über das Gesetz. Es ist durch Jesus aufgrund seiner Schwäche und Nutzlosigkeit jetzt durch eine "bessere Hoffnung" ersetzt. Der Hebr 13,9 gebrauchte Aorist von ἀνωφελέω hat effektiven Sinn und ist deutsch am besten als Plusquamperfekt wiederzugeben: "... wodurch die keinen Nutzen hatten, die sich damit abgeben"[108]. Dadurch wird auf die "Nutzlosigkeit" der Speisegebote und Kultmähler angespielt.

Damit stellt sich als entscheidende Frage, wer mit οἱ τῇ σκηνῇ λατρεύοντες gemeint ist. Sollten damit die alttestamentlich-jüdischen Priester bezeichnet werden[109], dann würde

---

(vgl. Ez 45,19) gehört auch der Altar zu den Kultgeräten, die am Versöhnungstag im Mittelpunkt stehen; vgl. Rissi, Hebräerbrief, 95.

[105] Aufgrund eines ganz anderen Argumentationszusammenhanges kommt auch Lührmann, Der Hohepriester, passim, hier: 184f, zum Ergebnis, daß der Hebr auch in 13,10-13 die "Parallelisierung von Christi Opfer und Opfer des Versöhnungstages nicht verlassen" habe. Lührmann sieht mit Blick auf Parallelen bei Philo Hebr 13,10ff innerhalb eines festen traditionsgeschichtlichen Zusammenhangs, in dem es um die Stiftung eines neuen Kultes ging (ebd, 184).

[106] Braun, Hebr, 463; Holtzmann, Abendmahl, 255.

[107] Anders Theißen, Untersuchungen, 67ff.76ff. Zu βρῶμα vgl. J. Behm, Art. βρῶμα, βρῶσις, ThWNT I, 640-643, hier: 640f. Behm möchte bei Hebr 13,9 nicht nur an alttestamentlich-jüdische Bestimmungen denken, sondern auch an synkretistische Bräuche der Umwelt, ebd, 641,10ff; ebenso Windisch, Hebr, 117f. Wilckens, Neues Testament, 809, geht davon aus, daß unter dem Stichwort die jüdischen Speisegebote zu verstehen seien und unter den Irrlehrern jüdische Gruppen, "die offenbar die jüdischen Speisegebote besonders sorgfältig beobachteten". Zur Doppelung βρῶμα καὶ πόμα, wie sie Hebr 9,10 begegnet, vgl. Lev 11.34.36; Hag 2,12f. Theißen, Untersuchungen, 71 A.10 betont zu Recht, daß diese Zusammenstellung im Alten Testament so nicht vorliegt (am nächsten kommen Lev 11,34; 2Esr 3,7: βρῶμα und πότος; Ps 102,10 LXX: ἄρτος und πόμα). Die Doppelung βρῶμα καὶ πόμα kann also (gegen Koester, Outside, 306; mit Theißen Untersuchungen, 71 A.10) nicht als t.t. betrachtet werden; auch Kol 2,16 ist nicht identisch (βρῶσις καὶ πόσις); anders 1Kor 10,1ff: βρῶμα und πόμα (hier bezogen auf die Ereignisse beim Exodus).

[108] Vgl. die Übersetzungen von Michel, Hebr, 485.496.498; Windisch, Hebr, 118. Strobel, Hebr, 247, gibt auch das Präsens οἱ περιπατοῦντες imperfektisch wieder, was aber unzutreffend ist, da es um gegenwärtige Praktiken geht. Die Anhänger dieser Praktiken haben jedoch noch nie erreicht, was sie zu erreichen suchten (Michel, Hebr, 498, im Anschluß an Riggenbach).

[109] Michel, Hebr, 499. Michaelis, Art. σκηνή κτλ., 378,20.

eine "kultrechtliche Ausschlußbestimmung"[110] vorliegen, die besagte, die Christen haben einen Opferaltar, von dem zu essen die Priester des alten Bundes kein Recht haben.
Nun ist σκηνή im Hebr nicht auf das irdische Heiligtum festgelegt[111]:
8,2: σκηνή mit dem Zusatz ἀληθινή für das himmlische Heiligtum.
8,5: σκηνή als Bezeichnung der Stiftshütte, die Mose herstellt.
9,2: Stiftshütte.
9,3: σκηνή als Bezeichnung des irdischen Allerheiligsten, das hinter dem zweiten Vorhang liegt.
9,6: Mit Zusatz πρώτη als Bezeichnung für das irdische Heilige, in das die Priester gehen.
9,8: Mit Zusatz πρώτη als Bezeichnung des ganzen irdischen Heiligtums im Gegensatz zum himmlischen[112].
9,11: Mit Zusatz μείζων καὶ τελειότερος als Bezeichnung des nicht mit Händen gemachten himmlischen Heiligtums.
9,21: Für die irdische Stiftshütte.
11,9: Bezeichnung der Zelte Abrahams.
Wenn der Sinn nicht durch den Kontext eindeutig festgelegt ist (8,5; 9,2.11.21; 11,9), dann wird er es durch einen Zusatz. Insgesamt oszilliert der Begriff um die Inhalte Nomadenzelt, irdisches Heiligtum, Heiliges, Allerheiligstes, himmlisches Heiligtum. Nirgends jedoch wird σκηνή absolut, ohne einen Zusatz, vom himmlischen Heiligtum gebraucht.
In gleicher Weise ist der Begriff λατρεύω nicht auf den Dienst am alttestamentlichen Heiligtum beschränkt:
8,5: Die Priester dienen am irdischen Heiligtum, das nur ein Schattenriß des himmlischen ist.
9,9: Die irdischen Opfer können dem Dienenden keine Vollkommenheit erwirken.
9,14: Die durch Christus im Gewissen Gereinigten können nun dem lebendigen Gott dienen.
10,2: Die am irdischen Heiligtum Dienenden müssen immer wieder opfern.
12,28: Die Teilhaber des neuen Bundes sollen Gott wohlgefällig dienen.
In der Mehrzahl der Fälle bezeichnet λατρεύω den Dienst am irdischen Heiligtum. 9,14; 12,28 heißt es, daß Christen dienen - aber nicht dem Zelt, sondern dem lebendigen Gott[113]. Hebr 13,10 fällt insofern aus dem Rahmen, als τῇ σκηνῇ λατρεύω sonst im Hebr nicht auftaucht[114].
Aufgrund des Befundes muß Hebr 13,10 allgemein übersetzt werden: "Die dem (alttestamentlichen) Heiligtum dienen". Dies können dann sowohl die alttestamentlichen Priester als auch jene Christen sein, die sich weiterhin zur Beobachtung von Speisevorschriften und

---

110 Michel, Hebr, 499.501; vgl. Thurén, Lobopfer, 84ff.
111 Michaelis, Art. σκηνή κτλ., 376-378.
112 Der Sprachgebrauch in Hebr 9,6 und 9,8 ist sowohl für das Neue Testament als auch sonst singulär; Michaelis, ebd, 377,13ff.
113 Michaelis, ebd, 378,16ff, hält 13,10 "Dienst des Zeltes" für eine ungewöhnliche Formulierung, die der Verfasser des Hebr nur wegen der in 8,5; 9,2ff beschriebenen Stiftshütte verwenden konnte.
114 Am ehesten könnte noch 8,5 verglichen werden, wo λατρεύω mit dem Dat. von ὑπόδειγμα und σκιά begegnet. Mit Dat. auch in 9,14 und 12,28. Die beiden Belege 9,1.6, in denen das Substantiv λατρεία im Hebr verwendet wird, tragen für unsere Fragestellung nichts aus. Michel, Hebr, 501, nennt als vergleichbare Wendung das in Ez 44,11 LXX gebrauchte λειτουργεῖν τῷ οἴκῳ.

Kultmählern bewegen lassen[115]. Daß Christen nicht mehr "dem irdischen Zelt dienen" dürfen, ergibt sich auch aus der Zusammenordnung von Christus und den Christen im Hebr und aus dem "priesterlichen" Status der Glaubenden. Einerseits gilt: Nach Hebr 9,14; 12,28 "dienen" Christen dem lebendigen Gott, Christus dagegen ist nach Hebr 8,2 "Liturg" des wahren Heiligtums[116]. Andererseits ergibt eine Durchsicht des Hebr unter der Fragestellung, wie Christus und die Christen zusammengeordnet werden und in welchen Kategorien dies geschieht, folgenden auffälligen Befund:

3,14: Christen sind μέτοχοι Christi[117].

4,16: Christen sollen "hinzutreten" zum Gnadenthron[118].

6,19f: Christus ist als Vorläufer hinter den Vorhang gegangen, Christen sollen auch dahin kommen.

7,25: Durch Christus sind die Christen zu Gott getreten.

10,20ff: Christus hat den Zugang hinter den Vorhang eröffnet, die Christen werden aufgefordert, voll Zuversicht zum Heiligtum hinzuzutreten.

11,6: Christen sollen durch den Glauben zu Gott treten.

12,18.22: Christen sind hinzugetreten zur Stadt des lebendigen Gottes, zum himmlischen Jerusalem.

Christen haben Zutritt zum Heiligtum, ja sogar zum Gnadenthron (4,16)[119]. Darin haben Christen teil an der Stellung Jesu als des Hohenpriesters, auch für sie ist der unmittelbare Zugang in die Nähe Gottes offen. Dafür sollen sie eine dankbare Gesinnung zeigen, was in 12,28 unter dem Stichwort "Gott dienen mit Ehrfurcht und Scheu" zusammengefaßt wird. Das Leben der Christen wird hier in kultischen Kategorien beschrieben, auch wenn es statt "die rechte Dankbarkeit besteht in diesem priesterlichen Dienst vor Gott" (so Michel[120]) umgekehrt heißen muß: der priesterliche Dienst besteht in der dankbaren Gesinnung, die sich in konkreten Vollzügen äußert (12,14ff; 13,1ff). Eine Parallele der Christen mit den Priestern ist darin gegeben, daß sie Gott nahen dürfen, nicht darin, daß sie einen neuen Kultus ausführen.

Der Gedankengang in Hebr 13,9-15 ist somit folgender:
Das Vertrauen auf Speisevorschriften und Kultmähler ist und war schon immer unnütz. Wer dem irdischen Zelt weiterhin dient, d.h. die in V.9 ge-

---

[115] Nachdem der Hebr in die Phase der Trennung von christlicher Gemeinde und Synagoge hineingehören könnte, wäre es durchaus möglich, daß die Beachtung der Speisepraktiken in der damaligen Situation als Unklarheit im theologischen Standpunkt ausgelegt werden konnte. J. Behm, Art. ἐσθίω, ThWNT II, 686-693, notiert zu Hebr 13,10, daß die Priester der alttestamentlichen Sühneordnung ihr Anrecht auf Genuß des Opferfleisches in der neutestamentlichen Ordnung verloren hätten, daß aber darüber hinaus "allgemein jedes Opfermahl als mit der nt.lichen Ordnung unvereinbar bezeichnet werden" soll (690,30ff).

[116] Wobei "dem lebendigen Gott dienen" in 9,14 identisch ist mit der Abkehr von den toten Werken, vgl. 6,1.

[117] Zu μέτοχος vgl. H. Hanse, Art. ἔχω κτλ., ThWNT II, 816-832, hier: 832,1ff.

[118] προσέρχομαι stellt einen kultischen t.t. dar, der sonst den Priesterdienst im Tempel bezeichnen kann; J. Schneider, Art. ἔρχομαι κτλ., ThWNT II, 662-682, hier: 681,9ff.682,3ff. In 10,1 wird der Begriff auf Angehörige des alten Bundes bezogen, die Opfer darbringen. Zur Unterscheidung von προσέρχομαι und εἰσέρχομαι vgl. Klinzing, Umdeutung, 219 samt A.45; Laub, Bekenntnis und Auslegung, 265ff (εἰσέρχομαι wird nicht von Christen ausgesagt).

[119] Die ältere Exegese dachte dabei an die כפרת, Michel, Hebr, 209 A.2.

[120] Michel, Hebr, 477.

nannten Dinge beachtet, hat kein Recht am eschatologischen ϑυσιαστήριον[121]. Daher lautet die Forderung: "Hinaus!" Das Motivwort in V.11-13
heißt ἔξω[122]. Die Tiere werden "außerhalb" des Lagers verbrannt, Jesus
starb "außerhalb" des Tores, die Gemeinde soll sich "außerhalb" des Lagers einfinden. Dabei fällt auf, daß sowohl zur Bezeichnung des Verbren-
nungsortes der Tiere, als auch für den Ort, an den die christliche Gemeinde befohlen wird ἔξω τῆς παρεμβολῆς[123] gebraucht wird, wohingegen
Jesus ἔξω τῆς πύλης litt. Auch V.14, der darauf insistiert, daß ὧδε für die
Christen keine bleibende Stadt besteht, fügt sich in diesen Zusammenhang[124].

Von hier aus kann erneut die Frage nach dem ϑυσιαστήριον gestellt werden.

Da Jesus in V.12 mit den Opfertieren in Beziehung gesetzt wird, muß jedenfalls jene Deutung abgelehnt werden, daß Jesus selbst der Altar wäre.
Dies steht auch in Übereinstimmung mit dem zu Hebr 9,23 Erarbeite-
ten[125].

Aber weder das Verständnis als Kreuz von Golgatha noch das als Abendmahlstisch ist in jeder Hinsicht ausreichend. Das Kreuz ist zwar der Ort,
an dem Jesus starb, wäre daher am ehesten einem Altar vergleichbar, aber
daß tatsächlich auch eine Beziehung zum Abendmahl vorliegt, wird nicht

---

[121] Vgl. dazu Strobel, Hebr, 249, der die Aussageabsicht von V.10 darin sieht, "daß alle die,
welche am levitischen Opferkult teilnehmen, sich selbst um den Vorzug des neuen Bundes
bringen". V.10 würde damit in anderen Worten sachlich das gleiche beinhalten wie V.13,
nämlich die Lösung der christlichen Gemeinde aus dem (noch?) bestehenden Verband der
Tempelgemeinde. "Wer das Heil sucht, soll nicht nur zu ihm hinausgehen, sondern muß
auch seine Schmach tragen. Aus der Formulierung läßt sich entnehmen, daß die gesamte
Gemeinde ihren Platz bei ihm einnehmen soll. Demnach kann auf die Trennung von der
Synagoge nicht verzichtet werden." (Strobel, Hebr, 250. Strobels Argumentation beruht auf
der Voraussetzung, daß der Hebr vor 70 n.Chr. zu datieren ist - was nicht unbestritten ist.
Zur Frage nach der Trennung von der Synagoge s.u. A.133.) Von hier aus gewinne dann -
so Nissilä, Hebräerbrief, 272 - auch die πόλις μέλλουσα konkrete Züge: es sei das himmlische Jerusalem (12,22), "die Stadt des himmlischen Tempels und des himmlischen Hohenpriesters". Bestritten wird diese Sicht von Lührmann, Der Hohepriester, 180, der sich gegen
das Verständnis von Hebr 13,13 im Sinn einer Trennung von der Synagogengemeinde wendet und auch von Braun, Hebr, 467, aufgrund seiner in gänzlich andere Richtung führenden
Exegese.
[122] Vgl. Thurén, Lobopfer, 74ff.
[123] Damit ist der Tempelbereich gemeint! Zur "Lagervorstellung" vgl. oben A.81; Michel,
Hebr, 506 A.1.507f A.3, aber v.a. bSanh 42b Bar (Bill. II, 684). Zur Abstufung der Heiligkeit von Tempel und Stadt s. auch Safrai, Wallfahrt, 173ff.184.191-197. Kaum überzeugend
ist der Hinweis bei Theißen, Untersuchungen, 78, auf die durch ἔξω angesprochenen My-
sterien.
[124] Daß Hebr 13,11 zugegebenermaßen "nicht schlicht und unmißverständlich" sei, notiert
auch Holtzmann, Abendmahl, 254. Somit scheidet die von Braun u.a. im Anschluß an
Holtzmann vertretene Interpretation von οἱ τῇ σκηνῇ λατρεύοντες als die christliche Gemeinde und damit verbunden die "antieucharistische" Auffassung des Verses aufgrund der
Gesamtheit der Argumente aus.
[125] S.o. in diesem Abschnitt b, S. 238ff.

nur durch das φαγεῖν (V.10)[126], sondern auch durch den Begriff σώματα (V.11) nahegelegt, der zur Abendmahlsterminologie gehört[127]. Dabei ist besonders zu beachten, daß Hebr 13,11 zwar unmittelbar aus Lev 16,27 LXX zitiert, jedoch mit einer charakteristischen Änderung: καὶ τὰ δέρματα αὐτῶν καὶ τὰ κρέα αὐτῶν καὶ τὴν κόπρον αὐτῶν wird ersetzt durch τούτων τὰ σώματα. Eine Belehrung über das Abendmahl im einzelnen liegt nicht im Interesse des Verfassers. Ihm geht es um den christologischen Sachverhalt, der mit dem Sterben Jesu gesetzt ist[128]. Nachdem im Hebr irdisches und himmlisches Geschehen derart miteinander verwoben sind, so daß kein Nacheinander, sondern nur ein Ineinander ausgesagt werden kann, genügt es nicht, auf die irdischen Verhältnisse zu blicken. Mit dem θυσιαστήριον muß dann (unter Einbeziehung von Hebr 8,1-9,10) der Ort gemeint sein, an dem Christus sich im himmlischen Heiligtum darbrachte, also der himmlische Sühneort[129], an dem die Christen heute schon Anteil haben, was im Abendmahl seinen speziellen Ausdruck findet[130].

---

[126] Hahn, Verständnis des Opfers, 89, will φαγεῖν durchaus auf das Abendmahl beziehen, jedoch als "'himmlische Speise', die dort vom erhöhten Herrn empfangen wird".

[127] Holtzmann, Abendmahl, 256; s. Mk 14,22; Mt 26,26; Lk 22,19; 1Kor 11,24 (vgl. G. Bornkamm, Das Anathema in der urchristlichen Abendmahlsliturgie, in: ders., Das Ende des Gesetzes. Paulusstudien, BEvTh 16, München 1966[5], 123-132, hier: 130 A.19). Eine Nähe zum Abendmahl sieht auch Roloff, Art. θυσιαστήριον, 407: "Es geht um den Ausschluß von der eucharistischen Mahlgemeinschaft, die durch das Opfer Christi ('Altar') konstituiert ist."

[128] Nach Strobel, Hebr, 249, ist die Alternative Abendmahlstisch oder Kreuz auf Golgatha für die Deutung des θυσιαστήριον unzureichend. Er möchte den Begriff des Opferaltars "geistlich vom Opfer Christi" verstehen, andererseits das Essen "realistisch von der eventuell sogar: sakramentalen Feier der Christen".

[129] So auch Hahn, Verständnis des Opfers, 88f; ähnlich W. Thüsing, "Laßt uns hinzutreten ..." (Hebr 10,22). Zur Frage nach dem Sinn der Kulttheologie im Hebräerbrief, BZ NF 9, 1965, 1-17, hier: 13f, der eine Parallele zu Joh 6,27-58 zieht und meint, daß "letztlich ... dieser himmlische Altar der geopferte und verklärte Hohepriester selbst" sei. Anders Hofius, Katapausis, 203f A.646: Er möchte θυσιαστήριον verstehen im Sinn des Mahles der Heilszeit und bietet eine Formulierung aus Hen 25,4ff, die Hebr 13,10 parallel ist: τοῦτο τὸ δένδρον εὐωδίας ... οὐδεμία σὰρξ ἐξουσίαν ἔχει ἅψασθαι αὐτοῦ ... (Text nach Black, PVTG III). Eine Beziehung zum Abendmahl muß s.E. nicht ausgeschlossen sein. "Die Mahlgemeinschaft mit Christus im endzeitlichen Heiligtum wird jetzt schon im Abendmahl vorweggenommen, so wie die Gemeinde im gottesdienstlichen Lob (13,15) das eschatologische Lob und im gottesdienstlichen προσέρχεσθαι (4,16; 7,25; 10,22) das eschatologische εἰσέρχεσθαι antizipiert." (Hofius, ebd, 204.) Vgl. auch Thüsing, ebd, 11ff, und Schierse, Verheißung, 184ff. Nach Schierse, Verheißung, 191, fallen in der Sicht des Hebr Abendmahlstisch, Kreuz und himmlisches Heiligtum zusammen. Der Altar, den Christen haben, ist kein sichtbarer Tisch, er kann nicht hier gesucht werden, sondern es ist die himmlische Opferstätte, der Ort, an dem Christus gelitten hat. Ähnlich argumentiert Theißen (Untersuchungen, 78), jedoch unter ganz anderen Voraussetzungen: s.E. sind die Zeltdiener "Vertreter jener mysterienhaften Abendmahlsauffassung, die schon im 9. Kapitel verworfen wurde" (78). Ein sehr viel weiter entwickeltes Stadium stellt dann die Aussage bei IgnMagn 7,2 dar: "Strömt alle zusammen als zu einem Tempel Gottes, als zu einem Opferaltar, zu einem Jesus Christus"; vgl. auch IgnPhld 4,1; IgnRöm 2,2. Zum Sprachgebrauch bei Ign s. Klauck, Berichtigung, 275; ders., Thysiasterion, 365ff; Thurén, Lobopfer, 85ff; Theißen,

Hebr 13,10ff liegt damit zum einen in der Linie der Interpretation von Hebr 9,23, daß Jesus durch sein Blut das himmlische Heiligtum einweihte, d.h. daß durch den Tod Jesu ein neuer Sühneort etabliert wurde, zum anderen wird festgehalten, daß Jesus selbst das Sühnopfer darstellt. Zum dritten bedeutet diese Lebenshingabe auch die Heiligung des zu diesem neuen Heiligtum gehörenden Volkes, das im Vollzug der gottesdienstlichen Gemeinschaft das eschatologische Heil antizipiert[131].

e) Zusammenfassung zum Hebr

Die Bilder im Hebr gehen ineinander über. Dies ist bedingt durch die Auslegungsmethode des Hebr. Zusammenfassend müßte man formulieren: Jesus ist nach dem Hebr die Überhöhung und Ablösung des gesamten Kultbetriebs und seiner Einzelakte geworden[132].

Untersuchungen, 82f; Bauer, Ign HNT Erg. II, 205. Im Kontext von IgnMagn 7,2 fällt auf, daß der Ruf zu dem einen Altar im Zusammenhang einer Mahnung zur Abkehr vom Judentum erfolgt.

[130] Rissi, Hebräerbrief, 96, möchte die "Speise, von der wir essen" unter Verweis auf V.9 als die Gnade verstehen: "Die Speise, die ... unser Herz fest macht, ist die Gnade (13,9). 'Gnade' ist im Hebr. immer im Sinne der Zuwendung des Heils gebraucht (4,16; 10,29; 12,15; 13,25)." Doch braucht die Zuwendung des Heils einen konkreten Vollzug im Leben der Gemeinde. V.15, der von einer konkreten liturgischen Situation ausgeht, könnte dies unterstreichen. Man wird also doch an den Vollzug des Abendmahles zu denken haben. Hebr 13,11 ist die einzige Stelle im Neuen Testament, an der positiv von einem Altar für die Christen geredet wird. Man darf annehmen, daß dadurch die Praxis der christlichen Gemeinde gedeutet wird. Es stellt sich die Frage, ob diese Deutung des Todes Jesu dann Ausgangspunkt für einen neuen christlichen Kult werden konnte. Hebr 13,10 selbst läßt jedenfalls noch keine Deutung des Herrenmahls als Opfermahl zu. Nach Holtzmann, Abendmahl, 260, hat gerade das - s.E. - eucharistische "Mißverständnis" dieser Stelle dazu beigetragen, daß der Hebr in den Kanon aufgenommen wurde, da man später hierin einen Beleg für ein Verständnis des Abendmahls als Opfermahl erblickte.

[131] Keinesfalls wird im Hebr das Abendmahl schon als Opfermahl verstanden, was aufgrund der prinzipiellen Betonung der Einmaligkeit des Opfers Christi auch nicht möglich wäre.

[132] Dies gilt umso mehr, wenn man einbezieht, daß Hebr 9,20 das Bundesblut (Ex 24) und 9,28 auch das Schuldopfer (Jes 53,10) auf Jesu Hingabe bezogen werden. Es konnte hier nicht detailliert untersucht werden, worin der Hebr die Berechtigung sieht, die unterschiedlichen Kulthandlungen des Alten Testaments in der vorliegenden Weise sämtlich auf Jesus zu beziehen. Es soll nur darauf hingewiesen werden, daß der innere Zusammenhalt der unterschiedlichen Einzelaspekte wohl durch die διαϑήκη-Konzeption des Hebr gegeben ist. Hierzu ist v.a. der Übergang von Hebr 9,14 nach 9,15 aufschlußreich, wo Jom-Kippur-Vorstellung und Bundesvorstellung unmittelbar aufeinander bezogen sind. Der Hebr versteht das Blut des Jom-Kippur als Bundesblut (vgl. auch 10,11-18.29; 12,24; 13,20). Und so, wie sich im Tod Jesu der eschatologische Versöhnungstag ereignet, so bedeutet dies zugleich die Verwirklichung des "Neuen" Bundes, jetzt "am Ende der Zeiten" (9,26). Die Tilgung der Sünde durch das Opfer Jesu (9,26) bedeutet die Erfüllung von Jer 31,34 (Hebr 10,17). Durch diese In-Eins-Setzung von Bundesblut und Sühnopferblut am Jom Kippur ist auch die Verschiebung zu erklären, die zwischen Hebr und Lev 16 hinsichtlich der Objekte der Reinigung besteht. Wird nach Lev 16 durch das Blut das Heiligtum von den Sünden der

- Er ist Hoherpriester nach der das levitische Priestertum überragenden Ordnung Melchisedeks.
- Er hat den Zugang ins himmlische Heiligtum eingeweiht, dessen Abglanz das irdische nur ist.
- Er hat ein für allemal gesühnt und dadurch die jährlichen Versöhnungstage aufgehoben.
- Er ist mit seinem eigenen Blut hinter den Vorhang gegangen.
- Er starb außerhalb des Lagers in Analogie zu den Sündopfertieren am Versöhnungstag.
- Durch sein Geschick wurde ein neuer Sühneort eingesetzt.
- Die Weihe des himmlischen Heiligtums bedeutet zugleich die Weihe einer neuen Gemeinde, die nun aufgefordert ist, die Konsequenzen zu ziehen aus der Heilstat Jesu, nämlich "herauszugehen", d.h. sich abzusetzen von der Gemeinde des Alten Bundes[133].

Die Versöhnungstagtypologie ist dabei nicht ein Element unter anderen, sondern von zentraler Aussagekraft, spitzt sich doch auf den Versöhnungstag die ganze Heilsmächtigkeit bzw. Fraglichkeit des Sühnopferkultes zu[134]. Eine Bestätigung findet diese Sicht auch durch Hebr 7,1ff[135], wonach

---

Priester und des Volkes gereinigt, so ist nach dem Hebr daneben die Heiligung der zum Heiligtum gehörenden Gemeinde eine Wirkung des Blutes Jesu. Der Hebr kann das deshalb so formulieren, weil er das Bundesblut (Ex 24,8) und das Blut des Sühnopfers identifiziert (s. v.a. Hebr 10,29)!

[133] Mit "herausgehen" könnte das Verlassen der jüdischen Religionsgemeinschaft gemeint sein. Es braucht nicht betont zu werden, daß dies für Paulus so nicht gilt. Zum Unterschied und den Gemeinsamkeiten zwischen Paulus und Hebr s. Luz, Bund, 318-336, v.a. 335f. Für das gegenwärtige Gespräch zwischen Juden und Christen ist die schroffe Sicht des Hebr nicht gesprächserleichternd. Sie ist in den Gesamtzusammenhang des Neuen Testaments zu stellen und durchaus von Paulus her zu hinterfragen. Es darf aber nicht übersehen werden, daß der Hebr mit seiner Sicht nicht allein steht. Auch Mt geht davon aus, daß Juden und Christen zwar den gleichen Gott anbeten, daß jedoch die Christen den Synagogenverband zu verlassen haben (s. dazu z.B. das Vater-Unser in der mt Tradition; vgl. U. Luz, Das Evangelium nach Matthäus (Mt 1-7), EKK I.1, Neukirchen u.a. 1985, 341). Ein tieferes Eindringen in diese Fragestellung muß jedoch einer eigenen Untersuchung vorbehalten bleiben.

[134] Die Ausführungen von Loader sind hierbei zu modifizieren. Er versteht als das eigentliche Thema von Hebr 9,1-10,18 "die Sicherheit der Vergebung der Sünde durch die Heilstat Jesu, also die Sicherheit des Heils, des Zugangs zu Gott" (Sohn, 171). Die Versöhnungstagtypologie hat für ihn nur untergeordnete Bedeutung (ebd, bes. 171ff). Loader hat insofern Recht, als es tatsächlich - in Antithese zu Lev 16,2 - um den jetzt offenstehenden Zugang ins himmlische Allerheiligste geht (Hebr 9,1-10.11ff; vgl. Hofius, Das "erste" und das "zweite" Zelt, 277). Gleichwohl wird auch hierbei die Versöhnungstagtypologie durchgehalten. Wir halten deshalb fest, daß das eigentliche Thema die eschatologische Weihe des himmlischen Heiligtums und der dazugehörigen Gemeinde durch Jesu Tod ist. Hier fügen sich die Einzelelemente unschwer ein und man muß nicht wie Loader von Gedankensprüngen ausgehen. Die Versöhnungstagtypologie hat verständlicherweise auch deshalb hervorragende Bedeutung, da der Jom Kippur das liturgische Zentrum des jährlichen Kultbetriebes darstellt (s. dazu Sjöberg, Gott, 182f).

[135] Mit Strobel, Hebr, 145ff, gehen wir davon aus, daß der dritte Hauptteil des Briefes ("Ewiglich nach der Ordnung Melchisedeks") von 7,1 bis 10,18 geht.

das Hohepriesteramt Jesu, das er nach der Ordnung Melchisedeks inne-
hat, eine Ablösung des levitischen Priestertums und der mosaischen Kultordnung bedeutet. Der Hebr geht hierbei von einem Ungenügen der alten
Kultordnung aus, die nun eschatologisch "aufgehoben" ist[136].
Für unsere Interpretation von Röm 3,25f* sind aus der Diskussion des
Hebr folgende Sachverhalte festzuhalten:
1. Der Hebr bestätigt die für Lev 16 und seine jüdische Wirkungsgeschichte festgestellte Unterscheidung der Sünden und der Sühne. Er gehört somit in die Wirkungsgeschichte von Lev 16 ohne Abstriche hinein.
2. Der Hebr bestätigt die für Lev 16 festgestellte Tatsache, daß der Blutritus im Allerheiligsten am Jom Kippur die Reinigung/Weihe des Sühneortes bedeutet und wendet dies auf den Gang Jesu ans Kreuz an, der mit
dem Gang ins himmlische Allerheiligste gleichgesetzt wird. Er versteht
somit den Tod Jesu ebenfalls als Heiligtumsweihe.
3. Der Hebr geht davon aus, daß durch den Tod Jesu der christlichen Gemeinde ein neuer Altar gegeben ist, so daß der alte Sühneort eschatologisch überboten und ersetzt ist.

---

[136] Seine Gedankenführung kann bedingt mit der des Paulus parallelisiert werden. Strobel,
Hebr, 153: "In gewisser Hinsicht scheint der Hebr. sehr nahe bei Paulus zu stehen, der
Christus als das 'Ende des Gesetzes' (Röm. 10,4) ausgibt. Während Paulus aber von der
Tatsache des im Gesetz geäußerten Willens Gottes her denkt, dem der Mensch letztlich
nicht zu entsprechen vermag, weshalb er Christus braucht, nimmt der Hebr. seinen Ausgangspunkt beim Ungenügen der alten Kultordnung." Hier ist richtig gesehen, daß der
paulinischen Relation "Christus und das Gesetz" die Relation "Christus und der Kult" im
Hebr entspricht. Indessen hat die Schärfe der Aussagen im Hebr gegenüber Paulus zuge-
nommen. (Hofius, Gesetz des Mose, 262-286, setzt den Akzent anders.) Im Hebr wird das
Alte nicht nur abgelöst, sondern für veraltet erklärt und obendrein dargetan, daß das Alte
nie wirkliche Vergebung erwirken konnte (Hebr 10,4) - ja, daß die gesamte alttestamentliche Kultordnung anscheinend auf einem "Irrtum" (Strobel, Hebr, 190) beruhte. Das Gesetz
steht im Hebr unter dem gleichen Verdikt wie die Kultordnung: es ist "nutzlos" (Hebr
7,18).

XII
Zusammenfassung und Ausblick

a) Zusammenfassung der Ergebnisse

Diese Arbeit nimmt ihren Ausgang bei folgenden Kritikpunkten am bisherigen Forschungsverlauf und sucht diese zu überwinden:

1. Die bislang unerledigte Alternative eines Verständnisses von Röm 3,25f* entweder auf dem Hintergrund des stellvertretenden Sühnetods der Märtyrer oder des Jom-Kippur-Rituals.
2. Die unzureichende Beachtung der redaktionellen Gegebenheiten (d.h. der Endgestalt) von Lev 16, die die Auslegungsgeschichte geprägt haben, und die mangelnde Heranziehung von Ez 43; 45 für die Interpretation von Röm 3,25f*.
3. Die häufige Gleichsetzung von ἀνοχή und μακροθυμία und das (in den meisten Fällen damit zusammenhängende) Verständnis von πάρεσις als "Vergebung".
4. Die traditionsgeschichtliche Vermischung von Röm 3,25f* mit dem übrigen neutestamentlichen Formelgut, in welchem eine soteriologische Deutung des Todes Jesu vorliegt.

In Aufnahme, Überprüfung und Fortführung der bisher vorgelegten Auslegungen von Röm 3,21-26 wird in dieser Arbeit folgende These vertreten:

1. Aufgrund sprachlicher und inhaltlicher Indizien ist damit zu rechnen, daß Paulus in Röm 3,25-26a urchristliches Traditionsmaterial zitiert, worin der Tod Jesu im Rahmen kultischer Sühne am Jom Kippur Ausdruck fand. Dabei ist der Begriff ἱλαστήριον im Sinn von "Sühneort" zu interpretieren und darf nicht auf die Wiedergabe von כפרת eingeengt werden. Zum Verständnis ist neben Lev 16 auch Ez 43 (und 45) heranzuziehen. Die Beziehung zwischen Röm 3,25f* und Lev 16 kann nicht nur über den Begriff ἱλαστήριον gesucht werden. Die Formulierung, daß Jesus zum ἱλαστήριον ἐν τῷ αὐτοῦ αἵματι eingesetzt wurde, legt den Akzent auf die Weihe eines neuen Heiligtums. Das heißt, daß durch Jesu Kreuzestod der eschatologische Sühneort eingesetzt ist. Die Antithetik "Verborgenheit der כפרת" - "öffentliche Einsetzung" ist nicht erweisbar, demgegenüber ist προτίθεσθαι im Sinn der eschatologischen Kundmachung zu begreifen. Die Vorstellung vom stellvertretenden Sühnetod der Märtyrer, wie sie 4Makk 17,21f vor-

liegt, scheidet aufgrund historischer und grundsätzlicher theologischer Erwägungen als Interpretationsrahmen für Röm 3,25f* aus.

2. Röm 3,25a hat nicht generell "Vergebung" im Blick, sondern meint zunächst die Entsühnung des Heiligtums. Damit ist es ausgeschlossen, πάρεσις als Erlaß oder Vergebung zu verstehen, es handelt sich vielmehr um einen vorläufigen Strafaufschub. ἀνοχή bezeichnet die Zeit göttlichen An-sich-Haltens, was sich sowohl auf das Gericht (gegen die Feinde des Gottesvolkes) als auch auf das Heil (für das Gottesvolk selbst) bezieht. Die vormals, in der Zeit göttlicher Zurückhaltung, geschehenen Sünden wurden durch Jesus endgültig gesühnt. Dies bedeutet zugleich eine Aussage über die (Nicht-)Effizienz des Opferkultes. Das Umfeld der Formel ist in der frühjüdischen Erwartung eines eschatologischen Heiligtums als eines Ortes der Sühne, Epiphanie und Präsenz Gottes zu sehen.

3. Eine traditionsgeschichtliche Ableitung Mk 10,45 - Stephanuskreis - vorpaulinische Tradition - Paulus ist nicht möglich. Einen Ansatzpunkt für die in Röm 3,25f* zum Ausdruck kommende Vorstellung beim irdischen Jesus bietet die Tempelreinigung und das Tempelwort. Die von Paulus gebrauchte Formel gehört weder in die Abendmahlsüberlieferung, noch ist sie eine Taufformel, noch auch beinhaltet sie einen Topos urchristlicher Missionspredigt, sondern sie gehört als Glaubensformel in die Auseinandersetzung um die Stellung der Urgemeinde zum Tempel.

4. Die Interpretation der vorpaulinischen Formel im Sinne der Offenbarung der δικαιοσύνη θεοῦ und der Rechtfertigung der an Jesus Glaubenden ist die theologische Leistung des Paulus.

5. Eine Röm 3,25f* verwandte Vorstellung findet sich im Hebr, wo ebenfalls Jesu Tod auf dem Hintergrund des Jom-Kippur-Rituals als Heiligtumsweihe verstanden wird. (Eine traditionsgeschichtliche Beziehung zu Joh 2,21 und Apk 21,22 ist zu überprüfen[1].)

Die hier vorgelegte These fügt sich ein in die Auslegungsgeschichte von Lev 16. (Auch manche mit dem Tempel im Frühjudentum verbundenen Erwartungen können von hier aus eingeordnet werden). Der Große Versöhnungstag ist sowohl in der priesterlichen Gesetzgebung als auch im Judentum z.Zt. Jesu von elementarer Bedeutung.

Es bleibt zu fragen, ob der weitere Kontext der Interpretation des Todes Jesu im Neuen Testament und der frühen Kirche von der hier vorgetragenen Sicht her eine Beleuchtung erfahren kann. Dies soll nun noch angedeutet werden.

---

[1] S. in diesem Abschnitt b, S. 262ff.271ff.

b) Perspektiven für die Interpretation weiterer urchristlicher Schriften

Die Untersuchung hat ergeben, daß in Röm 3,25f* eine Vorstellung verarbeitet ist, in der der Tod Jesu analog den Blutriten am Jom Kippur als
Heiligtumsweihe verstanden wurde. Eine verwandte Vorstellung läßt sich
im Hebr nachweisen. Es ist zu vermuten, daß die Formulierung in Röm 3
sachlich keine Ausnahme darstellt, sondern daß hier ein in der
Urchristenheit viel geläufigerer Topos zutage tritt, als dies heute auf den
ersten Blick erscheint. Gibt es im übrigen Neuen Testament weitere
Belege, die den Tod Jesu als Errichtung oder Weihe eines (neuen)
Heiligtums verstehen lassen? Es scheint, als müsse diese Frage verneint
werden, denn nirgends im Neuen Testament finden sich explizite
Äußerungen in dieser Richtung. Im folgenden soll an zwei Stellen gefragt
werden, ob sich nicht doch ein Niederschlag finden läßt, wenngleich
weithin undeutlicher, weil traditionsgeschichtlich jünger. Ein Exkurs
versucht schließlich aufzuzeigen, wie im Brief des Barnabas die
Bezugnahme auf das alttestamentlich-jüdische Jom-Kippur-Ritual in
Polemik umgeschlagen ist.

aa) Das Tempellogion und seine Deutung Joh 2,19-22
Auf die besondere Formulierung des Tempellogions nach Joh wurde
schon hingewiesen[2]. Im Unterschied zu den Synoptikern ist das Tempello-
gion bei Joh mit der Tempelreinigung[3] und einem an diese anschließen-
den Streitgespräch verknüpft. Die Szene bei Joh hat grundsätzlichen Cha-
rakter[4]. An verschiedenen Stellen hat Joh eine Steigerung vorgenommen.
Folgende Kennzeichen lassen sich benennen:
- Die Szene spielt zu Beginn der Wirksamkeit Jesu.
- Neben den Tauben werden auch noch Schafe und Rinder erwähnt, somit
alle wichtigen Opfertiere.
- Die Aktion richtet sich gegen die Verkäufer (vgl. Sach 14,21).
- Jesus fertigt sich eine Geißel an.
- Jesus spricht vom "Haus meines Vaters" als Ausdruck des besonderen
Sohnesbewußtseins Jesu im Joh.
- Ps 69, der Psalm vom leidenden Gerechten, wird zitiert.

---

[2] S.o. Abschnitt X.b.dd, S. 223ff.
[3] Zur historischen und traditionsgeschichtlichen Fragestellung der Tempelreinigung und
zum synoptischen Vergleich s.o. S. 201ff.210ff. Die Verbindung von Tempelwort und Tempelreinigung kommt, wie oben dargestellt, den historischen Verhältnissen am nächsten.
[4] Nach Safrai, Wallfahrt, 185, entbehrt die joh Darstellung "jedes realen Hintergrunds".
Viehhändler befanden sich demnach nicht auf dem Tempelberg; anders die Belege bei Bill.
I, 851f; auch Safrai selbst urteilt ebd, 186f, differenzierter. Vgl. auch oben Abschnitt X, S.
208 A.42, und die Beobachtungen von Jeremias, Theologie, 145 A.15; ferner P. Stuhlmacher, Warum mußte Jesus sterben?, ThBeitr 16, 1985, 273-285, hier: 277f A.8, im Anschluß an Hengel, Mazar und Kim.

Der Evangelist hat die Perikope kunstvoll durchkomponiert[5]: Nach der eigentlichen Tempelaktion (V.13-16) und einem interpretierenden Satz, der den Eindruck der Jünger wiedergibt (V.17), folgt in einem zweiten Teil die Reaktion der Beteiligten (V.18-22)[6].

V.18: Offenbar sind die Umstehenden bereit, sich dem in dieser Handlung zum Ausdruck kommenden Anspruch Jesu auszusetzen, sie verlangen jedoch ein Zeichen der Beglaubigung.

V.19: Das Zeichen, das Jesus nennt, ist der Abbruch und Wiederaufbau des Tempels. Das Tempelwort begegnet in seiner joh Form den Umstehenden wie ein Rätselwort bzw. wie der blanke Unsinn und muß auch dem Leser zunächst rätselhaft erscheinen. Hier klingt - wie schon in Joh 1,29 - der Horizont von Kreuz und Auferstehung an.

V.20: Es folgt das typisch joh Unverständnismotiv (vgl. 3,3f; 4,10ff.32f; 6,32ff; 7,34ff; 14,4f.7ff.22ff; 16,17f.)[7].

V.21-22 erfolgt dann die Deutung des Evangelisten. Die Ebene der erzählten Jesusgeschichte ist dabei verlassen, vielmehr spricht der Evangelist wie ein Beobachter den Leser des Evangeliums an und gibt ihm eine Interpretation des rein äußerlich rätselhaften Vorgangs. V.22 wird die Auferstehung Jesu als das Ereignis eingeführt, das die unverständliche Rede den verständnislosen Jüngern klar machte. Dabei muß das "glauben" (V.22b) auch im Sinne eines Begreifens von vorher unklar Gebliebenem verstanden werden. (Die Beziehung zu Joh 20,8 ist unverkennbar.)

Worin besteht nun die spezifisch joh Deutung des Tempelwortes[5]? Schnackenburg meint, daß Jesu historisch vorauszusetzendes Wort vielleicht die endzeitliche Heilsgemeinde als "Tempel" irgendwie im Blick hatte, Joh dagegen "diesen geistigen Tempel doch nur als das Ergebnis von Tod und Auferstehung Jesu" begreife und im Auferstehungsleib Christi dargestellt sehe[8]. Doch geht es in diesem Text überhaupt nicht um ekklesiologische Implikationen, sondern allein um den christologischen Aspekt. Man wird Roloff zustimmen, wenn er feststellt, daß die joh Tempelperikope weder in der jetzigen, noch in der vorjoh Gestalt "als Entfaltung des Lehrtopos von der οἰκοδομή des neuen Tempels als des eschatologischen Gottesvolkes" betrachtet werden kann[9].

---

[5] Zum Aufbau vgl. Trautmann, Zeichenhafte Handlungen, 104.

[6] Zur "doppelstöckigen" Darstellung des Joh s.o. S. 224 A.129.

[7] Zur Zeitangabe "46 Jahre" s. Jeremias, Jerusalem, 23 (vgl. JosAnt 15,11.1), und oben S. 224 A.131.

[8] Schnackenburg, Joh I, 367.

[9] Roloff, Kerygma, 109. Es geht im Joh nirgends darum, daß Jesu Leib und die Kirche identifiziert würden. Das Bild, daß Jesus selbst der Tempel ist, wird sich auch bei Joh 7,37-39 (s.u.) bestätigen. Jesus selbst ist der Tempel, von da aus geht der Geist hinaus zu den Jüngern.

Joh deutet die Tempelszene und das Tempelwort, indem er beide in den Horizont von Kreuz und Auferstehung rückt[10]. Er hat damit der Geschichte eine neue Bedeutung verliehen: Der Tempel ist Jesu Leib, in Kreuz und Auferstehung vollziehen sich Abbruch und Neubau. Das eschatologische Geschehen "vollzieht sich eben jetzt im Schicksal Jesu"[11]. Dabei ist die spezielle Sicht des Kreuzesgeschehens, wie Joh es versteht, zu berücksichtigen: die Kreuzigung Jesu ist gleichbedeutend mit seiner Erhöhung, Die Erniedrigung mit seiner Verherrlichung[12]. Die Auferstehung ist demgegenüber nichts zusätzlich Hinzukommendes, vielmehr lernen die Jünger durch sie die Bedeutung dessen kennen, was mit Jesus vorging und "erinnern sich" (Joh 2,22). Sie hat apophantischen Charakter. Erhöhung und Verherrlichung sind vorher schon geschehen. Insofern ist der Tod Jesu zugleich Abbruch und Aufbau des neuen Heiligtums, die Auferstehung dagegen der Erkenntnisgrund für die Jünger[13]. Joh hat die Geschichte von der Tempelaustreibung seinem christologischen Interesse dienstbar gemacht. Kreuz und Auferstehung sind das "Zeichen", das die Legitimität des Handelns Jesu erweisen wird[14].

Daß Joh die Tempelaustreibung grundsätzlich als Ablösung des Tempelkultes verstanden wissen will, geht auch aus anderen Texten des Evangeliums hervor, die jeweils eine Ersetzung des Kultbetriebes implizieren.

Eine Durchsicht des Joh ergibt folgendes[15]:

Joh 1,14: Der Prolog des Joh erreicht in 1,14 einen Höhepunkt[16]. In Aufnahme des λόγος-Begriffes aus V.1 wird hier in einer betonten Formulierung in "unüberhörbarer Paradoxie" das "einmalige und einzigartige Geschehen" ausgesagt: Die Fleischwerdung des göttlichen λόγος[17]. V.14b verdeutlicht: καὶ ἐσκήνωσεν ἐν ἡμῖν[18]. Dabei wurde die δόξα sichtbar. Es

---

[10] Roloff, Kerygma, 107. Die Tatsache, daß die Stellung Jesu zum Tempel im Prozeß eine Rolle gespielt hat, unterstreicht das Recht dieser Deutung.

[11] Bultmann, Joh, 91.

[12] Schnackenburg, Joh II, 510; nach H. Kohler, Kreuz und Menschwerdung im Johannesevangelium. Ein exegetisch-hermeneutischer Versuch zur johanneischen Kreuzestheologie, AThANT 72, Zürich 1987, 144ff, denkt das vierte Evangelium "konsequent kreuzestheologisch" (154). S. die Begrifflichkeit bei Joh: ὑψόω 3,14; 8,28; 12,32.34. und δοξάζω 7,39; 8,54(bis); 11,4; 12,16.23.28(ter); 13,31.32(ter); 14,13; 15,8; 16,14; 17,1(bis).4.5.10; 21,19. Vgl. zu diesem Sachverhalt Schnackenburg, Joh II, 479f.498-512 (Lit.); W. Thüsing, Die Erhöhung und Verherrlichung Jesu im Johannesevangelium, NTA XXI, Münster 1970². Die "Stunde Jesu" umfaßt nach Schnackenburg, Joh II, 480, Ölberg (12,27), Verrat (13,31), Erhöhung ans Kreuz (12,31) und Verherrlichung (12,23).

[13] Die Zeitbestimmung ἐν τρισὶν ἡμέραις steht dazu nicht im Widerspruch, da sie die kurze Zeitspanne (binnen dreier Tage) meint; s.o. Abschnitt X.b, S. 211.225 A.136.

[14] S. dazu auch Trautmann, Zeichenhafte Handlungen, 105; Bultmann, Joh, 88.

[15] Siehe zusammenfassend auch McKelvey, Temple, 83f.

[16] Schnackenburg, Joh I, 241. Die Diskussion um den Johannesprolog wird hier nicht aufgenommen. Zur Forschungslage s. die Untersuchungen von M. Theobald, Die Fleischwerdung des Logos. Studien zum Verhältnis des Johannesprologs zum Corpus des Evangeliums und zu 1Joh, NTA NF 20, Münster 1988, und Habermann, Präexistenzaussagen, 317-414.

[17] Schnackenburg, Joh I, 241.

ist in der Exegese unbestritten, daß hinter dieser Formulierung die alttestamentlich-jüdische Vorstellung vom שׁכן der Herrlichkeit Gottes im Zelt der Begegnung bzw. im Tempel in Jerusalem steht[19]. Wenn nun dies im Joh über der Geschichte Jesu zu stehen kommt, und wenn die Pointe darin besteht, daß der Logos Fleisch wurde, dann bedeutet das auf dem Hintergrund der zeitgenössischen Vorstellung, daß jetzt Gott selbst, nicht nur seine Herrlichkeit, sein Name, seine Sch^echina, seine Weisheit unter den Menschen wohnt[20]. Jesus wird damit zum Ort, an dem Gott leibhaftig begegnet. Damit wird der Tempel als Ort der Begegnung mit Gott überboten bzw. Jesus ersetzt diesen Tempel.

Joh 1,17: Der Vers, der noch zum Prolog gehört, aber wohl eine Ergänzung des Evangelisten darstellt[21], enthält eine Gegenüberstellung der Repräsentanten der alttestamentlichen und der neutestamentlichen Offenbarung. Ob der Parallelismus antithetisch[22] oder synthetisch[23] gemeint ist, muß hier nicht entschieden werden. Deutlich ist, daß das Kommen der Gnade und Wahrheit die Überbietung des Bisherigen darstellt. 'Mose' und damit die alttestamentliche (Kult-)Ordnung verliert an Gewicht durch das Kommen des eschatologischen Heilsereignisses.

Joh 1,29.36: Johannes d.T. nennt Jesus zweimal ὁ ἀμνὸς τοῦ θεοῦ, wobei in V.29 die Näherbestimmung ὁ αἴρων τὴν ἁμαρτίαν τοῦ κόσμου folgt. Die Frage nach dem alttestamentlichen Hintergrund dieser Stelle ist umstritten. Vom Begriff her kann sowohl das Lamm aus Jes 53,7.(11), als auch das Passalamm (Ex 12), wie auch das täglich im Tempel geopferte Tamidlamm (Num 28,3f) im Hintergrund stehen[24]. Inhaltlich ist an die sünden-

---

[18] Der Aorist ἐσκήνωσεν kann dabei ingressiv ("er nahm Wohnung") oder komplexiv, als Zusammenfassung des Erdenwirkens Jesu gemeint sein; Bultmann, Joh, 43 A.3. Nach Habermann, aaO, 396, hat V.14 zwei Höhepunkte, die Inkarnation und die Schau der Doxa, von denen keiner verabsolutiert werden darf.

[19] Belege bei Bultmann, Joh, 43f A.5; Schnackenburg, Joh I, 244f; Schneider, Joh, 61; Goppelt, Typos, 218f; J.C. Meagher, John 1,14 and the New Temple, JBL 88, 1969, 57-68 (so interpretieren schon Origenes und Johannes Chrysostomos, s. Meagher, ebd). Die nächsten Parallelen finden sich in den Theophanieberichten in Ex 33; 34, in der endzeitlichen Erwartung vom Zelten Gottes im erneuerten Jerusalem Joel 4,17-21; Sach 2,14 und in der bildhaften Sprache vom Zelten der Weisheit Sir 24,8; äthHen 42,1f. Zum alttestamentlichen Topos s. Janowski, Sühne, 317ff (Lit.).

[20] Zu diesem Sachverhalt siehe McKelvey, Temple, 75ff, hier: 76.

[21] Zur Beurteilung dieses Verses als joh Ergänzung oder nicht s. Habermann, Präexistenzaussagen, 398f, und die Aufstellung ebd, 406-414. K. Haacker, Die Stiftung des Heils. Untersuchungen zur Struktur der johanneischen Theologie, AzTh I.47, Stuttgart 1972, 25-36 und passim, sieht darin den eigentlichen Skopos des Evangelisten, was sich jedoch in der Forschung nicht durchgesetzt hat. Zur Mose-Christus-Typologie im Joh vgl. Haacker, Stiftung, 37ff; J. Jeremias, Art. Μωϋσῆς, ThWNT V, 852-878, hier: 876f.

[22] So z.B. Bultmann, Joh, 53; E. Gräßer, Antijüdische Polemik im Joh, NTS 11, 1964/65, 74-90, hier: 78-82 (auch in: ders., Der Alte Bund, s.o. S. 226 A.140); Habermann, Präexistenzaussagen, 398; Schneider, Joh, 63; U. Schnelle, Antidoketische Christologie im Johannesevangelium, FRLANT 144, Göttingen 1987, 42.244.

[23] So z.B. Schnackenburg, Joh I, 253 A.1; Jeremias, Art. Μωϋσῆς, 877,9ff.

[24] S. dazu Becker, Joh I, 96f; Brown, Joh I, 55f.58-63; Bultmann, Joh, 66f; Friedrich, Verkündigung, 47-52; Schnackenburg, Joh I, 285ff; Schneider, Joh, 70. Brown, Joh I, 58-60, nennt noch das Lamm, das als apokalyptische Figur am Ende erscheint und die Macht des Bösen zerstört: TestJos 19,8; äthHen 90,38; Apk 7,17; 17,14. Jedoch ist bei dem Beleg aus TestJos die Frage nach einer christlichen Interpolation zu stellen und in der Apk liegt der Begriff ἀρνίον und nicht ἀμνός vor; es bleibt äthHen als möglicher Beleg. Zur Diskussion des Hintergrundes s. jetzt die mit reichen Literaturangaben versehene ausführliche Darstellung bei M. Hasitschka, Befreiung von Sünde im Johannesevangelium. Eine bibeltheo-

tilgende Kraft des Opferlammes gedacht[25]. Nachdem die beiden Tamidlämmer keine Sündopfer, sondern Brandopfer darstellen und ein Bezug auf den Gottesknecht in Jes 53 terminologisch Schwierigkeiten bereitet[26], legt sich der Vergleich mit dem Passalamm nahe[27]. Nun hat das Blut der Passalämmer nach pentateuchischer Aussage keine sühnende, sondern apotropäische Funktion[28]. Es kann jedoch davon ausgegangen werden, daß das Passalamm z.Zt. Jesu Opfercharakter mit sühnender Kraft hatte[29]. Jesus wird nun bei Joh als "das" Lamm Gottes bezeichnet. Sein Tod hat nicht nur für Israel, sondern für die "Welt" sündentilgende Kraft. Damit wird im Joh den vielen Passalämmern das eine, abschließende Passaopfer gegenübergestellt (s. auch u. Ziff. 9).

Joh 1,51: Hierbei handelt es sich um ein Einzellogion, das angefügt wirkt. Formal wird durch das doppelte ἀμὴν ἀμήν der joh Charakter erwiesen[30]. Inhaltlich steht das Logion singulär da, von einem Verkehr zwischen dem Himmel und dem auf Erden weilenden

---

logische Untersuchung, ITS 27, Innsbruck Wien 1989, 54-109 (Zusammenfassung 106-109), in der für Jes 53,7 votiert wird (80ff). Hasitschka nimmt jedoch m.E. die Bedeutung der joh Passionschronologie nicht ernst genug (vgl. ebd, 62). Die Passalämmer werden üblicherweise von der 6. Stunde an geschlachtet, (vgl. Joh 19,14; Bill. IV.1, 47-49; gegen Hasitschka, ebd, 67, der die Schlachtung auf den späteren Nachmittag verlegt). Die Entscheidung von Hasitschka hängt jedoch noch an weiteren Faktoren (vgl. ebd, 68ff).
[25] Bultmann, Joh, 66; Haacker, Stiftung, 172.
[26] Dieser wird nur mit einem Lamm verglichen, auch liest die LXX für נשׂא und סבל nicht αἴρειν, wie Joh 1,29 sondern φέρειν bzw. ἀναφέρειν (s. dazu im Detail Hasitschka, aaO, 119f). Jes 53 als Hintergrund befürworten neben Hasitschka, aaO, 80ff; u.a. J. Jeremias, Art. ἀμνός κτλ., ThWNT I, 342-345, hier: 342f; Schnackenburg, Joh I, 285f; Schneider, Joh, 70 (weitere Autoren bei Hasitschka, aaO, 55f A.100). Für das "Tragen der Sünde" käme vielleicht auch der Asasel-Bock in Frage (vgl. Bill. II, 364ff), jedoch ist im gesamten übrigen Evangelium keinerlei Anklang zu bemerken. Aber auch von der חטּאת, Lev 10,16-20 heißt es, daß sie die Sünde trage (נשׂא V.17: העדה לשׂאת את־עון). Für Jes 53 könnte sprechen, daß Joh 12,38 direktes Zitat aus Jes 53 LXX ist.
[27] Dies wird bestätigt durch Joh 19,36 (s.u.). Für das Tamidlamm votiert Friedrich, Verkündigung, 50f, aber auch er veranschlagt die Passa-Symbolik im Joh zu niedrig.
[28] Zur Frage des Passafestes im Alten Testament vgl. Kraus, Gottesdienst, 44ff.61ff.; H. Haag, Vom alten zum neuen Pascha, SBS 49, Stuttgart 1971; W.H. Schmidt, Alttestamentlicher Glaube in seiner Geschichte, Neukirchen 1987⁶, § 9, mit weiterer Literatur.
[29] S. dazu die Bestimmungen als Opfer Dtn 16,1-8, den Blutsprengritus 2Chr 30,15ff; 35,11 und ferner die jüdische Überlieferung ExR 15,13; MechRIsmael Ex 12,13.23; 14,15; zu 2Chr 30,15ff s. Haag, Pascha, 103ff; zu 2Chr 35,11ff Haag, Pascha, 99ff; zu Ez 45,18ff s.o. Abschnitt V, S. 63ff und Haag, Pascha, 91f, wo Haag den Opfercharakter und den Sühneritus für Fürst und Gemeinde betont. Einen Hinweis darauf, daß die Passalämmer z.Zt. Jesu Sühnefunktion hatten, gibt auch die Formulierung 1Kor 5,7 τὸ πάσχα ἡμῶν ἐτύθη Χριστός, in der der Opfercharakter zum Ausdruck kommt und das durch das Passafest erfolgende "sich reinigen" (ἁγνίζω) Joh 11,55. Zur Sühnekraft der Passalämmer vgl. N. Füglister, Die Heilsbedeutung des Pascha, StANT 8, München 1963, 256ff. Zur Verbindung von Passa und Aqedat Jizchaq s. G. Vermes, Redemption and Genesis XXII. The Binding of Isaac and the Sacrifice of Jesus, in: ders., Scripture and Tradition in Judaism, StPB 4, Leiden 1961, 193-227; N.A. Dahl, The Atonement - An Adequate Reward for the Aqedah?, in: The Crucified Messiah, Augsburg 1974, 146-160. Insgesamt ist davon auszugehen, daß das Passafest z.Zt. Jesu mit hohen eschatologischen Erwartungen verbunden war. S. dazu A. Strobel, Passa-Symbolik und Passa-Wunder in Act XII,3ff, NTS 4, 1957/8, 210-215; ders., Die Passa-Erwartung als urchristliches Problem in Lc 17,20f, ZNW 49, 1958, 157-196; ders., Zum Verständnis von Mt 25 1-13, NT 2, 1958, 199-227; ders., "In dieser Nacht" (Luk 17,34), ZThK 58, 1961, 16-29; ders., Frühchristlicher Osterkalender, 29-36.
[30] ἀμὴν ἀμήν 25mal im Joh; s. Schnackenburg, Joh I, 318 A.2.3.4 (Lit.).

Menschensohn, vermittelt durch Engel, wird sonst nirgends geredet[31]. Bei der Frage, was hinter diesem Logion steht, ist man an die Jakobsgeschichte, Gen 28,12.17, gewiesen[32]. V.a. die Reihenfolge des "Hinauf- und Herabsteigens" legt dies nahe. Die "Öffnung des Himmels" ist ein eschatologisches Motiv (Jes 63,19; vgl. Mk 1,10; Lk 2,13ff; Mk 9,4 parr; 13,26 parr; 14,62 parr). Was ist der Sinn des Verses? Betel ist in der Jakobsgeschichte der Ort, an dem sich Gott offenbart. Dies wird hier auf Jesus übertragen: Der Menschensohn Jesus ist der Ort, an dem Gott den Glaubenden seine Herrlichkeit kundtut[33]. Die überbietende Anknüpfung ist auch hier erkennbar: Jesus wird selbst zur 'Himmelspforte' (Gen 28,17), "zum Ort der Gnadengegenwart Gottes auf Erden, zum Zelt Gottes unter den Menschen (vgl. 1,14)"[34].

Joh 2,6: Die Anspielung auf rituelle Bräuche bei der Hochzeit zu Kana könnte analog zu Joh 1,17 auf eine Überbietung der rituellen Ordnung angelegt sein. Strathmann[35] möchte die ganze Perikope Joh 2,1-11 antithetisch unter dem Leitgedanken "Jesus, das Ende des jüdischen Ritualismus" verstehen. Doch läßt sich das nicht erweisen, da Joh rituelle Bräu-

---

[31] Vgl. in diesem Zusammenhang die Überlegungen zur Menschensohnvorstellung bei Merklein, Jesu Botschaft, 152-164, bes. 156f.

[32] Bultmann, Joh, 74 A.4. Bultmanns Einschätzung, daß hierbei gnostisches Gedankengut mitschwinge, hängt am Problem der vorchristlichen Gnosis generell. S. hierzu C. Colpe, Die religionsgeschichtliche Schule. Darstellung und Kritik ihres Bildes vom gnostischen Erlösermythus, FRLANT 78, Göttingen 1961; K. Beyschlag, Simon Magus und die christliche Gnosis, WUNT 16, Tübingen 1974; R. McLachlan Wilson, Art. Gnosis/Gnostizismus II, TRE 13, 1984, 535-550.

[33] Schnackenburg, Joh I, 319; vgl. Joh 1,14; 2,11; 11,40; (1,18; 12,45; 14,8f).

[34] Schnackenburg, Joh I, 319. Auf die mit dem Stichwort 'Betel' verbundene frühjüdische und urchristliche Überlieferung kann hier nur anmerkungsweise hingewiesen werden. Folgende Vorstellungskreise sind damit verbunden:
1. Der Stein, auf dem Jakob in Betel schlief, wird in der jüdischen Tradition mit dem Grundstein des Tempels identifiziert, der Ort der Leiter markiert den Platz des (neuen) Tempels; s. dazu J. Jeremias, Die Berufung des Nathanael (Jo 1,45-51), Angelos 3, 1928, 2-5, hier: 4f; McKelvey, Temple, 77; Callaway, Erwägungen, 101ff.
2. Im rabbinischen Judentum existiert eine breite Spekulation über den "Eben Sch^etijah", den Grundstein des Tempels, der zugleich den Schlußstein der Unterwelt (Verschluß der Urflut) und den Grundstein der Schöpfung wie auch den Zugang zum Himmel darstellt. Zwar ist der älteste vorliegende Beleg aus dem 2. Jh. n.Chr., die Tradition selbst geht jedoch in die Zeit vor der Zerstörung des Tempels zurück. S. dazu Schäfer, Tempel und Schöpfung, passim; D. Feuchtwang, Das Wasseropfer und die damit verbundenen Zeremonien, MGWJ 1910, 535-552.713-729; 1911, 43-47, hier: 1910, 720-729; Jeremias, Golgotha, 51-68; kritisch zu Jeremias: Hertzberg, Der Hl. Fels, 45-53, bes. 53, H. Donner, Der Felsen und der Tempel, ZDPV 93, 1977, 1-11, und zuletzt Ego, Himmel, 85ff.90.94 A.76.96f.108f.
3. Die (Neu-)Gründung des Heiligtums der Endzeit wird in 11QT 29,8-10 dargestellt unter Aufnahme der Jakob-Betel-Tradition; s.o. Abschnitt VI.c, S. 77f.
4. Die Migration von Heiligtumstraditionen vom Tempel (näherhin vom Brandopferaltar und "Eben Sch^etijah") hinüber nach Golgatha und die Identifizierung des Golgathafelsens mit dem "Hl. Felsen"; s. dazu Jeremias, Golgotha, 34-50.68-88, Donner, ebd, 10; Ego, Himmel, 90 samt A.61. Diese Fragen bedürften jedoch einer eigenen eingehenden Untersuchung, die auch eine mögliche Beziehung zur Vorstellung von der Gemeinde als Tempel (mit Christus als Grund- oder Schlußstein) und zur Gleichsetzung Jesu mit dem ἱλαστήριον bzw. anderen Elementen des Tempelkultes zum Inhalt hat.

[35] Strathmann, Joh, 56ff.

che des Judentums auch ohne Abwertung erwähnt (7,22; 11,55; 18,28; 19,40) und daher eine Antithese nicht immer beabsichtigt sein muß[36].

Der Wein ist Kennzeichen der messianischen Heilszeit (Am 9,13; Hos 2,24; Joel 4,18; Jes 29,17; Jer 31,5; äthHen 10,19; syrBar 29,5; Sib 2,317f; 3,620-624.744f), ebenso die Hochzeit[37]. "Jesus bringt die Vollendung der Hochzeitsfreude."[38] Von daher ist die Struktur in Joh 2,6 die der Überhöhung. Durch Jesus tritt an die Stelle der bisherigen Reinigungsordnung die Heilsordnung der Endzeit[39]. "Das eschatologische Heil ist in Christus präsent"[40]. Dies unterstreicht auch die betonte Herausstellung des "ersten Zeichens" (2,11) und der innere Zusammenhang mit der anschließenden Tempelperikope[41].

Joh 4,21-23: Die christologische Spitze des Textes Joh 4,6-26 ist unüberhörbar. Im Zentrum steht die Person des Offenbarers. Jesus beginnt das eigentliche Gespräch mit der Feststellung "Wenn du die Gabe Gottes kenntest, und (wüßtest), wer es ist, der zu dir spricht" (V.10)[42], woraufhin die Frau folgerichtig nach Jesu Person zurückfragt und ihn zum ursprünglichen Geber des Brunnens in Beziehung setzt: "Bist du denn größer als unser Vater Jakob?" (V.12)[43] Das weitere Gespräch, in dem das Offenbarungswort V.10 entfaltet wird[44], dreht sich nur äußerlich um die Gabe lebendigen Wassers und die rechte Art der Gottesverehrung, in der Tiefenschicht geht es um die Person Jesu selbst. Das Gespräch endet daher auch mit einem Ich-Bin-Wort.

Die Bildsprache des Wassers knüpft wiederum an alttestamentlich-jüdisches Material an[45]. Die Beziehung zu Joh 7,37ff ist unverkennbar[46]. Innerhalb dieses Rahmens, in dem es um die Person Jesu geht, kommt auch der Ort der Gottesverehrung zur Sprache[47]. Nach sama-

---

[36] Schnackenburg, Joh I, 336f.343. Die Auslegung Bultmanns auf dem Hintergrund der Weinspende des Dionysos ist kaum überzeugend; vgl. H. Noetzel, Christus und Dionysos. Bemerkungen zum religionsgeschichtlichen Hintergrund von Joh 2,1-11, AzTh 1, Stuttgart 1960, 27f; O. Michel, Der Anfang der Zeichen Jesu (Joh 2,11), in: ders., Dienst am Wort. Ges.Aufs., hrsg. von K. Haacker, Neukirchen 1986, 148-153, hier: 151.

[37] ExR 15 (79[b]); LevR 11 (112[c]); yShevi 4,35c,25; Bill. I, 517f.

[38] Schneider, Joh, 83.

[39] Dies steht nicht im Widerspruch zu der von Schnackenburg, Joh I, 341, betonten christologischen Mitte des Textes, sondern akzentuiert diese.

[40] Schnackenburg, Joh I, 342.

[41] Vgl. v.a. den Hinweis auf verschiedene Opfertiere Joh 2,14ff, wodurch die Gesamtheit der kultischen Opfer ausgedrückt werden soll.

[42] V.10 stellt ein "Offenbarungswort" dar; Schnackenburg, Joh I, 462.

[43] Die Gegenüberstellung Jesus-Jakob spielte schon in 1,51 eine Rolle. Zur Bedeutung des Erzvaters bei den Samaritanern s. JosAnt 11,341; PesR 11 (98[a]); dazu Schlatter, Joh, 120; J. MacDonald, The Theology of the Samaritans, London 1964, 234f.242ff.296ff.

[44] Schnackenburg, Joh I, 462.

[45] Jer 2,13; 17,13; Ps 36,9f; weiterhin Jes 49,10; 55,1; Ez 47,1.8.12; Joel 4,18; Sach 14,8; dazu R.E. Brown, The Qumran Scrolls and the Johannine Gospel and Epistles II, CBQ 17, 1955, 559-574, hier: 564f; J. Daniélou, Le symbolisme de l'eau vive, in: RevSR 32, 1958, 335-346; F. Hahn, Die Worte vom lebendigen Wasser im Johannesevangelium. Eigenart und Vorgeschichte von Joh 4,10.13f; 6,35; 7,37-39, in: J. Jervell/W.A. Meeks, Hrsg., God's Christ and His People (FS N.A. Dahl), Oslo u.a. 1977, 51-70, hier: 65.67f; B. Olsson, Structure and Meaning in the Fourth Gospel. A Text-Linguistic Analysis of John 2,1-11 and 4,1-12, CB.NT Series 6, Lund 1974, 162ff.212ff; Schnackenburg, Joh I, 463f; J.-W. Taeger, Johannes-Apokalypse und johanneischer Kreis, BZNW 51, Berlin u.a. 1989, 61ff. Nach Hahn, ebd, 53, wird Joh 4,14a in 6,35c und 4,14b in 7,37-39 aufgenommen und fortgeführt.

[46] Zur Identifikation des lebendigen Wassers mit dem Hl. Geist vgl. Bill. II, 434ff.492.

[47] Die Streitfrage um Jerusalem und den Garizim ist alt, vgl. 2Kön 17,24-41.

ritanischer Überzeugung stellt der Garizim den gottgewollten Anbetungsort dar[48]. Die Antwort Jesu hebt auf die jetzt gekommene eschatologische Stunde ab. Das Wort überholt die Auseinandersetzung, indem es die der eschatologischen Stunde allein angemessene Art der Anbetung Gottes "im Geist und in der Wahrheit" herausstellt. Damit können weder Jerusalem noch der Garizim in den Augen Gottes eine Prärogative als Stätte der Anbetung beanspruchen[49]. Dabei geht es nicht um ein spiritualistisches Verständnis der Gottesverehrung, sondern um den durch die Person Jesu selbst ermöglichten neuen Zugang aller "aus dem Geist Gezeugten" (Joh 3,3.5f) zu Gott[50]. Weil Jesus mit seiner Person der neue Tempel ist (Joh 2,21), ist die judäisch-samaritanische Streitfrage überholt.

Joh 7,37-39: Den äußeren Rahmen dieses Textes bildet das Laubhüttenfest[51]. V.37f bietet ein grammatisches Problem, das weitreichende interpretatorische Konsequenzen nach sich zieht. Setzt man den Punkt nach "... der komme zu mir und trinke", scheint sich das Folgende auf die Glaubenden zu beziehen[52]. Setzt man den Punkt nach "wer an mich glaubt", ergibt sich ein schöner Parallelismus und der Inhalt bezieht sich eindeutig auf Jesus[53]. Vier Gründe, die Schnackenburg nennt, legen eine Deutung auf Jesus nahe[54]. Doch auch dann, wenn der neue Satz schon bei "wer an mich glaubt" beginnt, ist ein Bezug auf Jesus möglich: "Wen dürstet, der komme zu mir und trinke. Wer an mich glaubt, für den werden - wie die Schrift sagt - Ströme lebendigen Wassers aus seinem (Jesu) Innern fließen."[55]

Nun gibt es keine Schriftstelle, die hier zitiert wäre. Es ist vielmehr damit zu rechnen, daß zu zwei Traditionszusammenhängen Bezüge bestehen: Zum einen eine Beziehung der Wasserspende zum wasserspendenden Fels in der Wüste (Ex 16)[56]. Zum andern eine Beziehung zur Tempelquelle, die für das eschatologische Jerusalem erwartet wird (Ez 47,1-12;

---

[48] S. dazu Schnackenburg, Joh I, 469, und die dort genannte Lit.

[49] Ob das Wort eine "tröstliche Verheißung" für die von den Juden verachteten Samariter" enthält, so Schnackenburg, Joh I, 470, ist dann kein wirkliches Problem mehr.

[50] Richtig Bultmann, Joh, 140: "Der kultischen Gottesverehrung wird nicht eine geistige, innerliche, sondern die eschatologische gegenübergestellt." Zur Beziehung der joh Anschauung der Anbetung im Geist und in der Wahrheit zu den Qumran-Texten s. Gärtner, Temple, 44ff.119f; R. Schnackenburg, Die "Anbetung in Geist und Wahrheit" (Joh 4,23) im Lichte von Qumran-Texten, BZ NF 3, 1959, 88-94; ders., Joh I, 472.

[51] Der "letzte Tag des Festes" meint vermutlich den siebten Tag, an dem ein mehrfacher Umzug um den Altar stattfindet; Bill. II, 490f; Bultmann, Joh, 228; Jeremias, Golgotha, 81; es könnte jedoch auch den Tag des "Schlußfestes" im Auge haben. Zum Rahmen des Sukkotfestes vgl. mSuk IV,9.10, ed. Bornhäuser, Sukka, 126ff; zur Wasserspende ebd, 128; Patai, Man and Temple, 24ff; Feuchtwang, Wasseropfer, passim; vgl. Bill. II, 774-812.

[52] So meistens die altkirchlichen Ausleger (s. Schnackenburg, Joh II, 212). Die grammatische Konstruktion wäre dann ein für Joh nicht ungewöhnlicher nominativus pendens (ebd, 213).

[53] So Nestle-Aland[26] und die meisten neueren Exegeten (Schnackenburg, Joh II, 213); zuletzt Taeger, Johannes-Apokalypse (s.o. A.45), 62f.

[54] Schnackenburg, Joh II, 214: 1. Die Parallele zu 4,10.14a; 6,35. 2. Der alttestamentliche Hintergrund des wasserspendenden Felsens bzw. der Tempelquelle der Endzeit. 3. Die Beziehung zu 19,34. 4. Die Gabe des Geistes durch Jesus 20,22.

[55] Beyer, Semitische Syntax, 215f (ihm schließt sich Schnackenburg, Joh II, 214 an). Nach Beyer haben wir ein konditionales Partizip vorliegen (215). Der Hauptsatz steht voran. Trotzdem braucht sich das αὐτοῦ vom Semitischen her nicht auf ὁ πιστεύων zu beziehen, sondern es könnte "für ihn" zu ergänzen sein (216).

[56] Bill. III, 406ff. Darauf wurde schon Joh 6,35 Bezug genommen; Schnackenburg, Joh II, 58f.215f.

Sach 13,1; 14,8)[57]. Hiermit verbunden ist die Vorstellung, daß Jerusalem als "Nabel" der Welt den Ursprung des Segens für die Völker darstellt und daß vom Hl. Felsen das eschatologische Heil ausgeht[58]. Wie Grelot nachgewiesen hat[59], müssen sich die beiden Vorstellungskreise nicht ausschließen, sondern sind in tSuk III,3-18 miteinander verbunden[60]. Die Libation am Laubhüttenfest erinnert nicht nur an die paradiesischen und eschatologischen Ströme, sondern auch an das Wasser aus dem Felsen in der Wüste. Somit besagt Joh 7,37-39, daß Jesus der Hl. Fels ist, aus dem sowohl das "lebendige Wasser" quillt, das jedem Dürstenden gilt (vgl. 4,14; 6,35), als auch die eschatologische Quelle, aus der das Heil fließt (vgl. 19,34)[61].

Wenn diese Interpretation zutrifft, dann stellt Joh 7,37f eine bedeutende Sachparallele zu Joh 2,21 auch insofern dar, als Jesus hier mit einem Teil des Tempels direkt in Beziehung gesetzt wird und diesen ersetzt, indem er als die Quelle des Heils bezeugt wird und weil darüberhinaus angegeben wird, wie das geschieht: durch Jesu Verherrlichung (= Erhöhung, vgl. Joh 17,5).

Joh 19,36: Der Abschnitt Joh 19,31-37 hat keine Parallele bei den Synoptikern, sondern ist Sondergut des Joh[62]. Die Quellenlage ist umstritten[63], ebenso die Frage, was hinter V.36 als Schriftzitat steht. Denkbar ist das Passalamm[64] (Ex 12,10LXX; 12,46; Num 9,12) oder der Gerechte (Ps 34,21). Vom Wortlaut her ist keine Entscheidung zu treffen, da jeweils Abweichungen vorliegen[65]. Der Gesamtzusammenhang des Joh legt jedoch eine Passalammtypologie nahe: Nach der Chronologie des vierten Evangeliums stirbt Jesus zu dem Zeitpunkt, da im Tempel die Lämmer geschlachtet werden (vgl. Joh 19,14 mit Ex 12,15f)[66]. Nach Joh 1,29.36 ist Jesus "das Lamm, das der Welt Sünde trägt", worin ebenfalls das Passalamm anklingt (s.o.). In Joh 19,36 geht es nicht um eine Gegenüberstellung des alten und des neuen Passalammes, sondern um die Interpretation eines Aspektes des Todes Jesu aufgrund alttestamentlichen Materials. Im Zusammenhang mit Joh 1,29.36 jedoch ergibt sich, daß nach dem Joh nicht nur die Proklamation Johannes d.T., sondern auch die geschichtlichen Umstände seines Todes Jesus als das wahre Passalamm ausweisen.

Überblickt man die Belege im Joh, so fällt auf, daß Joh aus mehreren Bereichen des Kultus Vorstellungen aufnimmt, um damit Jesu Werk auszusagen. Insgesamt kann das Geschick Jesu nach Joh als Ablösung der alten

---

[57] Bill. II, 799ff. Dazu s. J. Daniélou, Joh. 7,38 et Ezéch. 47,1-11, in: StEv II, TU 87, Berlin 1964, 158-163. Sach 14,8 wird tSuk III,3.8 in Verbindung mit Ez 47,2 als Haphtarah des Laubhüttenfestes genannt.

[58] ySuk 5,55[a] wird von R. J[e]hoschua b. Levi (ca. 250) das Wasserschöpfen, der Tempelvorhof und der Hl. Geist in Beziehung gesetzt. Zur Bedeutung des Hl. Felsens vgl. Jeremias, Golgotha, 80-84.

[59] S. P. Grelot, Jean VII,38: eau du rocher ou source du Temple?, RB 70, 1963, 43-51; zustimmend auch Hahn, Worte (s.o. A.45), 70 A.33.

[60] Vgl. Bill. III, 406ff.

[61] Zur Wassermetaphorik vgl. auch McKelvey, Temple, 80f.

[62] Zum Zerbrechen der Knochen (crurifragium) s. Schnackenburg, Joh III, 337.

[63] Referiert bei Schnackenburg, Joh III, 334ff; vgl. Bultmann, Joh, 515f.525f.

[64] S. Bill. II, 583.

[65] Bultmann, Joh, 525, möchte Ps 34,21 als Hintergrund für die Quelle annehmen, für den Evangelisten jedoch die Passalammtypologie.

[66] S.o. A.24. Zur Passionschronologie s. neben Bill. II, 812-853; (zu Joh 834-843); v.a. die oben S. 200 A.1 genannte Lit. Zur joh Chronologie und ihrer Bestätigung durch frühchristliche Zeugnisse s. Strobel, Frühchristlicher Osterkalender, 17ff.21.64ff.97ff.

und Etablierung einer neuen Stätte der Begegnung mit Gott bezeichnet werden[67]. Mehr noch: Jesus hat umfassende Sühne gebracht, er trägt die ἁμαρτία τοῦ κόσμου (1,29.36). Durch Jesu Tod und Auferstehung - johanneisch formuliert: Jesu Erhöhung - ist ein neuer Tempel, der "Tempel seines Leibes" da[68]. Strukturell liegt somit in Joh 2,19ff und in Röm 3,25f* der gleiche Sachverhalt vor: mit dem Tod Jesu wird (nachösterlich) die Errichtung eines (neuen) Heiligtums in eins gesetzt. Zwar gebraucht Joh nicht den Begriff ἱλαστήριον, aber sachlich-theologisch ist das gleiche gemeint.

bb) Der "personifizierte" Tempel in Apk 21,22[69]

Apk 21,22[70] heißt es bei der Beschreibung des himmlischen Jerusalem, daß in ihm kein Tempel vorhanden sei, ὁ γὰρ κύριος ὁ θεὸς ὁ παντοκράτωρ ναὸς αὐτῆς ἐστιν καὶ τὸ ἀρνίον. Der Vers gilt allgemein als im jüdischen Ho-

---

[67] Möglicherweise, so Schnackenburg, habe Joh Kritik Jesu an Mißständen des Kultus in seine Sicht hineingezogen - nämlich, "daß Jesus der neue 'Tempel' ist und einen ganz neuen Kult inauguriert" (Schnackenburg, Joh I, 368; ähnlich Trautmann, Zeichenhafte Handlungen, 105). Doch sollte man besser von einer "neuen Art der Gottesverehrung" sprechen, denn Jesus inauguriert nach Joh keinen neuen Kult; man sollte außerdem nicht von Jesu Kritik an Mißständen sprechen, sondern davon, daß Joh die Sicht des Tempels im Rahmen des eschatologisch-apokalyptischen Erwartungshorizontes, wie Jesus ihn hatte, weiterentwickelt hat, und zwar so, daß er dadurch das Geschick Jesu selbst deuten und ihn als einen neuen "Tempel" herausstellen konnte.

[68] Zur Auseinandersetzung um die Frage der soteriologischen Deutung des Todes Jesu im vierten Evangelium s. E. Käsemann, Jesu letzter Wille nach Johannes 17, Tübingen 1971[3], 19; dagegen G. Bornkamm, Zur Interpretation des Johannesevangeliums. Eine Auseinandersetzung mit Ernst Käsemanns Schrift, in: ders., Geschichte und Glaube I, Ges. Aufs. III, BEvTh 48, München 1968, 104-121, hier: 117f; Haacker, Stiftung, 167ff; B.H. Grigsby, The Cross as an Expiatory Sacrifice in the Fourth Gospel, JSNT 15, 1982, 51-80; Kohler, Kreuz (s.o. A.12), 144ff.

[69] Der Vers steht im Zusammenhang der Vision vom himmlischen Jerusalem, Apk 21,9-22,7. Apk 21,1-8 könnte einen alten Buchschluß darstellen; Kraft, Apk, 262; anders die Aufteilung bei Lohmeyer, Apk, 166, er sieht 21,9-22,5 als "Epilog" mit paränetischer Absicht (170). Zu Apk 21-22 vgl. neben den Kommentaren v.a. R. Bergmeier, "Jerusalem, du hochgebaute Stadt", ZNW 75, 1984, 86-106; W. Bousset/H. Gressmann, Die Religion des Judentums im späthellenistischen Zeitalter, HNT 21, Tübingen 1926[3], 238ff; G.G. Cohen, Some Questions Concerning the New Jerusalem, Grace Journal 6, 1965, 24-29; J. Comblin, La liturgie de la Nouvelle Jérusalem, Theologicae Lovaniensis 29, 1953, 5-40; Celia Deutsch, Transformation of Symbols: The New Jerusalem in Rv 21,1-22,5*, ZNW 78, 1987, 106-126; N. Dominguez, Ecclesia Christi Militans in Apocalypsis Visionibus Revelata (Ap. 21,9-22,2), Philippiniana Sacra (Manila) 1, 1966, 269-286; Georgi, Jerusalem, 351-372; Hohnjec, Lamm; Holtz, Christologie; W. Koester, Lamm und Kirche in der Apokalypse, in: Wort des Lebens (FS M. Meinertz), NTA Erg.1, Münster 1951, 152-164; J.A. du Rand, The Imagery of the Heavenly Jerusalem (Revelation 21:9-22:5), Neotestamentica (Stellenbosch) 22, 1988, 65-86; Reader, Stadt Gottes, 119.122ff; Schüssler-Fiorenza, Priester für Gott, 402ff; Taeger, Johannes-Apokalypse (s.o. A.45); ders., Einige neuere Veröffentlichungen zur Apokalypse des Joh, VuF 29, Heft 1, 1984, 50-75; J. Roloff, Das himmlische Jerusalem, in: Gemeindebrief der Erlöserkirche Jerusalem, Okt./Nov. 1988, 9-26; ders., Neuschöpfung in der Offenbarung des Johannes, JBTh 5, 1990, 119-138, bes. 129ff.

[70] Zur Textkritik s. Reader, Stadt Gottes, 303 A.71a.

rizont schwer vorstellbar[71]. Innerhalb der Vision Apk 21 stellt V.22 den eigentlichen Spitzensatz dar[72]. Im Hintergrund klingen Ps 46,5 und 1Kön
8,10-13 an. Schon ein flüchtiger Blick zeigt, daß das ganze Kapitel gesättigt
ist mit alttestamentlichen Anknüpfungen v.a. an Jes 60 und Ez 40-48, aber
auch Sach 14![73]

Roloff weist auf zwei weitere Traditionsbereiche hin, auf welchen neben
den alttestamentlichen Anklängen die Schilderung des Apokalyptikers
fußt[74]. Zum einen die im nachbiblischen Judentum (v.a. in der Apokalyp-

---

[71] Bill. III, 852: "Das zukünftige Jerusalem ohne Tempel - ein für die alte Synagoge unvoll-
ziehbarer Gedanke. Die Erbauung des Heiligtums ist das allerselbstverständlichste Stück
altjüdischer Zukunftshoffnung gewesen." Vgl. Bill. IV.2, 884. Wenngleich die "Weissagung
nicht ganz ohne Analogieen in der spätjüdischen Anschauung" sei, so möchte sie Bousset,
Apk, 516.522, doch lieber einem Christen zuschreiben; vgl. auch Hohnjec, Lamm, 139;
Holtz, Christologie, 120.197; Michel, Art. ναός, 894,4ff; Schüssler-Fiorenza, Priester für
Gott, 403 A.272; Volz, Eschatologie, 217. Ego, Himmel, 20-26.60f, bes. 25, betont, daß auch
die verschiedenen Konzeptionen einer Substitution des Tempels nach der Zerstörung im
Jahr 70 nur interimistischen Charakter besessen hätten. Bergmeier, Jerusalem, versucht
nachzuweisen, daß Apk 21,9-22,2 bis auf das Stellen, die eindeutig christlicher Redaktion
zuzuschreiben sind, "ein genuin jüdisches Quellenstück" darstellt (92). Zur Redaktion zählt
er 21,22. Dieser Vers sei eine "nur christlich mögliche" Aussage, die die ursprünglich hierher gehörenden Verse 22,1.2 verdrängt habe (89). Zur Frage einer Vorlage und deren
Überarbeitung s. auch Reader, Stadt Gottes, 40ff.150ff. Daß der Vers "ohne jegliche Analogie im Spätjudentum und Urchristentum" sei (Reader, ebd, 119), soll die vorliegende
Untersuchung modifizieren. Einen in ähnliche Richtung gehenden Versuch hat D. Flusser,
No Temple in the City, in: ders., Judaism and the Origins of Christianity, Jerusalem 1988,
454-465, unternommen. Er will nachweisen, daß Apk 21,22f auf der Kombination zweier
Midraschim beruhe, in denen es um das Licht des Messias gegangen sei, was der Apokalyptiker durch das "Lamm" ersetzt habe (LevR zu Lev 24,2; Tanchuma zu Ex 25,1). Doch
sind die von Flusser beigebrachten Belege nicht alt genug, um die These wirklich begründen zu können. Zur Datierung von LevR und Tanchuma s. H.L. Strack/G. Stemberger,
Einleitung in Talmud und Midrasch, München 1982[7], 267ff.279ff.

[72] Roloff, Apk, 206. Solange das neue Jerusalem noch bei Gott ist (Apk 1-20), existiert ein
himmlischer Tempel mit himmlischer Liturgie. "In a sense the Apocalypse is really a tale of
two cities, the heavenly and the earthly." McKelvey, Temple, 167. In der neuen Welt ist für
das irdische Jerusalem kein Platz mehr, so wie auch der erste Himmel nicht mehr sein wird
(ebd, 167.169). Damit löst sich der Gegensatz, in dem Apk 21,22 zu 11,1-2 zu stehen
scheint; vgl. Kraft, Apk, 273; Holtz, Christologie, 197.

[73] Die Symbolik der Wasserspende begegnet Apk 21,6; zu Apk 21,23 vgl. Sach 14,7. Nach
McKelvey, Temple, 163, bildet das Laubhüttenfest den liturgischen Hintergrund von Apk
21,1-22,5 (vgl. Sach 14,8.18ff). McKelvey, ebd, 163f, hält es für möglich zu zeigen, daß auch
bei den übrigen Festszenen der Apk das Laubhüttenfest im Hintergrund steht (4,2-11; 5,8-
14; 7,9-17; 11,15-19; 14,1-5; 15,2-4; 19,1-8). Zur Symbolik des Laubhüttenfestes in Apk 21f
s. auch Comblin, Jérusalem, 27ff. Comblin, 30-35, notiert auch die enge Beziehung zu Joh
7,37-39. Vgl. zur Sache Taeger, Johannes-Apokalypse (s.o. A.45), 67ff. Georgi, Jerusalem,
362.364.367.368f.371, hat versucht, das Modell der "idealen hellenistischen Stadt" (368)
hinter Apk 21,9-22,5 zu entdecken und die Schlußvision der Apk im Sinn einer Sozialuto-
pie, nämlich des "Angebot[s] einer heilen städtischen Welt" (352) zu deuten. Dagegen betont Roloff, Neuschöpfung, 129ff, zu Recht stärker den traditionsgeschichtlichen Hintergrund und stellt den Text als "Neuinterpretation von Schriftaussagen" dar (134ff).

[74] Roloff, Das himmlische Jerusalem (s.o. A.69), 9-26.

tik) verbreitete Vorstellung vom himmlischen Jerusalem[75], zum andern jener Traditionskomplex, in dem die Heilsgemeinde selbst den endzeitlichen Tempel darstellt[76]. Es ist jedoch zu fragen, wie der zweite Traditionskomplex hier wirklich anklingt.

Die Erwartung einer Erneuerung des Tempels bestimmt traditionell die jüdische Überlieferung (Ez 40,5-47,12; Jes 44,28; Sach 6,12-15; 2Chr 36,23; Dan 8,14; Tob 14,5; Jub 1,17.27.29; Sib 3,290.657f; 5,422; TestBenj 9,2; äthHen 93,7; syrBar 6,7-10; TgJes 53,5; Sch^emEsr 16 [17]; bBer 29a u.ö.). Dies wird in Apk 21 nicht nachvollzogen[77]. Im himmlischen Jerusalem wird es einen direkten Zugang zu Gott geben und keinen durch Kult vermittelten[78]. Gott selber und das Lamm werden zentraler Mittelpunkt des neuen Jerusalem sein[79].

Das Profil der Aussage des Apokalyptikers wird deutlich, wenn wir sehen, inwiefern in Apk 21 eine Aufnahme bzw. Verfremdung der Tempelvision des Ezechiel vorliegt und inwieweit jüdische Vorstellungen aufgenommen und abgewandelt werden.

1. Vergleich mit dem Tempelentwurf bei Ezechiel[80]

Wie Ez 40,2 bekommt auch hier der Seher das neue Jerusalem von einem Berg aus gezeigt (21,10). Auch er soll (vgl. Ez 40,5ff) die Stadt vermessen. Die quadratische Anlage der Stadt und die zwölf Tore entsprechen den Angaben bei Ez (48,30-35). Unterschiede werden deutlich, wenn man fragt, wo bei Ez bzw. in der Apk das Hauptgewicht der Schilderung liegt: Dies liegt für Ez eindeutig bei der Einrichtung des erneuerten Kultus im Tempel. Dieser selbst ist das Zentrum der neuen, aus dem Exil heimgekehrten Heilsgemeinde. Ganz anders beim Apokalyptiker: hier geht es um die neue Gottesstadt als ganze. Nicht ein separater Tempel stellt das Zentrum dar, sondern die Stadt *ist* ein Tempel[81]. Dabei ist zur Erfüllung gekommen, was in Jer 3,16f verheißen wurde: "Dann wird man nicht mehr

---

[75] S. dazu Bietenhard, Himmlische Welt (s.o. S. 242 A.40), 123ff; Schierse, Verheißung, 13ff; G. Schrenk, Die Weissagung über Israel im Neuen Testament, Gießen Basel 1984², 62 A.94, weist auf den Unterschied zwischen der Vorstellung vom Herabkommen des oberen Jerusalem, die sich in der älteren Literatur nicht findet, und dem zum Thron der Herrlichkeit emporsteigenden Jerusalem hin; s. 4Esr 7,26; 10,54; 13,36; äthHen 90,28-36; syrBar 4,2-6; slHen 55,2 (Cod. P); vgl. Bill. III, 796; Volz, Eschatologie, 375.

[76] Vgl. 1QH 8,7; 6,25; 1Kor 3,5-16; Mt 16,17-19; Eph 2,21; 1Tim 3,15; Roloff, Apk, 203f.

[77] Weitere Belege s.o. S. 226 A.147. McKelvey, Temple, 175, dürfte richtig liegen, wenn er Apk 21,22 so interpretiert: "This is a surprising statement; yet on reflection it is not really surprising. It runs counter the traditional hope, but at the same time is in a direct line of development with it." Vgl. Müller, Apk, 360.

[78] Vgl. Müller, Apk, 360.

[79] S. dazu den Exkurs bei Reader, Stadt Gottes, 88-90, "Das Lamm und das eschatologische Jerusalem". Die Koordination von Gott und Lamm s. auch Apk 5,13; 6,16; 7,9.10; 14,4; 21,23; 22,1.3. Zum scheinbaren Widerspruch der Aussagen 21,22 zu 3,12 und 7,15 s. Müller, Apk, 361.

[80] Vgl. dazu Deutsch, Transformation, 113-115; Roloff, Apk, 203.

[81] Vgl. Deutsch, Transformation, 113. Auf den metaphorischen Gehalt der Bilder vom Tempel als Aussage über Gottes Anwesenheit verweist Müller, Apk, 361.

sagen: Wo ist die Bundeslade JHWHs? Man wird nicht mehr an sie denken und sich ihrer nicht mehr erinnern, noch sie vermissen[82], auch wird man keine neue mehr anfertigen. In jener Zeit wird man Jerusalem 'der Thron JHWHs' nennen und alle Heidenvölker werden sich dahin begeben." Die Stadt selbst ist hier der Heilsort, sie ist in ihrer Gesamtheit der Tempel Gottes geworden. Dies gilt auch für das in Apk 21 geschilderte Neue Jerusalem, das vom Himmel herabkommt, ja es wurde in der Apk noch weiter ausgebaut[83].

2. Der Kultus der Endzeit in frühjüdischen und rabbinischen Belegen

Der Unterschied von Apk 21 zu frühjüdischen und rabbinischen Vorstellungen wird klar, wenn man nach der Bedeutung des Kultus im eschatologischen Jerusalem fragt. Einerseits gibt es dort nach frühjüdischer Überlieferung keine Sühnopfer mehr, da der 'böse Trieb' beseitigt sein wird und damit die Notwendigkeit von Sühnopfern entfällt[84]. Andererseits werden die Opfer nicht insgesamt abgeschafft (vgl. Jub 1,17.27f; 2Q24; 5Q15 1,3f; TestDan 5,9; syrBar 59,4.9; Sib 5,422f; 3,718.725f.772.776; SchᵉmEsr 14; u.ö.), sondern bestehen in Form von Dankopfern weiter[85]. Auch werden die Feste weitergefeiert, wobei dem Laubhüttenfest eine besondere Bedeutung zukommt (vgl. Sach 14,16ff[86]). Hiervon ist in Apk 21 nichts zu spüren.

3. Die Gemeinde als Tempel - Gott und das Lamm als Tempel

Es unterliegt keinem Zweifel, daß in der Apk das Motiv von der Heilsgemeinde als Tempel verarbeitet wurde und daß dabei auch Vorstellungen der hellenistischen Polis eingeflossen sind[87]. Das Motiv ist sowohl in der jüdischen wie in der christlichen Überlieferung bezeugt[88]. Apk 21,22 paßt

---

[82] Zur Überlieferung vom Verstecken und erhofften Wiederauffinden der Lade bzw. deren Restauration s. 2Makk 2,4-8; syrBar 6,7-9; PsPhilAnt 26,12f.15; bYom 53b.54a; tSot XIII,1; NumR 15,10 [178d]; zum Verbergen der Lade unter dem Eben Schᵉtijah vgl. auch Dalman, Zion, 53f; Jeremias, Golgotha, 51; vgl. dazu o. S. 156.

[83] McKelvey, Temple, 176.

[84] Bill. IV.1, 482f; IV.2, 882.885.913.914.916f.936f. Die frühjüdische Überlieferung ist jedoch an dieser Stelle einem Wandel unterworfen und in sich nicht einheitlich: Es existieren auch Belege, in denen mit einem Fortbestand der Sünde und einer Vergebung ohne Opfer gerechnet wird; Bill. IV.2, 917f.937. Nach Test XII scheint auch die Aufgabe des Hohenpriesters gewandelt, vgl. Bill. IV.2, 803; nach Test Levi 18,9ff hört die Sünde auf und der Baum des Lebens wird am Ort des Heiligtums gepflanzt sein, vgl. äthHen 25,5; dazu Bill. IV.2, 800.1132.

[85] Vgl. Sach 14; Bill. IV.2, 917; Schrenk, Weissagung, 62 A.95. Nach PesR 79a werden nur die Dankopfer in Ewigkeit nicht aufhören (Bill. I, 246). In Auslegung von Prov 21,3 spricht DtnR 5 (201d) davon, daß die Opfer nur für diese Welt, Wohltun und Recht aber auch in jener gelten (Bill. I, 500; IV.2, 936; vgl. Volz, Eschatologie, 377; dazu auch R. Hummel, Die Auseinandersetzung zwischen Kirche und Judentum im Matthäusevangelium, BEvTh 33, München 1966, 107).

[86] Zu Sach 14 s. auch oben Abschnitt X.b, S. 207ff samt A.45.

[87] Vgl. z.B. Roloff, Apk, 203; Georgi, Jerusalem, 361.365ff; Hohnjec, Lamm, 140.

[88] Vgl. oben A.75.

jedoch in diesen Vorstellungsrahmen nicht recht hinein[89]. Dabei darf die Gleichsetzung Gott und Lamm = Tempel in Apk 21,22 nicht mit der Gleichsetzung Gemeinde = Tempel vermischt werden[90]. Das Bild Gemeinde = Tempel, das in der Apk vor Kap. 21,9ff begegnet, wurde in der Jerusalemvision durch die Gleichung Gemeinde = Stadt ersetzt[91]. Dies stellt die Voraussetzung dar, um in 21,22 zu einer Spitzenaussage zu kommen, in der Gott und Tempel im himmlischen Jerusalem gleichgesetzt werden[92].

Nun wird in Apk 21,22 jedoch nicht einfach Gott mit dem Tempel in eins gesetzt, sondern es heißt, den Tempel bilden "Gott, der Herr, der Allherrscher und das Lamm"[93]. Sollte diese Aussage wirklich singulär sein? Reader vermutet eine Beziehung zu einer Variante des Tempelwortes[94]. Auch Kraft, Halver und Hohnjec sehen die Beziehung zwischen Apk 21,22 und Joh 2,19-22[95]. Nach Kraft sind in Apk 21,22 die "Erwartung der Gegenwart Gottes in der Endzeit" mit der Deutung des "wiedererbauten Tempel[s] auf Christi Auferstehungsleib" kombiniert[96]. Somit könnte Apk 21,22 in der Linie des in Joh 2,19ff begegnenden Interpretationsschemas liegen, wonach Jesu Tod und Auferstehung die Errichtung eines (neuen) Heiligtums bedeuten[97].

---

[89] Das Motiv liegt gewiß in Apk 3,12; 11,1 vor; Reader, Stadt Gottes, 122.

[90] Gegen Schüssler-Fiorenza, Priester für Gott, 405; richtig Hohnjec, Lamm, 140.

[91] Reader, Stadt Gottes, 124.

[92] Die Vorstellung, daß Gott "inmitten seines Volkes wohnt", ist zwar im jüdischen Bereich belegt, jedoch ist keine Stelle bekannt, an der es zu einer personalen Identifikation Gottes und des Heiligtums käme; vgl. Jub 1,17.24f.28; äthHen 105,2 (dieser Vers stellt evtl. einen nachträglichen Einschub dar, vgl. Beer, in: Kautzsch II, 308 A.n). Zur Vorstellung vom Zelt Gottes in der jüdischen Tradition s. Reader, Stadt Gottes, 157ff.

[93] ναός meint in Apk 21,22 den Ort der Gegenwart Gottes; Roloff, Apk, 203. Zu ναός in der Apk vgl. auch Reader, Stadt Gottes, 122-124.

[94] Reader, Stadt Gottes, 122. Unerfindlich ist, warum Reader (305 A.80) gegen Schrenk, Weissagung, 34f, und R. Halver, Der Mythos im letzten Buch der Bibel. Eine Untersuchung der Bildersprache der Johannesapokalypse, ThF 32, Hamburg 1964, 45, eine Parallelität von Apk 21,22 zu Joh 2,19.21 ablehnt und gleichzeitig die Beziehung zum Tempelwort erwägt.

[95] Kraft, Apk, 273; Halver, Mythos, 45; Hohnjec, Lamm, 141; dagegen Holtz, Christologie, 197.

[96] Kraft, Apk, 273.

[97] Einen Vorschlag mit weitreichenden Konsequenzen hat Charles (An Attempt to Recover the Original Order of the Text of Revelation XX,4-XXII, PBA 7, 1915/16, 49, und ders., The Revelation of St. John II, ICC, Edinbourgh 1920, 170f.367.439) unterbreitet: s.E. sind am Ende des ursprünglichen Dreizeilers V.22 einige Worte ausgefallen. Der ursprüngliche Text lautete (ergänzt nach Apk 11,19): καὶ ναόν κτλ ... ὁ γὰρ κύριος ὁ θεὸς ὁ παντοκράτωρ ναὸς αὐτῆς ἐστιν καὶ τὸ ἀρνίον ἡ κιβωτὸς τῆς διαθήκης αὐτῆς. Damit wäre eine direkte Parallelformulierung zu Röm 3,25 vorhanden. Georgi, Jerusalem, 368 A.74, hält den Vorschlag von Charles für "vielleicht" richtig. Anders Reader, Stadt Gottes, 304 A.79, der aus drei Gründen ablehnt: 1. die Textzeugen bieten keinen Anlaß zu dieser Rekonstruktion; 2. dem Stil des Sehers entspricht es, καὶ τὸ ἀρνίον anzuhängen (vgl. 7,10; 14,4.10; 22,1.3); 3. Gott und Lamm sind auch sonst in der Apk koordiniert (vgl. 5,13; 6,16; 7,9.10; 14,4; 22,1.3).

Eine explizite Bezugnahme auf Jesu Tod findet sich jedoch in Apk 21,22 nicht, es sei denn im Begriff ἀρνίον. Davon ist auszugehen. ἀρνίον ist ein Schlüsselbegriff der Apk[98]. Der Apokalyptiker gebraucht ihn 28 mal, davon gehäuft in Kap. 5-7; 14 und am Buchschluß[99]. Das Lamm der Apokalypse erfährt jedoch eine bedeutsame Näherbestimmung, es ist ὡς ἐσφαγμένον[100]. D.h. das Lamm der Apk weist die Zeichen seines gewaltsamen Todes auf[101]. Es ist also nicht einfach ein Lamm, sondern jenes geschlachtete Lamm, das mit Gott zusammen den Tempel der Endzeit darstellen wird. "Das Lamm ist der gestorbene und auferstandene Christus, Tempel des eschatologischen Jerusalem."[102] Hierin könnte ein später Ausdruck jenes Motives vorliegen, das wir in Joh 2,19-21 feststellen konnten: die Ersetzung des Tempels durch den Leib Jesu, aufgrund seiner Lebenshingabe.

Im Unterschied zu Röm 3,25f und Hebr 9 wird die Errichtung des eschatologischen Heiligtums hier zwar nur noch mittelbar über den Begriff "Lamm" mit dem Tod Jesu in Beziehung gesetzt. Dennoch gilt für Apk 21,22: "Der Ansatz urchristlicher Tempelkritik, die in der Erfahrung der unmittelbaren Gegenwart Gottes in Jesus gründete (vgl. Mk. 14,58; Joh. 2,19; Apg. 6,14), wird hier konsequent zu Ende gedacht."[103]

---

[98] Er taucht außerhalb der Apk nur noch Joh 21,15 auf, wo er sich auf die "Lämmer" bezieht, die Petrus weiden soll; s. dazu Reader, Stadt Gottes, 88-90.296 A.26 (Lit.); Müller, Apk, 160ff; jetzt auch Hasitschka, Befreiung (s.o. A.24), 93-98.

[99] Vgl. dazu Kraft, Apk, 107-110; Hohnjec, Lamm, passim.

[100] ὡς ἐσφαγμένον bezieht sich auf den Schächtschnitt! Vgl. Müller, Apk, 160.

[101] S. v.a. Apk 5,8-14, die Erhöhung des Lammes als eines geschlachteten Lammes; Kraft, Apk, 109f. Zur Beziehung des Lammes der Apk zum Passalamm von Joh 1,29-36 und zu Jes 53 vgl. Kraft, Apk, 109.

[102] Hohnjec, Lamm, 141.

[103] Roloff, Apk, 206.

cc) Anhang: Jesu Tod als antithetische Überbietung des Jom Kippur im Brief des Barnabas[104]

Nur in zwei Schriften des Neuen Testaments wird auf den Jom Kippur explizit Bezug genommen: Röm 3,25 und mehrfach im Hebr[105]. Dabei findet keine Anknüpfung an den Asasel-Ritus statt, der nach der jüdischen Tradition Vergebung aller Sünden bewirkt[106]. Soweit erkennbar, geschieht dies in der urchristlichen Literatur des ersten und zweiten Jh. höchst selten[107]. Eine solche Ausnahme stellt der Barn dar (Barn 7,3-5.6-11). Der Schreiber geht dabei so vor, daß er eine antitypische Beziehung aufstellt, um die Inferiorität der jüdischen und die Überlegenheit der christlichen Religion nachzuweisen[108]. Die "Typologie" muß als gewaltsam gekennzeichnet werden[109].

Zu unserer Frage nach der Beziehung des Todes Jesu zum Heiligtum: An drei Stellen im Barn geht es um den Tempel, 4,11; 6,15f; 16,6-10, jedoch jeweils mit Bezug auf die Gläubigen als geistlichen Tempel. Barn knüpft an die frühjüdische Erwartung an, wie sie z.B. in äthHen 91,13; Tob 14,5 begegnet, und spiritualisiert diese. Im Unterschied jedoch zu der Vorstellung im Neuen Testament, wonach die Gemeinde den neuen Tempel darstellt, spitzt Barn dieses Motiv rein auf die einzelnen Gläubigen zu: ὁ θεὸς κατοικεῖ ἐν ἡμῖν (Barn 16,8; vgl. TestJos 10,2f; TestBenj 6,4; Herm 28,1 = Mand

---

[104] Der Text des Barn nach Wengst. Lit.: A. von Harnack, Geschichte der Altchristlichen Litteratur bis Eusebius II. Die Chronologie 1, Leipzig 1897, 410-428; L. Helm, Studien zur typologischen Schriftauslegung im zweiten Jahrhundert. Barnabas und Justin, Diss.masch. Heidelberg 1970; Koester, Synoptische Überlieferung; P. Meinhold, Geschichte und Exegese im Barnabasbrief, ZKG 59, 1940, 255-303 (mit der älteren Literatur); P. Prigent, L'Épître de Barnabé et ses sources, 1961 (dazu: H. Stegemann, ZKG 73, 1962, 142-153); Prigent/Kraft, Épître de Barnabé; P. Vielhauer, Geschichte der urchristlichen Literatur, Berlin u.a. 1978, 599-612; ders., Oikodome. Das Bild vom Bau in der christlichen Literatur vom Neuen Testament bis Clemens Alexandrinus, in: ders., Oikodome. Aufs.z.NT 2, hrsg. von G. Klein, ThB 65, München 1979, 1-168; K. Wengst, Tradition und Theologie des Barnabasbriefes, AzKG 42, Berlin u.a. 1971; Windisch, Barn HNT Erg.III.

[105] Apg 27,9 erwähnt nur den Termin. Zu Hebr 9,26-28 s.o. S. 244 A.59. Röm 8,3 spricht vom "Sühnopfer", aber nicht speziell von dem am Jom Kippur.

[106] Thyen, Studien, 188f, möchte in 2Kor 5,21 einen Anklang an Jesus als Asasel-Bock des Versöhnungstages heraushören; vgl. auch Wolter, Rechtfertigung, 21; dagegen Hofius, Erwägungen, 186-199. Auch die bei Schwartz, Two Pauline Allusions, 259-268, und bei Treyer, Jour des Expiations, 267ff, genannten neutestamentlichen Bezüge auf den Asasel-Bock können nicht überzeugen: ἐξαποστέλλω in Gal 4,4-5 reicht nicht aus, um hier eine Allusion auf Lev 16,21 zu gewinnen. Der Begriff wird z.B. auch gebraucht von der Sendung eines Engels zu Rettung Josephs, JosAs 15,12.

[107] S. noch Justin, Dial 40,4f (ed. Otto, Corpus Apologetarum Christianorum Saeculi Secundi, Vol. II, Jena 1877, 136ff); dazu Helm, Studien, 58-60 samt A.240ff. Zu Tertullian, AdvMarc 3,7, wo vom Essen des Versöhnungsbockes die Rede ist, s. Helm, Studien, 12f samt A.66; Prigent, L'Épître de Barnabé, 105-110; Prigent/Kraft, Barnabé, 136-137; Harlé/ Pralon, Le Lévitique, 152.

[108] Vgl. z.B. seine Ausführungen zur Beschneidung, 9,4-9, zum Fasten, 3,1-6, zum Kultus, 1,4-7, zum Sabbat, 15,1-9; s. hierzu die Anmerkungen zum Text bei Wengst.

[109] Vgl. Helm, Studien, 10-19 samt A.48ff. Leider hat bei Meinhold das erkenntnisleitende Interesse (1940!), wie es in dem Motto des Aufsatzes [IgnMagn 10,3] zum Ausdruck kommt (255), eine objektive Behandlung des Themas verhindert.

III.1)[110]. Nicht die Kirche ist der neue Tempel, sondern der einzelne. Im Herzen des Gläubigen ist die Wohnung Gottes (Barn 6,15). "οἰχοδομεῖσθαι bezeichnet den Prozeß, durch
den ein Mensch zum Tempel wird, die Bekehrung."[111]
Auch das Stein-Motiv begegnet im Barn (6,2ff), aber in einer ganz speziellen Allegorisierung: Es wird nicht, wie aus den Briefen des Neuen Testament bekannt, auf die Gemeinde
als geistlichen Bau, dessen Schlußstein (oder Grundstein) Christus sei (vgl. 1Petr 2,4ff; Eph
2,20-22), angewendet, sondern die Festigkeit des Steines (Jes 28,16) wird auf das Stark-Sein
des Fleisches Christi (= seine irdische Existenz) gedeutet (Barn 6,3) und die Verwerfung
des Steines (Ps 118,22) auf dessen Leiden (Barn 6,7). Diese Allegorisierung liegt traditionsgeschichtlich in der Linie dessen, wie man anhand von Ps 118,22 die Gesamtheit des
Geschickes Jesu gedeutet hat (vgl. Mk 12,10 parr; Apg 4,11)[112].

Zur Jom-Kippur-Typologie Barn 7,3-5.6-11:
Die Ausführungen des Barn geben sich als typologische Interpretation des im Alten Te-
stament Vorgezeichneten. Indessen sind sie eine Kombination alttestamentlicher und tal-
mudischer Motive, gekoppelt mit Eintragungen aus der Passionsgeschichte und verdrehten
Unterstellungen gegenüber jüdischen Bräuchen[113]. Barn 7,3-11 stellt keinen einheitlichen
Abschnitt dar, sondern besteht aus zwei abgeschlossenen Einheiten[114]. Die Anklänge an
Lev 16 sind jedoch in beiden Einheiten zu belegen.
Barn 7,3-5: Zunächst (7,3) knüpft Barn an die bei der Kreuzigung Jesu berichtete Trän-
kung des Gekreuzigten an (Mk 15,36; Mt 27,34.48; Lk 23,36; Joh 19,29; vgl. EvPetr 5,16;
syrDidask 19), verändert diese jedoch mit Blick auf Ps 69,22[115]. Sodann wird Jesu Todestag
mit dem "Fasttag" (= Jom Kippur, Lev 23,29) parallelisiert[116]. Durch Jesu Hingabe wird
zweierlei verwirklicht (τελεσθῇ), was im Alten Testament als τύπος vorgebildet war: das
Versöhnungsopfer und die Opferung Isaaks[117]. 7,4 gibt sich als Zitat aus den Propheten.
Jedoch der "Wortlaut ist im AT ebensowenig zu finden wie der Inhalt"[118]. Die Priester sollen die Eingeweide des am Fasttag für die Sünden dargebrachten Bockes ungewaschen mit
Essig verzehren, was als Hinweis auf das Opfer Christi und den Essig, den er am Kreuz erhielt, gedeutet wird (Mk 15,36 par). Barn hat dabei Dinge in einer Weise kombiniert, wie
das für jüdisches Verständnis unmöglich ist[119]. Unvorstellbar ist v.a. die Aussage, daß die
Priester vom Versöhnungsbock gegessen hätten.
Barn 7,6-11: Barn 7,6 bringt nun einen Neueinsatz (προσέχετε). Im folgenden geht es um
die zwei Böcke, die beide (!) auf Christus gedeutet werden: der "Geopferte" als Typus für
den sich opfernden Jesus[120], der "Verfluchte"[121] als Typus des Leidenden[122]. Der Asasel-

---

[110] 1Kor 3,16 ist hier nicht zu nennen, denn es ist hier der einzelne nur als Mitglied der
christlichen Gemeinde im Blick, von dem Paulus als vom Tempel des Hl. Geistes spricht.
Auch 1Kor 6,19 und 2Kor 6,16 ist der Gemeindebezug nicht zu vernachlässigen.
[111] Vielhauer, Oikodome, 153.
[112] Synoptischen Einfluß schließt Koester, Synoptische Überlieferung, 128, aus, da das
Psalmzitat dem LXX-Text näher steht als den Synoptikern.
[113] Vgl. dazu Windisch, Barn, 343ff; Koester, Synoptische Überlieferung, 149ff.
[114] Helm, Studien, 15; Wengst, Tradition und Theologie, 31, läßt dies offen.
[115] Genaueres bei Helm, Studien, 10 samt A.57f, dort auch weitere Belege.
[116] νηστεία meint dabei den Jom Kippur; vgl. Wengst, Tradition und Theologie, 30 A.58;
vgl. auch den Sprachgebrauch bei Josephus (s.o.) und in der Apg.
[117] Das im Alten Testament nicht vollzogene Menschenopfer geschieht nach Barn in der
Kreuzigung Christi.
[118] Windisch, Barn, 344.
[119] Vgl. den Versuch bei Windisch, Barn, 344f, die Hintergründe aufzuhellen.
[120] Dabei ist die Bezeichnung ὁλοκαύτωμα ὑπὲρ ἁμαρτιῶν ungenau.

Bock ist insofern ein Typus Jesu, als er angespieen und durchstochen wird und scharlachrote Wolle um sein Haupt gebunden bekommt[123]. Jedoch geht Barn weiter (V.9f): der Leidende ist zugleich der Wiederkommende[124]. Die Ähnlichkeit der Böcke[125] wird als Hinweis darauf verstanden, daß Jesus, wenn er zum Weltgericht erscheint, als der wiedererkannt werden wird, der leiden mußte und gekreuzigt wurde. Das wird für seine Peiniger eine "üble Überraschung" bedeuten[126]. Barn 7,11 verläßt den unmittelbaren Zusammenhang und bringt eine Erläuterung, daß das Leiden Jesu auch ein Vorbild des Leidens der Gemeinde darstellt.

Auch abgesehen von der verdrehten Darstellung der am Jom Kippur üblichen Riten, ist die von Barn aufgestellte Typologie in sich unstimmig, denn die Böcke sind nur *gleich*, wohingegen der Weltrichter und der Gekreuzigte *identisch* sind[127]. Die Verzerrungen verstärken darüberhinaus den ausgeprägten antijüdischen Affekt der Darstellung. Für unsere Fragestellung (die Beziehung des Todes Jesu zum Blutritus am Jom Kippur) trägt Barn 7,3-5.6-11 nichts aus. Jedoch wird aus der Art der Verwendung der biblischen Bezüge deutlich, wie im Unterschied zu Paulus, Hebr, Joh und Apk aus einer überhöhenden Anknüpfung nun nichts als eine schroffe Antithese geworden ist.

Es geht Barn nicht darum, eine Auslegung der Geschichte Jesu anhand des Alten Testaments zu liefern, wodurch eine - wenn auch teilweise gebrochene - Kontinuität sichtbar wird, sondern darum, zu zeigen, "daß uns der gütige Herr alles im voraus offenbart hat" (7,1) und "der Gottessohn aus keinem anderen Grunde leiden konnte als um unsretwillen" (7,2). Dadurch soll die Überlegenheit der christlichen und die Inferiorität der jüdischen Religion offenkundig werden, deren moralische Minderwertigkeit auch aus dem Verhalten der Priester am Fasttag deutlich wird (7,3ff). Barn scheut sich dabei nicht vor Verdrehungen, sofern sie das Ziel seines Beweisganges unterstützen.

Es ist nicht unsere Aufgabe, über die Schriftverwendung des Barn moralisch zu urteilen. Unser Urteil versteht sich als historisches. Gleichwohl sind wir verpflichtet, nach den Ursachen zu forschen, die dazu beigetragen haben, daß die Geschichte des Verhältnisses von Christen und Juden so ablaufen konnte, wie sie das tat. Barn stellt eine wichtige Etappe dar auf dem Weg der Herausbildung des christlichen Antijudaismus. Dieser kann nur überwunden werden, "durch eine geduldige, aber umfassende Sichtung der gesamten theologischen Tradition der Kirche"[128].

---

[121] Nach Prigent/Kraft, Barnabé, 133 A.4, liegt hier ein Einfluß von Dtn 21,23 und Gal 3,13 vor.

[122] Anders Koester, Synoptische Überlieferung, 153, der den einen als Typ des leidenden, den anderen als Typ des in den Himmel eingehenden Christus deutet.

[123] Vermutlich wird Bezug genommen auf mYom IV,1f; VI,4; vgl. Helm, Studien, 16f.

[124] Wengst, Tradition und Theologie, 31.

[125] Sie ist nicht Lev 16, sondern mYom VI,1 entnommen; vgl. Helm, Studien, 16 samt A.80.

[126] Windisch, Barn, 346f, mit weiteren altchristlichen Belegen.

[127] Ebd, 347.

[128] K. Haacker, Der Holocaust als Datum der Theologiegeschichte, in: E. Brocke/J. Seim, Hrsg., Gottes Augapfel. Beiträge zur Erneuerung des Verhältnisses von Christen und Juden, Neukirchen 1986, 137-145, hier: 145.

Nachtrag

Die Arbeiten von Young und Argall wurden erst im Frühjahr 1991 zugänglich. Daher können sie nur noch in einem Nachtrag kurz gewürdigt werden. Die Arbeit von Norman H. Young, The Impact of the Jewish Day of Atonement upon the New Testament, Diss. masch. Manchester 1973, gliedert sich in drei Hauptteile, in denen es I. um den Jom Kippur im Alten Testament und seine Vorgeschichte (10-79), II. um die nachbiblische Interpretation der Jom-Kippur-Zusammenhänge (80-137) und III. um den Einfluß des Jom Kippur auf neutestamentliche Aussagen geht (138-380). Zwei Appendices (A: zum Gebrauch von ἱλαστήριον bei den Apostolischen Vätern, 381ff, B: zum Gebrauch des Asasel-Bocks bei den Apostolischen Vätern, 384ff) und eine ausführliche Bibliographie (394ff) schließen die Arbeit ab. Die detaillierten Analysen Youngs im einzelnen zu würdigen, würde den Rahmen dieses Nachtrags sprengen. Es kann hier nur um seine Ausführungen zu Röm 3,25f in ihrem Kontext gehen, die ein eigenes Kapitel (Nr. 9, 274-339) ausmachen. Schon vorher (144-154) war er auf "The Bultmann-Käsemann-Hypothesis" eingegangen, wonach Paulus ein Überlieferungsstück zitiere, und hatte diese abgewiesen. Damit sind die Weichen für Kap. 9 gestellt, Röm 3,21-26 als genuin paulinische Aussagen zu interpretieren. Nach einem Forschungsüberblick, der von Deissmann ausgeht und die nachfolgende Diskussion beleuchtet (274ff), begründet Young zunächst die Herleitung des Begriffes ἱλαστήριον von der alttestamentlichen כפרת (282ff), um dann die Verse 25-26 im einzelnen zu analysieren (297-337). Dabei stellt er zu Recht heraus (318-334), daß bei διὰ τὴν πάρεσιν über die Bedeutung von πάρεσις nur der Kontext entscheiden könne (326) und daß διά c.acc. mit Meecham und Sharp kausal zu verstehen sei (s. dazu in dieser Arbeit Abschnitt VIII). ἀνοχή wird von Young in doppelter Weise interpretiert (334-337), als Zeitperiode, in der Gott das Gericht über die Sünde aufschob und als Wesenszug Gottes ("long-sufferance of God", 337) aufgrund dessen die Sünden übergangen ("passed over", 337) werden konnten. "In Rom 3:25f ... the forbearance of God in suspending sins has the ultimate cosmic end of Christ the ἱλαστήριον of all sin" (336). Damit sei διὰ τὴν πάρεσιν als "the reason not the purpose of God's expiatory action in Christ" anzusehen (338). Schließlich schlägt Young, ohne dies als vorpaulinische Formel anzusehen, eine Umstellung im Satzbau von V.25f vor, die diesen luzider erscheinen lassen würde: "διὰ τὴν πάρεσιν τῶν προγεγονότων ἁμαρτημάτων ὁ θεὸς προέθετο [Χριστὸν] ἱλαστήριον εἰς ἔνδειξιν τῆς δικαιοσύνης αὐτοῦ." (338) Die Arbeit von Young bietet weiterführende Impulse zur Interpretation. Young hat v.a. die Probleme, die mit διὰ τὴν πάρεσιν und ἐν τῇ ἀνοχῇ τοῦ θεοῦ verbunden sind, richtig erkannt und eine Lösung angeboten. Auch enthält seine Arbeit in ihrem alttestamentlichen Teil wichtige Überlegungen zu den Schlüsselworten des Jom-Kippur-Rituals, und in ihrem zwischentestamentlichen Teil geht Young auf die für das Verständnis des Neuen Testaments wichtige nachbiblische Bedeutung des Jom Kippur ein. Kritisch ist folgendes zu vermerken (s. zur Begründung im Detail die betreffenden Abschnitte in dieser Arbeit): Bei der Darstellung der חטאת und ihrer Bedeutung läßt Young die Handaufstemmung unberücksichtigt (46f) und geht nur auf Darbringen, Schlachten und Blutsprengen ein. Für Lev 16 tritt er nicht überzeugend für eine Einheit des Blutritus für Personen und Sachen ein (59). Im Abschnitt über die rabbinischen Aussagen zum Jom Kippur werden mShevu I,2-7; bShevu 12b; SLev 16,30 angesprochen (94). Zwar wird notiert, daß in den tannaitischen Texten die Sühne für alle [übrigen] Sünden durch den Sündenbock erfolgt (95), jedoch werden keine Linien zu Röm 3,25 gezogen. Der Begriff ἱλαστήριον wird inhaltlich zu Unrecht auf כפרת eingeengt (282-297). Schließlich haben mich die Ausführungen zum Thema "Asasel und das Neue Testament" (340ff) noch nicht überzeugt. Gleichwohl hat Young entscheidende Schwächen vorheriger Auslegungen aufgedeckt.

Randal Allen Argall, A Critical Investigation of Peter Stuhlmacher's Exegesis of Romans 3:24-26 in the Light of his Approach to New Testament Hermeneutics, Diss. masch. Calvin Theol. Sem. Grand Rapids (Michigan) 1984, geht es in seiner Dissertation darum, die Interpretation von Röm 3,25f in den größeren Zusammenhang von Stuhlmachers "Hermeneutik des Einverständnisses" zu stellen. Er bestätigt dabei in Kap. 1 die These Stuhlmachers, daß V.25-26a ein Überlieferungsstück enthalte, das Christus als Antityp des Gnadenstuhls proklamiere und aus dem Stephanuskreis herrühre. Über Stuhlmacher hinaus will er näher auf die Fragen nach πάρεσις und δικαιοσύνη θεοῦ eingehen und diese "in terms of the cultic and Hellenistic Jewish-Christian character of the fragment" (S.II) erklären (Kap. 2). Kap. 3 und 4 beschäftigen sich mit Stuhlmachers Hermeneutik im Horizont der Diskussion der amerikanischen "Evangelicals". Dabei wird der Zugang Stuhlmachers zu den Texten angemessen gewürdigt, jedoch wird dessen Versuch, die Botschaft des ganzen Neuen Testaments unter dem Stichwort "Versöhnung" darzustellen, als zu begrenzt abgewiesen.

In seinem exegetischen Teil benennt Argall Vor- und Nachteile der Stuhlmacherschen Position (56-63): Als Stärken sieht Argall zum einen die Herausarbeitung eines Überlieferungsstückes in V.25-26a (57) und

zum andern die schlüssige Erklärung für ἱλαστήριον von der כפרה her
(58). Argall notiert jedoch auch zwei Schwächen: 1. Die Wiedergabe von
πάρεσις durch "Erlaß" sei nicht überzeugend. Im Anschluß an Creed
(ΠΑΡΕΣΙΣ) und Williams (Jesus' Death) meine πάρεσις "passing over" (59f)
und διά c.acc. habe in der Regel kausalen Sinn (60). Demgegenüber
schlägt Argall vor, Röm 3,25f* mit Hebr 9,12.15; 10,4.11.18 in Beziehung
zu setzen, da hier synonyme Wendungen vorlägen. Argall stellt somit Röm
3,25f* traditionsgeschichtlich in einen Zusammenhang mit den Aussagen
des Hebr, die die "typology and inadequacy of the old convenant ritual"
zum Ausdruck bringen (61). Er schließt: "'passing over of previous sins'
(Rom 3:25) is an early Hellenistic Jewish-Christian interpretation of the
response of God to the old covenant ritual" (61). Die 2. Schwäche sieht
Argall in Stuhlmachers Konzeption von δικαιοσύνη θεοῦ, bei der jeglicher
"vindicatory aspect" ausgeschlossen sei (61). Dagegen versteht er im Anschluß an Piper (Demonstration) Röm 3,25f* auch als Aussage über den
Erweis von Gottes eigener Gerechtigkeit, die durch das "passing over of
sins" in Zweifel gezogen war (62f).

Argall hat m.E. entscheidende Probleme der Auslegung von Röm 3,25f*
erkannt und z.T. überzeugende Lösungen angeboten. Was noch stärker zu
wünschen wäre, ist die traditions- und religionsgeschichtliche Verankerung
der Interpretation von πάρεσις und ἀνοχή.

Abkürzungen

Die Abkürzungen richten sich nach IATG (Schwertner) bzw. ThWNT. Folgende weitere Abkürzungen werden benutzt:

Al.	alii: andere - bei Hatch-Redpath aufgrund von Field, Origenis Hexaplorum, verzeichnete - griechische Textzeugen
Aq.	Aquila
BDR	Blass/Debrunner/Rehkopf, Grammatik
Bill.	(Strack/)Billerbeck, Kommentar
BHS	Biblia Hebraica Stuttgartensia
d.h.	das heißt
diff.	im Unterschied zu
EncJud	Roth/Wigoder, Hrsg., Encyclopaedia Judaica
EWNT	Balz/Schneider, Hrsg., Exegetisches Wörterbuch zum NT
Ges.-B., WB	Gesenius/Buhl, Hebräisches und aramäisches Handwörterbuch
Gesenius[18]	18. Auflage des Gesenius, hrsg. von Meyer/Donner
Hs(s)	Handschrift(en)
JBTh	Baldermann, I. u.a., Hrsg., Jahrbuch für Biblische Theologie, Neukirchen 1986ff
joh	johanneisch
KBS	Köhler/Baumgartner/Stamm, Hebräisches und aramäisches Lexikon
LA	Lesart
LSJ	Liddell/Scott/Jones, Greek-English Lexicon
lk	lukanisch
mk	markinisch
MT	Masoretischer Text
mt	matthäisch
red.	redaktionell
s.E.	seines Erachtens
Sm.	Symmachus
Th.	Theodotion
ThB	Theologische Bücherei
trad.	traditionell
TRE	Krause/Müller, Hrsg., Theologische Realenzyklopädie, Berlin u.a. 1976ff
t.t.	terminus technicus
u.a.	und andere / unter anderem
u.ö.	und öfter
v.l.	varia lectio
v.a.	vor allem
WB	Wörterbuch
zit.	zitiert

Literaturverzeichnis

Das Literaturverzeichnis nennt die zum Thema gehörenden und benutzten Titel. Arbeiten, die nur begrenzt zu Einzelanalysen herangezogen wurden, weiterführende Literaturhinweise und Artikel aus Sammelwerken (BHH, EWNT, RGG, THAT, ThWAT, ThWNT, TRE), werden am Heranziehungsort oder am Beginn eines Unterabschnittes genannt und nur in wenigen Fällen im Literaturverzeichnis aufgeführt. Aufsatzsammlungen werden bei Mehrfacherwähnung unter dem Namen des/r Hrsg. vollständig bibliographiert. Standardausgaben wurden benutzt für Biblia Hebraica (BHS), Septuaginta (Rahlfs; LXX-Gottingensia soweit erschienen), Vulgata (Weber) und Novum Testamentum Graece (Nestle-Aland[26]). Für die jüdischen Texte wurde (soweit erschienen) die Übersetzung in JSHRZ verglichen.

A. Textausgaben und Übersetzungen

I. Bibel

Bücher der Kündung. Verdeutscht von M. Buber gemeinsam mit F. Rosenzweig, Heidelberg 1978[7].

Das Neue Testament übersetzt und kommentiert von U. Wilckens, Zürich u.a. 1977[5].

Die Bibel. Die Heilige Schrift des Alten und Neuen Bundes. Deutsche Ausgabe mit den Erläuterungen der Jerusalemer Bibel, hsrg. von D. Arenhoevel, A. Deissler und A. Vögtle, Freiburg u.a. 1968[4].

Díez Macho, A., Hrsg., Neophyti 1. Targum Palestinense MS de la Bibliotheca Vaticana, I-V, Madrid-Barcelona 1968-1978.

Harlé, P. / Pralon, D., Hrsg., La Bible d'Alexandrie. Le Lévitique. Traduction du texte grec de la Septante, introduction et notes, Paris 1988.

Origenis hexaplorum quae supersunt sive veterum interpretum Graecorum in totum Vetus Testamentum fragmenta I.II, ed. F. Field, Oxford 1875.

Pentateuch with Targum Onkelos, Haphtaroth and Rashi's Commentary, ed. M. Rosenbaum / M. Silbermann, Leviticus, New York o.J. [1967].

The Bible in Aramaic, Based on Old Manuscripts and Printed Texts I-III, ed. by A. Sperber, Leiden 1959-1962.

II. Frühjudentum, Apokryphen-Pseudepigraphen

Aristeasbrief:
- Lettre d'Aristée à Philocrate. Introduction, texte critique, traduction et notes, index complet des mots grecs, par A. Pelletier, SC 89, Paris 1962.

Henoch:
- Apokalypsis Henochi Graece, ed. M. Black, PVTG III, Leiden 1970.
- Black, M., The Book of Enoch or I Enoch. A New English Edition, SVTP 7, Leiden 1985.
- The Books of Enoch. Aramaic Fragments of Qumran Cave 4, ed. by J.T. Milik with the collaboration of M. Black, Oxford 1976.
Jesus Sirach:
- Ecclesiasticus. Textus hebraeus secundum fragmenta reperta, ed. P. Boccaccio, Rom 1976.
- The Book of Ben Sira. Text, Concordance and an Analysis of the Vocabulary. The Historical Dictionary of the Hebrew Language. Published by The Academy of the Hebrew Language and the Shrine of the Book, Jerusalem 1973.
- Strack, H.L., Die Sprüche Jesus', des Sohnes Sirachs. Der jüngst aufgefundene hebräische Text mit Anmerkungen und Wörterbuch, SIJB 31, Leipzig 1903.
Josephus Flavius:
- Flavii Josephi Opera, ed. B. Niese, Berlin 1888ff.
- Flavius Josephus, De Bello Judaico. Der Jüdische Krieg, I-III, griechisch-deutsch, hrsg. von O. Michel und O. Bauernfeind, Darmstadt 1963-1969.
- Josephus (in Nine Volumes) with an English Tranlation by H.St.J. Thackeray / R. Marcus / A. Wikgren / L.H. Feldmann, LCL, London Cambridge (Mass.) 1926ff.
- Des Flavius Josephus Jüdische Altertümer. Übersetzt und mit Einleitung und Anmerkungen versehen von Dr. H. Clementz, (Reprint) Wiesbaden 1985[6].
Philo von Alexandrien:
- Philonis Alexandrini Opera quae supersunt, I-VII, ed. L. Cohn / P. Wendland, Berlin 1896-1926 (= 1963).
- Philo. With an English Translation by F. H. Colson and G. H. Whitaker. 10 Volumes and 2 Supplementary Volumes by R. Marcus, LCL, London Cambridge (Mass.) 1929ff.
- Cohn, L. / Heinemann, I. / Adler, M., Die Werke Philos von Alexandrien in deutscher Übersetzung I-VI, Berlin 1896-1930.
Testament Salomos:
- The Testament of Solomon ed. C.C. McCown, Untersuchungen zum NT 9, Leipzig 1922.
Sammelwerke:
- Fragmenta Pseudepigraphorum quae supersunt Graeca. Una cum historicorum et auctorum iudaeorum hellenistarum fragmentis, coll. et ord. A.-M. Denis, PVTG III, Leiden 1970.
- Charles, R.H., Hrsg., The Apocrypha and Pseudipigrapha of the Old Testament in English I.II, Oxford 1963 (= 1913; zit.: N.N., in: Charles I.II).
- Charlesworth, J.H., Hrsg., The Old Testament Pseudepigrapha I.II, New York 1983.1985 (zit.: N.N., in: Charlesworth I.II).
- Kautzsch, E., Hrsg., Die Apokryphen und Pseudepigraphen des Alten Testaments I.II, Darmstadt 1975 (= Tübingen 1900; zit.: N.N., in: Kautzsch I.II).
- Kümmel, W.G. u.a., Hrsg., Jüdische Schriften aus hellenistisch-römischer Zeit (JSHRZ), Gütersloh 1974ff.
- Rießler, P., Altjüdisches Schrifttum außerhalb der Bibel, Heidelberg 1979[4] (= Augsburg 1928).

III. Qumran

Allegro, J.M., Discoveries in the Judean Desert of Jordan V. Qumran Cave 4,I (4Q158-4Q186), DJD V, Oxford 1968.

Baillet, M., Discoveries in the Judean Desert VII. Qumran Grotte 4,III (4Q482-4Q520), DJD VII, Oxford 1982.

Baillet, M. / Milik, J.T. / Vaux, R. de, Discoveries in the Judean Desert of Jordan III. Les 'petites grottes' de Qumran. Exploration de la falaise. Les grottes 2Q ... 10Q. Le rouleau de cuivre, DJD III, Oxford 1962.

Barthélemy, D. / Milik, J.T., Discoveries in the Judean Desert I. Qumran Cave I, DJD I, Oxford 1964[4].

Beyer, K., Die Aramäischen Texte vom Toten Meer, Göttingen 1984.

Freedman, D.N. / Mathews, K.A., The Paleo-Hebrew Leviticus Scroll (11Qpaleo Lev), Winona Lake (Indiana) 1985.

Lohse, E., Hrsg., Die Texte aus Qumran, hebräisch-deutsch, Darmstadt 1981[3].

Maier, J., Die Tempelrolle vom Toten Meer, UTB 829, München Basel 1978.

Vaux, R. de / Milik, J.T., Discoveries in the Judean Desert VI. Qumran Grotte 4,II, DJD VI, Oxford 1977.

Yadin, Y., A Midrash on 2 Sam VII and Ps I-II (4Q Florilegium), IEJ 9, 1959, 95-98.

Yadin, Y., The Temple Scroll I-III, Jerusalem 1983.

IV. Rabbinische Schriften

Mischna und Talmud:

- Der Babylonische Talmud mit Einschluß der vollständigen Mishna, hrsg., übersetzt und mit kurzen Erklärungen versehen von L. Goldschmidt, I-IX, Den Haag 1933-1935.

- Joma. Der Versöhnungstag. Text, Übersetzung und Erklärung nebst einem textkritischen Anhang von J. Meinhold, in: Die Mischna II. Seder Mo'ed, 5. Traktat, Gießen 1913 (zit.: Meinhold, Joma).

- Joma. Der Mischnatractat 'Versöhnungstag' ins Deutsche übersetzt und unter besonderer Berücksichtigung des Verhältnisses zum Neuen Testament mit Anmerkungen versehen von P. Fiebig, Tübingen 1905.

- Joma. Der Mischnatraktat 'Versöhnungstag' hrsg. und erklärt von H.L. Strack, SIJB 3, Berlin 1888.

- Mischnajot. Die sechs Ordnungen der Mischna. Hebräischer Text mit Punktation, deutscher Übersetzung und Erklärung von M. Auerbach / E. Baneth / J.Cohn / D. Hoffmann / M.Petuchowski / A.Sammter, Basel 1968[3] (zit.: N.N., Mischnajot).

- Mishnayot I-VI + Suppl. Text, Translation and Commentary by P. Blackman, London 1951-56 (zit.: Blackman, Mishnayot).

- Neusner, J., A History of the Mishnaic Law of Appointed Times, Part III. Sheqalim, Yoma, Sukkah. Translation and Explanation, SJLA 34.III, Leiden 1982 (zit.: Neusner, History, 34.III).

- Neusner, J., A History of the Mishnaic Law of Appointed Times, Part V. The Mishnaic System of Appointed Times, SJLA 34.V, Leiden 1983 (zit.: Neusner, History, 34.V).

- Neusner, J., A History of the Mishnaic Law of Damages, Part IV. Shebuot, Eduyot, Abodah Zarah, Abot, Horayot. Translation and Explanation, SJLA 35.IV, Leiden 1985 (zit.: Neusner, History, 35.IV).

- Neusner, J., A History of the Mishnaic Law of Damages, Part V. The Mishnaic System of Damages, SJLA 35.V, Leiden 1985 (zit.: Neusner, History, 35.V).
- Sukka. Text, Übersetzung und ausführliche Erklärung von K. Bornhäuser, in: Die Mischna II. Seder Mo'ed, 6. Traktat, Berlin 1935 (zit.: Bornhäuser, Sukka).
- Übersetzung des Talmud Yerushalmi, hrsg. von Martin Hengel u.a., Bd. 4, Makkot, Geisselung. Shevuot, Schwüre. Übersetzt von G.A. Wewers, Tübingen 1983 (zit.: Wewers, Shevuot).

Tosephta:
- The Tosephta. Based on the Erfurt and Vienna Codices. Ed. M.S. Zuckermandel, with "Supplement to the Tosephta" by S. Liebermann. New ed. with additional notes and corrections, Jerusalem 1970.
- Jom hak-Kippurim. Der Toseftatraktat Jom hak-Kippurim. Text Übersetzung Kommentar I. Teil, Kap. 1 u. 2 von G. Larsson, Lund 1980 (zit.: Larsson, Toseftatraktat).

Außerkanonische Literatur:
- Aboth de Rabbi Nathan, ed. from Manuscripts with an Introduction, Notes and Appendices by S. Schechter, New York 1945 (= Wien 1887).

Midraschim:
- Bereschit Rabba. Mit kritischem Apparat und Kommentar von J. Theodor und Ch. Albeck, I-III, Jerusalem 1965[2].
- Mechilta d'Rabbi Ismael. Ed. H.S. Horovitz / I.A. Rabin, Jerusalem 1970[2].
- Midrasch Tehillim (Schocher Tob). Ed. S. Buber, Jerusalem 1966 (= Wilna 1891).
- Pesiqta Rabbati. Midrasch für den Fest-Cyclus und die ausgezeichneten Sabbate. Ed. M. Friedmann, Tel Aviv 1963 (= Wien 1880).
- Siphre d'be Rab. Fasciculus primus: Siphre ad Numeros adjecto Siphre zutta. Ed. S. Horovitz, SGFWJ. Corpus Tannaiticum III,3, Jerusalem 1966 (= Leipzig 1917).
- Sifra. Halachischer Midrasch zu Levitikus, übers. von J. Winter, SGFWJ 42, Breslau 1938.
- Wünsche, A., Der Midrasch Bereschit Rabba, Leipzig 1881.
- Wünsche, A., Der Midrasch Bemidbar Rabba, Leipzig 1885.
- Wünsche, A., Der Midrasch Debarim Rabba, Leipzig 1882.
- Wünsche, A., Der Midrasch Schemot Rabba, Leipzig 1882.
- Wünsche, A., Der Midrasch Wajikra Rabba, Leipzig 1884.
- Wünsche, A., Midrasch Tehillim I.II, Trier 1892/93.

Maimonides:
- The Code of Maimonides (Mishne Torah), Book Nine. The Book of Offerings, translated from the Hebrew by Herbert Danby, Yale Judaica Series IV, New Haven 1955[2].
- משנה תורה הוא היד החחזקה להנשר הגדול רבנו משה בר מימון, hrsg. von R. David ben R. Abraham Arama (nach der Venediger Ausgabe), Jerusalem - Tel Aviv 1966.

Sidur Safa Berura, mit deutscher Übersetzung von R. Dr. S. Bamberger, Basel 1964.

V. Frühchristentum und Patristik

Acta Sanctorum Maii V (20.-24.5.), Bruxelles (Reprint) 1968.

Apostolische Väter:
- Der Hirt des Hermas, hsrg. von M. Whittaker, Berlin 1967[2].
- Didache, Barnabasbrief, Zweiter Klemensbrief, Schrift an Diognet, hrsg. von K. Wengst, SUC II, Darmstadt 1984.

- Die Apostolischen Väter (1Clem, Ign, Pol, Quadr), hrsg. von J.A. Fischer, SUC I, Darmstadt 1986[2].
- Épître de Barnabé. Introduction, traduction et notes par P. Prigent, texte grec établie et présenté par R.A. Kraft, SC 172, Paris 1971.
- Patrum Apostolicorum Opera. Textum ad fidem codicum et graecorum et latinorum adhibitis praestantissimus editionibus recensuerunt O. von Gebhardt / A. von Harnack / Th. Zahn, I.II, Leipzig 1876[3].
- The Apostolic Fathers with an English Translation by K. Lake, I.II, LCL, London Cambridge (Mass.) 1959.1965.

Daniel, H.A., Codex Liturgicus Ecclesiae Orientalis in Epitomen redactus 4, Leipzig 1853.

Migne, J.P., Patrologiae cursus completus. Series Graeca, Paris 1857ff.

VI. Antike griechische Quellen

Aelius Aristides: Aelii Aristidis Smyrnaei quae supersunt omnia, Berlin 1898.

Aeschines: Aeschines, Orationes, ed. F. Blass / U. Schindel, Leipzig 1978.

Alcidamas: Antiphontis orationes et Fragmenta adiunctis Gorgiae Antisthenis Alcidamas declamationibus, ed. F. Blass, Leipzig 1881[2].

Apollonius v.Rhodos: Scholia in Apollonium Rhodium Vetera, rec. Carolus Wendel, Bibl. Graecae et Lat. Auct. Weidmannianum IV, Berlin 1935.

Appianus: Appiani Historia Romana I, ed. P. Viereck / A.G. Roos, Leipzig 1939.

Aretaeus: Aretaeus Medicus, CMG II, ed. C. Hude, Berlin 1958[2].

Aristophanes: Aristophanis Comoediae, ed. F.W. Hall / W.M. Geldart, Oxford (Reprint) 1916ff.

Aristoteles: Academia Regia Borussica, Aristotelis Opera, ed. I. Bekker, Berlin 1831-1870.

Athenagoras: Athenagorae Libellus pro Christianis. Oratio de resurrectione cadaverum, ed. E. Schwartz, TU 4.2, Berlin 1891.

Damascius: Damascius, Traité des premièrs principes I-II, ed. L.G. Westerink / J. Combès, Paris 1986-89.

Demosthenes: Demosthenis Orationes, ed. S.H. Butcher / W. Rennie, Oxford 1910ff.

Dio Cassius: Dio's Roman History III, ed. E. Cary, LCL, London 1969.

Diodorus Siculus: Diodorus of Sicily IX, ed. R.M. Geer, London 1969.

Dion Chrysostomos: Dionis Prusaenis quem vocant Chrysostomum quae exstant omnia, ed. et apparatu critico instruxit J. de Arnim, I-II, Berlin 1962.

Dionysius Halic.: The Roman Antiquities of Dionys of Halicarnassus, ed. E. Cary, LCL, London (Reprint) 1948ff.

Epiktet: Epicteti Dissertationes ab Arriano digestae, ed. H. Schenkl, Leipzig 1916.

Herodianus: Herodianus. Ab excessu divi Marci, ed. K. Stavenhagen, Berlin 1922.

Herodianus Grammaticus: Herodiani technici reliquiae coll. dispos. emend. praefatus est A. Lentz, Leipzig 1867-70.

Herodot: Herodoti Historiae, ed. C. Hude, Oxford 1932ff (= 1927[3]).

Hippokrates: Oeuvres complètes d'Hippocrate, ed. E. Littré, Amsterdam 1961.

Lycurg: Lycurgus. Oratio in Leocratem, ed. N.C. Conomis, Leipzig 1970.

Oribasius Med.: Oeuvres d'Oribase, ed. U. Bussemaker / C. Daremberg, Paris 1851ff.

Phalaris: Phalaris Epistulae, ed. G.H. Schäfer, Leipzig 1828.

Plato: Platonis Opera, ed. I. Burnet, Oxford 1900ff.

Plutarch: Plutarchus, Moralia IV, ed. C. Hubert, Leipzig 1971[2].

Plutarch: Plutarchus, Vitae Parallelae, ed. K. Ziegler, Leipzig 1957ff.

Pollux: Pollucis Onomasticon I-II, ed. E. Bethe, Leipzig 1900-1937.
Polybius: Polybii Historiae, ed. Th. Büttner-Wobst, Leipzig 1889ff.
Thucydides: Thucydidis Historiae, ed. H.St. Jones, Oxford (Reprint) 1948ff.
Xenophon: Xenophontis opera omnia, ed. E.C. Marchant, Oxford (Reprint) 1942ff.

VII. Papyri und Inschriften

Aegyptische Urkunden aus den staatlichen Museen zu Berlin. Griechische Urkunden I-IX,
   Berlin 1895-1937 (zit.: BGU).
Dittenberger, W., Sylloge Inscriptionum Graecarum I-IV, Hildesheim 1960 (= Leipzig
   1915³; zit.: Dittenberger, Syll.³).
Dittenberger, W., Orientis Graeci Inscriptiones Selectae I-II, Hildesheim 1960 (= Leipzig
   1903.1905; zit.: Dittenberger, OGIS).
Fayûm Towns and Their Papyri, ed. B. Grenfell / A. Hunt / D. Hogarth, London 1900.
The Inscriptions of Cos, ed. W.R. Paton / E.L. Hicks, Oxford 1891.
The Hibeh Papyri I.II, ed. B. Grenfell / A. Hunt / E. Turner u.a., London 1906-1955.
The Oxyrrhynchus Papyri VII, ed. A. Hunt, London 1910.
The Oxyrrhynchus Papyri XVI, ed. B. Grenfell / A. Hunt / H. Bell, London 1924.

B. Hilfsmittel

Aland, K. u.a., Hrsg., Vollständige Konkordanz zum griechischen Neuen Testament unter
   Zugrundelegung aller modernen kritischen Textausgaben und des Textus Receptus,
   I-II, Berlin u.a. 1978-1983.
Alcalay, R., The Complete Hebrew-English Dictionary, Ramat Gan - Jerusalem 1970.

Balz, H. / Schneider, G., Hrsg., Exegetisches Wörterbuch zum Neuen Testament I-III,
   Stuttgart u.a. 1978-1983.
Barthélemy, D. / Rickenbacher, O., Konkordanz zum Hebräischen Sirach (mit syr.-hebr.
   Index), Göttingen 1973.
Bauer, W., Griechisch-deutsches Wörterbuch zu den Schriften des Neuen Testaments und
   der übrigen urchristlichen Literatur, Berlin u.a. 1971 (= 1963⁵; zit.: Bauer, WB⁵).
Bauer, W., Griechisch-deutsches Wörterbuch zu den Schriften des Neuen Testamentes und
   der frühchristlichen Literatur, hrsg. von K. u. B. Aland, Berlin u.a. 1988 (zit.: Bauer,
   WB⁶).
Bekker, I., Suidae Lexicon, Berlin 1854.
Beyer, K., Semitische Syntax im Neuen Testament I, Satzlehre Teil 1, StUNT 1, Göttingen
   1968².
Blaß, F. / Debrunner, A., Grammatik des neutestamentlichen Griechisch, bearbeitet von F.
   Rehkopf, Göttingen 1979¹⁵ (zit.: BDR).
Botterweck, J. / Ringgren, H., Hrsg., Theologisches Wörterbuch zum Alten Testament, I-
   VI, Stuttgart u.a. 1970ff.

Coenen, L. / Beyreuther, E. / Bietenhard, H., Hrsg., Theologisches Begriffslexikon zum
   Neuen Testament I.II, Wuppertal 1977⁴.

Computer-Konkordanz zum Novum Testamentum Graece von Nestle-Aland, 26.Aufl. und zum Greek New Testament, 3rd Edition, hrsg. vom Institut für Neutestamentliche Textforschung und vom Rechenzentrum der Universität Münster, Berlin u.a. 1980.

Cremer, H., Biblisch-theologisches Wörterbuch der neutestamentlichen Graecität, hrsg. von J. Kögel, Gotha 1915[30] (zit.: Cremer, WB).

Denis, A.-M., Hrsg., Concordance Greque des Pseudépigraphes d'Ancien Testament, Louvain 1987.

Du Cange, C., Glossarium ad Scriptores Mediae et Infimae Graecitatis, Graz 1958 (= 1688).

Gesenius, W., Hebräisches und aramäisches Handwörterbuch über das Alte Testament, bearbeitet von F. Buhl, Berlin u.a. 1962 (= 1915[17]; zit.: Ges.-B., WB).

Gesenius, W., Hebräisches und Aramäisches Handwörterbuch über das Alte Testament, hsrg. von R. Meyer / H. Donner, 1.Lfg., 1987[18] (zit.: Gesenius[18]).

Hatch, E. / Redpath, H., A Concordance to the Septuagint and the other Greek Versions of the Old Testament (Including the Apocryphal Books) I-III, Graz 1975 (= Oxford 1897).

Hesychii Alexandrini Lexicon post Ioannem Albertum recensuit Mauricius Schmidt II (E-K), Jena 1860.

Jenni, E. / Westermann, C., Hrsg., Theologisches Handwörterbuch zum Alten Testament I.II, München Zürich 1971.

Kittel, G. / Friedrich, G., Hrsg., Theologisches Wörterbuch zum Neuen Testament, I-X, Stuttgart u.a. 1933-1979.

Koehler, L. / Baumgartner, W., Hebräisches und aramäisches Lexikon zum Alten Testament[3], neu bearbeitet von W. Baumgartner und J.J. Stamm, Lfg. I-IV, Leiden 1967-1990 (zit.: KBS I.II.III.IV).

קונקורדנציה חדשה לתורה נביאים וכתובים, hrsg. von A. Eben-Schoschan, Jerusalem 1985.

Kraft, H., Clavis Patrum Apostolicorum, Darmstadt 1963.

Krause, G. / Müller, G., Hrsg., Theologische Realenzyklopädie, Berlin u.a. 1976ff.

Kuhn, K.G., Konkordanz zu den Qumran-Texten, Göttingen 1960 (mit den Ergänzungen in: RQ 4,1963, 163-234.)

Lampe, G.W.E., A Patristic Greek Lexicon, Oxford 1961.

Liddell, H.G. / Scott, R. / Jones, H., A Greek-English Lexicon, Oxford 1968[9] (+ Suppl).

Mayer, G., Index Philoneus, Berlin u.a. 1974.

Metzger, B.M., A Textual Commentary on the Greek New Testament, London u.a. 1971.

Moulton, J.H., A Grammar of New Testament Greek III, Syntax by N. Turner, Edinburgh 1963.

Pape, W., Griechisch-Deutsches Handwörterbuch, 3 Bde., Braunschweig 1888[2].

Rehkopf, F., Septuaginta-Vokabular, Göttingen 1989.

Reicke, B. / Rost, L., Hrsg., Biblisch-Historisches Handwörterbuch I-IV, Göttingen 1962ff.

Rengstorf, K.H., Hrsg., A Complete Concordance to Flavius Josephus I-IV, Leiden 1973-1983.

Roth, C. / Wigoder, G., Hrsg., Encyclopaedia Judaica 1-16 (+ Suppl.), Jerusalem 1965ff.

Schleusner, J.F., Novum Lexicon Graeco-Latinum in Novum Testamentum, Tom.1, Leipzig 1819[4].

Schleusner, J.F., Novus Thesaurus Philologico-Criticus Sive Lexicon in LXX et Reliquos Interpretes Graecos ac Scriptores Apocryphos Veteris Testamenti, Tom.3, Leipzig 1820.

Schwyzer, E., Griechische Grammatik auf der Grundlage von K. Brugmanns Griechischer Grammatik 1.2, HAW I.1/2, München 1953[2]/1950.

Stephanus, H., Thesaurus Graecae Linguae V, (Reprint) Graz 1954.

Suicerus, J.C., Thesaurus Ecclesiasticus e Patribus Graecis[3], Tom.1, Trajecti ad Rhenum 1746.

Suidae Lexikon Graece et Latine fidem optimorum librorum exactum post Th. Gaisfordum. Rec. et ann. crit. instr. G. Bernhardy, I-IV, 1986 (= 1834/53).

Trench, R.Ch., Synonyma des Neuen Testaments. Ausgewählt und übersetzt von H. Werner, Tübingen 1907.

Veteris Testamenti Concordantiae Hebraicae atque Chaldaicae, hrsg. von S. Mandelkern, I.II, Graz 1975 (= 1937).

Zerwick, M., Biblical Greek, Rom 1963 (= engl. Ausg. von Graecitas Biblica, Rom 1960[4]).

Zerwick, M. / Grosvenor, M., A Grammatical Analysis of the Greek New Testament I.II, Rom 1974.1979.

C. Kommentare

Kommentare werden im Text mit dem Namen des Verfassers und der Abkürzung des biblischen Buches bzw. der Reihe, in der sie erschienen sind, zitiert.

Althaus, P., Der Brief an die Römer, NTD 6, Göttingen 1946[5] (1978[13]).

Attridge, H.W., The Epistle to the Hebrews, Hermeneia, Philadelphia 1989.

Bardenhewer, O., Der Römerbrief des Heiligen Paulus, Freiburg 1926.

Barrett, C.K., A Commentary on the Epistle to the Romans, BNTC, London 1957.

Barrett, C.K., The Gospel according to St. John, London 1965.

Bardtke, H., Das Buch Esther, KAT XVII.5, Gütersloh 1963.

Bauer, W., Die Briefe des Ignatius von Antiochien und der Polykarpbrief, HNT Erg.II, Tübingen 1920.

Becker, J., Das Evangelium nach Johannes I.II, ÖTK 4.1/2, Gütersloh 1985[2].1984[2].

Bleek, F., Der Hebräerbrief, hrsg. von K. August Windrath, Elberfeld 1868.

Bousset, W., Die Offenbarung Johannis, KEK XVI, Göttingen 1896.

Braun, H., An die Hebräer, HNT 14, Tübingen 1984.

Brown, R, John I.II, AncB 4, London u.a. 1971.

Bultmann, R., Das Evangelium des Johannes, KEK II, Göttingen 1968 (= 1941[10]).

Bultmann, R., Der zweite Brief an die Korinther, KEK Sonderband, hrsg. von E. Dinkler, Göttingen 1976.
Buttrick, G.A. u.a., Hrsg., The Interpretor's Bible, Vol. II, New York 1975.

Cambier, J., L'Évangile de Dieu selon l'Épître aux Romains. Exégèse et théologie biblique I. L'Évangile de la justice et de la grâce, SN 3, Paris 1967.
Conzelmann, H., Die Apostelgeschichte, HNT 7, Tübingen 1963[2].
Conzelmann, H., Der erste Brief an die Korinther, KEK V, Göttingen 1969.
Cranfield, C.E.B, The Epistle to the Romans I, ICC, Edinburgh 1975[6].

Delitzsch, Franz, Kommentar zum Hebräerbrief, Giessen Basel 1989 (= Leipzig 1857).
Dibelius, M., Der Hirt des Hermas, HNT Erg.IV, Tübingen 1923.
Dodd, C.H., The Epistle of Paul to the Romans, London 1959.

Ehrlich, A.B., Randglossen zur Hebräischen Bibel. Textkritisches, Sprachliches und Sachliches, II Leviticus, Numeri, Deuteronomium, (Reprint) Hildesheim 1968 (= Leipzig 1909).
Elliger, K., Das Buch der zwölf kleinen Propheten II, ATD 25, Göttingen 1950.
Elliger, K., Deuterojesaja, BK XI.1, Neukirchen 1978.
Elliger, K., Leviticus, HAT I.4, Tübingen 1966.

Fohrer, G., Ezechiel (mit einem Beitrag von K. Galling), HAT I.13, Tübingen 1955.
Fohrer, G., Das Buch Hiob, KAT XVI, Gütersloh 1963.
Fohrer, G., Das Buch Jesaja III, Zürich 1964.

Gnilka, J., Das Evangelium nach Markus I.II, EKK II.1/2, Berlin, 1980 (= Zürich u.a. 1979).
Gnilka, J., Das Matthäusevangelium I, HthK I.1, Freiburg u.a. 1986.
Goldstein, J.A., II Maccabees, AncB 41a, New York 1983.
Goppelt, L., Der erste Petrusbrief, KEK XII.1, hrsg. von F. Hahn, Göttingen 1978.
Gräßer, E., An die Hebräer I (Hebr 1-6), EKK XVII.1, Zürich u.a. 1990.
Grundmann, W., Das Evangelium nach Markus, ThHK 2, Berlin 1973[6].
Gunneweg, A.H.J., Nehemia, HAT XIX.2, Gütersloh 1987.

Haenchen, E., Die Apostelgeschichte, KEK III, Göttingen 1968[6].
Haenchen, E., Der Weg Jesu. Eine Erklärung des Markusevangeliums und seiner kanonischen Parallelen, Berlin 1966.
Hegermann, H., An die Hebräer, ThHK 16, Berlin 1988.
Hertz, J.H., The Pentateuch and Haphtorahs. Hebrew Text, English Translation and Commentary, London 1958.
Hertzberg, H.W., Der Prediger, KAT XVII.4, Gütersloh 1963.
Hoffmann, D., Das Buch Leviticus I, Berlin 1905.
Holtz, T., Der erste Brief an die Thessalonicher, EKK XIII, Zürich u.a. 1986.
Horst, F., Hiob (1-19), BK XVI.1, Neukirchen 1974[3].

Käsemann, E., An die Römer, HNT 8a, Tübingen 1974[3].
Kittel, R., Die Psalmen, KAT XIII, Leipzig 1929.
Klostermann, E., Das Markusevangelium, HNT 3, Tübingen 1950[4].
Kornfeld, W., Levitikus, NEB, Würzburg 1983.

Kraft, H., Die Offenbarung des Johannes, HNT 16a, Tübingen 1974.
Kraus, H.-J., Psalmen I.II, BK XV.1/2, Neukirchen (1972[4]) 1979[5].
Kuss, O., Der Römerbrief I.II.III, Regensburg 1957.1963[2].1978.

Lauha, A., Kohelet, BK XIX, Neukirchen 1978.
Lietzmann, H., An die Römer, HNT 8, Tübingen 1933[4].
Lohmeyer, E., Das Evangelium des Markus, KEK I, Göttingen 1963.
Lohmeyer, E., Die Offenbarung des Johannes, HNT 16, Tübingen 1953[2].
Lührmann, D., Das Markusevangelium, HNT 3, Tübingen 1987.
Lünemann, G., Kritisch exegetisches Handbuch über den Hebräerbrief, Göttingen 1867[3]; 1878[4].

Michel, O., Der Brief an die Römer, KEK IV, Göttingen 1978[5].
Michel, O., Der Brief an die Hebräer, KEK XIII, Göttingen 1966[6].
Müller, U.B., Die Offenbarung des Johannes, ÖTK 19, Gütersloh 1984.

Noth, M., Das zweite Buch Mose. Exodus, ATD 5, Göttingen 1973[5].
Noth, M., Das dritte Buch Mose. Levitikus, ATD 6, Göttingen 1962.
Noth, M., Das vierte Buch Mose. Numeri, ATD 7, Göttingen 1966.
Nygren, A., Der Römerbrief, Göttingen 1965[4].

Pesch, R., Das Markusevangelium I.II, HthK II.1/2, Freiburg u.a. 1984[4].1984[3].
Pesch, R., Der Römerbrief, NEB, Würzburg 1983.
Pesch, R., Die Apostelgeschichte I.II, EKK V.1/2, Zürich u.a. 1986.
Peters, N., Das Buch Jesus Sirach oder Ecclesiasticus, EHAT 25, Münster 1913.
Plöger, O., Sprüche Salomos (Proverbia), BK XVII, Neukirchen 1984.
Plöger, O., Das Buch Daniel, KAT XVIII, Gütersloh 1965.
Prigent, P., L'Épître de Barnabé I-XVI et ses sources, Paris 1961.

Rabbi Schlomo ben Jitzchaq (Raschi), Pentateuchkommentar, hrsg von R. Dr. Selig Bamberger, Basel 1962.
Rendtorff, R., Leviticus, BK III Lfg. 1/2, Neukirchen 1985.1990.
Riggenbach, E., Der Brief an die Hebräer, KNT 14, Leipzig Erlangen 1922[2.3].
Roloff, J., Die Apostelgeschichte, NTD 5, Göttingen 1981.
Roloff, J., Die Offenbarung des Johannes, ZBK NT 18, Zürich 1984.
Rosenbaum, M. / Silbermann, A.M., Leviticus. Pentateuch with Targum Onkelos, Haphtaroth and Rashi's Commentary, New York o.J. [1967].
Rudolph, W., Chronikbücher, HAT I.21, Tübingen 1955.
Rudolph, W., Haggai - Sacharja 1-8 - Sacharja 9-14 - Maleachi, KAT XIII.4, Gütersloh 1976.
Rudolph, W., Jeremia. HAT I.12, Tübingen 1968[3].
Rudolph, W., Joel - Amos - Obadja - Jona, KAT XIII.2, Gütersloh 1971.
Rudolph, W., Micha - Nahum - Habakuk - Zephanja, KAT XIII.3, Gütersloh 1975.

Sanday, W. / Headlam, A., The Epistle to the Romans, ICC, Edinburgh 1964 (= 1902[5]).
Schille, G., Die Apostelgeschichte des Lukas, ThHK 5, Berlin 1984[2].
Schlatter, A., Gottes Gerechtigkeit. Ein Kommentar zum Römerbrief, Stuttgart 1935.
Schlatter, A., Der Evangelist Johannes, Stuttgart 1930.
Schlier, H., Der Römerbrief, HthK VI, Leipzig 1978.

Schmidt, H.W., Der Brief des Paulus an die Römer, ThHK 6, Berlin 1966[2].

Schmithals, W., Der Römerbrief. Ein Kommentar, Gütersloh 1988.

Schmithals, W., Das Evangelium nach Markus I.II, ÖTK 2.1/2, Gütersloh 1986[2].

Schnackenburg, R., Das Johannesevangelium I.II.III, HthK IV.1-3, Freiburg u.a. 1972[3].1971.1975.

Schnackenburg, R., Das Johannesevangelium IV. Ergänzende Auslegungen und Exkurse, Freiburg u.a. 1984.

Schnackenburg, R., Der Brief an die Epheser, EKK X, Zürich u.a. 1982.

Schneider, G., Die Apostelgeschichte I.II, HthK V.1/2, Freiburg u.a. 1980.1982.

Schneider, J., Das Evangelium nach Johannes, ThHK Sonderband, Berlin 1985[3].

Schulz, S., Das Evangelium nach Johannes, NTD 4, Göttingen 1972.

Schweizer, E., Das Evangelium nach Markus, NTD 1, Göttingen 1973[3].

Schweizer, E., Das Evangelium nach Matthäus, NTD 2, Göttingen 1973.

Schweizer, E., Das Evangelium nach Lukas, NTD 3, Göttingen 1982.

Skehan, P.W. / di Lella, A.A., The Wisdom of Ben Sira, AncB 39, New York 1987.

Smend, R., Die Weisheit des Jesus Sirach erklärt, Berlin 1906.

Spicq, C., L'Épître aux Hébreux I.II, Études Bibliques, Paris 1952-53.

Strack, H.L., Die Bücher Genesis, Exodus, Leviticus und Numeri, KK I, München 1894.

(Strack, H.L.) / Billerbeck, P., Kommentar zum Neuen Testament aus Talmud und Midrasch I-IV, München 1926ff (= 1965[4]; zit.: Bill.)

Strathmann, H., Das Evangelium nach Johannes, NTD 4, Göttingen 1951.

Strecker, G., Die drei Johannesbriefe, KEK XIV, Göttingen 1989.

Strobel, A., Der Brief an die Hebräer, NTD 9, Göttingen 1975.

Stuhlmacher, P., Der Brief an die Römer, NTD 6, Göttingen 1989.

Weiser, A., Die Apostelgeschichte I.II, ÖTK 5.1.2, Gütersloh 1981.1985.

Weiss, B., Der Brief an die Römer, KEK IV, Göttingen 1899[9].

Wenham, G.J., The Book of Leviticus, NIC 3, Grand Rapids 1979.

Westermann, C., Ausgewählte Psalmen, Göttingen 1984.

Westermann, C., Das Buch Jesaja Kap. 40-66, ATD 19, Göttingen 1970.

Westermann, C., Genesis 1-11, BK I.1, Neukirchen 1974.

Wilckens, U., Der Brief an die Römer I.II.III, EKK VI.1-3 Zürich u.a. 1987[2].1987[2].1982.

Wildberger, H., Jesaja I.II.III, BK X.1-3, Neukirchen 1978-1982.

Windisch, H., Der Barnabasbrief, HNT Erg.III, Tübingen 1920.

Windisch, H., Der Hebräerbrief, HNT IV.3, Tübingen 1931[2].

Wolff, C., Der zweite Brief des Paulus an die Korinther, ThHK 8, Berlin 1989.

Wolff, H.W., Dodekapropheton 2, Joel und Amos, BK XIV.2, Neukirchen 1975[2].

Wolff, H.W., Dodekapropheton 3, Obadja und Jona, BK XIV.3, Neukirchen 1977.

Wolff, H.W., Dodekapropheton 6, Haggai, BK XIV.6, Neukirchen 1986.

Zahn, T., Der Brief des Paulus an die Römer, KNT VI, hrsg. von F. Hauck, Leipzig Erlangen 1925[3].

Zeller, D., Der Brief an die Römer, RNT, Regensburg 1985.

Zimmerli, W., Ezechiel I.II, BK XIII.1/2, Neukirchen 1979[2].

D. Monographien und Aufsätze

Aartun, K., Studien zum Gesetz über den grossen Versöhnungstag Lv 16 mit Varianten. Ein ritualgeschichtlicher Beitrag, StTh (Oslo) 34, 1980, 73-109.

Adler,S., Der Versöhnungstag in der Bibel, sein Ursprung und seine Bedeutung, ZAW 3, /1883, 178-185.272.

Ahituv, S., Art. Azazel, EncJud III, 999-1002.

Anderson, M. / Culbertson, P., The Inadequacy of the Christian Doctrine of Atonement in Light of Levitical Sin Offering, AThR 68, 1986, 303-328.

Andriessen, P., Das größere und vollkommenere Zelt (Hebr. 9,11), BZ 15, 1971, 76-92.

Angerstorfer, A., Ist 4QTgLev das Menetekel der neueren Targumforschung?, BN 15, 1981, 55-75.

Arai, S., Zum "Tempelwort" Jesu in Apostelgeschichte 6.14, NTS 34, 1988, 397-410.

Argyle, A.W., The New Testament Interpretation of the Death of Our Lord, ET 60, 1948/49, 253-256.

Avi-Yonah, M. / Baras, Z. / Peli, A., Hrsg., The World History of the Jewish People I.7/8 Jerusalem 1975.1977.

Bader, G., Jesu Tod als Opfer, ZThK 80, 1982, 411-431.

Baldensperger, W., Das Selbstbewußtsein Jesu im Lichte der messianischen Hoffnungen seiner Zeit. Erste Hälfte. Die messianisch-apokalyptischen Hoffnungen des Judentums, Staßburg 1903[3].

Balz, H.R., Methodische Probleme der neutestamentlichen Christologie, WMANT 25, Neukirchen 1967.

Barcellona, F.S., Sangue e aspersione del sangue nell'Epistola di Barnaba, in: F. Vattioni, Hrsg., Sangue e Antropologia Nella Letteratura Cristiana II (Centro Studi Sanguis Christi 3), Rom 1983, 903-912.

Bardenhewer, O., Patrologie, Freiburg 1910[3].

Barrett, C.K., The House of Prayer and the Den of Thieves, in: E.E. Ellis u.a., Hrsg., Jesus und Paulus (FS W.G. Kümmel), Göttingen 1975, 13-20.

Barth, H., Das "Wort von der Versöhnung", in: ders., Existenzphilosophie und neutestamentliche Hermeneutik, Basel Stuttgart 1967, 205-210.

Barth, H., Sühne und Versöhnung, in: ders., Existenzphilosophie, 192-204.

Baumeister, T., Die Anfänge der Theologie des Martyriums, MBTh 45, Münster 1980.

Becker, J., Paulus. Der Apostel der Völker, Tübingen 1989.

Behm, J., Art. ϑύω, ϑυσία, ϑυσιαστήριον, ThWNT III, 180-190.

Bellas, B.M., Ἡ Kapporeth ΚΑΙ Ἡ ΕΟΡΤΗ ΤΩΝ Kippurim (neugriech.), Theol (Athen) 7, 1929, 312-327; 8, 1930, 17-34. 302-317.

Berger, K., Die Gesetzesauslegung Jesu. Ihr historischer Hintergrund im Judentum und im Alten Testament I, WMANT 40, Neukirchen 1972.

Berger, K., Formgeschichte des Neuen Testaments, Heidelberg 1984.

Berger, K., Neues Material zur Gerechtigkeit Gottes, ZNW 68, 1977, 266-275.

Beveridge, P.J., The Doctrine of the Atonement. A Tentative Reconstruction, ET 38, 1926/27, 516-518.

Bihler, J., Die Stephanusgeschichte, MThS.H 16, München 1963.

Blackman, C., Rom 3,26b: A Question of Translation, JBL 87, 1968, 203-204.

Bleibtreu, W., Der Abschnitt Römer 3,21-26, unter namentlicher Berücksichtigung des Ausdrucks ἱλαστήριον, ThStKr 56, 1883, 548-568.

Bloesch, D.G., Sin, Atonement, and Redemption, in: Marc H. Tannenbaum, Hrsg., Evangelicals and Jews in an Age of Pluralism, Grand Rapids (Michigan) 1984, 163-182.

Bockmuehl, M.N.A., Das Verb φανερόω im Neuen Testament: Versuch einer Neuauswertung, BZ 32, 1988, 87-99.

Bockmuehl, M.N.A., Revelation and Mystery in Ancient Judaism and Pauline Christianity, WUNT 2.36, Tübingen 1990.

Böcher, O., Art. αἷμα, EWNT I, 88-93.

Boecker, H.J., Überlegungen zur Kultpolemik der vorexilischen Propheten, in: J. Jeremias / L. Perlitt, Hrsg., Die Botschaft und die Boten (FS H.W.Wolff), Neukirchen 1981, 169-180.

Bömer, F., Untersuchungen über die Religion der Sklaven in Griechenland und Rom II, AAWLM.G, Wiesbaden 1960.

Bornkamm, G., Die Offenbarung des Zornes Gottes (Röm 1-3), in: ders., Das Ende des Gesetzes. Paulusstudien, BEvTh 16, München 1966[5], 9-33.

Borse, U., Art. ναός, EWNT II, 1122-1126.

Bousset, W. / Gressmann, H., Die Religion des Judentums im späthellenistischen Zeitalter, HNT 21, Tübingen 1926[3].

Bover, J.M., El pensamiento generador de la Teologia de S. Pablo sugerido por Rom 3,21-26, Bib 20, 1939, 142-172.

Bover, J.M., Quem proposuit Deus 'propitiatorium' (Rom. 3,25), VD 18, 1938, 137-142.

Braumann, G., Vorpaulinische christliche Taufverkündigung bei Paulus, BWANT 82, Stuttgart 1962.

Braun, H., Spätjüdisch-häretischer und frühchristlicher Radikalismus. Jesus von Nazaret und die essenische Qumransekte I.II, BHTh 24.1/2, Tübingen 1969[2].

Breuning, W., Wie kann man heute von "Sühne" reden?, BiKi 41, 1986, 76-82.

Breytenbach, C., Versöhnung. Eine Studie zur paulinischen Soteriologie, WMANT 60, Neukirchen 1989.

Brichto, H.C., On Slaughter and Sacrifice, Blood and Atonement, HUCA 47, 1976, 19-55.

Broer, I., Der Prozeß gegen Jesus nach Matthäus, in: Kertelge, Hrsg., Prozeß gegen Jesus, 84-110.

Brox, N., Zeuge und Märtyer. Untersuchungen zur frühchristlichen Zeugnis-Terminologie, StANT 5, München 1961.

Bruce, F.F., Justification by Faith in the Non-Pauline Writings of the New Testament, EQ 24, 1952, 66-77.

Bruston, C., Les conséquences du vrai sens de ἹΛΑΣΤΗΡΙΟΝ, ZNW 7, 1906, 77-81.

Buchanan, G.W., Brigands in the Temple, HUCA 30, 1959, 169-177.

Buchanan, G.W., The Day of Atonement and Paul's Doctrine of Redemption, NT 32, 1990, 236-249.

Büchler, A., Die Priester und der Cultus im letzten Jahrzehnt des Jerusalemischen Tempels, Wien 1895.

Büchler, A., Studies in Sin and Atonement in the Rabbinic Literature of the First Century, Jews College Publications 11, London 1928.

Bultmann, R., Art. ἀφίημι κτλ., ThWNT I, 506-509.

Bultmann, R., Die Geschichte der synoptischen Tradition, FRLANT 29, Göttingen 1970[8] (Erg.-heft von G. Theißen und P. Vielhauer 1971[4]).

Bultmann, R., ΔΙΚΑΙΟΣΥΝΗ ΘΕΟΥ, in: Exegetica. Aufsätze zur Erforschung des Neuen Testamentes, hrsg. v. E. Dinkler, Tübingen 1967, 470-475.

Bultmann, R., Neueste Paulusforschungen, ThR NF 8, 1936, 1-22.

Bultmann, R., Theologie des Neuen Testaments, Tübingen (1948[1]) 1984[9] (hrsg. von O. Merk).

Bunge, J.-G., Untersuchungen zum zweiten Makkabäerbuch, Diss. masch. Bonn 1971.

Burkert, W., Opfertypen und antike Gesellschaftsstrukturen, in: G. Stephenson, Hrsg., Der Religionswandel unserer Zeit im Spiegel der Religionswissenschaft, Darmstadt 1976, 168-187.

Busink, T.A., Der Tempel von Jerusalem von Salomo bis Herodes. Eine archäologisch-historische Studie unter Berücksichtigung des westsemitischen Tempelbaus. II: Von Ezechiel bis Middot, Leiden 1980.

Cadman, W.H., Δικαιοσύνη in Romans 3,21-26, in: StEv II, TU 87, Berlin 1964, 532-534.

Callaway, P., Exegetische Erwägungen zur Tempelrolle XXIX, 7-10, RdQ 45-48, 1985-87, 95-104.

Campbell, W.S., Romans III as a Key to the Structure and Thought of the Letter, NT 23, 1981, 22-40.

Carter, W.C., The Contingency of Romans 3:21-26, Irish Biblical Studies 11, 1989, 54-68.

Cerfaux, L., Christ in the Theology of St. Paul, New York 1959 (franz. 1954; deutsch 1964).

Chance, J.B., Jerusalem, the Temple, and the New Age in Luke-Acts, Macon (Georgia) 1988.

Charlesworth, J.H., The Pseudepigrapha and Modern Research, SCSt 7, Chico (California) 1981.

Charlesworth, J.H., The Old Testament Pseudepigrapha and the New Testament. Prolegomena for the Study of Christian Origins, MSSNTS 54, Cambridge u.a. 1985.

Christ, H., Blutvergiessen im Alten Testament. Der gewaltsame Tod des Menschen untersucht am hebräischen Wort *dam*, Basel 1977.

Chronis, H.L., The Torn Veil: Cultus and Christology in Mark 15:37-39, JBL 101, 1982, 97-114.

Clements, R.E., God and Temple, Oxford 1965.

Cody, A., Heavenly Sanctuary and Liturgy in the Epistle to the Hebrews, Mainrad (Indiana) 1960.

Congar, Y., Das Mysterium des Tempels. Die Geschichte der Gegenwart Gottes von der Genesis bis zur Apokalypse, Salzburg 1960.

Conzelmann, H., Die Rechtfertigungslehre des Paulus: Theologie oder Anthropologie?, in: ders., Theologie als Schriftauslegung. Aufsätze zum Neuen Testament, BEvTh 65, München 1974, 191-206.

Conzelmann, H., Grundriß der Theologie des Neuen Testaments, München 1968[2].

Conzelmann, H. / Zimmerli, W., Art. χαίρω κτλ., ThWNT IX, 350-405.

Cosgrove, C.H., What If Some Have Not Believed? The Occasion and Thrust of Romans 3,1-8, ZNW 78, 1987, 90-105.

Creed, J.M., Great Texts Reconsidered, ET 50, 1938/39, 13-15.

Creed, J.M., Hebrews XIII.10, ET 50, 1938/39, 13ff.

Creed, J.M., ΠΑΡΕΣΙΣ in Dionysius of Halicarnassus and in St. Paul, JTS 41, 1940, 28-30.

Cross, F.M. Jr., The Priestly Tabernacle, in: S. Sandmel, Hrsg., Old Testament Issues, London 1969, 39-67.

Cross, F.M., The Priestly Tabernacle in the Light of Recent Research, in: A. Biran, Hrsg., Temples and High Places in Biblical Times: Proceedings of the Colloquium in Honor of the Centennial of Hebrew Union College - Jewish Institute of Religion (Jerusalem, 14.-16. March 1977), Jerusalem 1981, 169-180.

Cullmann, O., Von Jesus zum Stephanuskreis und zum Johannesevangelium, in: E.E. Ellis u.a., Hrsg., Jesus und Paulus (FS W.G. Kümmel), Göttingen 1978², 44-56.

Cullmann, O., Die Christologie des Neuen Testaments, Tübingen 1975⁵.

Da Cruz Fernandes, A.I.C., Sanguis Christi. Ricerca del senso e dell'ambito sacrificale di questa espressione neotestamentaria alla luce del concetto e dell'uso Ebraico del sangue, Rom 1971.

D'Arco, G., Ἱλάσκεσθαι, ἐξιλάσκεσθαι e derivati nelle versioni latine della Bibbia, in: F. Vattioni, Hrsg., Sangue e Antropologia Biblica I (Centro Studi Sanguis Christi 1), Rom 1981, 349-364.

Dahl, N.A., Rez.: E.P. Sanders, Paul and Palestinian Judaism, Religious Studies Review 4, 1978, 153-160.

Dalman, G., Arbeit und Sitte in Palästina VII (Das Haus, Hühnerzucht, Taubenzucht, Bienenzucht), Schriften des Deutschen Palästina-Instituts 19, Gütersloh 1942.

Dalman, G., Zion, die Burg Jerusalems, PJB 11, 1915, 39-84.

Dalton, W., Expiation or Propitiation?, ABR 8, 1960, 3-18.

Dalton, W., Romani 3,24-25, in: F. Vattioni, Hrsg., Sangue e Antropologia Biblica II (Centro Studi Sanguis Christi 1), Rom 1981, 815-818.

Daly, R.J., The Origins of the Christian Doctrine of Sacrifice, o.O. (Fortress Press) 1978.

Daube, D., The New Testament and Rabbinic Judaism, London 1956.

Dautzenberg, G., Gesetzeskritik und Gesetzesgehorsam in der Jesustradition, in: Kertelge, Hrsg., Gesetz, 46-70.

Davenport, G.L., The Eschatology of the Book of Jubilees, StPB 20, Leiden 1971.

Davies, D., An Interpretation of Sacrifice in Leviticus, ZAW 89, 1977, 387-399 (auch in: B. Lang, Hrsg., Anthropological Approaches to the OT, London 1985, 151-162).

Davies, W.D., Paul and Rabbinic Judaism. Some Elements in Pauline Theology, London 1955².

Davies, W.D., Torah in the Messianic Age and/or the Age to Come, JBL MS VII, Philadelphia 1952.

Davies, W.D., The Gospel and the Land, Berkeley 1974.

Davis, E., Art. Atonement, EncJud III, 830-832.

Dehandschutter, B.A.G.M. / van Henten, J.W., Einleitung, in: J.W. van Henten u.a., Hrsg., Entstehung, 1-19.

Deiana, G., Azazel in Lv 16, Lateranum 54, 1988, 16-33.

Deiana, G., Il rito di Kippur nel trattato Joma della Mishnah, in: F. Vattioni, Hrsg., Sangue e Antropologia Nella Liturgia I (Centro Studi Sanguis Christi 4), Rom 1984, 483-497.

Deiana, G., Il sangue in alcuni testi paolini, in: F. Vattioni, Hrsg., Sangue e Antropologia Nella Letteratura Cristiana II (Centro Studi Sanguis Christi 3), Rom 1983, 767-798.

Deissler, A., Das Opfer im Alten Testament, in: Lehmann/Schlink, Hrsg., Opfer Jesu Christi, 17-39.

Deissmann, A., Bibelstudien, Hildesheim 1977 (= Marburg 1895).

Deissmann, A., ΙΛΑΣΤΗΡΙΟΣ und ΙΛΑΣΤΗΡΙΟΝ. Eine lexicalische Studie, ZNW 4, 1903, 193-212.

Deissmann, A., Licht vom Osten. Das Neue Testament und die neuentdeckten Texte der hellenistisch-römischen Welt, Tübingen 1923⁴.

Delitzsch, Franz, Art. Versöhnungstag, in: E. Riehm, Hrsg., Handwörterbuch des biblischen Altertums II, Leipzig Bielefeld 1884, 1710-1714.

Delling, G., Der Kreuzestod Jesu in der urchristlichen Verkündigung, Göttingen 1972.

Delling, G., Der Tod Jesu in der Verkündigung des Paulus, in: ders., Studien zum Neuen Testament und zum hellenistischen Judentum, Berlin Göttingen 1970, 336-346.

Delling, G., Hrsg., Bibliographie zur jüdisch-hellenistischen und innertestamentarischen Literatur 1900-1970 in Verbindung mit M. Maser, TU 106, Berlin 1975[2].

Delling, G., Zeit und Endzeit. Zwei Vorlesungen zur Theologie des Neuen Testaments, BSt 58, Neukirchen 1970.

Denis, A.-M., Introduction aux Pseudépigraphes grecs d'Ancien Testament, SVTP 1, Leiden 1970.

Dodd, C.H., ΙΛΑΣΚΕΣΘΑΙ, its Cognates, Derivates, and Synonyms, in the Septuagint, JTS 32, 1931, 352-360 (auch: ders., The Bible and the Greeks, Cambridge 1964[3], 82-95).

Donfried, K.P., Justification and Last Judgement in Paul, ZNW 67, 1976, 90-110.

Donfried, K.P., Romans 3:21-28, Interp 34, 1980, 59-64.

Donfried, K.P., Hrsg., The Romans Debate, Augsburg (Minneapolis) 1977.

Donner, H., Der Felsen und der Tempel, ZDPV 93, 1977, 1-11.

Dormeyer, D., Die Passion Jesu als Verhaltensmodell. Literarische und theologische Analyse der Traditions- und Redaktionsgeschichte der Markuspassion, NTA NF 11, Münster 1974.

Downing, J., Jesus and Martyrdom, JTS 14, 1963, 279-293.

Driver, G.R., Ezechiel. Linguistic and Textual Problems, Bib 35, 1954, 145-159.299-312.

Driver, G.R., Three Technical Terms in the Pentateuch, JSSt 1, 1956, 97-105.

Dschulnigg, P., Die Rede des Stephanus im Rahmen des Berichtes über sein Martyrium (Apg 6,8-8,3), Jud 44, 1988, 195-213.

Dugandzig, I., Das "Ja" Gottes in Christus. Eine Studie zur Bedeutung des Alten Testamentes für das Christusverständnis des Paulus, fzb 26, Würzburg 1977.

Dupont, J., La ruine de temple et la fin du temps dans le discours de Marc 13, in: Association Catholique Française pour l'Étude de la Bible. Apocalypses et théologie d'espérance: Congrès de Toulouse 1975 (LD 95), Paris 1977, 207-269.

Dupont, J., Il n'en sera pas laissé pierre sur pierre (Marc 13,2; Luc 19,44), Bib 52, 1971, 301-320.

Eder, P., Sühne. Eine theologische Untersuchung, Wien u.a. 1962.

Edersheim, A., The Temple. Its ministry and services as they were at the time of Jesus Christ, London 1959.

Ego, B., Im Himmel wie auf Erden. Studien zum Verhältnis von irdischer und himmlischer Welt im rabbinischen Judentum, WUNT 2.34, Tübingen 1989.

Eichholz, G., Die Theologie des Paulus im Umriß, Neukirchen 1972 (1985[5] hrsg. von B. Klappert).

Elbogen, I., Der jüdische Gottesdienst in seiner geschichtlichen Entwicklung, Hildesheim 1962[4] (= Frankfurt 1931[3]).

Elert, W., Redemptio ab hostibus, ThLZ 72, 1947, 265-270.

Ellis, E.E., Paul's Use of the Old Testament, Edingburgh 1957.

Eppstein, V., The Historicity of the Gospel Account of the Cleansing of the Temple, ZNW 55, 1964, 42-58.

Ercolano, I., Il sangue come elemento di espiazione nella Bibbia, in: F. Vattioni, Hrsg., Sangue e Antropologia Nella Liturgia I (Centro Studi Sanguis Christi 4), Rom 1984, 525-561.

Fahy, T., Exegesis of Romans 3:25f, IThQ 23, 1956, 69-73.

Feuillet, A., Christologie paulinienne et tradition biblique, Paris 1973.

Findeis, H.-J., Versöhnung-Apostolat-Kirche. Eine exegetisch-theologische und rezeptionsgeschichtliche Studie zu den Versöhnungsaussagen des Neuen Testaments, fzb 40, Würzburg 1983.

Fitzer, G., Auch der Hebräerbrief legitimiert nicht eine Opfertodchristologie. Zur Frage der Intention des Hebräerbriefes und seiner Bedeutung für die Theologie, KuD 15, 1969, 294-319.

Fitzer, G., Der Ort der Versöhnung nach Paulus, ThZ 22, 1966, 161-183.

Fitzmyer, J.A., Paul and his Theology. A Brief Sketch, Englewood Cliffs (New Jersey) 1989².

Fitzmyer, J.A., The Targum of Leviticus from Qumran Cave 4, Maarav V/1, 1978, 5-23.

Flusser, D., Jesu Prozeß und Tod, in: ders., Entdeckungen im Neuen Testament 1. Jesusworte und ihre Überlieferung, Neukirchen 1987, 130-163.

Flusser, D., No Temple in the City, in: ders., Judaism and the Origins of Christianity, Jerusalem 1988, 454-465.

Foerster, W. / Fohrer, G., Art. σῴζω κτλ., ThWNT VII, 966-1024.

Fohrer, G., Kritik an Tempel, Kult und Kultusausübung in nachexilischer Zeit, in: A. Kuschke / E. Kutsch, Hrsg., Archäologie und Altes Testament (FS Kurt Galling) Tübingen 1970, 101-116.

Fohrer, G., Stellvertretung und Schuldopfer in Jesaja 52,13-53,12 vor dem Hintergrund des Alten Testaments und des Alten Orients, in: P. Rieger, Hrsg., Das Kreuz Jesu, Forum 12, Göttingen 1969, 7-31.

Fraenkel, S., Zu dem semitischen Original von ἱλαστήριος und ἱλαστήριον, ZNW 5, 1904, 257f.

Frank, K.S., Zum Opferverständnis in der Alten Kirche, in: Lehmann/Schlink, Hrsg., Opfer Jesu Christi, 40-50.

Fricke, G.A., Der paulinische Grundbegriff der ΔΙΚΑΙΟΣΥΝΗ ΘΕΟΥ erörtert auf Grund von Röm. 3, 21-26, Leipzig 1888.

Friedrich, G., Auf das Wort kommt es an. Ges. Aufs. zum 70. Geburtstag hrsg. von J.H. Friedrich, Göttingen 1978. Darin:
- Beobachtungen zur messianischen Hohepriestererwartung in den Synoptikern, 56-102;
- Das Gesetz des Glaubens Röm. 3,27, 107-122;
- Ἁμαρτία οὐκ ἐλλογεῖται Röm 5,13, 123-131.

Friedrich, G., Die Verkündigung des Todes Jesu im Neuen Testament, BThSt 6, Neukirchen 1982.

Fritz, V., Tempel und Zelt. Studien zum Tempelbau in Israel und zu dem Zeltheiligtum der Priesterschrift, WMANT 47, Neukirchen 1977.

Froitzheim, F., Christologie und Eschatologie bei Paulus, fzb 35, Würzburg 1979.

Fryer, N.S.L., The Meaning and Translation of *Hilasterion* in Romans 3:25, EQ 59, 1987, 99-116.

Garnet, P., Atonement Constructions in the Old Testament and the Qumran Scrolls, EQ 46, 1974, 131-163.

Gärtner, B., The Aropagus Speech and Natural Revelation, ASNU 21, Uppsala 1955.

Gärtner, B., The Temple and the Community in Qumran and the New Testament. A Comparative Study in the Temple Symbolism of the Qumran Texts and the New Testament, MSSNTS 1, Cambridge 1965.

Gaster, T.H., Festivals of the Jewish Year. A Modern Interpretation and Guide, Gloucester 1952.

Gaston, L., No Stone on Another. Studies in the Significance of the Fall of Jerusalem in the Synoptic Gospels, NT.S 23, Leiden 1970.

Georgi, D., Die Visionen vom himmlischen Jerusalem in Apk 21 und 22, in: D. Lührmann / G. Strecker, Hrsg., Kirche (FS G. Bornkamm) Tübingen 1980, 351-372.

Gerritzen, D.F., Le sens et l'origine de l'EN ΧΡΙΣΤΟΙ Paulinien, in: Studiorum Paulinorum Congressus Internationalis Catholicus 1961, AnB 17-18 Bd.2, Rom 1963, 323-331.

Gese, H., Der Verfassungsentwurf des Ezechiel (Kap. 40-48) traditionsgeschichtlich untersucht, BHTh 25, Tübingen 1957.

Gese, H., Die Sühne, in: ders., Zur biblischen Theologie. Alttestamentliche Vorträge, BEvTh 78, München 1977, 85-106.

Gestrich, C., Die Wiederkehr des Glanzes in der Welt. Die christliche Lehre von der Sünde und ihrer Vergebung in gegenwärtiger Verantwortung, Tübingen 1989.

Giblet, J., De morte Domini tamquam sacrificio expiatorio in theologia paulina, CMech 40, 1955, 691-694.

Ginzberg, L., Die Haggada bei den Kirchenvätern und in der apokryphischen Litteratur, MGWJ 43, 1899, 17-22. 61-75. 117-125. 149-159. 217-231. 293-303. 409-416. 461-470. 485-504. 529-547.

Glombitza, O., Erwägungen zum kunstvollen Ansatz der Paraenese im Brief an die Hebräer X,19-25, NT 9, 1967, 132-150.

Gnilka, J., Der Prozeß Jesu nach den Berichten des Markus und Matthäus mit einer Rekonstruktion des historischen Verlaufs, in: Kertelge, Hrsg., Prozeß gegen Jesus, 11-40.

Gnilka, J., Die Verhandlungen vor dem Synedrion und vor Pilatus nach Markus 14,53-15,5, EKK-Vorarbeiten 2, Zürich u.a. 1970, 5-21.

Gnilka, J., Jesus von Nazaret, Freiburg u.a. 1990.

Gnilka, J., Martyriumsparänese und Sühnetod in synoptischen und jüdischen Traditionen, in: R. Schnackenburg u.a., Hrsg., Die Kirche des Anfangs (FS H. Schürmann), Freiburg 1978, 223-246.

Gnilka, J., Wie urteilte Jesus über seinen Tod?, in: Kertelge, Hrsg., Tod Jesu, 13-49.

Goppelt, L., Theologie des Neuen Testaments 1/2, hrsg. von J. Roloff, Göttingen 1980[3].

Goppelt, L., Typos. Die typologische Deutung des Alten Testaments im Neuen, BFChTh 2.43, Gütersloh 1939 (= Darmstadt 1973).

Goppelt, L., Versöhnung durch Christus, in: ders., Christologie und Ethik. Aufsätze zum Neuen Testament, Göttingen 1968, 147-164.

Görg, M., Eine neue Deutung für kapporaet, ZAW 89, 1977, 115-118.

Goudoever, J. van, Biblical Calendars, Leiden 1961[2].

Gräßer, E., Acta-Forschung seit 1960 (Fortsetzung), ThR NF 42, 1977, 1-68.

Gräßer, E., Christen und Juden. Neutestamentliche Erwägungen zu einem aktuellen Thema, in: ders., Der Alte Bund im Neuen. Exegetische Studien zur Israelfrage im Neuen Testament, WUNT 35, Tübingen 1985, 271-289.

Gräßer, E., Der Glaube im Hebräerbrief, MThSt 2, Marburg 1965.

Gräßer, E., Der Hebräerbrief 1938-1963, ThR NF 30, 1964, 138-236.

Gräßer, E., Hebräer 1,1-4. Ein exegetischer Versuch, EKK-Vorarbeiten 3, Zürich u.a. 1971, 55-91.

Grandchamp, F., La doctrine du sang du Christ dans les Épîtres de Saint Paul, RThPh 11, 1961, 262-271.

Gray, G.B., Sacrifice in the Old Testament. Its Theory and Practice, ed. H.M. Orlinsky, (Reprint) New York 1971.

Grayston, K., ΊΛΑΣΚΕΣΘΑΙ and Related Words, NTS 27, 1981, 640-656.

Greenwood, D., Jesus as Hilasterion in Romans 3:25, BTB 3, 1973, 316-322.

Grimm, W., Weil ich dich liebe. Die Verkündigung Jesu und Deuterojesaja, Bern u.a. 1976 (1981[2] unter dem Titel: Die Verkündigung Jesu und Deuterojesaja, AzNTJ 1).

Grimme, H., Das Alter des israelitischen Versöhnungstages, ARW 14, 1911, 130-142.

Grözinger, K.E. u.a., Hrsg., Qumran, WdF 410, Darmstadt 1981.

Gubler, M.-L., Die frühesten Deutungen des Todes Jesu. Eine motivgeschichtliche Darstellung aufgrund der neueren exegetischen Forschung, OBO 15, Freiburg (CH) 1977.

Güttgemanns, E., 'Gottesgerechtigkeit' und strukturale Semantik, in: ders., studia linguistica neotestamentica, BEvTh 60, München 1971, 59-98.

Habermann, J., Präexistenzaussagen im Neuen Testament, EHS XXIII.362, Frankfurt u.a. 1990.

Hahn, F., Das Abendmahl und Jesu Todesverständnis, in: ders., Exegetische Beiträge zum ökumenischen Gespräch. Ges. Aufs. 1, Göttingen 1986, 253-261.

Hahn, F., Das Gesetzesverständnis im Römer- und Galaterbrief, ZNW 67, 1976, 29-63.

Hahn, F., Das Verständnis der Mission im Neuen Testament, WMANT 13, Neukirchen 1963.

Hahn, F., Das Verständnis des Opfers im Neuen Testament, in: Lehmann/Schlink, Hrsg., Opfer Jesu Christi, 51-91.

Hahn, F., Der urchristliche Gottesdienst, SBS 41, Stuttgart 1970.

Hahn, F., Die alttestamentlichen Motive in der urchristlichen Abendmahlsüberlieferung, EvTh 27, 1967, 337-374.

Hahn, F., Die Rede von der Parusie des Menschensohnes Markus 13, in: R. Pesch u.a., Hrsg., Jesus und der Menschensohn (FS A.Vögtle), Freiburg u.a. 1975, 240-266.

Hahn, F., Methodologische Überlegungen zur Rückfrage nach Jesus. in: K. Kertelge, Hrsg., Rückfrage nach Jesus, QD 63, Freiburg u.a. 1977[2], 11-77.

Hahn, F., Taufe und Rechtfertigung, in: J. Friedrich u.a., Hrsg., Rechtfertigung (FS E. Käsemann), Tübingen 1976, 95-124.

Hahn, F., Zum Stand der Erforschung des Herrenmahls, EvTh 35, 1975, 553-563 (auch in: ders., Exegetische Beiträge, 242-252).

Hamerton-Kelly, R.G., The Temple and the Origins of Jewish Apocalyptic, VT 20, 1970, 1-15.

Haran, M., Temples and Temple-Service in Ancient Israel. An Inquiry into the Character of Cult Phenomena and the Historical Setting of the Priestly School, Oxford 1978.

Haran, M., The Ark and the Cherubim: Their Symbolic Significance in Biblical Ritual, IEJ 9, 1959, 30-38, 89-94.

Hartmann, D., "Sie mögen hören: ich verzeihe!". Umkehr und Versöhnung im Judentum, Entschluß 35, 1980, 20-22.32.

Haubeck, W., Loskauf durch Christus. Herkunft, Gestalt und Bedeutung des paulinischen Loskaufmotivs, TVG 317, Gießen u.a. 1985.

Hays, R.B., Echoes of Scripture in the Letters of Paul, New Haven 1989.

Hays, R.B., Psalm 143 and the Logic of Romans 3, JBL 99, 1980, 107-115.

Hedsby, K., Handpåläggningsrit och försoningsoffer, SEÅ 49, 1984, 58-65.

Hengel, M., Der stellvertretende Sühnetod, IKaZ 9, 1980, 1-25.135-147.

Hengel, M., Entstehungszeit und Situation des Markusevangeliums, in: H. Cancik, Hrsg., Markus-Philologie, WUNT 33, Tübingen 1984, 1-45.

Hengel, M., Jesus als messianischer Lehrer der Weisheit und die Anfänge der Christologie, in: Sagesse et Religion. Colloque de Strasbourg, Octobre 1976. Bibliothèque des Centres d'Études Supérieures Spécialicés, Strasbourg 1979, 147-188.

Hengel, M., Jesus und die Tora, ThBeitr 9, 1978, 152-172.

Hengel, M., Judentum und Hellenismus. Studien zu ihrer Begegnung unter besonderer Berücksichtigung Palästinas bis zur Mitte des 2. Jh. v.Chr., WUNT 10, Tübingen 1969.

Hengel, M., Probleme des Markusevangeliums, in: P. Stuhlmacher, Hrsg., Das Evangelium und die Evangelien, WUNT 28, Tübingen 1983, 221-265.

Hengel, M., The Atonement, London 1981.

Hengel, M., War Jesus Revolutionär?, CH 110, Stuttgart 1970.

Hengel, M., Zwischen Jesus und Paulus. Die "Hellenisten", die "Sieben" und Stephanus (Apg 6,1-15; 7,54-8,3), ZThK 72, 1975, 151-206.

Henten, J.W. van, Das jüdische Selbstverständnis in den ältesten Martyrien, in: J.W. van Henten u.a., Hrsg., Entstehung, 127-161.

Henten, J.W. van, Datierung und Herkunft des Vierten Makkabäerbuches, in: Tradition and Re-Interpretation in Jewish and Early Christian Literature (Essays in Honour of J.C.H. Lebram), StPB 36, Leiden 1986, 136-149.

Henten, J.W. van u.a, Hrsg., Die Entstehung der jüdischen Martyrologie, StPB 38, Leiden 1989.

Herman, Z.I., Giustificazione e Perdono in Romani 3,21-26, Anton. 60, 1985, 240-278.

Hermisson, H.-J., Sprache und Ritus im alttestamentlichen Kultus. Zur "Spiritualisierung" der Kultbegriffe im Alten Testament, WMANT 19, Neukirchen 1965.

Herold, G., Zorn und Gerechtigkeit Gottes bei Paulus. Eine Untersuchung zu Röm 1,16-18, EHS XXIII.14, Frankfurt u.a. 1973.

Herr, M.D. u.a., Art. Day of Atonement, EncJud 5, 1376-1387.

Herrmann, J. / Büchsel, F., Art. ἵλεως, ἱλάσχομαι κτλ., ThWNT III, 300-324.

Herrmann, J., Die Idee der Sühne im Alten Testament. Eine Untersuchung über Gebrauch und Bedeutung des Wortes kipper, Leipzig 1905.

Hertzberg, H.W., Der heilige Fels und das Alte Testament, in: ders., Beiträge zur Traditonsgeschichte und Theologie des AT, Göttingen 1962, 45-53.

Hertzberg, H.W., Die prophetische Kritik am Kult, in: ders., Beiträge, 81-90.

Herzfeld, L., Geschichte des Volkes Israel von der Vollendung des zweiten Tempels bis zur Einsetzung des Mackabäers Schimon zum hohen Priester und Fürsten I u. II, Leipzig 1863[2].

Heuschen, J., Rom 3.25 in het licht van de oudtestamentische zoenvoorstelling, Revue Ecclésiastique de Liège 44, 1957, 65-79.

Hiers, R.H., Purification of the Temple: Preparation for the Kingdom of God, JBL 90, 1971, 82-90.

Hill, D., Greek Words and Hebrew Meanings. Studies in the Semantics of Soteriological Terms, MSSNTS 5, Cambridge 1967.

Hill, D., Liberation through God's Righteousness, Irish Biblical Studies 4, 1982, 31-44.

Hoffmann, N., Sühne. Zur Theologie der Stellvertretung, Einsiedeln 1981.

Hofius, O., Das "erste" und das "zweite" Zelt. Ein Beitrag zur Auslegung von Hebr 9,1-10, ZNW 61, 1970, 271-277.

Hofius, O., Das Gesetz des Mose und das Gesetz Christi, ZThK 80, 1982, 262-286 (auch in: ders., Paulusstudien, WUNT 51, Tübingen 1989, 50-74).

Hofius, O., Der Vorhang vor dem Thron Gottes. Eine exegetisch-religionsgeschichtliche Untersuchung zu Hebräer 6,19f. und 10,19f., WUNT 14, Tübingen 1972.

Hofius, O., Erwägungen zur Gestalt und Herkunft des paulinischen Versöhnungsgedankens, ZThK 77, 1980, 186-199 (auch in: ders., Paulusstudien, 1-14).

Hofius, O., "Gott hat unter uns aufgerichtet das Wort von der Versöhnung" (2 Kor 5,19), ZNW 71, 1980, 3-20 (auch in: ders., Paulusstudien, 15-32).

Hofius, O., Inkarnation und Opfertod Jesu nach Hebr 10,19f, in: E. Lohse u.a., Hrsg., Der Ruf Jesu und die Antwort der Gemeinde (FS J. Jeremias), Göttingen 1970, 132-141.

Hofius, O., Katapausis. Die Vorstellung vom endzeitlichen Ruheort im Hebräerbrief, WUNT 11, Tübingen 1970.

Hofius, O., Sühne und Versöhnung. Zum paulinischen Verständnis des Kreuzestodes Jesu, in: W. Maas, Hrsg., Versuche das Leiden und Sterben Jesu zu verstehen, München Zürich 1983, 25-46 (auch in: ders., Paulusstudien, 33-49).

Hohnjec, N., 'Das Lamm - τὸ ἀρνίον' - in der Offenbarung des Johannes. Eine exegetisch-theologische Untersuchung, Rom 1980.

Hollander, H.W., Art. μακροθυμία κτλ., EWNT II, 936-938.

Holtz, T., Die Christologie der Apokalypse des Johannes, TU 85, Berlin 1962.

Holtzmann, O., Der Hebräerbrief und das Abendmahl, ZNW 10, 1909, 251-260.

Horst, J., Art. μακροθυμία κτλ., ThWNT IV, 377-390.

Hossfeld, F.-L., Versöhnung und Sühne, BiKi 41, 1986, 54-60.

Howard, G., Romans 3,21-31 and the Inclusion of the Gentiles, HThR 63, 1970, 223-233.

Hruby, K., Le Yom Ha-Kippurim ou Jour de l'Expiation, L'Orient Syrien 10, 1965, 41-74. 161-192. 413-422.

Hübner, H., Paulusforschung seit 1945. Ein kritischer Literaturbericht, ANRW II.25.4, 2649-2840.

Hübner, H., Sühne und Versöhnung. Anmerkungen zu einem umstrittenen Kapitel Biblischer Theologie, KuD 29, 1983, 284-305.

Hughes, T.H., The Atonement. Modern Theories of the Doctrine, London 1949.

Hultgren, A.J., The Pistis Christou Formulation in Paul, NT 22, 1980, 248-263.

Hunter, A.M., Paul and his Predecessors, London 1961[2].

Iwand, H.J., Blut Christi (dogmatisch), RGG[3] I, 1330f.

Janowski, B., Auslösung des verwirkten Lebens. Zur Geschichte und Struktur der biblischen Lösegeldvorstellung, ZThK 79, 1982, 25-59.

Janowski, B., Sühne als Heilsgeschehen. Studien zur Sühnetheologie der Priesterschrift und zur Wurzel KPR im Alten Orient und im Alten Testament, WMANT 55, Neukirchen 1982.

Janowski, B., Sündenvergebung "um Hiobs willen". Fürbitte und Vergebung in 11QtgJob 38,2f. und Hi 42,9f. LXX, ZNW 73, 1982, 251-280.

Janowski, B. / Lichtenberger, H., Enderwartung und Reinheitsidee. Zur eschatologischen Deutung von Reinheit und Sühne in der Qumrangemeinde, JJS 34, 1983, 31-62.

Jepsen, A., Die Begriffe des 'Erlösens' im Alten Testament, in: ders., Der Herr ist Gott. Aufsätze zur Wissenschaft vom Alten Testament, Berlin 1978, 181-191.

Jeremias, Joachim, Das Lösegeld für Viele (Mk. 10,45), in: ders., Abba. Studien zur neutestamentlichen Theologie und Zeitgeschichte, Göttingen 1966, 216-229.

Jeremias, Joachim, Der Opfertod Jesu Christi, CH 62, Stuttgart 1966[2].

Jeremias, Joachim, Golgotha, Angelos 1, 1926, 1-96.

Jeremias, Joachim, Jerusalem zur Zeit Jesu. Eine kulturgeschichtliche Untersuchung zur neutestamentlichen Zeitgeschichte, Göttingen 1962[3].

Jeremias, Joachim, Jesus als Weltvollender, BFChTh 33, Gütersloh 1930.

Jeremias, Joachim, Neutestamentliche Theologie I. Die Verkündigung Jesu, Gütersloh 1979[3].

Jeremias, Joachim, Παῖς (θεοῦ) im Neuen Testament, in: ders., Abba, 191-216 (= Neubearbeitung von ders., Art. παῖς θεοῦ im Neuen Testament, in: ThWNT V, 698-713).

Jeremias, Jörg, Kultprophetie und Gerichtsverkündigung in der späten Königszeit Israels, WMANT 35, Neukirchen 1970.

Jervell, J., Imago Dei. Gen. 1,26f. im Spätjudentum, in der Gnosis und in den paulinischen Briefen, FRLANT 76, Göttingen 1960.

Johnson, L.T., Rom 3:21-26 and the Faith of Jesus, CBQ 44, 1982, 77-90.

Jones, F.S., 'Freiheit' in den Briefen des Apostels Paulus. Eine historische, exegetische und religionsgeschichtliche Studie, GTA 34, Göttingen 1987.

Juel, D., Messiah and Temple. The Trial of Jesus, SBLDS 31, Missoula (Montana) 1977.

Jüngel, E., Paulus und Jesus. Eine Untersuchung zur Präzisierung der Frage nach dem Ursprung der Christologie, HUTh 2, Tübingen 1975[5].

Käsemann, E., Das wandernde Gottesvolk. Eine Untersuchung zum Hebräerbrief, FRLANT 55, Göttingen 1959[3].

Käsemann, E., Erwägungen zum Stichwort 'Versöhnungslehre' im Neuen Testament, in: E. Dinkler, Hrsg., Zeit und Geschichte (FS R. Bultmann), Tübingen 1964, 47-59.

Käsemann, E., Gottesgerechtigkeit bei Paulus, ZThK 58, 1961, 367-378 (auch in: ders., Exegetische Versuche und Besinnungen [EVB] II, Göttingen 1970[3], 181-193).

Käsemann, E., Zum Verständnis von Röm 3,24-26, ZNW 43, 1950/51, 150-154 (auch in: ders., EVB I, Göttingen 1970[6], 96-100).

Kellermann, D., Art. אשם, ThWAT I, 463-472.

Kellermann, D., Bemerkungen zum Sündopfergesetz in Num 15,22ff, in: H. Gese / H.P. Rüger, Hrsg., Wort und Geschichte (FS K. Elliger), AOAT 18, Kevelaer Neukirchen 1973, 107-113.

Kellermann, U., Auferstanden in den Himmel. 2 Makkabäer 7 und die Auferstehung der Märtyrer, SBS 95, Stuttgart 1979.

Kellermann, U., Das Danielbuch und die Märtyrertheologie der Auferstehung, in: J.W. van Henten u.a., Hrsg., Entstehung, 51-75.

Kellermann, U., Zum traditionsgeschichtlichen Problem des stellvertretenden Sühnetodes in 2Makk 7,37f, BN 13, 1980, 63-83.

Kertelge, K., "Rechtfertigung" bei Paulus. Studien zur Struktur und zum Bedeutungsgehalt des paulinischen Rechtfertigungsbegriffs, NTA NF 3, Münster 1971[2].

Kertelge, K., Art. ἀπολύτρωσις κτλ., EWNT I, 331-336.

Kertelge, K., Art. δικαιοσύνη, EWNT I, 784-796.

Kertelge, K., Art. λύτρον, EWNT II, 901-905.

Kertelge, K., Das Verständnis des Todes Jesu bei Paulus, in: Kertelge, Hrsg., Tod Jesu, 114-136.

Kertelge, K., Die "reine Opfergabe". Zum Verständnis des "Opfers" im Neuen Testament, in: Freude am Gottesdienst (FS. J. Plöger), Stuttgart 1983, 347-360.

Kertelge, K., Hrsg., Das Gesetz im Neuen Testament, QD 108, Freiburg u.a. 1986.

Kertelge, K., Hrsg., Der Prozeß gegen Jesus. Historische Rückfrage und theologische Deutung, QD 112, Freiburg u.a. 1989[2].

Kertelge, K., Hrsg., Der Tod Jesu, QD 74, Freiburg 1976.

Kessler, H., Die theologische Bedeutung des Todes Jesu. Eine traditionsgeschichtliche Untersuchung, Düsseldorf 1970.

Kirchgässner, A., Erlösung und Sünde im Neuen Testament, Freiburg 1950.

Kittel, G., Der Name über alle Namen II. Biblische Theologie. Neues Testament, Göttingen 1990.

Kittel, G., Zur Erklärung von Röm. 3,21-26, ThStKr 80, 1907, 217-233.

Kiuchi, N., The Purification Offering in the Priestly Literature. Its Meaning and Function, JSOT.S 56, Sheffield 1987.

Klauck, H.-J., Hellenistische Rhetorik im Diasporajudentum. Das Exordium des vierten Makkabäerbuchs (4 Makk 1.1-12), NTS 35, 1989, 451-465.

Klauck, H.-J., Kultische Symbolsprache bei Paulus, in: ders., Gemeinde Amt Sakrament. Neutestamentliche Perspektiven, Würzburg 1989, 348-358.

Klauck, H.-J., Thysiasterion in Hebr 13,10 und bei Ignatius von Antiochien, in: ders., Gemeinde Amt Sakrament. Neutestamentliche Perspektiven, Würzburg 1989, 359-372.

Klauck, H.-J., Θυσιαστήριον - eine Berichtigung, ZNW 71, 1980, 274-277.

Klausner, J., Die messianischen Vorstellungen des jüdischen Volkes im Zeitalter der Tannaiten, Berlin 1904.

Klausner, J., The Messianic Idea in the Apocryphal Literature, in: M. Avi-Yonah u.a., Hrsg., World History I.8, 153-186.

Klausner, J., The Rise of Christianity, in: M. Avi-Yonah u.a., Hrsg., World History I.8, 187-262.

Klausner, J., The Messianic Idea in Israel, Jerusalem 1955.

Klausner, J., Von Jesus zu Paulus, Jerusalem 1939 (hebr.), deutsch 1950 (= Königstein 1980).

Klein, G., Exegetische Probleme in Röm 3,21-4,25. Antwort an U. Wilckens, EvTh 24, 1964, 676-683.

Klein, G., Gottes Gerechtigkeit als Thema der neuesten Paulusforschung, in: ders., Rekonstruktion und Interpretation. Ges. Aufs. z. NT, BEvTh 50, München 1969, 225-236.

Klein, G., Römer 3,21-28, GPM 34, 1980, 409-419.

Klein, G., Römer 4 und die Idee der Heilsgeschichte, in: ders., Rekonstruktion und Interpretation, 145-169.

Kleinknecht, K.T., Der leidende Gerechtfertigte. Die alttestamentlich-jüdische Tradition vom 'leidenden Gerechten' und ihre Rezeption bei Paulus, WUNT 2.13, Tübingen 1984.

Klinghardt, M., Gesetz und Volk Gottes. Das lukanische Verständnis des Gesetzes nach Herkunft, Funktion und seinem Ort in der Geschichte des Urchristentums, WUNT 2.32, Tübingen 1988.

Klinzing, G., Die Umdeutung des Kultus in der Qumrangemeinde und im Neuen Testament, StUNT 7, Göttingen 1971.

Knierim, R., Art. חטא, THAT I, 541-549.

Knierim, R., Art. אשם, THAT I, 251-257.

Knierim, R., Die Hauptbegriffe für Sünde im Alten Testament, Gütersloh 1965.

Knoch, O., Die Heilsbedeutung des Todes Jesu, ThPQ 124, 1976, 221-237.

Knoch, O., Zur Diskussion über die Heilsbedeutung des Todes Jesu, ThPQ 124, 1976, 3-14.

Koch, D.-A., Die Schrift als Zeuge des Evangeliums. Untersuchungen zur Verwendung und zum Verständnis der Schrift bei Paulus, BHTh 69, Tübingen 1986.

Koch, H., Römer 3,21-31 in der Paulusinterpretation der letzten 150 Jahre, Diss. masch. Göttingen 1971.

Koch, K., Art. אהל, ThWAT I, 128-141.

Koch, K., Art. חטא, ThWAT II, 857-870.

Koch, K., Die israelitische Sühneanschauung und ihre historischen Wandlungen, Habil. masch. Erlangen 1956.

Koch, K., Die Priesterschrift von Exodus 25 bis Leviticus 16. Eine überlieferungs-geschichtliche und literarkritische Untersuchung, FRLANT 71, Göttingen 1959.

Koch, K., Sühne und Sündenvergebung um die Wende von der exilischen zur nachexilischen Zeit, EvTh 26, 1966, 217-239.

Koester, H., "Outside the Camp": Hebrews 13,9-14, HThR 55, 1962, 299-315.

Koester, H., Synoptische Überlieferung bei den apostolischen Vätern, TU 65, Berlin 1957.

Kosmala, H., Jom Kippur, Jud 6, 1950, 1-19.

Krämer, H. / Rendtorff, R. / Meyer, R. / Friedrich, G., Art. προφήτης κτλ., ThWNT VI, 781-863.

Kraus, H.-J., Gottesdienst in Israel. Grundriß einer Geschichte des alttestamentlichen Gottesdienstes, München 1962[2].

Kuhn, H.-W., Jesus als Gekreuzigter in der frühchristlichen Verkündigung bis zur Mitte des 2. Jahrhunderts, ZThK 72, 1981, 1-46.

Kümmel, W.G., Die Theologie des Neuen Testaments nach seinen Hauptzeugen, Göttingen 1969 (NTD Erg. 3).

Kümmel, W.G., Dreißig Jahre Jesusforschung (1950-1980), BBB 60, Bonn 1985.

Kümmel, W.G., Πάρεσις und Ἔνδειξις. Ein Beitrag zum Verständnis der paulinischen Rechtfertigungslehre, ZThK 49, 1952, 154-167 (auch in: ders., Heilsgeschehen und Geschichte, MThSt 3, Marburg 1965, 260-270).

Kümmel, W.G., Verheißung und Erfüllung. Untersuchungen zur eschatologischen Verkündigung Jesu, Zürich 1953[2].

Küng, H., Christ sein, München 1980[4], 509-531.

Kuss, O., Paulus. Die Rolle des Apostels in der theologischen Entwicklung der Urkirche, Regensburg 1976[2].

Lafon, G., Une loi de foi. La pensée de la loi en Romains 3,19-31, RevSR 61, 1987, 32-53.

Lambrecht, J., Die Redaktion der Markus-Apokalypse. Literarische Analyse und Strukturuntersuchung, AnB 28, Rom 1967.

Lambrecht, J., Gesetzesverständnis bei Paulus, in: Kertelge, Hrsg., Gesetz, 88-127.

Landersdorfer, S., Studien zum biblischen Versöhnungstag, Atl. Abh. X.1, Münster 1924.

Lang, B., Art. כפר, ThWAT IV, 303-318.

Langhammer, H., Tod und Auferweckung Jesu Christi im urchristlichen Kerygma, MThZ 33, 1982, 44-53.

Langkammer, H., Ekspiacyjna Formuła Wiary W Rz 3, 24-26, RTK 23, 1976, 29-38.

Lansing, J.W., The Atonement from a Process Perspective, American Academy of Religion: Annual Meeting American Academy of Religion 3; Society of Biblical Literature. Abstracts, Dallas 5.-9. Nov. 1980 / Ed. Charles E. Winquist u. P. J. Achtemeier, Chico (California) 1980.

Lasaulx, E. von, Sühnopfer der Griechen und Römer und ihr Verhältnis zu dem einen auf Golgatha, in: ders., Studien des classischen Alterthums, Regensburg 1854, 233-282.

Laub, F., Bekenntnis und Auslegung. Die paränetische Funktion der Christologie im Hebräerbrief, BU 15, Regensburg 1980.

Leaney, A.R.C., The Akedah, Paul and the Atonement, or: Is a Doctrine of the Atonement Possible? StEv VII, TU 126, Berlin 1982, 307-315.

Lehmann, K. / Schlink, E., Hrsg., Das Opfer Jesu Christi und seine Gegenwart in der Kirche. Klärungen zum Opfercharakter des Herrenmahls, Freiburg - Göttingen 1983.

Lehmann, M.R., "Yom Kippur" in Qumran, RQ 3, 1961/62, 117-124.

Lentzen-Deis, F., Passionsbericht als Handlungsmodell? Überlegungen zu Anstößen aus der "pragmatischen" Sprachwissenschaft für die exegetischen Methoden, in: Kertelge, Hrsg., Prozeß gegen Jesus, 191-232.

Levine, B.A., In the Presence of the Lord, SJLA 5, Leiden 1974.

Lichtenberger, H., Atonement and Sacrifice in the Qumran Community, in: W.S. Green, Approaches to Ancient Judaism II, Ann Arbor (Michigan) 1980, 259-271.

Lichtenberger, H., Studien zur paulinischen Anthropologie in Römer 7, Habil. masch. Tübingen 1985.

Lindars, B., The Rhetorical Structure of Hebrews, NTS 35, 1989, 382-406.

Link, H.G. / Brown, C., Art. Reconciliation, The New International Dictionary of New Testament, ed. C. Brown, III, Exeter - Grand Rapids 1978, 148-166.

Linnemann, E., Studien zur Passionsgeschichte, FRLANT 102, Göttingen 1970.

Lloyd-Jones, D.M., Romans. An Exposition of Chapters 3.20-4.25. Atonement and Justification, Grand Rapids (Michigan) 1976[5].

Loader, W.R.G., Sohn und Hoherpriester. Eine traditionsgeschichtliche Untersuchung zur Christologie des Hebräerbriefs, WMANT 53, Neukirchen 1981.

Löhr, M., Das Ritual von Lev. 16 (Untersuchungen zum Hexateuchproblem III), SKG.G 2,1, Berlin 1925.

Lohse, E., Die alttestamentlichen Bezüge im neutestamentlichen Zeugnis vom Tode Jesu Christi, in: ders., Die Einheit des Neuen Testaments. Exegetische Studien zur Theologie des Neuen Testaments, Göttingen 1973[2], 111-124.

Lohse, E., Die Gerechtigkeit Gottes in der paulinischen Theologie, in: ders., Einheit, 209-227.

Lohse, E., Märtyrer und Gottesknecht. Untersuchungen zur urchristlichen Verkündigung vom Sühntod Jesu Christi, FRLANT 64, Göttingen (1955[1]) 1963[2].

Losie, L.A., The Cleansing of the Temple. A History of a Gospel Tradition in Light of its Background in the Old Testament and in Early Judaism, Diss. masch. Pasadena 1985.

Luck, U., Himmlisches und irdisches Geschehen im Hebräerbrief. Ein Beitrag zum Problem des "historischen Jesus" im Urchristentum, NT 6, 1963, 192-215.

Lührmann, D., Das Offenbarungsverständnis bei Paulus und in den paulinischen Gemeinden, WMANT 16, Neukirchen 1965.

Lührmann, D., Der Hohepriester außerhalb des Lagers (Hebr. 13,12), ZNW 69, 1978, 178-186.

Lührmann, D., Markus 14.55-64. Christologie und Zerstörung des Tempels im Markusevangelium, NTS 27, 1981, 457-474.

Lührmann, D., Rechtfertigung und Versöhnung. Zur Geschichte der paulinischen Tradition, ZThK 67, 1970, 437-452.

Lunceford, J.E., An Historical and Exegetical Inquiry into the New Testament Meaning of the 'ILASKOMAI' Cognates, University Microfilms International, Ann Arbor (Michigan) 1979.

Luz, U., Das Geschichtsverständnis des Paulus, BEvTh 49, München 1968.

Luz, U., Der alte und der neue Bund bei Paulus und im Hebräerbrief, EvTh 27, 1967, 318-336.

Lyonnet, S., De "Iustitia Dei" in Epistola ad Romanos 3,25-26, VD 25, 1947, 23ff.118ff.129-144.193-203.257-263.

Lyonnet, St., De notione "iustitiae Dei" apud S. Paulum, VD 42, 1964, 121-152.

Lyonnet, S., De Peccato et Redemptione II. De Vocabulario Redemptionis, Rom (1960) 1972[2].

Lyonnet, S., Notes sur l'exégèse de l'Épître aux Romains, Bib 38, 1957, 35-61 (teilw. auch in: ders., Études sur l'Épître aux Romains, AnB 120, Rom 1989, 89-106).

Lyonnet, S., Propter remissionem praecedentium delictorum (Rom 3,25), VD 28, 1950, 282-287.

Lyonnet, S. / Sabourin, L., Sin, Redemption, and Sacrifice. A Biblical and Patristical Study, AnB 48, Rom 1970.

Maass, F., Art. כפר, THAT I, 842-857.

Mackay, J.R., Romans III.26, ET 32, 1920/21, 329-330.

Macquarrie, J., Demonology and the Classic Idea of Atonement, ET 68, 1956/57, 3-6. 60-63.

Maier, J., Vom Kultus zur Gnosis. Bundeslade, Gottesthron und Märkabah, Salzburg 1964.

Maier, J., Die Hofanlagen im Tempel-Entwurf des Ezechiel im Licht der "Tempelrolle" von Qumran, in: J.A. Emerton, Hrsg., Prophecy (FS G. Fohrer), Berlin u.a. 1980, 55-67.

Maier, W.A., Paul's Concept of Justification, and Some Recent Interpretations of Romans 3:21-31, The Springfielder 37, 1974, 248-264.

Manson, T.W., ἹΛΑΣΤΗΡΙΟΝ, JTS 46, 1945, 1-10.

Marshall, I.H., The Meaning of "Reconciliation", in: R.A. Guelich, Hrsg., Unity and Diversity in New Testament Theology (Essays in Honor of G. E. Ladd), Grand Rapids (Michigan) 1978, 117-132.

Martin-Achard, R., Essai biblique sur les fêtes d'Israel, Genf 1974.

Marx, A., Sacrifice pour les péchés ou rite de passage? Quelques réflexions sur la fonction du HATTAT, RB 96, 1989, 27-48.

Marxsen, W., Erwägungen zum Problem des verkündigten Kreuzes, NTS 8, 1961/62, 204-214.

McCarthy, D.J., The Symbolism of Blood and Sacrifice, JBL 88, 1969, 166-176.

McKelvey, R.J., The New Temple. The Church in the New Testament, OTM 3, Oxford 1969.

McRay, J., Atonement and Apocalyptic in the Book of Hebrews, RestQ 23, 1980, 1-9.

Meagher, J.C., John 1,14 and the New Temple, JBL 88, 1969, 57-88.

Médebielle, A., Art. Expiation, in: DBS III, 1938, 1-262.

Meecham, H.G., Romans III.25f., IV.25 - the Meaning of διά c. acc., ET 50, 1938/39, 564.

Mell, U., Neue Schöpfung. Eine traditionsgeschichtliche und exegetische Studie zu einem soteriologischen Grundsatz paulinischer Theologie, BZNW 56, Berlin u.a. 1989.

Merk, O., Handeln aus Glauben. Die Motivierungen der paulinischen Ethik, MThSt 5, Marburg 1968.

Merklein, H., Der Sühnetod Jesu nach dem Zeugnis des Neuen Testaments, in: H.P. Heinz / K. Kienzler / J.J. Petuchowski, Hrsg., Versöhnung in der jüdischen und christlichen Liturgie, QD 124, Freiburg u.a. 1990, 155-183.

Merklein, H., Der Tod Jesu als stellvertretender Sühnetod. Entwicklung und Gehalt einer zentralen neutestamentlichen Aussage, BiKi 41, 1986, 68-75 (auch in: ders., Studien zu Jesus und Paulus, WUNT 43, Tübingen 1987, 181-191; zit.: Merklein, Stellvertretender Sühnetod).

Merklein, H., Die Bedeutung des Kreuzestodes Christi für die paulinische Gerechtigkeits- und Gesetzesthematik, in: ders., Studien, 1-106.

Merklein, H., Jesu Botschaft von der Gottesherrschaft. Eine Skizze, SBS 111, Stuttgart 1983.

Meyer, B.F., The Pre-Pauline Formula in Rom 3,25-26a, NTS 29, 1983, 198-208.

Meyer, R. / Hauck, F., Art. καθαρός κτλ., ThWNT III, 416-434.

Michaelis, W., Art. ὁδός κτλ., ThWNT V, 42-118.

Michaelis, W., Art., σκηνή κτλ., ThWNT VII, 369-396.

Michel, O., Art. ναός, ThWNT IV, 884-895.

Middendorp, Th., Die Stellung Jesu ben Siras zwischen Judentum und Hellenismus, Leiden 1973.

Mildenberger, F., Zum Karfreitag (3. Mose 16), in: Festtagspredigten über alttestamentliche Texte, Neukirchen 1963, 58-71.

Milgrom, J., כפר על/בעד, Lesonenu 35, 1970, 16-17.

Milgrom, J., Art. Atonement, Day of, IDB Suppl., Nashville, 1976, 82f.

Milgrom, J., Studies in Cultic Theology and Terminology, SJLA 36, Leiden 1983.

Milgrom, J., The Modus Operandi of the Hatta't: A Rejoinder, JBL 109, 1990, 111-113.

Minde, H.-J. van der, Schrift und Tradition bei Paulus. Ihre Bedeutung und Funktion im Römerbrief, Paderborner Theologische Studien 3, Paderborn u.a. 1976.

Minear, P.S., The Truth About Sin and Death, Interp 7, 1953, 142-155.

Mollaun, R.A., St. Paul's Concept of ἹΛΑΣΤΗΡΙΟΝ According to Rom. III,25. An Historico-Exegetical Investigation, Washington 1923.

Moloney, F.J., Reading John 2:13-22: The Purification of the Temple, RB 97, 1990, 432-452.

Moore, J.F., Judaism in the First Centuries of the Christian Era and the Age of the Tannaim I-III, Cambridge (Mass.) 1967[7].

Moraldi, L., Art. Expiation, in: Dictionnaire de Spiritualité IV, 1961, 2026-2046.

Moraldi, L., Espiazione nell'Antico e nel Nuovo Testamento, RivBib 9, 1961, 289-304; RivBib 10, 1962, 3-17.

Moraldi, L., Sensus vocis ἱλαστήριον in R. 3,25, VD 26, 1948, 256-276.

Morison, J., A Critical Exposition of the Third Chapter of Paul's Epistle to the Romans. A Monograph, London 1866.

Morris, L., The Apostolic Preaching of the Cross, London 1955.

Morris, L., The Atonement. Its Meaning and Significance, Leicester 1983.

Morris, L., The Day of Atonement and the Work of Christ, RTR 14, 1955, 9-19.

Morris, L., The Meaning of ἹΛΑΣΤΗΡΙΟΝ in Romans III.25, NTS 2, 1955, 33-43.

Morris, L., The Use of ἱλάσκεσθαι etc. in Biblical Greek, ET 62, 1950/51, 227-233.

Moule, C.F.D., Sanctuary and Sacrifice in the Church of the New Testament, JTS 1, 1950, 29-41.

Müller C., Gottes Gerechtigkeit und Gottes Volk, FRLANT 86, Göttingen 1964.

Müller, K., Gesetz und Gesetzeserfüllung im Frühjudentum, in: Kertelge, Hrsg., Gesetz, 11-27.

Müller, K., Möglichkeit und Vollzug jüdischer Kapitalgerichtsbarkeit im Prozeß gegen Jesus von Nazaret, in: Kertelge, Hrsg., Prozeß gegen Jesus, 41-83.

Müller, P.-G., Art. φανερόω, EWNT III, 988-991.

Müller, U.B., Zur Rezeption gesetzeskritischer Jesusüberlieferung im frühen Christentum, NTS 27, 1981, 158-185.

Mundle, W., Der Glaubensbegriff des Paulus. Eine Untersuchung zur Dogmengeschichte des ältesten Christentums, Darmstadt 1977 (= Leipzig 1934).

Neudorfer, H.-W., Der Stephanuskreis in der Forschungsgeschichte seit F.C. Baur, TVG 309, Giessen u.a. 1983.

Neugebauer, F., In Christus. Eine Untersuchung zum paulinischen Glaubensverständnis, Göttingen 1961.

Neusner, J., Das pharisäische und talmudische Judentum, TSAJ 4, Tübingen 1984.

Neusner, J., Emergant Rabbinic Judaism in a Time of Crisis. Four Responses to the Destruction of the Second Temple, in: Judaism 21, 1972, 313-327 (auch in: ders., Early Rabbinic Judaism, Leiden 1975, 34-49).

Neusner, J., Geschichte und rituelle Reinheit im Judentum des 1. Jahrhunderts n.Chr., Kairos 21, 1979, 119-132.

Neusner, J., The Absoluteness of Christianity and the Uniqueness of Judaism, Interp 43, 1989, 18-31.

Neusner, J., The Idea of Purity in Ancient Judaism, SJLA 1, Leiden 1973.

Neusner, J., Torah und Messias, Jud 33, 1977, 30-35.117-126.

Nickelsburg, G.W.E., Apocalyptic and Myth in 1 Enoch 6-11, JBL 96, 1977, 383-405.

Nickelsburg, G.W.E., Jewish Literature Between the Bible and the Mishnah. A Historical and Literary Introduction, Philadelphia 1981.

Nicole, R.R., "Hilaskesthai" Revisited, EQ 49, 1977, 173-177.

Nicole, R.R., C.H. Dodd and the Doctrine of Propitiation, WThJ 17, 1955, 117-157.

Nissilä, K., Das Hohepriestermotiv im Hebräerbrief. Eine exegetische Untersuchung, Schriften der finnischen exegetischen Gesellschaft 33, Helsinki 1979.

Nomoto, S., Herkunft und Struktur der Hohenpriestervorstellung im Hebräerbrief, NT 10, 1968, 10-25.

Norden, E., Agnostos Theos. Untersuchungen zur Formengeschichte religiöser Rede, Leipzig 1913 (= Darmstadt 1956).

Nygren, A., Christus der Gnadenstuhl, in: W. Schmauch, Hrsg., In Memoriam Ernst Lohmeyer, Stuttgart 1951, 89-93.

Oberlinner, L., Todeserwartung und Todesgewißheit Jesu. Zum Problem einer historischen Begründung, SBB 10, Stuttgart 1980.

Oesch, J.M., Das Kreuz als Zeichen der Versöhnung, BiLi 56, 1983, 36-39.

Olitzki, M., Flavius Josephus und die Halacha I, Berlin 1885.

Ormann, G., Das Sündenbekenntnis des Versöhnungstages, sein Aufbau und seine Entwicklung, in Verbindung mit Geniza-Texten untersucht, Frankfurt 1934.

Ortkemper, F.-J., Das Kreuz in der Verkündigung des Apostels Paulus. Dargestellt an den Texten der paulinischen Hauptbriefe, SBS 24, Stuttgart 1967.

Osten-Sacken, P. von der, Christologie - Taufe - Homologie. Ein Beitrag zur Apoc Joh 1,5f, ZNW 58, 1967, 255-266.

Osten-Sacken, P. von der, Römer 8 als Beispiel paulinischer Soteriologie, FRLANT 112, Göttingen 1975.

Otto, E., Fest und Freude im Alten Testament, in: E. Otto / T. Schramm, Fest und Freude. Biblische Konfrontationen, Stuttgart u.a., 1977, 9-76.

Patai, R., Man and Temple in Ancient Jewish Myth and Ritual, New York 1967[2].

Patsch, H., Abendmahl und historischer Jesus, CThM 1, Stuttgart 1972.

Pax, E., Der Loskauf. Zur Geschichte eines neutestamentlichen Begriffes, Anton 37, 1962, 239-278.

Penna, R., Il sangue di Cristo nelle lettere paoline, in: F. Vattioni, Hrsg., Sangue e Antropologia Biblica I (Centro Studi Sanguis Christi 2), Rom 1981, 789-814.

Percy, E., Die Probleme der Kolosser- und Epheserbriefe, ARSHLL 39, Lund 1946.

Perlitt, L., Bundestheologie im Alten Testament, WMANT 36, Neukirchen 1969.

Pesch, R., Das Abendmahl und Jesu Todesverständnis, in: Kertelge, Hrsg., Tod Jesu, 137-187.

Pesch, R., Naherwartungen. Tradition und Redaktion in Mk 13, Düsseldorf 1968.

Péter, R., L'imposition des mains dans l'Ancien Testament, VT 27, 1977, 48-55.

Petuchowski, J.J., The Concept of "Teshuvah" in the Bible and the Talmud, Jdm 17, 1968, 175-185.

Piper, J., The Demonstration of Righteousness of God in Romans 3:25,26, JSNT 7, 1980, 2-32.

Pluta, A., Gottes Bundestreue. Ein Schlüsselbegriff in Röm 3,25a, SBS 34, Stuttgart 1969.

Pokorný, P., Die Entstehung der Christologie. Voraussetzungen einer Theologie des Neuen Testamentes, Berlin 1984 (= Stuttgart 1985).

Price, J.L., God's Righteousness shall Prevail, Interp 28, 1974, 259-280.

Procksch, O. / Büchsel, F., Art. λύω κτλ., ThWNT IV, 329-359.

Prümm, K., Zur Struktur des Römerbriefes, ZkTh 72, 1950, 333-349.

Quell, G. / Bertram, G. / Stählin, G. / Grundmann, W., Art. ἁμαρτάνω κτλ., ThWNT I, 267-320.

Quell, G. / Schrenk, G., Art. δίκη κτλ., ThWNT II, 176-229.

Rad, G. von, Theologie des Alten Testaments I.II, München 1969[6].1975[6].

Randall, E.L., The Altar of Hebrews 13,10, ACR 46, 1969, 197-208.

Rath, M. (Wolfgang), De Conceptu 'Paresis' in Epistola ad Rom (3,25), Diss. masch. Jerusalem 1965.

Reader, W.W., Die Stadt Gottes in der Johannesapokalypse, Diss. masch., Göttingen 1971.

Rendtorff, R., Die Gesetze in der Priesterschrift. Eine gattungsgeschichtliche Untersuchung, FRLANT 44, Göttingen 1963[2].

Rendtorff, R., Studien zur Geschichte des Opfers im Alten Israel, WMANT 24, Neukirchen 1967.

Rengstorf, K.H., Art. στέλλω κτλ., ThWNT VII, 588-599.

Rengstorf, K.H., Hrsg., Das Paulusbild in der neueren deutschen Forschung, WdF 24, Darmstadt 1982.

Rese, M., Überprüfung einiger Thesen von Joachim Jeremias zum Thema des Gottesknechtes im Judentum, ZThK 60, 1963, 21-41.

Reumann, J., The Gospel of the Righteousness of God, Interp 20, 1966, 432-452.

Reventlow, H. Graf, Rechtfertigung im Horizont des Alten Testaments, BEvTh 58, München 1971.

Ridderbos, H., Paulus. Ein Entwurf seiner Theologie, Wuppertal 1979.

Riggenbach, E., Der große Versöhnungstag der Juden, in: ders., Bibelglaube und Bibelforschung, Neukirchen o.J. [1909], 49-67.

Rissi, M., Die Theologie des Hebräerbriefes, WUNT 41, Tübingen 1987.

Ritschl, A., Die christliche Lehre von der Rechtfertigung und Versöhnung II: Der biblische Stoff der Lehre, 1900[4].

Rivière, J., Expiation et rédemption dans l'Ancien Testament, BLE 47, 1946, 3-22.

Robeck, C.M. Jr., What is the Meaning of HILASTERION in Romans 3:25?, in: Studia biblica et theologica. Essays by the Students of the Fuller Theological Seminary 4, 1974, 21-36.

Roberts, J.H., Righteousness in Romans with Special Reference to Romans 3:19-31, Neotestamentica (Stellenbosch) 15, 1981/82, 12-33.

Robinson, J.A.T., Wrestling with Romans, Philadelphia 1979.

Roloff, J., Anfänge der soteriologischen Deutung des Todes Jesu (Mk. X. 45 und Lk. XXII.27), NTS 19, 1973/74, 38-64 (auch in: ders., Exegetische Verantwortung in der Kirche. Aufsätze, hrsg. von M. Karrer, Göttingen 1990, 117-143).

Roloff, J., Art. θυσιαστήριον, EWNT II, 405-407.

Roloff, J., Art. ἱλαστήριον, EWNT II, 455-457.

Roloff, J., Das Kerygma und der irdische Jesus. Historische Motive in den Jesuserzählungen der Evangelien, Göttingen 1970.

Roloff, J., Kritische Überlegungen zur gegenwärtigen Diskussion um das Kreuz Jesu, in: Fuldaer Hefte 20, Berlin Hamburg 1970, 51-84.

Roloff, J., Neues Testament, (Neukirchener Arbeitsbücher) Neukirchen 1985[4] (zit.: Roloff, Arbeitsbuch).

Romaniuk, K., Il valore salvifico del sangue di Cristo nella teologia di San Paolo, in: F. Vattioni, Hrsg., Sangue e Antropologia Biblica II (Centro Studi Sanguis Christi 1), Rom 1981, 771-788.

Rossi, B., Struttura Rom 1,1-11,36, SBFLA (Jerusalem) 38, 1988, 59-133.

Rost, L., Einleitung in die alttestamentlichen Apokryphen und Pseudepigraphen einschließlich der großen Qumran-Handschriften, Heidelberg Wiesbaden 1985[3].

Rost, L., Studien zum Opfer im Alten Israel, BWANT 113, Stuttgart u.a. 1981.

Rost, L., Art. Versöhnungstag, BHH III, 2098.

Sabourin, L., Rédemption sacrificielle. Une Enquête Exégétique, Studia 11, Montréal 1961.

Safrai, S., Die Wallfahrt im Zeitalter des Zweiten Tempels, Forschungen zum jüd.-christl. Dialog 3, Neukirchen 1981.

Safrai, S., Der Versöhnungstag in Tempel und Synagoge, in: H.P. Heinz / K. Kienzler / J.J. Petuchowski, Hrsg., Versöhnung in der jüdischen und christlichen Liturgie, QD 124, Freiburg u.a. 1990, 32-55.

Safrai, S., The Temple and the Devine Service, in: M. Avi-Jonah u.a., Hrsg., World History I.7, 282-385.

Safrai, S. u.a. Hrsg., The Jewish People in the First Century, CRI I.2, Assen Amsterdam 1976. Darin: Safrai, S., The Temple, 865-907; The Synagogue, 908-944.

Sanders, E.P., Paul and Palestinian Judaism. A Comparison of Patterns of Religion, London Philadelphia 1977 (deutsch: Paulus und das palästinische Judentum. Ein Vergleich zweier Religionsstrukturen, StUNT 17, Göttingen 1985).

Sanders, E.P., Jesus and Judaism, London 1987[2].

Sanders, E.P., Paul, the Law, and the Jewish People, Philadelphia 1983.

Sansom, M.C., Laying On of Hands in the Old Testament, ET 94, 1982, 323-326.

Saunders, L., "Outside the Camp": Hebrews 13, RestQ 22, 1979, 19-24.

Schäfer, P., Die Torah der messianischen Zeit, ZNW 65, 1974, 27-42.

Schäfer, P., Tempel und Schöpfung. Zur Interpretation einiger Heiligtumstraditionen in der rabbinischen Literatur, Kairos 16, 1974, 122-133 (auch in: ders., Studien zur Geschichte und Theologie des rabbinischen Judentums, AGJU 15, Leiden 1978, 122-133).

Schäfer, P., Zur Geschichtsauffassung des rabbinischen Judentums, JSS 6, 1975, 167-188.

Scharbert, J., Formgeschichte und Exegese von Ex 34,6f und seiner Parallelen, Bib 38, 1957, 130-150.

Scheftelowitz, I., Das stellvertretende Huhnopfer. Mit besonderer Berücksichtigung des jüdischen Volksglaubens, RVV 14.3, Gießen 1914.

Schelkle, K.H., Paulus, EdF 152, Darmstadt 1981.

Schenk, W., Der Passionsbericht nach Markus. Untersuchungen zur Überlieferungsgeschichte der Passionstraditionen, Gütersloh 1974.

Schenker, A., Was ist ein *kofär*? Der Zusammenhang zwischen zivilrechtlicher Kofär-Zahlung und kultischer Sühnung, in: X. Kongreß der International Organization for the Study of the O.T., Wien 1980, Short Communications: Abstracts, 27.

Schenker, A., Versöhnung und Sühne. Wege gewaltfreier Konfliktlösung im Alten Testament mit einem Ausblick auf das Neue Testament, BB NF 15, Freiburg (CH) 1981.

Schenker, A., *koper* et expiation, Bib 63, 1982, 32-46.

Schenker, A., Que signifie le mot כפר?, Bib 63, 1982, 32-46.

Schierse, F.J., Verheißung und Heilsvollendung. Zur theologischen Grundfrage des Hebräerbriefes, MThS.H I.9, München 1955.

Schille, G., Frühchristliche Hymnen, Berlin 1965.

Schläger, D., Bemerkungen zu πίστις Ἰησοῦ Χριστοῦ, ZNW 7, 1906, 356-358.

Schlatter, A., Jochanan Ben Zakkai, der Zeitgenosse der Apostel, BFchTh III.4, Gütersloh 1899.

Schlier, H., Art. ἀνέχω κτλ., ThWNT I, 360-361.

Schlier, H., Doxa bei Paulus als heilsgeschichtlicher Begriff, in: Studiorum Paulinorum Congressus Internationalis Catholicus 1961, Rom 1963, AnB 17-18 Bd. 1, 45-56 (auch in: ders., Besinnung auf das Neue Testament. Exegetische Aufsätze und Vorträge II, Freiburg u.a. 1967[2], 307-318).

Schlier, H., Grundzüge einer paulinischen Theologie, Freiburg u.a. 1979[2].

Schlosser, J., La parole de Jésus sur la fin du temple, NTS 36, 1990, 398-414.

Schmitt, R., Gottesgerechtigkeit - Heilsgeschichte - Israel in der Theologie des Paulus, Frankfurt 1984 (EHS XXIII.240).

Schmitz, O., Die Opferanschauungen des späteren Judentums und die Opferaussagen des Neuen Testaments, Tübingen 1910.

Schmoller, A., Das Wesen der Sühne in der alttestamentlichen Opfertora, ThStKr 64, 1891, 217-245.

Schnackenburg, R., Die sittliche Botschaft des Neuen Testaments II, HthK Suppl. II, Freiburg u.a. 1988.

Schnackenburg, R. (mit Teilbeiträgen von O. Knoch und W. Breuning), Ist der Gedanke des Sühnetodes Jesu der einzige Zugang zum Verständnis unserer Erlösung durch Jesus Christus?, in: Kertelge, Hrsg., Tod Jesu, 205-230.

Schneider, G., Das Verfahren gegen Jesus in der Sicht des dritten Evangeliums (Lk 22,54-23,25). Redaktionskritik und historische Rückfrage, in: Kertelge, Hrsg., Prozeß gegen Jesus, 111-130.

Schnelle, U., Gerechtigkeit und Christusgegenwart. Vorpaulinische und paulinische Tauftheologie, GTA 24, Göttingen (1983) 1986[2].

Schnider, F. / Stenger, W., Johannes und die Synoptiker. Vergleich ihrer Parallelen, München 1971.

Schoeps, H.J., Paulus als Rabbinischer Exeget, in: ders., Aus frühchristlicher Zeit. Religionsgeschichtliche Untersuchungen, Tübingen 1950, 221-238.

Schoeps, H.J., The Sacrifice of Isaac in Paul's Theology, JBL 65, 1946, 385-392.

Schrage, W., Das Verständnis des Todes Jesu Christi im Neuen Testament, in: F. Viering, Hrsg., Das Kreuz Jesu Christi als Grund des Heils, Gütersloh 1968[2], 45-87.

Schrage, W., Röm 3,21-26 und die Bedeutung des Todes Jesu Christi bei Paulus, in: Paul Rieger, Hrsg., Das Kreuz Jesu, Forum 12, Göttingen 1969, 65-88.

Schrenk, G., Art. ἱερός κτλ., ThWNT III, 221-284.

Schröger, F., Der Verfasser des Hebräerbriefes als Schriftausleger, BU 4, Regensburg 1968.

Schüngel-Straumann, H., Tod und Leben in der Gesetzesliteratur des Pentateuch unter besonderer Berücksichtigung der Terminologie von "töten", Diss. masch. Bonn 1969.

Schüpphaus, J., Die Psalmen Salomos. Ein Zeugnis Jerusalemer Theologie und Frömmigkeit in der Mitte des vorchristlichen Jahrhunderts, ALGHJ 7, Leiden 1977.

Schürer, E., The History of the Jewish People in the Age of Jesus Christ (175 B.C.-A.D. 135). A New English Version rev. and ed. by G. Vermes / F. Millar / M. Goodman III.1, Edinburgh 1986.

Schürmann, H., Jesu Todesverständnis im Verstehenshorizont seiner Umwelt, ThGl 70, 1980, 141-160 (auch in: ders., Gottes Reich - Jesu Geschick. Jesu ureigener Tod im Licht seiner Basileia-Verkündigung, Freiburg u.a. 1983, 225-245).

Schürmann, H., Jesu ureigenes Todesverständnis, in: ders., Gottes Reich - Jesu Geschick. Jesu ureigener Tod im Licht seiner Basileia-Verkündigung, Freiburg u.a. 1983, 185-223 (zit.: Schürmann, Gottes Reich).

Schürmann, H., Wie hat Jesus seinen Tod bestanden und verstanden? Eine methodenkritische Besinnung, in: Jesu ureigener Tod. Exegetische Besinnungen und Ausblick, Freiburg 1975, 16-65.

Schüssler-Fiorenza, E., Priester für Gott. Studien zum Herrschafts- und Priestermotiv in der Apokalypse, NTA NF 7, Münster 1972.

Schulz, S., Der historische Jesus. Bilanz der Fragen und Lösungen, in: G. Strecker, Hrsg., Jesus Christus in Historie und Theologie (FS H. Conzelmann), Tübingen 1975, 3-25.

Schulz, S., Zur Rechtfertigung aus Gnaden in Qumran und bei Paulus, ZThK 56, 1959, 155-185.

Schulz, S., Q. Die Spruchquelle der Evangelisten, Zürich 1972.

Schur, I., Versöhnungstag und Sündenbock, SSF CHL VI.3, Helsingfors 1934/35.

Schwartz, D.R., Priestertum, Tempel, Opferkult: Gegnerschaft und Vergeistigung in der Spätzeit des Zweiten Tempels (hebräisch), Jerusalem, 1979 (deutsche Zusammenfassung in: Hebräische Beiträge zur Wissenschaft des Judentums deutsch angezeigt, Jgg. I/1985, 2-7, Heidelberg 1985).

Schwartz, D.R., Two Pauline Allusions to the Redemptive Mechanism of the Crucifixion, JBL 102, 1983, 259-268.

Schweizer, E., Die "Mystik" des Sterbens und Auferstehens mit Christus bei Paulus, EvTh 26, 1966, 239-257.

Schweizer, E., Erniedrigung und Erhöhung bei Jesus und seinen Nachfolgern, AThANT 28, Zürich 1962[2].

Scott, C.A., Christianity According to Paul, Cambridge 1939.

Seidensticker, P., Lebendiges Opfer (Röm 12,1). Ein Beitrag zur Theologie des Apostels Paulus, NTA 20, Münster 1954.

Sharp, D.S., For Our Justification, ET 39, 1927/28, 87-90.

Siegel, S., Sin and Atonement, in: M.H. Tannenbaum, Hrsg., Evangelicals and Jews in an Age of Pluralism, Grand Rapids (Michigan) 1984, 183-195.

Siegman, E.F., The Blood of Christ in St. Paul's Soteriology, in: M.R. Ryan, Hrsg., Contemporary New Testament Studies, Collegeville 1965, 359-374.

Sjöberg, E., Gott und die Sünder im palästinischen Judentum nach dem Zeugnis der Tannaiten und der apokryphisch-pseudepigrahischen Literatur, BWANT 79, Stuttgart 1939.

Smith, C.R, The Bible Doctrine of Salvation. A Study of the Atonement, London 1946[2].

Smith, C.R, The Bible Doctrine of Sin and of the Ways of God with Sinners, London 1953.

Spieckermann, H., "Barmherzig und gnädig ist der Herr ...", ZAW 102, 1990, 1-18.

Staimer, E., Wollte Gott, daß Jesus starb? Jesu erlösender Weg zum Tod, München 1983.

Stamm, J.J., Erlösen und Vegeben im Alten Testament. Eine begriffsgeschichtliche Untersuchung, Bern 1940.

Stauffer, E., Die Theologie des Neuen Testaments, Stuttgart 1947[3].

Steck, O.H., Israel und das gewaltsame Geschick der Propheten. Untersuchungen zur Überlieferung des deuteronomistischen Geschichtsbildes im Alten Testament, Spätjudentum und Urchristentum, WMANT 23, Neukirchen 1967.

Steck, O.H., Strömungen theologischer Tradition im Alten Israel, in: O.H. Steck, Hrsg., Zu Tradition und Theologie im Alten Testament, BThSt 2, Neukirchen 1978, 27-56.

Stecker, A., Formen und Formeln in den paulinischen Hauptbriefen und den Pastoralbriefen, Diss. masch. Münster 1966.

Stegemann, E., Zur Tempelreinigung im Johannesevangelium, in: E. Blum u.a., Hrsg., Die Hebräische Bibel und ihre zweifache Nachgeschichte (FS R. Rendtorff), Neukirchen 1990, 503-516.

Stegemann, H., "Das Land" in der Tempelrolle und in anderen Texten aus den Qumranfunden, in: G. Strecker, Hrsg., Das Land Israel in biblischer Zeit. Jerusalem-Symposium 1981, GTA 25, Göttingen 1981, 154-171.

Stott, W., The Conception of 'Offering' in the Epistle to the Hebrews, NTS 9, 1962/63, 62-67.

Stramare, T., Romani 3,24-26: vetta inviolabile della teologia paolina, in: F. Vattioni, Hrsg., Sangue e Antropologia Nella Letteratura Cristiana II (Centro Studi Sanguis Christi 3), Rom 1983, 799-827.

Strathmann, H., Art. μαρτύς κτλ., ThWNT IV, 477-520.

Strecker, G., Befreiung und Rechtfertigung, in: J. Friedrich u.a., Hrsg., Rechtfertigung (FS E. Käsemann), Göttingen 1976, 479-508 (auch in: ders., Eschaton und Historie, Göttingen 1979, 229-259).

Strobel, A., Das jerusalemische Sündenbock-Ritual. Topographische und landeskundliche Erwägungen zur Überlieferungsgeschichte von Lev. 16,10.21f., ZDPV 103, 1987, 141-168.

Strobel, A., Die Deutung des Todes Jesu im ältesten Evangelium, in: P. Rieger, Hrsg., Das Kreuz Jesu, Forum 12, Göttingen 1969, 32-64.

Strobel, A., Die Stunde der Wahrheit. Untersuchungen zum Strafverfahren gegen Jesus, WUNT 21, Tübingen 1980.

Strobel, A., Erkenntnis und Bekenntnis der Sünde in neutestamentlicher Zeit, AzTh 37, Stuttgart 1968.

Strobel, A., Untersuchungen zum eschatologischen Verzögerungsproblem auf Grund der spätjüdisch-urchristlichen Geschichte von Habakuk 2,2ff, NT.S 2, Leiden Köln 1961.

Strobel, A., Ursprung und Geschichte des frühchristlichen Osterkalenders, TU 121, Berlin 1977.

Stuhlmacher, P., "Das Ende des Gesetzes". Über Ursprung und Ansatz der paulinischen Theologie, ZThK 67, 1970, 14-39 (auch in: ders., Versöhnung, 166-191).

Stuhlmacher, P., Das Gesetz als Thema biblischer Theologie, ZThK 75, 1978, 251-280 (auch in: ders., Versöhnung, 136-165).

Stuhlmacher, P., Das paulinische Evangelium, in: P. Stuhlmacher, Hrsg., Das Evangelium und die Evangelien, WUNT 28, Tübingen 1983, 157-182.

Stuhlmacher, P., Existenzstellvertretung für die Vielen: Mk 10,45 (Mt 20,28), in: R. Albertz u.a., Hrsg., Werden und Wirken des Alten Testaments (FS C. Westermann), Neukirchen 1980, 412-427 (auch in: ders., Versöhnung, 27-42).

Stuhlmacher, P., Gerechtigkeit Gottes bei Paulus, FRLANT 87, Göttingen 1965.

Stuhlmacher, P., Jesus als Versöhner. Überlegungen zum Problem der Darstellung Jesu im Rahmen einer biblischen Theologie, in: G.Strecker, Hrsg., Jesus Christus in Historie und Theologie (FS H. Conzelmann), Tübingen 1975, 87-104 (auch in: ders., Versöhnung, 9-26).

Stuhlmacher, P., Sühne oder Versöhnung? Randbemerkungen zu G. Friedrichs Studie: 'Die Verkündigung des Todes Jesu im Neuen Testament', in: H. Weder / U. Luz, Hrsg., Die Mitte des Neuen Testaments (FS E. Schweizer), Göttingen 1983, 291-316.

Stuhlmacher, P., Theologische Probleme gegenwärtiger Paulusinterpretation, ThLZ 98, 1973, 721-732.

Stuhlmacher, P., Versöhnung, Gesetz und Gerechtigkeit. Aufsätze zur biblischen Theologie, Göttingen 1981. Darin:
- Die neue Gerechtigkeit in der Jesusverkündigung, 43-65.
- Jesu Auferweckung und die Gerechtigkeitsanschauung der vorpaulinischen Missionsgemeinden, 66-86 (zit.: Stuhlmacher, Gerechtigkeitsanschauung vor Paulus).
- Die Gerechtigkeitsanschauung des Apostels Paulus, 87-116.

Stuhlmacher, P., Vom Verstehen des Neuen Testaments. Eine Hermeneutik, NTD Erg. 6, Göttingen 1979.

Stuhlmacher, P., Zur neueren Exegese von Röm 3,24-26, in: E.E. Ellis u.a., Hrsg., Jesus und Paulus (FS W.G. Kümmel), Tübingen 1975, 315-333 (auch in: ders., Versöhnung, 117-135).

Stuhlmacher, P., Zur paulinischen Christologie, ZThK 74, 1977, 449-463 (auch in: ders., Versöhnung, 209-223).

Stuhlmann, R., Das eschatologische Maß im Neuen Testament, FRLANT 132, Göttingen 1983.

Talbert, C.H., A Non-Pauline-Fragment at Rom 3:24-26?, JBL 85, 1966, 287-296.

Tarragon, J.M. de, La Kapporet est-elle une fiction ou un élément du culte tardif?, RB 88, 1981, 5-12.

Taylor, V., Great Texts Reconsidered, ET 50, 1938/39, 295-300.

Taylor, V., Jesus and his Sacrifice. A Study of the Passion-Sayings in the Gospels, London 1959.

Taylor, V., The Atonement in New Testament Teaching, London 1945[2].

Theißen, G., Die Tempelweissagung Jesu. Prophetie im Spannungsfeld von Stadt und Land, in: ders., Studien zur Soziologie des Urchristentums, WUNT 19, Tübingen 1979, 142-159.

Theißen, G., Soteriologische Symbolik in den paulinischen Schriften. Ein strukturalistischer Beitrag, KuD 20, 1974, 282-304.

Theißen, G., Untersuchungen zum Hebräerbrief, StNT 2, Gütersloh 1969.

Theobald, M., Das Gottesbild des Paulus nach Röm 3,21-31, SNTU 6/7, 1981/2, 131-168.

Thompson, R.W., Paul's Double Critique of Jewish Boasting. A Study of Rom 3,27 in its Context, Bib 67, 1986, 520-531.

Thompson, R.W., The Inclusion of the Gentiles in Rom 3,27-30, Bib 69, 1988, 543-546.

Thornton, T.C.G., Propitiation or Expiation? ET 80, 1968/69, 53-55.

Thornton, T.C.G., The Meaning of αἱματεχχυσία in Heb. IX.22, JTS 15, 1964, 63-65.

Thurén, J., Das Lobopfer der Hebräer. Studien zum Aufbau und Anliegen von Hebräerbrief 13, AAAbo 47, Åbo 1973.

Thüsing, W., Per Christum in Deum. Studien zum Verhältnis von Christozentrik und Theozentrik in den paulinischen Hauptbriefen, NTA NF 1, Münster 1969[2].

Thyen, H., Studien zur Sündenvergebung im Neuen Testament und seinen alttestamentlichen und jüdischen Voraussetzungen, FRLANT 96, Göttingen 1970.

Toivanen, A., Die Wortfamilie "DIKAIOSYNE" in den paulinischen Briefen, in: K.H. Rengstorf, Hrsg., Theokratia. Jahrbuch des IJD III (1973-75), Leiden 1979, 68-80.

Trautmann, M., Zeichenhafte Handlungen Jesu. Ein Beitrag zur Frage nach dem geschichtlichen Jesus, fzb 37, Würzburg 1980.

Treiyer, A., Le Jour des Expiations et la Purification du Sanctuaire, Diss. masch. Strasbourg 1982.

Trocmé, É., L'Expulsion des Marchands du Temple, NTS 15, 1968/69, 1-22.

Turrettin, F., The Atonement of Christ, Translated by J.R. Willson, Grand Rapids (Michigan) 1978.

Vanhoye, A., Il sangue di Cristo nell'Epistola agli Ebrei, in: F. Vattioni, Hrsg., Sangue e Antropologia Biblica I (Centro Studi Sanguis Christi 2), Rom 1981, 819-830.

Vanhoye, A., La structure littéraire de l'Épître aux Hébreux, Paris 1976².

Vanhoye, A., Literarische Struktur und theologische Botschaft des Hebräerbriefes I, StNTU 4, 1979, 119-147 (zit.: Vanhoye, Botschaft).

Vaux, R. de, Ancient Israel. Its Life and Institutions, London 1962.

Vaux, R. de, Das Alte Testament und seine Lebensordnungen I.II, Freiburg u.a. 1964².1962.

Vaux, R. de, Les Sacrifices de l'Ancien Testament, Paris 1964.

Versnel, H.S., Quid Athenis et Hierosolymis? Bemerkungen über die Herkunft von Aspekten des 'effective death', in: J.W. van Henten u.a., Hrsg., Entstehung, 162-197.

Vielhauer, P., Paulus und das Alte Testament, in: ders., Oikodome. Aufs. z. NT 2, hrsg. v. G. Klein, ThB 65, München 1979, 196-228.

Viering, F., Hrsg., Das Kreuz Jesu als Grund des Heils, Gütersloh 1968².

Viering, F., Hrsg., Zur Bedeutung des Todes Jesu. Exegetische Beiträge, Gütersloh 1967.

Vogt, E., Untersuchungen zum Buch Ezechiel, AnB 95, Rom 1981.

Vögtle, A., Das markinische Verständnis der Tempelworte. in: H. Weder / U. Luz, Hrsg., Die Mitte der Schrift (FS E. Schweizer), Göttingen 1983, 362-383 (auch in: ders., Offenbarungsgeschehen und Wirkungsgeschichte. Neutestamentliche Beiträge, Freiburg 1985, 168-188).

Vögtle, A., Grundfragen der Diskussion um das heilsmittlerische Todesverständnis Jesu, in: ders., Offenbarungsgeschehen, 141-167.

Vögtle, A., Todesankündigungen und Todesverständnis Jesu, in: Kertelge, Hrsg., Tod Jesu, 51-113.

Völter, D., Die Verse Röm 3,22b-26 und ihre Stellung innerhalb der ersten Kapitel des Römerbriefes, ZNW 10, 1909, 180ff.

Voigt, S., "Estão Faltos da Glória de Deus" (Rm 3,23) - Ambivalencia no Pensar e Linguajar de Paulo, REB 47, 1987, 243-269.

Vollenweider, S., Freiheit als neue Schöpfung. Eine Untersuchung zur Eleutheria bei Paulus und in seiner Umwelt, FRLANT 147, Göttingen 1989.

Vollmer, H., Die Alttestamentlichen Zitate bei Paulus textkritisch und biblisch-theologisch gewürdigt nebst einem Anhang ueber das Verhältnis des Apostels zu Philo, Freiburg Leipzig 1895.

Volz, P., Die Eschatologie der jüdischen Gemeinde im neutestamentlichen Zeitalter, Tübingen 1934².

Vriezen, T.C., The Term Hizza: Lustration and Consecration, in: P.A.H. de Boer, Hrsg., Oudtestamentische Studiën VII, Leiden 1950, 201-235.

Walter, N., Tempelzerstörung und synoptische Apokalypse, ZNW 57, 1966, 38-49.

Watson, N.M., Justified by Faith; Judged by Works - an Antinomy?, NTS 29, 1982/83, 209-221.

Weber, F., Jüdische Theologie, auf Grund des Talmud und verwandter Schriften, hrsg. von F. Delitzsch u. G. Schnedermann, Leipzig 1897[2].

Weder, H., Das Kreuz Jesu bei Paulus. Ein Versuch, über den Geschichtsbezug des christlichen Glaubens nachzudenken, FRLANT 125, Göttingen 1981.

Wefing, S., Untersuchungen zum Entsühnungsritual am Großen Versöhnungstag (Lev 16), Diss. masch. Bonn 1979.

Wegenast, K., Das Verständnis der Tradition bei Paulus und in den Deuteropaulinen, WMANT 8, Neukirchen 1962.

Weiser, A., Der Tod Jesu und das Heil der Menschen, BiKi 41, 1986, 60-67.

Weiser, A., Zur Gesetzes- und Tempelkritik der "Hellenisten", in: Kertelge, Hrsg., Gesetz, 146-168.

Wengst, K., Art. Glaubensbekenntnis(se) IV. NT, TRE XIII, 392-399.

Wengst, K., Formeln und Lieder des Urchristentums, StzNT 7, Gütersloh 1972.

Wennemer, K., ΆΠΟΛΎΤΡΩΣΙΣ Römer 3,24-25a, in: Studiorum Paulinorum Congressus Internationalis Catholicus 1961, Rom 1963, AnB 17-18 Bd. 1, 283-288.

Wenschkewitz, H., Die Spiritualisierung der Kultusbegriffe Tempel, Priester und Opfer im Neuen Testament, Angelos 4, 1932, 70-230.

Westermann, C., Die Rolle der Klage in der Theologie des Alten Testaments, in: ders., Forschung am Alten Testament, Ges. Stud. II, ThB 55, München 1974, 250-268.

Westermann, C., Lob und Klage in den Psalmen, Göttingen 1977[5].

Westermann, C., Struktur und Geschichte der Klage im Alten Testament, in: ders., Forschung am Alten Testament, ThB 24, München 1964, 266-305.

Whiteley, D.E.H., The Theology of St. Paul, Philadelphia (1964) 1974[2].

Wichmann, W., Die Leidenstheologie, BWANT 53, Stuttgart 1930.

Wiencke, G., Paulus über Jesu Tod. Die Deutung des Todes Jesu bei Paulus und ihre Herkunft, Gütersloh 1939.

Wilckens, U., Christologie und Anthropologie im Zusammenhang der paulinischen Rechtfertigungslehre, ZNW 67, 1976, 64-82.

Wilckens, U., Zu Römer 3,21-4,25. Antwort an G. Klein, EvTh 24, 1964, 586-610.

Williams, S.K., Jesus' Death as Saving Event. The Background and Origin of a Concept, HThR, Harvard Dissertations in Religion 2, Missoula (Montana) 1975.

Williams, S.K., The "Righteousness of God" in Romans, JBL 99, 1980, 241-290.

Williamson, R., The Eucharist and the Epistle to the Hebrews, NTS 21, 1975, 300-312.

Wilson, W.E., Romans III.25,26, ET 29, 1917/18, 472-473.

Wolff, C., Jeremia im Frühjudentum und Urchristentum, TU 118, Berlin 1976.

Wolff, H.W., Jesaja 53 im Urchristentum, Berlin 1952[3] (= Giessen Basel 1984[4]).

Wolter, M., Art. παράπτωμα, EWNT III, 78.

Wolter, M., Rechtfertigung und zukünftiges Heil. Untersuchungen zu Röm 5,1-11, BZNW 43, Berlin 1978.

Wonneberger, R., Syntax und Exegese. Eine generative Theorie der griechischen Syntax, BET 13, Frankfurt u.a. 1979.

Woude, A.S. van der, De tempelrol van Qumran, Nederlands Theologisch Tijdschrift 34, 1980, 177-190.281-293.

Wright, N.T., The Meaning of περὶ ἁμαρτίας in Romans 8.3, Studia Biblica 1978: III, 453-459.

Young, F.M., Allegory and Atonement, ABR 35, 1987, 107-114.

Young, F.M., Sacrifice and the Death of Christ, Philadelphia 1975.

Young, F.M., The Use of Sacrificial Ideas in Greek Christian Writers from the New Testament to John Chrysostom, Patristic Monograph Series 5, Philadelphia 1979.

Young, F.M., Temple Cult and Law in Early Christianity. A Study in the Relationship between Jews and Christians in the Early Centuries, NTS 19, 1972/73, 325-338.

Young, N.H., 'Hilaskesthai' and Related Words in the New Testament, EQ 55, 1983, 169-176 (zit.: Young, 'Hilaskesthai').

Young, N.H., C.H. Dodd, "Hilaskesthai" and his Critics, EQ 48, 1976, 67-78 (zit.: Young, Critics).

Young, N.H., Did St. Paul Compose Romans III:24f.?, ABR 22, 1974, 23-32.

Ysebaert, J., Propitiation, Expiation and Redemption in Greek Biblical Terminology, in: Mélanges Christine Mohrmann, Utrecht 1973, 1-12.

Zeller, D., Der Zusammenhang von Gesetz und Sünde im Römerbrief, TZ 38, 1982, 193-212.

Zeller, D., Juden und Heiden in der Mission des Paulus. Studien zum Römerbrief, fzb 8, Würzburg 1973.

Zeller, D., Sühne und Langmut. Zur Traditionsgeschichte von Röm 3,24-26, ThPh 43, 1968, 51-75.

Ziesler, J.A., Salvation Proclaimed. IX. Romans 3,21-26, ET 92, 1982, 356-359.

Ziesler, J.A., The Meaning of Righteousness in Paul. A Linguistic and Theological Enquiry, MSSNTS 20, Cambridge 1972.

Zimmermann, H., Jesus Christus - Geschichte und Verkündigung, Stuttgart 1973 (zit.: Zimmermann, Geschichte).

Zimmermann, H., Jesus Christus, hingestellt als Sühne - zum Erweis der Gerechtigkeit Gottes, in: Die Kirche im Wandel der Zeit (FS J. Höffner), 1971, 71-81 (zit.: Zimmermann, Jesus Christus).

Zobel, H.J., Art. אֶרֶז, ThWAT I, 391-404.

Zohar, N., The Significance and Semantics of חטאת in the Pentateuch, JBL 107, 1988, 609-618.

Register

26,26	256A	11,20	202	15,2-4	213
26,61	210. 212.	11,20-21	202A	15,29	*210f.* 217.
	225A	11,22-23	202A		221A. 222.
27,40	210. 211	11,25	102A		225A
27,48	278	11,27-33	204	15,29b	212
27,53	244A	11,28	202	15,33ff	202
27,63	226	12,1-12	203	15,36	278
		12,9	203A	15,37-39	248A
		12,10	212A. 278	15,38	203. 223A
Mk		12,12	202A. 203A	15,38f	247A
1,4	102A	12,12.13	202		
1,10	267	12,17	202A. 203A		
1,11	247A	13	218. 220	*Lk*	
1,22a	204	13,1	197	1,59	160
2,5ff	102A	13,1f	203. 209A.	2,13ff	267
2,27	94		218. 219.	2,30	151A
3,6	202A. 213		222A	3,6	151A
3,28f	16A. 104. 108.	13,1a	219A	4,16	160
	110f	13,1b-2	219A	7,47ff	102A
3,29	102A	13,1-4	219A	9,11	116
4,12	16A. 104. 108.	13,2	214A. 216A.	10,12	116
	110		217. *218ff.*	10,14	116
6,2	160A		221A. *222f.*	10,18	243
6,2b	204		226A. 228	11,42	98
7,14ff	209	13,2c	219A. 221	12,8	160
7,15	209A	13,3-4*	218	12,9	226A
8,31	202A. 226	13,5-31*	218	16,16	168A
9,4	267	13,19fin	218	18,8	160
9,19	116	13,26	267	18,9-14	199A
9,31	226	13,29fin	218	18,13	150A
10,32-34	202	13,33.37	218	19,44	222A
10,33f	202A	14,1	202. 213	19,44b	219A
10,34	226	14,1f	202A	19,45f	205A
10,45	38. 183A.	14,10	202	21,25f	107A
	194ff. 200A.	14,22	256A	21,28	176. 177
	202. 230A.	14,22-25	197	22,19	256A
	233. 261	14,25	200A	22,20	161
10,45b	196A	14,48	206	22,27	195A
11	209	14,55	202. 213	23,36	278
11,1	202	14,55ff	*212f*	24,24	168A
11,11	202	14,57	214	24,27.44	169A
11,12ff	203A	14,57ff	215		
11,12-14	202A	14,57-59	216A		
11,15	202. 207A	14,58	197. 203.	*Joh*	
11,15f	209A		*210ff. 213ff.*	1,1	264
11,15ff	218		216A. 217A.	1,1ff	96A
11,15-16.			218. *219ff.*	1,3	97A
(18a.28-33)	*206*		222-226. 276	1,14	*264.* 265A.
11,15-17	197. 204	14,58a	214. 223A		267
11,15.18	231	14,58b	214	1,14b	264
11,15-19	202A	14,59	212. 217A	1,17	*265.* 267
11,17	204A. 205.	14,60-65	216A	1,18	267A
	207. 224A.	14,61f	215	1,29	155. 263. 265.
	229A	14,62	267		266A
11,18	202. 203. 204	15,1	213	1,29.36	*265.* 270. 271

Dittenberger		Kos		P. Hib	
OGIS		Nr. 81	27	1,96,8	104
444,16	98A	Nr. 347	27		
669,50	98A. 99			P. Oxy	
		P. Fay		V, 840	202A
Syll.[3]		Nr. 337	28. 151A	1068,14f	113
708,15	158A			1068,15	134A
742,33.39	99			1985,11	26. 30

Sachregister (Auswahl)

A. Deutsch

Abendmahlstradition 159. 196. 200. 229. 249ff.
Allerheiligstes 5. 46. 48. 54. 60. 85. 154. 238ff. 241A. 242. 244. 253.
Antijudaismus 203A. 279.
Areopagrede 105ff. 112.
Asaselbock/-ritus s. Sühne - Asaselbock
Ausrottungsformel 80.
Beschwichtigung Gottes s. Sühne - Beschwichtigung Gottes
Blut s. Sühne - Blut/-ritus
Bundeslade 22. 26f. 72f. 78f. 150-157. 238A. 267A. 274.
Buße 71A. 83. 84A. 118A. 149.
Eschatologisches Maß 101A. 133.
Existenzstellvertretung s. Sühne - Stellvertretung
Festkalender im AT 48. 63. 65-69. 74.
Formeltradition im NT 3. 15. 18f. 198f. 229-232.
Gerechtigkeit Gottes 11. 13f. 19f. 95A. 97A. 168ff. 184ff. 198f.
Gesetz 11f. 109. 168f. 171f. 190ff. 234. 252. 259A.
Gesetz und Propheten 168f.
Glaubensgerechtigkeit 11ff. 14. 169. 187. 190.
Hellenisten 8. 195. 197ff. 215. 229. 232ff.
Himmlisches Heiligtum 235-248. 253f. 256ff. 271ff.
Israel (atl. Bundesvolk) 14. 252ff. 258A.
Juden - Heiden 172f. 189f.
Kreuz 241A. 264. 278.
Kultkritik 42f. 76ff. 155. 164ff. 205ff. 211A. 222. 232ff. 245.
Lamm 155. 265f. 270. 271ff. 276.
Langmut Gottes (vgl. ἀνοχή, μακροθυμία) 112-149.
Loskaufmotiv 177ff.
Noahtypologie 71A. 106f. 116A. 146A. 149A. 166. 244A.
Passatypologie 64. 147A. 200A. 266. 270.
Passionsgeschichte 212ff. 216.
Prozeß Jesu 212ff. 216f.
Qumran
- Festkalender 75ff.
- Kultkritik 76f. 164f. 231A.
- Sühne 76ff.
Rechtfertigungslehre 1. 8. 174f. 185.
Römerbrief 10-14. 153A. 189.
Sühne
- Altarweihe 47. 50. 53. 55. 57. 59-65. 66. 68f. 82.
- Asaselbock/-ritus 46ff. 52f. 56ff. 85f. 87f. 102A. 114f. 154. 244A. 277f. 282.
- Asche der Roten Kuh 58f.
- Beschwichtigung Gottes 24. 26f. 36f. 39f. 48.
- Blut/-ritus 41. 45-70. 72f. 85-90. 91. 92f. 160. 198. 239ff. 257f.
- Handaufstemmung 46. 50A. 51ff. 56. 59A. 81. 87ff.
- Heiligtumsweihe/-sühne 46-65. 68ff. 81f. 89. 159-162. 238ff. 257ff.
- Jom Kippur 6f. 8. 45ff. 71ff. 87ff. 189f. 235ff. 276ff.
- kultische Sühne 45ff. 231ff.
- Personsühne 46-65. 68ff. 81. 89. 187f.
- Schuldopfer (אשם) 81A. 196A. 244A.

B. Griechisch